「情報セキュリティ白書2024」の刊行にあたって

　「情報セキュリティ白書」は、2008年以来、サイバーセキュリティ分野における、政策や脅威の動向、インシデントや被害の実態等をまとめ、皆様のセキュリティ対策の推進、学習・研鑽等にお役立ていただくという趣旨で発刊し、産業界、学界、一般の方に広く愛読されてきました。

　昨今のサイバー空間の動向を振り返ってみると、新型コロナウイルスのパンデミックは収束し、経済・社会活動の回復とともに、働き方改革、デジタル化が大きく進展し、更には生成AIの登場により変革の兆しが見えます。他方、2022年2月に始まったロシア・ウクライナ戦争の長期化等、現下の厳しい国際情勢下において、重要インフラの機能停止、国民の情報や知的財産の窃取、民主プロセスへの干渉等のサイバー攻撃が顕在化し、サイバー空間が、地政学的緊張を反映した国家間の争いの場の一部ともなってきています。今後AIの悪用によるサイバー攻撃の激化や高度化も懸念されるところです。

　国内では、ランサムウェア被害が引き続き多数発生しています。2023年6月の社会保険労務士向けクラウドサービスが被害を受けた事案や、同年7月の港湾コンテナターミナル内のシステム停止をもたらした事案等が発生しました。また、国民情報や知的財産の窃取を目的としたサイバー攻撃も顕在化し、とりわけ、ネットワーク境界の脆弱性を突いた攻撃が多数発生する等、攻撃に一層の巧妙化・高度化が見られます。今後、人手不足解消のための自動化等、デジタルライフラインにおけるAIやIoTシステムの社会実装が進み、サイバーリスクが、更に増大していくことが予想されます。このようなリスクに対処していくためには、サイバー空間を巡る、変容するリスクを国際的、経済的、地政学的側面から把握・分析し、リスクへの予見性を高めていくこと、そして、サプライチェーンやサイバーやフィジカルが融合した環境を前提として、システムの設計段階から脆弱性を取り除いていく、セキュア・バイ・デザインのアプローチが重要になっています。

　各国においては、こうしたサイバー空間を巡る状況変化を踏まえ、セキュリティ対策の見直しが進められています。国内では2023年7月に政府機関等のサイバーセキュリティ対策のための統一基準群が全面改定、米国でも2024年2月にサイバーセキュリティフレームワーク(CSF)が10年ぶりに大きく改訂され、欧州では2024年の期限に向けて各国がNIS指令及びEUサイバーレジリエンス法案の実装に取り組んでいます。また、AIに関する制度化、ガイドライン等の整備、法制化も進んでいます。2023年12月にはG7において広島AIプロセス包括的政策枠組みが示されました。我が国でも、AIの安全性に対する国際的な関心の高まりを踏まえ、AIの安全性の評価手法の検討等を行う機関として、2024年2月、IPAにAIセーフティ・インスティテュートを設置しました。

　本白書は、2023年に生じた事柄を中心に、サイバー空間における脅威や技術の動向、それに対応する内外の政策的対応等について、包括的に記載をしています。本白書が多くの方々に利用され、サイバーセキュリティに関わる最新状況の把握と、それに伴う脅威やリスクに対する備えを実践するための一助となることを祈念します。

2024年7月

独立行政法人情報処理推進機構(IPA)

理事長　齊藤裕

目次

コラム

情報セキュリティ白書

序章
2023年度の情報セキュリティの概況

2023 年度は、国内では新型コロナウイルス感染症の5類移行により、停滞していた社会活動や経済活動に活気が戻ってきた。一方で、コロナ禍を一つの契機として業務のデジタル化が進み、事業の IT 依存度やシステム・サービス障害による影響が大きくなった。

企業・組織等が受けたサイバー攻撃の件数や被害金額は世界的に増加している。特に、国家の関与が疑われるネットワーク貫通型の攻撃は巧妙かつ執拗で、長期かつ広範囲に及ぶこともあるため深刻な被害を与えている。例えば、「Volt Typhoon」と呼ばれる組織による攻撃は 2021 年ごろから継続し、2023 年 5 月、2024 年 2 月には複数の国家のセキュリティ関係機関が連名で注意喚起を行っている。また、利用者が多いシステム・サービスの脆弱性への攻撃も続いている。企業向けファイル転送ソフトウェア MOVEit Transfer の脆弱性を狙った攻撃では、2024 年 3 月の時点で、全世界の 2,768 組織が被害を受けたという。激化するランサムウェア攻撃に対しては、国際協力により摘発や攻撃用ネットワークの破壊も行われている。2024 年 2 月のランサムウェア攻撃グループ「LockBit」の摘発では、約 10 ヵ国の捜査当局が連携した。

2023 年は、生成 AI の利用が急速に進み、悪用や誤用による脅威やリスクが注目され始めた。具体的には選挙等の政治的な宣伝戦、ロシア・ウクライナ戦争やイスラエル・ハマスの武力衝突等において生成 AI による偽・誤情報が拡散しているとの報道が続いた。国内でも偽・誤情報の生成・拡散の事例が確認されている。生成 AI は真実でないコンテンツを簡単に生成できるため、偽・誤情報の拡散に注意することが大切である。

国内では、2023 年 6 月に社会保険労務士向けクラウドサービスの事業者がランサムウェア攻撃を受け、約 1 ヵ月サービスが停止し、約 3,400 ユーザーの大半に影響が出た。2023 年 7 月には、「LockBit」のランサムウェア攻撃により名古屋港のコンテナターミナル内のシステムが 2 日半停止し、コンテナの搬出・搬入作業に大きな影響があった。サイバー攻撃によるシステムやサービスの停止により、物流のような社会インフラにも影響が出ること

が再認識された。一方で、国内の個人情報漏えい、紛失事故の発生件数、流出した個人情報数は増加傾向にあり、過去最多となった。2023 年は内部不正による大量の情報漏えいも報告され、大手通信事業者のグループ企業の内部不正では、2 社で合わせて 1,500 万件を超える顧客情報漏えいが報告された。内部不正は組織の社会的信用を損なう恐れがあり、経営課題として対策に取り組む必要がある。

国外のセキュリティ政策としては、2024 年 2 月、米国 NIST がサイバーセキュリティフレームワーク（CSF）2.0 版を公開した。10 年ぶりとなる大きな改訂で、重要インフラにとどまらないすべての組織におけるサイバーセキュリティ対策の枠組みを示すものとして注目されている。また、2023 年 12 月に米国は「SBOM 管理のための推奨事項」を公表した。政府調達において取引先への SBOM 整備の義務化が進められている。欧州では、重要インフラに関し「NIS 指令」及び「EU サイバーレジリエンス法案」の実装を中心に取り組んでいる。EU 加盟国は 2024 年 10 月までに、自国の規定を NIS2 指令に準拠させるよう求められており、準備が進められている。

国内のセキュリティ政策としては「サイバーセキュリティ 2023」に基づき、対策の強化を進めている。2023 年 7 月には政府機関等のサイバーセキュリティ対策のベースラインとなる統一基準群の全面的な改定がされた。また、同時に「重要インフラのサイバーセキュリティに係る安全基準等策定指針」、更に 2024 年 3 月には「重要インフラのサイバーセキュリティに係る行動計画」の改定版を公表し、重要インフラのサイバーセキュリティ確保に向けた取り組みを示した。

2023 年度は AI の利用拡大に伴い、AI の安全性に関する政策面の取り組みも各国で進んだ。米国、英国、日本等において、AI の安全性に取り組む AI セーフティ・インスティテュートが各々設置される等、各国で短期間に法制化やガイドラインの整備、体制強化が進んでいる。日本は、2023 年 5 月に開催された G7 広島サミットにおいて「広島 AI プロセス」を発表し、AI の安全な利用に関する国際ルール作りに貢献している。

2023年度の情報セキュリティの概況

	◎ 主な情報セキュリティインシデント・事件	🛡 主な情報セキュリティ政策・イベント
2023年 4月	● Wi-Fiルーターで任意のコード実行を可能とする脆弱性が公開され、Miraiの亜種による悪用も観測(3.5.1)	
5月	● 自動車メーカー子会社のデータがクラウド環境の設定ミスにより公開されていたことを公表(3.6.2) ● 国家の支援が疑われる攻撃者グループによるゼロデイ脆弱性を悪用した攻撃の観測を発表(1.2.2)	🛡 G7広島サミットで官民が連携したサイバー攻撃対策を推進(2.1.1、2.2.1) 🛡 CISAを含む各国の政府機関「Volt Typhoon」に関する合同のサイバーセキュリティ勧告を発表(2.2.2)
6月	● 社会保険労務士向けクラウドサービスがランサムウェアによる不正アクセスを受けサービス停止(1.2.1) ● ファイル転送ソフトウェアに対するゼロデイ攻撃により情報漏えいやランサムウェア被害が発生(1.2.5)	🛡 「不正競争防止法等の一部を改正する法律」成立。ビッグデータ等を念頭にした限定提供データと、営業秘密の一体的な情報管理が可能に(2.1.3)
7月	● 名古屋港のコンテナターミナルで利用しているシステムがランサムウェア攻撃を受けて停止(1.2.1) ● 顧客情報約596万件の不正持ち出しを大手通信会社が公表(1.2.8) ● 国家が支援する攻撃者グループによる、ネットワーク貫通型攻撃による不正アクセスを公表(1.2.2)	🛡 NISC「サイバーセキュリティ2023」、「政府機関等のサイバーセキュリティ対策のための統一基準群」改定版、「重要インフラのサイバーセキュリティに係る安全基準等策定指針」改定版公開(2.1.1)
8月	● 福島第一原発処理水放出に関する偽・誤情報拡散(4.1.3)	🛡 総務省「ICTサイバーセキュリティ総合対策2023」公表(2.1.4) 🛡 EU「デジタルサービス法(Digital Services Act)」発効(2.2.3)
9月	● 米国フロリダ州の市が、建設業者を装ったビジネスメール詐欺に遭い約120万ドルを送金(1.2.3)	🛡 警察庁、NISC、米国諸機関は中国を背景とする攻撃グループ「BlackTech」に関する注意喚起を発出(1.2.2、2.1.5)
10月	● 元派遣社員による顧客情報約928万件の不正持ち出しを大手通信会社グループ企業が公表(1.2.8) ● イスラエル・ハマス間の武力衝突勃発、フェイク画像拡散(2.2.1、4.1.3)	🛡 経済産業省、IPA「インド太平洋地域向け日米EU産業制御システムサイバーセキュリティウィーク」開催(2.2.1) 🛡 米国、AIに関する大統領令14110発布(2.2.2)
11月	● 生成AIを使用した岸田首相の偽動画拡散(3.1.2)	🛡 英国「AI安全性サミット(AI Safety Summit)」開催(2.2.1)
12月	● 総合IT企業、約94万件の個人情報を含むファイルが閲覧可能な状態にあったと公表(1.2.8、3.6.2) ● 国際刑事警察機構、2023年7月から12月にかけて34ヵ国が参加した国際的な取り締まりを主導(1.2.3)	🛡 「広島AIプロセス包括的政策枠組み」G7首脳承認(2.2.1) 🛡 EUサイバーレジリエンス法承認(2.2.3) 🛡 米国「SBOM管理のための推奨事項」公表(2.2.2)
2024年 1月	● 能登半島地震が発生、SNSで偽・誤情報拡散(3.1.2、4.1.3) ● 台湾総統選挙に関連する偽・誤情報拡散(2.2.2、4.1.3) ● 米国大統領選挙の予備選において、Biden大統領のディープフェイク音声拡散(4.1.3)	🛡 デジタル庁「政府情報システムにおけるセキュリティ・バイ・デザインガイドライン」改訂(2.1.2)
2月	● 約10ヵ国の捜査当局、LockBitテイクダウンを実施(2.1.5、2.2.3)	🛡 AISI Japan設立(4.1.4)。USAISI設立(2.2.2) 🛡 「Volt Typhoon」に関する再度の合同のサイバーセキュリティ勧告を発表(2.2.2) 🛡 NIST「サイバーセキュリティフレームワーク(CSF)2.0版」公開(2.2.2)
3月		🛡 NISC「重要インフラのサイバーセキュリティに係る行動計画」改定(2.1.1) 🛡 IoT製品のセキュリティラベリング最終取りまとめ公表(2.1.3、3.2.1、3.5.5) 🛡 欧州議会「AI法」承認(2.2.3)

※ 2023年度の主な情報セキュリティインシデント・事件、及び主な情報セキュリティ政策・イベントを示している。ランサムウェア被害、標的型攻撃、ビジネスメール詐欺、DDoS攻撃、Web改ざん、フィッシング等の攻撃や被害は通年で発生している。表中の数字は本白書中に掲載している項目番号である。特に注目されたもののみを挙げた。他のインシデントや手口と対策、及び政策・イベント等については本文を参照していただきたい。

第1章
情報セキュリティインシデント・脆弱性の現状と対策

2023年は、重要インフラを狙った攻撃や、ランサムウェアによる港湾施設やクラウドサービスへの被害が発生、ディープフェイクを用いたビジネスメール詐欺が出現したほか、フィッシングによる不正送金の被害額が過去最悪を記録した。情報漏えいでは、クラウドの設定不備等により、大規模なインシデントが複数発生した。本章では、国内外で発生した主なインシデントの概要、手口、対策、脆弱性の動向等について解説する。

1.1 2023年度に観測されたインシデント状況

本節では2023年度に観測された世界と日本における情報セキュリティインシデントの発生状況について概説する。

1.1.1 世界における情報セキュリティインシデント状況

本項では、多年度にわたって継続的に関連事象の情報を収集・観測している報告書等を主に参照し、世界における情報セキュリティインシデントの発生状況を概説する。

(1)国家の関与が疑われるサイバー攻撃の常態化

米国CSIS(Center for Strategic and International Studies)は防衛、安全保障、国際戦略等を専門とする非営利の政策研究機関である。CSISは、2006年以降に発生した、政府機関や国防・ハイテク関連企業を狙ったサイバー攻撃や、多額の被害をもたらした重大インシデントの一覧[1]を公開している。この一覧には毎年100件程度の世界的に注目された事例が含まれ、その中には特定の国家の支援や関与が疑われるものが多い。ロシア・ウクライナ戦争に関連すると見られる事例以外にも、中国、北朝鮮、イラン、インド、パキスタン、ベトナム等の名前が攻撃関与国として取り上げられており、国家を背後とするサイバー攻撃は今や全世界で常態化していると言える。

国家の関与が疑われる具体例の一つは、2023年7月11日に公表された、Microsoft Corporation（以下、Microsoft社）の電子メールクラウドサービスに対する攻撃である[2]。この攻撃にはアクセス元の検証に用いられる署名用秘密鍵が悪用されていたこと、及びクラウドサー

ビス側の署名検証処理に欠落があったことが早期に特定されていた[3]。後日、厳重に隔離された環境でのみ扱われる署名用秘密鍵が流出した原因についても調査結果が公表された。調査結果によると、隔離環境内で発生したシステムクラッシュの解析情報が、管理水準のより低い検証部門へと引き渡され、そこが攻撃を受け流出の起点となったことが判明したという[4]。また、この攻撃により、同クラウドメールサービスを利用していた米国政府高官のメールアカウントが不正アクセスされた[5]。技術水準の高さ、攻撃の行われた時間帯、目標等に鑑み、中国を拠点とする、国家の関与が疑われるグループによる攻撃であるとMicrosoft社では推定している。

中国による関与が疑われる重大なサイバー攻撃例としては、「Volt Typhoon」と呼ばれる集団による攻撃も引き続き警戒対象となっている[6]。この攻撃は2021年頃から継続しており、SOHO(Small Office Home Office)向けのインターネットアクセス環境に多く見られる脆弱性を用い、米国の重要インフラ関連の情報システムに侵入することが判明している[7]。2023年の1月末には、裁判所の許可を得て、この攻撃でマルウェアに感染した数百台のSOHO機器からなる攻撃用ネットワークを米国連邦捜査局(FBI：Federal Bureau of Investigation)が破壊した。本件に関する連邦議会・行政府委員会への報告の場において、FBIのChristopher Asher Wray長官は中国を名指ししている[8]。しかしながらFBIによるこの作戦だけでは事態が収束せず、中国の活発な動きが続いていることを指摘しつつ各所への注意を喚起するアドバイザリーが、米国、英国、カナダ、オーストラリア、ニュージーランドのセキュリティ関係機関の連名で2023年5月24日と2024年2月7日に公開されている[9]（「2.2.2

（2）（c）（ウ）Volt Typhoon に関するサイバーセキュリティ勧告」参照）。

Microsoft 社が実施した調査[10] では、国家の関与が疑われる攻撃が広がっていることを、ロシア、イラン、中国、北朝鮮の動向を例示しながら指摘している。同調査の示唆の中で特に注目されるのは、この種の攻撃でいわゆる偽情報等を用いて他国の世論に影響を及ぼす工作を伴う傾向が強まっていることである。過去 1 年から 2 年で劇的な発達を見せている AI（Artificial Intelligence：人工知能）が既にこの種の攻撃に使用されているとの分析は、英国サイバーセキュリティセンター（NCSC：National Cyber Security Centre)による、当面のサイバーセキュリティ情勢に対する AI の影響の分析結果[11] とも整合している。

公知されない数多くの隠れた事例があることも考慮すれば、国家の関与が疑われるサイバー攻撃の常態化と、AI を含む新たな技術によるその高度化という傾向は、今後も継続するものと推察される（標的型攻撃の事例については「1.2.2（2）標的型攻撃の事例」参照）。

(2) 米国のサイバー犯罪の推移

FBI のインターネット犯罪苦情センター（IC3：Internet Crime Complaint Center）が公開している「Internet Crime Report 2023[12]」によると、IC3 に届け出されたサイバー犯罪の被害額は増加が続いている（図 1-1-1）。

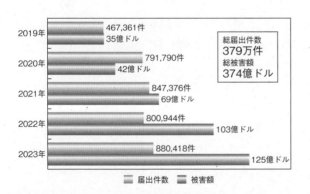

■図 1-1-1　サイバー犯罪の届出件数と被害額の推移（2019～2023 年）
（出典）IC3「Internet Crime Report 2023」を基に IPA が編集

届出件数が 2020 年以降横ばいの推移を見せる一方で、2023 年の被害額は 125 億ドルに達した。このうち、約 29 億 4,700 万ドル分がビジネスメール詐欺（BEC：Business Email Compromise）となっている（ビジネスメール詐欺の被害総額の推移については「1.2.3（1）ビジネスメール詐欺の被害状況」参照）。

(3) フィッシングの状況

Anti-Phishing Working Group, Inc.（APWG）によると、2023 年に報告されたフィッシングメールに基づき特定された固有のフィッシングサイトの総数は約 499 万件であり、過去最大だった 2022 年の約 474 万件を上回った（図 1-1-2）。

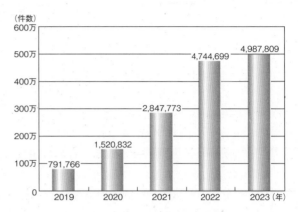

■図 1-1-2　世界で報告されたフィッシングサイト件数（2019～2023 年）
（出典）APWG「PHISHING ACTIVITY TRENDS REPORTS[13]」を基に IPA が作成

2021 年から 2022 年にかけて見られた 66.6% もの大幅増加に比べ、勢いが鈍化した理由の一つは、フィッシングサイトのドメイン取得に多用されていた Freenom という無料ドメイン取得サービスが新規受付を停止したことにあるという[14]。同サービスは Meta Platforms, Inc. から商標侵害で提訴され、2023 年 1 月にドメイン登録の新規受付を停止し、同年 2 月には事業撤退を表明した。これと同期してフィッシングサイト数も 2023 年中盤にかけて激減した。しかし、2023 年の後半には 2022 年以前と同様のフィッシングサイト数の増加傾向が確認されており、状況は改善していない[15]。

フィッシングサイトによる偽装の対象となった業種の構成の変化を四半期ごとに見ていくと、第 4 四半期に「ソーシャルメディア」の割合が倍増し、全体の 4 割以上を占めるようになった（図 1-1-3）。

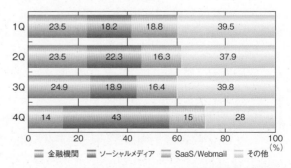

■図 1-1-3　業種別・四半期ごとのフィッシングサイト構成比（2023 年）
（出典）APWG「PHISHING ACTIVITY TRENDS REPORTS」を基に IPA が作成

第1章　情報セキュリティインシデント・脆弱性の現状と対策

APWG の報告書では、SMS や電話等の音声案内を使ったフィッシングも増大しているとして、注意を喚起している[15]。

（4）ランサムウェアの状況

IC3 の「Internet Crime Report 2023」によれば、ランサムウェアの被害件数は対 2022 年比で 18% 増、被害額は 74% 増となった。被害件数よりも被害額の伸びの方が大きいことから分かるように、1 件あたりの被害額は 46% 増大しており、1 件あたりの被害の影響が大きくなっていることが読み取れる。また、図 1-1-4 に示すとおり、被害を受けた上位 5 業種に目を向けると、人命や経済に大きな影響を与える業種が並んでおり、これらの分野における警戒を高める必要があると言える。なお、この上位 5 業種の順位は 2022 年と同じである[16]。

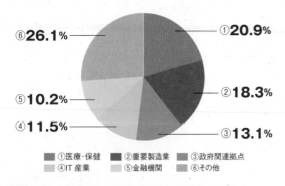

⑥26.1%　①20.9%
⑤10.2%
④11.5%
③13.1%
②18.3%

■①医療・保健　■②重要製造業　■③政府関連拠点
④IT 産業　⑤金融機関　⑥その他

■図 1-1-4　ランサムウェア被害の業種別構成比（2023 年）
（出典）IC3「Internet Crime Report 2023」を基に IPA が作成

近年のランサムウェア被害は外部からネットワークに侵入した攻撃者によって引き起こされる。日本アイ・ビー・エム株式会社（以下、IBM 社）の「X-Force 脅威インテリジェンス・インデックス 2024[17]」によれば、2023 年における侵入の開始段階の初期アクセス経路の割合は、「有効なアカウント」「フィッシング」「一般公開アプリケーションのエクスプロイト（脆弱性を狙った攻撃）」がそれぞれ約 30% と横並びであり、この三つで 89% を占めた（図 1-1-5）。

ランサムウェア攻撃を成立させるためには、ランサムウェアであるウイルス[18]を被害対象組織内のコンピューターに感染させる必要があり、前述の三つの初期アクセス経路はいずれもその手段になり得る。また、同調査の分析によれば、ネットワークに侵入した攻撃者のうちの 43% がウイルスのインストールを試み、その半分近い 20% がランサムウェアのインストールであるという。特によく観測されたランサムウェア攻撃は、BlackCat、Clop（Cl0p とも表記される）、LockBit、Black Basta、Royal によるも

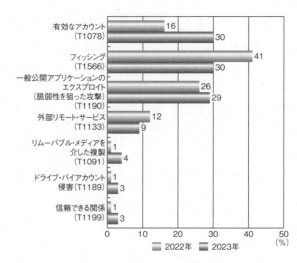

有効なアカウント（T1078）　16 / 30
フィッシング（T1566）　41 / 30
一般公開アプリケーションのエクスプロイト（脆弱性を狙った攻撃）（T1190）　26 / 29
外部リモート・サービス（T1133）　12 / 9
リムーバブル・メディアを介した複製（T1091）　1 / 4
ドライブ・バイアカウント侵害（T1189）　1 / 3
信頼できる関係（T1199）　1 / 3

0　10　20　30　40　50（%）
■ 2022 年　■ 2023 年

■図 1-1-5　上位の初期アクセス経路（2022 年と 2023 年の比較）
（出典）IBM 社「X-Force 脅威インテリジェンス・インデックス 2024」を基に IPA が編集

のであったという。

2023 年度中の事例では、Clop を用いた犯行が特に目立った。とりわけ、企業向けファイル転送ソフトウェアである MOVEit Transfer を対象に 2023 年 5 月ごろから広がった攻撃の被害が大きく、2024 年 3 月 19 日時点で、全世界で 2,768 組織が被害を受けたとの調査結果[19]が示されている（「1.2.5（3）（a）MOVEit Transfer の脆弱性を狙った攻撃事例」参照）。Fortra, LLC のGoAnywhere MFT という別のファイル転送ソフトウェアを対象にした 2023 年 1 月の攻撃でも Clop が用いられ、やはり 100 以上の組織で被害が発生している。Clop を用いた攻撃が始まったのは少なくとも 2019 年にさかのぼると見られる[19]。米国サイバーセキュリティ・インフラストラクチャセキュリティ庁（CISA：Cybersecurity and Infrastructure Security Agency）では、背後にいる攻撃グループが、米国を拠点とする 3,000 以上の組織に加え、全世界で 8,000 組織に被害を与えたと推定している[20]。

2023 年 2 月に発生した、VMware, Inc. の製品 ESXi を対象としたランサムウェア攻撃も多大な被害をもたらした。この攻撃で用いられたランサムウェアは「ESXiArgs」と呼ばれ、全世界で 3,800 台以上のサーバーが被害を受けたと見られる[21]。ESXiArgs が悪用する脆弱性は、2023 年 2 月時点で最新版の ESXi にはなく、旧版だけに含まれる。そのため、ESXi の更新等の対策が VMware, Inc. から攻撃発生直後に示されている。しかし、ESXi を対象にした攻撃は 2023 年 5 月時点でもむしろ悪化傾向にあるとして、サイバーセキュリティの専門企業によって注意喚起がなされた[22]。

近年のランサムウェア攻撃では、不特定多数の対象に攻撃を仕掛けるのではなく、事前に偵察等を行った対象のネットワークに侵入して着実に被害をもたらす傾向があるとされ[23]、犯罪として悪質度や影響度が増していると言える。また、必ずしもデータの暗号化を行わずに窃取し、公開されたくなければ身代金を払うようにと脅迫する「ノーウェアランサム」という攻撃形態も現れ[24]、手口も多様化している。その一方で、世界的に大きな被害をもたらしているランサムウェア攻撃グループ「LockBit」が、日本の警察庁を含む全世界10ヵ国の捜査当局の連携により2024年2月に摘発された[25]。LockBitによる被害は数十億ドルにも上る可能性があるという[26]（ランサムウェア攻撃については「1.2.1 ランサムウェア攻撃」参照）。

(5) 情報漏えいインシデントの状況

IBM社の「データ侵害のコストに関する調査 2023年[27]」によれば、データ侵害を受けた組織において被害者への対応や機会損失等により生じる平均総コストは図1-1-6のとおり増加の一途をたどっている。

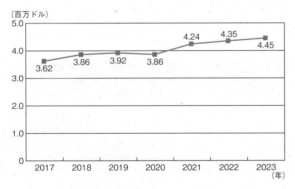

（百万ドル）

■図1-1-6　データ侵害の平均総コスト（2017～2023年）
（出典）IBM社「データ侵害のコストに関する調査 2023年」を基にIPAが編集

漏えいしたデータ1件あたりのコストも図1-1-7のとおりに増加し続けている。

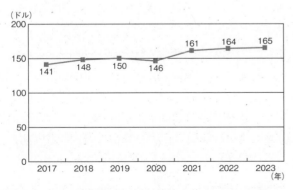

（ドル）

■図1-1-7　データ侵害のレコード1件あたりのコスト（2017～2023年）
（出典）IBM社「データ侵害のコストに関する調査 2023年」を基にIPAが編集

以下では、規模が大きな漏えい事例二つと、ランサムウェア攻撃との関連が懸念される事例一つを示す。

- 2024年3月、米国通信キャリア大手のAT&T Inc. は同社の顧客・元顧客の情報の漏えいを確認したと発表した[28]。漏えいデータはダークウェブ上で販売されており、同社によれば2019年以前に取得したものと見られるという。漏えいデータには氏名・電話番号等に加え、社会保障番号やアカウントのパスコードが含まれ、現在の顧客約760万人と元顧客約6,540万人が影響を受けることとなった。特に、現顧客760万人に対してはパスコードの強制リセットを実施した[29]。同社のシステムに対する不正アクセスは発表時点で確認されておらず、引き続き調査中である。他方、漏えいしたパスコードに施されていた暗号化が不十分との指摘[30]もあり、個々の顧客に対する派生的な被害が今後広がる恐れがある。

- 2023年8月8日、英国の選挙委員会は同委員会の情報システムに対するサイバー攻撃によって、選挙人名簿に含まれる個人情報が漏えいした可能性があると発表した[31]。当該情報は住所・氏名等であって投票内容は含まれず、対象となった個人に大きな影響を与えるものではないとされる。技術的にはファイル共有サーバーやメールサーバーを狙った高度な攻撃であり、2022年10月ごろに発覚するまで1年以上にわたって続き、4,000万人分以上の情報が漏えいした恐れがあるとされた[32]。2024年3月には、英国政府が本件の背後に中国政府の関与があると名指しした上で、他のサイバー攻撃事案も背景としつつ、関連企業と容疑者らに対する制裁を課した[33]。この動きは米国・英国の共同の取り組みとなっており、関連する制裁が米国においても同時に発表されている[34]。

- 2023年9月11日、米国MGM Resorts International（以下、MGM Resorts社）がランサムウェア攻撃を受けたことが報道された[35]。同社はアイデンティティプロバイダーサービスを提供する米国Okta Inc.（以下、Okta社）の顧客であり、MGM Resorts社への攻撃に際してはソーシャルエンジニアリングを用いてOkta社のサービスの多要素認証を無効化する手法[36]が用いられたと見られている。この攻撃ではVMware, Inc.のESXiの脆弱性も突かれており、複数の脆弱性と攻撃手法が融合した複合的な攻撃が展開されたと言える。なお、9月28日にはOkta社のカスタマーサポートシステムもサイバー攻撃を受け、同社の顧客の氏名とメールアドレスが漏えいした[37]。Okta社か

第1章 情報セキュリティインシデント・脆弱性の現状と対策

ら漏えいした情報はソーシャルエンジニアリングの材料として活用でき、MGM Resorts 社の類例となる攻撃の発生が懸念される。

AT&T Inc. 及び Okta 社の事例は、セキュリティの基盤となる事業者が標的になっている実例としても示唆的である。情報漏えいによる直接的被害だけでなく、漏えいした情報を用いた攻撃の可能性があり、MGM Resorts 社への攻撃は、これが現実のものであることを示している。

1.1.2 国内における情報セキュリティインシデント状況

国内における情報セキュリティインシデントの発生状況について、主に以下の資料を参照して概説する。

- フィッシング対策協議会：「月次報告書[38]」
- 警察庁：「令和5年におけるサイバー空間をめぐる脅威の情勢等について[24]」「令和4年におけるサイバー空間をめぐる脅威の情勢等について[39]」「令和3年におけるサイバー空間をめぐる脅威の情勢等について[40-1]」（以下、2021〜2023年の警察庁資料）
- 一般社団法人 JPCERT コーディネーションセンター（JPCERT/CC：Japan Computer Emergency Response Team Coordination Center）：「JPCERT/CC インシデント報告対応レポート 2024年1月1日〜2024年3月31日[40-2]」

（1）フィッシングによる被害

フィッシング対策協議会への2023年度のフィッシング報告件数は126万513件で、2022年度（96万1,595件）から31.1%増となり、報告件数としては初めて100万件を超える結果となった（図1-1-8）。

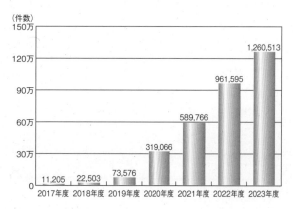

（件数）

■図 1-1-8　年度別フィッシング報告件数（2017〜2023年度）
（出典）フィッシング対策協議会「月次報告書」（2017年4月〜2024年3月）を基に IPA が作成

重複を除いて集計したフィッシングサイトの URL 件数では、2022年度まで増加傾向だったものの、2023年度は24万9,615件と減少に転じた（図1-1-9）。

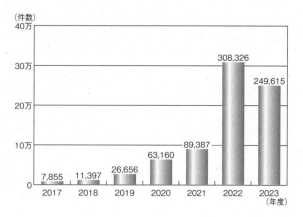

（件数）

■図 1-1-9　年度別フィッシングサイトの URL 件数（2017〜2023年度）
（出典）フィッシング対策協議会「月次報告書」（2017年4月〜2024年3月）を基に IPA が作成

フィッシングに悪用されたブランド数を表1-1-1に示す。2023年度は1,035件となり、2年連続で1,000ブランドを超える結果となった。5年前と比較すると2倍以上になっており、フィッシングにおいて多くのブランドがかたられていることがうかがえる。

	2017年度	2018年度	2019年度	2020年度	2021年度	2022年度	2023年度
ブランド数	274	423	641	704	985	1,105	1,035

■表 1-1-1　年度別悪用されたブランド数（2017〜2023年度）
（出典）フィッシング対策協議会「月次報告書」（2017年4月〜2024年3月）を基に IPA が作成

報告件数の多かったブランドを見ると、月によって全体に占める割合の順位は入れ替わるが、「Amazon」をかたるフィッシングは12ヵ月連続で上位3位以内に入っている。ほかにも多くのクレジットカードブランドが上位にランクインしている。また、1ヵ月に1,000件以上の大量の報告を受けたブランドは、2023年度は月平均約15ブランドで、いずれの月でも報告件数全体の9割を占める。

フィッシング対策協議会から、2023年10月に「URLに飾り文字などが含まれたフィッシング[40-3]」、同年11月に「URLに特殊な IP アドレス表記を用いたフィッシング[40-4]」が緊急情報として発出されている。これらの緊急情報では、フィッシングサイトの URL に飾り文字や8/10/16進数等の IP アドレス表記を用いることでフィルター回避を試みる[40-5]手口について注意喚起している。

また、スマートフォンの SMS（ショートメッセージ）から

フィッシングサイトに誘導するスミッシングの手口も報告され、2023 年 4 ～ 5 月には 4 件の緊急情報[※40-6] が発出されている（SMS を悪用した手口については「1.2.6（1）SMS を悪用した手口」参照）。

ほかにも、サイバー情報共有イニシアティブ（J-CSIP：Initiative for Cyber Security Information sharing Partnership of Japan）は、2023 年 11 月に公開した運用状況のレポート[※40-7]で、メールの受信者にフィッシングサイトの URL を変換した QR コードを読み取らせようとするフィッシング攻撃の事例を公開している。このような QR コードをフィッシングに用いる手口は「クイッシング」と呼ばれており、フィッシング報告件数の増加とともに手口の巧妙化もうかがえる。フィッシング被害に遭わないためにも、手口等の最新情報を知ることや、メール、SMS 等に記載される URL や QR コードにはより慎重になることが求められる。

（2）内部不正による被害

株式会社東京商工リサーチが 2024 年 1 月に公開した「2023 年『上場企業の個人情報漏えい・紛失事故』調査[※40-8]」の結果によると、2023 年に上場企業とその子会社から公表された個人情報の漏えい・紛失事故の件数は 175 件で、そのうち、「不正持ち出し・盗難」が原因で個人情報が漏えい・紛失した件数は 24 件であった。また、2023 年に漏えいした個人情報は 4,090 万 8,718 人分であり、前年比 690.2% と大幅に増え、最多を更新した。

同調査によると、個人情報が漏えいした可能性のある事案別の人数では、最多は、NTT グループの内部不正による持ち出し事案[※40-9] の 928 万人分であり、3 番目も株式会社 NTT ドコモの業務委託先の元派遣社員によって 596 万人分が持ち出された事案[※40-10] であった（事案の詳細については「1.2.8（4）（a）内部不正による情報漏えい事例」参照）。上位 3 件のうち 2 件が内部不正による事案であり、2 件合わせて 1,524 万人分（全体の 37.3%）の情報が漏えいした。

2024 年 2 月に IPA から公開された「情報セキュリティ 10 大脅威 2024[※40-11]」においても、組織向けの脅威として「内部不正による情報漏えい等の被害」は 3 位となり、2016 年以降 9 年連続の選出となっている。

また、内部不正には情報漏えいだけでなく、不正競争防止法違反（知的財産権審判事犯の一部）の事例も含まれる。警察庁によれば、2023 年の営業秘密侵害事犯の検挙事件数は 26 件で 2022 年の 29 件に次ぐ件数で

あり、依然として高い水準で推移している（図 1-1-10）。

組織としては、情報管理を徹底するほか、情報の取り扱いに関するポリシーの整備や秘密保持誓約書の締結、内部不正者の処分等に関する規則の整備等のガバナンスの強化、見直しに取り組む必要がある。

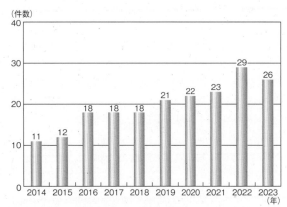

■図 1-1-10　営業秘密侵害の検挙事件数（2014～2023 年）
（出典）警察庁「令和5年における生活経済事犯の検挙状況等について[※40-12]」を基に IPA が編集

（3）ランサムウェアによる被害

2023 年に警察庁に報告された国内のランサムウェアによる被害件数は 197 件で前年比 14.3% 減となったものの、前々年比では 34.9% 増と依然として高い水準で推移している（図 1-1-11）。件数の内訳を企業（大企業・中小企業）・団体の種別で見ると、大企業については、年々被害件数が増加している。

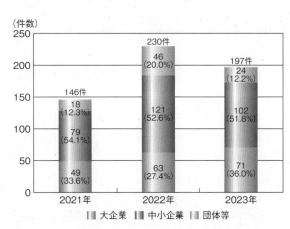

■図 1-1-11　国内のランサムウェアによる被害件数（2021～2023 年）
（出典）2021～2023 年の警察庁資料を基に IPA が作成

2023 年の被害件数を業種別で見ると、「製造業」の割合が最も大きく 34.0%（67 件）で、次いで「卸売・小売業」16.8%（33 件）、「サービス業」13.7%（27 件）と続く。それ以降は「情報通信業」「建設業」「医療・福祉」「金融業・保険業」がそれぞれ 10% 未満で続いている。「製造業」は 3 年連続で最も被害が多い結果となったが、業

種を問わず被害が発生している傾向は変わっていない。

また2023年に被害の報告があった197件のうち手口を確認できたのは175件で、そのうち、データを暗号化、窃取した上で対価を要求する「二重恐喝」が74.3%（130件）を占めた。ここ3年間では過半数以上の割合を占める手口となっている。一方、最近の手口として、197件とは別に、データの暗号化はせずに窃取したデータに対して対価を要求する「ノーウェアランサム」と呼ばれる攻撃の被害が30件確認されたという（ノーウェアランサムについては「1.2.1(1)(d)暗号化を伴わない攻撃手口」参照）。

警察庁では、ランサムウェア被害の実態を把握するために、ランサムウェアによる被害のあった企業・団体等に対して、アンケート調査を実施している。2023年のランサムウェアの感染経路としては、アンケート調査の有効回答115件のうち、「VPN機器からの侵入」が63.5%（73件）、「リモートデスクトップからの侵入」が18.3%（21件）を占めており、2022年に引き続きこれらテレワーク時に利用される機器等からの侵入が80%を超えている（図1-1-12）。

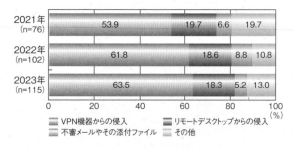

■図1-1-12　ランサムウェアの感染経路（2021～2023年）
（出典）2021～2023年の警察庁資料を基にIPAが作成

侵入経路とされる機器の「セキュリティパッチ」（修正プログラム）の適用状況では、有効回答86件のうち、最新のセキュリティパッチを適用していたのは34件（40%）と半数未満で、未適用のセキュリティパッチがあったのは52件（60%）であった。

被害に遭った企業・団体等の復旧等に要した期間・費用について3年間の推移を図1-1-13と図1-1-14に示す。

復旧に要した期間では、2022年と比較すると、2023年は復旧に「2か月以上」要した割合が10.7%から4.4%と減少し、「1週間以上～1か月未満」であった割合が25.2%から31.6%と増加しており、復旧に要する期間が短縮されている傾向が見て取れる。

調査・復旧に要した費用の割合では、2023年は「5,000万円以上」の割合が過去3年間で最も大きい。また、2023年から「1億円以上」の項目が設けられており5.9%（7件）が該当した。

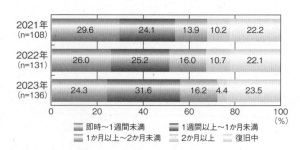

■図1-1-13　復旧に要した期間（2021～2023年）
（出典）2021～2023年の警察庁資料を基にIPAが作成

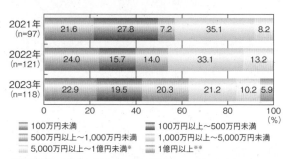

■図1-1-14　調査・復旧に要した費用（2021～2023年）
（出典）2021～2023年の警察庁資料を基にIPAが作成

被害に遭ったシステム、機器のバックアップの取得状況については有効回答140件のうち、バックアップを取得していたのは132件（94.3%）であり、2022年の83.5%から10.8ポイント増えていた。取得していなかったのは8件（5.7%）であった。また、バックアップからの復元結果については有効回答126件のうち、復元できたのは21件（16.7%）で、被害直前の水準まで復元できなかったのは105件（83.3%）となった。バックアップが復元できなかった理由としては有効回答104件のうち、「バックアップも暗号化されたため」が72件（69.2%）、「運用の不備」が16件（15.4%）となっている。

2023年に被害に遭った企業・団体等（有効回答145件）のうち、すべての業務が停止に追い込まれたのは13件（9.0%）であり、一部の業務に影響のあった126件（86.9%）と合わせると139件（95.9%）にもなる。ランサムウェアによる被害は2023年も高止まりしており、今後もランサムウェアに対する対策の強化が求められる（「1.2.1 ランサムウェア攻撃」参照）。

(4) Web サイト改ざんによる被害

2023 年 4 月 1 日から 2024 年 3 月 31 日までに JPCERT/CC に報告された Web サイト改ざん件数は 564 件で、2022 年度 (2,041 件)[※40-13] の 27.6% であり、過去 5 年間では最小となった (図 1-1-15)。

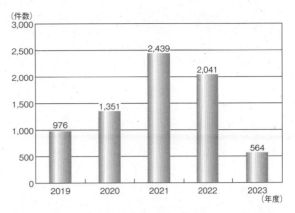

■図 1-1-15　Web サイト改ざん年度別件数推移 (2019〜2023 年度)
(出典) JPCERT/CC「インシデント報告対応レポート」(2019 年 4 月 1 日 〜 2024 年 3 月 31 日) を基に IPA が作成

☕ COLUMN

守るだけではない、被害を最小限にするためのセキュリティ対策を

　新型コロナウイルス等のウイルスの感染を防止するには、ワクチン接種や換気、マスク着用、手洗い、消毒等の感染対策がありますが、絶対に感染しないという保証はありません。感染してしまった場合は、周囲に感染させない対策をして、早く治療することが大切です。

　実は、セキュリティ対策も同じで、「守る」ことに加えて、サイバー攻撃を受けた場合に被害を拡大させず、いかに早く復旧するかについて計画と準備をしておくことが大切です。では、どのように守り、復旧の計画と準備をしていくべきでしょうか。米国では、業種や企業規模等に依存しないサイバーセキュリティ対策のフレームワークとして「Cyber Security Framework (CSF)[i]」が定められており、その Version 2.0 が 2024 年 2 月に公開されました。

　CSF は、「識別 (Identify)」「防御 (Protect)」「検知 (Detect)」「対応 (Respond)」「復旧 (Recover)」「統治 (Govern)」の六つのカテゴリーで構成されています。「識別」はサイバー攻撃から守るべき情報を特定しておくこと、「防御」は守るべき情報を保護する対策を実施すること、「検知」はサイバー攻撃の兆候や発生を把握すること、「対応」はサイバー攻撃を受けた場合の報告や被害拡大防止の手順をあらかじめ計画しておき実行すること、「復旧」は被害を受けた機能やサービスの復旧の計画や手順をあらかじめ計画しておき実行すること、そして「統治」は識別、防御、検知、対応、復旧に対して包括的に管理していくことです。

　これら六つのカテゴリーの対策を実施することで、サイバー攻撃から守るだけでなく、攻撃された場合の影響を最小限にとどめ、早期の復旧につなげることができます。更に、いざというときの対応と復旧が計画どおり行えるよう訓練を行い、訓練の中での気付きを計画や手順にフィードバックしておくことも重要です。

　CSF は、サイバーセキュリティ対策の効果を数値で評価するための基準も含む、体系的なガイドラインとなっており、日本でも多くの企業・組織が参考にしています。CSF を参考にして、被害を最小限にするため、攻撃を受ける前提で対策を行いましょう。

---

i　https://www.nist.gov/cyberframework〔2024/5/30 確認〕

情報セキュリティ10大脅威 2024
～脅威に呑まれる前に十分なセキュリティ対策を～

IPA では毎年、ランキング形式で「情報セキュリティ10大脅威」を発表してきましたが、下位の脅威への対策が疎かになることを懸念して2024年版からは「個人」向け脅威について順位の掲載を取り止めました。「組織」向け脅威については引き続き順位を掲載していますが、本コラムでは順位ではなく、2016年以降における10大脅威の選出状況に着目してみます。

表 情報セキュリティ10大脅威 2024「組織」向け脅威

順位	「組織」向け脅威	初選出年	選出状況
1	◆ランサムウェアによる被害	2016年	9年連続9回目
2	◆サプライチェーンの弱点を悪用した攻撃	2019年	6年連続6回目
3	◆内部不正による情報漏えい等の被害	2016年	9年連続9回目
4	◆標的型攻撃による機密情報の窃取	2016年	9年連続9回目
5	◆修正プログラムの公開前を狙う攻撃（ゼロデイ攻撃）	2022年	3年連続3回目
6	不注意による情報漏えい等の被害	2016年	6年連続7回目
7	脆弱性対策情報の公開に伴う悪用増加	2016年	4年連続7回目
8	◆ビジネスメール詐欺による金銭被害	2018年	7年連続7回目
9	◆テレワーク等のニューノーマルな働き方を狙った攻撃	2021年	4年連続4回目
10	犯罪のビジネス化（アンダーグラウンドサービス）	2017年	2年連続4回目

上記の表の◆が付いた脅威は、初めて10大脅威に選出された年から、2024年まで選出され続けている脅威で、全体の7割を占めています。そのため、「毎年状況は変わっていない」と感じられるかもしれません。しかし、これは「毎年話題になっているのに、対策しきれていない組織があるため、被害が続いてしまっている」ともとらえられるのではないでしょうか？「ランサムウェアによる被害」で脅迫の種類が増えていたり、「サプライチェーンの弱点を悪用した攻撃」では組織のつながりだけでなく、ソフトウェアやサービスのつながりを悪用する事例も発生したりと、攻撃手口の変化が見られるケースも発生しています。また、「内部不正による情報漏えい等の被害」では元従業員による機密情報の漏えいが毎年ニュースで報道されています。

「組織」のセキュリティ対策では、自組織だけでなく取引先等、自組織と関係する組織も意識することが必要ですが、それだけでなく自組織の役職員「個人」も意識した対策が必要です。役職員は「組織」に所属していても同時に「個人」でもあるため、「組織」としてセキュリティ対策を行う際は「個人」向け脅威も理解しておく必要があります。ぜひ、以下のURLから「情報セキュリティ10大脅威 2024」や解説書をダウンロードし、チェックしてみてください。社内教育に使える資料等も公開していますのでご活用ください。

https://www.ipa.go.jp/security/10threats/10threats2024.html

1.2 情報セキュリティインシデント別の手口と対策

本節では、インシデント別の発生状況と、具体的な事例について述べる。また、2023年度に確認されたサイバー攻撃の手口を中心に解説する。

1.2.1 ランサムウェア攻撃

ランサムウェア（ransomware）とは、「ransom」（身代金）と「software」（ソフトウェア）を組み合わせた造語である。ランサムウェアは、パソコンやサーバー等のシステムをロックすることや、システムに保存されているファイルを暗号化することにより、機器を使用不能にするウイルスの総称として用いられる。本項では、ランサムウェアによって使用不能にしたシステムやファイルを復旧可能にすることと引き換えに身代金を要求するサイバー攻撃を「ランサムウェア攻撃」と呼ぶ。

従来のランサムウェア攻撃は、メールや悪意のあるWebサイトからのダウンロード等により、不特定多数のコンピューターをランサムウェアに感染させようとするばらまき型の攻撃であった。しかし、近年のランサムウェア攻撃は、攻撃者が被害企業・組織（以下、被害組織）のネットワークへ密かに侵入し、侵害範囲を拡大しつつ、大量のデータをランサムウェアによって暗号化するといった攻撃へと変化しており、事業継続に大きな影響を与える重大な脅威となっている。本項では、このようなランサムウェア攻撃を「侵入型ランサムウェア攻撃」と呼ぶ。

侵入型ランサムウェア攻撃では、データの復旧と引き換えに金銭を要求するだけでなく、暗号化する前にデータを窃取し、身代金を支払わない場合はデータを暴露するといって脅迫する「二重の脅迫」（「二重恐喝」ともいう）が用いられることが多くなっている。

また、データの暗号化は行わずに、窃取したデータを公開すると脅迫して対価を要求する手口も確認されている。警察庁は、このようなデータの暗号化が伴わない攻撃を、ランサムウェアを使わず（暗号化せず）に身代金を要求することから「ノーウェアランサム攻撃」と名付け、注意喚起を行った[41]。本項では、ノーウェアランサム攻撃についても解説する。

(1) ランサムウェア攻撃の傾向

2023年度におけるランサムウェア攻撃の傾向について説明する。

(a) 被害件数

警察庁が公表した「令和5年におけるサイバー空間をめぐる脅威の情勢等について」（以下、警察庁資料）によると、企業・団体等におけるランサムウェア被害の報告件数は、2023年上期が103件、下期が94件である。図1-2-1のとおり、2022年上期以降は継続して高い水準で推移している。なお、ノーウェアランサム攻撃による被害件数（30件）は、図1-2-1の報告件数には含まれない。また、その他の警察庁によるランサムウェア被害の調査結果については「1.1.2 (3) ランサムウェアによる被害」を参照いただきたい。

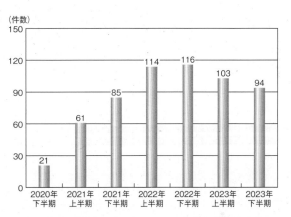

■図1-2-1　企業・団体等のランサムウェア被害の報告件数の推移
（出典）警察庁「令和5年におけるサイバー空間をめぐる脅威の情勢等について[42]」を基にIPAが編集

このような近年の被害増加の要因として、ランサムウェアをサービスとして提供する「RaaS（Ransomware as a Service）」と呼ばれる攻撃モデルの普及に見られるように、攻撃者の組織化や分業化が進んだことが影響していると考えられる。

(b) 被害を受けた企業・組織

警察庁資料によると、製造業を始めとした様々な業種や公共機関で被害が確認されており、企業・組織の規模も大小を問わず広範に及んでいる[42]。また、近年では、サプライチェーンに残存するセキュリティの脆弱な箇所として国内企業の海外拠点が狙われるといった事例も確認されており、その被害はサプライチェーン全体に波及する恐れがある[43]。これらのことから、企業の業種や規模を問わずサプライチェーン全体でのセキュリティ対策が重要といえる。

(c)ネットワークへの侵入手口

警察庁資料によると、2023年度に発生したランサムウェア被害の感染経路について、前年度に引き続きVPN製品やリモートデスクトップからの侵入が多く、被害を受けた企業・団体から得られた有効回答中の約82%を占めた[42]。侵入された原因は、それらの機器やソフトウェアの脆弱性、弱い認証情報の悪用と考えられるものであった。このように、VPN製品やリモートデスクトップサービスが攻撃者に狙われていることを認識し、企業・組織は対策を講じる必要がある。

(d)暗号化を伴わない攻撃手口

警察庁資料によると、データを暗号化することなく窃取した上で、被害組織に金銭を要求する攻撃（ノーウェアランサム攻撃）による被害が、2023年に30件確認された[42]。

この手口では、データの暗号化が行われないため、ファイルが閲覧できなくなったり、システム障害といった目に見える事象が発生せず、攻撃者からの脅迫を受けるまで被害が発覚しない可能性がある。

この手口が使われるようになった理由の一つとして、データの暗号化を行わないため、攻撃者は管理者権限を奪取する必要がなく、従来よりも少ない労力で効率的に攻撃を仕掛けられることが挙げられる[44]。また、被害組織は、自組織のブランドや信頼を守るために、被害を公表せず身代金を支払うことで、穏便に解決することができると考えてしまう恐れもあるという[45]。

このような傾向から、ノーウェアランサム攻撃は、今後の攻撃手口の一つとして拡大することが考えられるため、注意が必要である。

(2)ランサムウェア攻撃の被害事例

2023年度に公表された国内における侵入型ランサムウェア攻撃及びノーウェアランサム攻撃の主な被害事例を紹介する。その他の被害事例については、IPAが公開している「コンピュータウイルス・不正アクセスの届出事例[46]」の「身代金を要求するサイバー攻撃の被害」の記載を参照いただきたい。

(a)港湾事務所における被害事例

名古屋港運協会は、2023年7月5日、侵入型ランサムウェア攻撃を受けたことから、名古屋港すべてのコンテナターミナル内で利用している統一ターミナルシステムを停止したと発表した[47]。

その後、7月26日に経緯報告として、被害の内容や原因等を公表した[48]。被害内容としては、データセンター内にある同システムのすべてのサーバーが暗号化されたというものであった。調査の結果、情報漏えいの形跡は確認されていないという。また、攻撃者への連絡も行っていないとしている。

攻撃者の侵入経路は三つの可能性が考えられており、そのうちの一つであるシステム保守用のVPN機器から侵入された可能性が高いと見られている。その理由は、VPN機器に送信元のIPアドレス制限や多要素認証を設定しておらず、IDとパスワードのみでログインできる状態であったためである。また、VPN機器及び物理サーバーに関して脆弱性が公表されていたものの、未対応な状態であったことも判明している。なお、その他二つの侵入経路としては、USBメモリー経由や、港運事業者間のネットワーク接続箇所が考えられているが、ログが暗号化されているため調査は困難であるという[49]。

続いて、復旧対応の時系列を表1-2-1に示す。同事例では、システム停止の発生から約2時間半後に愛知県警察本部サイバー攻撃対策隊に連絡を行い、約4時間後には復旧を最優先する判断が行われる等、早期に対応が進められた。その後、バックアップデータから復元した仮想サーバーからもウイルスが検知される等の困難もあったが、迅速な初動により約2日半で復旧した

日時	対応の内容
7月4日（火）	
6:30頃	システムの動作停止を確認
7:15頃	システム保守会社、開発会社へ調査を依頼
9:00頃	愛知県警察本部サイバー攻撃対策隊に連絡 ランサムウェア感染の可能性があるとの見解
10:30頃	復旧優先の判断を行い、復旧作業を開始
7月5日（水）	
2:00頃	物理サーバー基盤全8台を復旧 仮想サーバー45台の復元作業を開始
12:00頃	ランサムウェア感染のプレスリリース公表
21:00頃	復元した仮想サーバーからウイルス検知
7月6日（木）	
7:15頃	ウイルス駆除終了 システム間の連携に障害が発生
14:15頃	連携障害を解消
15:00～ 18:15	順次、各ターミナルで作業を再開

■表1-2-1　ランサムウェア攻撃の対応時系列（抜粋）
（出典）コンテナターミナルにおける情報セキュリティ対策等検討委員会「名古屋港のコンテナターミナルにおけるシステム障害を踏まえ緊急に実施すべき対応策及び情報セキュリティ対策等の推進のための制度的措置について[49]」を基にIPAが編集

という。

同事例は「LockBit」と呼ばれる攻撃グループによるものと判明している。同グループについては、2022 年第 4 四半期に世界と日本で最も活発な活動が確認されており、2023 年上半期に日本で確認された二重の脅迫を行うランサムウェア攻撃の中でも、最も検出台数が多いとされている[50]。2024 年 2 月 20 日、日米欧等約 10 ヵ国が参加する共同捜査にて同グループが摘発され、サーバーの停止、メンバー 2 名の逮捕、資産の凍結等が行われたと公表された[51]。一方で、同月 24 日、同グループは活動再開の声明を発表した[52-1]。

なお、同事例を受けて 2024 年 3 月 8 日、政府のサイバーセキュリティ戦略本部は、「重要インフラのサイバーセキュリティに係る行動計画」を改定し、「重要インフラ」に「港湾」を追加した[52-2]。また、コンテナターミナルシステムにおける情報セキュリティ対策の確保状況に関して、国が審査する制度も導入された[52-3]。

(b)クラウドサービス事業者における被害事例

社会保険労務士（以下、社労士）向けクラウドサービス等を提供する株式会社エムケイシステム（以下、エムケイシステム社）は、2023 年 6 月 5 日、障害により同社の複数サービスが停止していることを発表した[53]。翌 6 日、障害の原因がランサムウェア被害によるものと公表した[54]。

その後、7 月 19 日まで、エムケイシステム社は継続的に調査結果を報告した。同社が報告した資料によると、今回のランサムウェア攻撃により、データセンターにあるサーバーのデータが暗号化され、約 3,400 ユーザーの大半に対してサービスを提供できなくなったとしている。また、外部専門機関のフォレンジック調査によってランサムウェア攻撃の侵入経路や被害を受けたサーバーは特定しているという。なお、攻撃者によって何らかのデータが窃取された可能性は完全には否定できないが、調査の結果、情報窃取及びデータの外部転送等に関する痕跡は確認されておらず、エムケイシステム社の情報がダークウェブ等に掲載されていないことを確認したとしている[55]。

9 月 7 日のユーザー向けのオンライン説明会での説明によると、原因は、攻撃者に ID とパスワードを窃取され、外部から不正アクセスを受けたものだという[56]。

同社は、各サービスのバックアップデータはいずれも暗号化被害に遭っていないとしているが[57]、バックアップからの全面的な復旧には時間がかかるとして[58]、Amazon Web Services（AWS）上で開発中だった新バージョンへの移行を実施し、6 月 30 日より順次サービスを再開した[59]。

なお、同社が提供する社労士向けクラウドサービスにおいては、同社と契約している社労士が長期にわたりサービスの利用やデータの閲覧ができなくなることで、社労士に業務を委託していた組織の社会保険手続きや給与計算等に影響を及ぼす可能性が懸念されたという[60]。

同事例について、2024 年 3 月 25 日、個人情報保護委員会は、エムケイシステム社に対して個人情報の保護に関する指導を行ったことを公表した[61]。公表された資料によると、管理者権限のパスワードが脆弱であり類推可能であったこと等、同社の技術的安全管理措置に不備が認められたという。なお、同事例に関連して、同委員会が同社以外から受領した漏えい等の恐れがあった報告件数は 3,067 件であり、対象人数は 749 万 6,080 人とのことである。その内訳は、社労士事務所等が 2,459 件（672 万 4,609 人）、顧問先事業者が 404 件（39 万 2,125 人）、企業等が 204 件（37 万 9,346 人）であった（次ページ図 1-2-2）。

同事例を受けて、同委員会は、各事業者においてクラウドサービスを利用して個人データを取り扱う場合や、個人データを取り扱う業務の委託先がクラウドサービスを利用している場合、委託元は委託先に対する監督義務があるという理解が不足していると考え、注意喚起を実施した[62]。

(c)サービス提供事業者における被害事例

2023 年 12 月 18 日、千葉市や伊丹市からウェアラブル端末を活用した特定保健指導の業務を委託されている株式会社 Y4.com（以下、Y4.com 社）は、利用する一部のサービスに対して、12 月 10 日にノーウェアランサム攻撃が発生したことを公表した[63]。その後、2024 年 1 月 22 日に同社が報告した資料によると、第三者からの不正アクセスによりデータの窃取及び削除が行われており、合計 1,014 人の個人情報が漏えいした可能性があるという。なお、そのうちの 738 人は漏えいした情報に氏名が含まれないとしている[64]。この事態を受けて、委託元の千葉市（対象者 25 人）や伊丹市（対象者 20 人）でも、同攻撃による被害を公表した[65]。

不正アクセスの原因は、Y4.com 社が過去に委託した開発会社により発行されたアクセスキー（プログラムからサービスにアクセスするための認証情報）が納品時に削除されておらず、外部に漏えいして悪用されたためとしている。Y4.com 社では納品時にアカウント情報をすべ

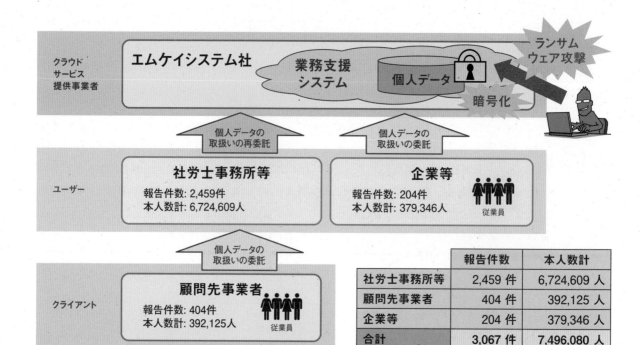

	報告件数	本人数計
社労士事務所等	2,459 件	6,724,609 人
顧問先事業者	404 件	392,125 人
企業等	204 件	379,346 人
合計	3,067 件	7,496,080 人

※図中の本人数計は、個人情報保護委員会に提出された漏えい等報告のうち、2024 年 3 月 8 日時点のものである（本人数不明として報告されているものを除く）。また、本人数は、社労士事務所等と顧問先事業者とで重複して報告している可能性がある。
※エムケイシステム社からの情報によると、本件システムで管理する本人数は、2023 年 6 月 5 日時点で、最大約 2,242 万人とのことである。

■図 1-2-2　事案の概要
(出典)個人情報保護委員会「株式会社エムケイシステムに対する個人情報の保護に関する法律に基づく行政上の対応について[※61]」を基に IPA が編集

て変更していたが、このアクセスキーの存在は認知していなかったという。

　同社は同事例を受け、アクセスキーの管理を強化した。また、仮名加工情報と呼ばれる、他の情報と照合することで個人を識別できる情報の取り扱いルールの再整備を実施した。

　なお、同社が公表した資料の中では、攻撃者名や脅迫の有無については触れられていないが、同攻撃がデータを暗号化せず身代金を要求するノーウェアランサム攻撃であることを鑑みて調査対応を行ったとしている。

(3)侵入型ランサムウェア攻撃の手口

　ここでは、侵入型ランサムウェア攻撃の手口について説明する。なお、ノーウェアランサム攻撃については、データの暗号化は伴わないが、攻撃の手口や対策に関しては、おおむね同じである。攻撃は、次の (a) ～ (e) の五つのステップで行われる（図 1-2-3）。

(a)ネットワークへの初期侵入

　侵入型ランサムウェア攻撃は、攻撃者が被害組織のネットワークへ侵入するところから始まる。攻撃者は、被害組織がインターネットへ接続している機器全般を狙い、強度の弱いパスワードや過去に漏えいした認証情報、

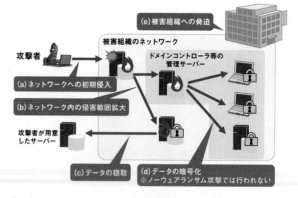

■図 1-2-3　侵入型ランサムウェア攻撃の手口のイメージ

残存している脆弱性、設定不備等を悪用してネットワークに侵入する。その中でも、VPN 製品やリモートデスクトップサービス経由での侵入が多い傾向にある[※42]。また、被害組織のパソコンを乗っ取りネットワークへの侵入の足掛かりを作るために、被害組織へ遠隔操作ウイルス等を添付したメールや、遠隔操作ウイルス等をダウンロードさせる URL リンクを記載したメールを送り付けることもある。

(b)ネットワーク内の侵害範囲拡大

　攻撃者は、被害組織のネットワークへの侵入に成功すると、ネットワーク内で侵害範囲の拡大を図る。攻撃者は、まずネットワーク構成の把握や管理者権限の奪取を行

い、機微情報等が保存されているパソコンや業務用サーバー、ドメインコントローラー等の管理サーバー、バックアップ用のサーバー等を侵害する。特に、ネットワーク内のユーザーやコンピューターを一元管理することができるドメインコントローラーが侵害されると、管理下のすべてのコンピューターに侵害範囲が拡大する恐れがある。

(c)データの窃取

データの窃取は、攻撃者が侵入型ランサムウェア攻撃で「二重の脅迫」を狙っている場合において行われる。攻撃者は遠隔操作ウイルスや正規のツール等を使用し、ネットワーク内のデータ探索・収集を行った上で、収集したデータを攻撃者のサーバーやクラウドストレージへアップロードする。

(d)データの暗号化

侵入型ランサムウェア攻撃では、被害組織のデータをランサムウェアによって暗号化し、身代金の取得を狙うとともに、事業継続に関わる重要なシステムの停止を狙っていると考えられる。バックアップデータによる復旧を妨害するため、バックアップデータも狙って暗号化する可能性がある。

なお、ノーウェアランサム攻撃では、同ステップは行われない。そのため、システムの停止が発生しないだけでなく、EDR（Endpoint Detection and Response）等による攻撃検知がされにくくなり[45]、侵害されたことが発覚しにくい。

(e)被害組織への脅迫

攻撃者は、被害組織に対して、システムやファイルを復旧可能にすることと引き換えに身代金を要求する。また、身代金を支払わなければ窃取したデータを公開するとして脅迫を行うことがある。データの公開方法としては、攻撃者がインターネットやダークウェブ上に設置した、データ公開のための Web サイト（以下、リークサイト[66]）での公開やオークション形式での販売が挙げられる。攻撃者との身代金の交渉には電子メールや特定のチャットサイト等が使用される。

更に、被害組織が提供するサービスへの DDoS 攻撃や、ランサムウェア被害に遭ったことを被害組織の利害関係者へ直接連絡する等の脅迫を行う場合もある。

(4)侵入型ランサムウェア攻撃への対策

ここでは、侵入型ランサムウェア攻撃への対策について、「(a)ネットワーク侵入への対策」「(b)侵害範囲拡大防止のための対策」「(c)暗号化によるシステム停止への対策」「(d)インシデント対応力の強化」の四つに分けて説明する。なお、これらの対策は自組織だけでなく、海外を含む子会社や取引先等、サプライチェーン全体で行うことが重要といえる。

(a)ネットワーク侵入への対策

侵入型ランサムウェア攻撃は、攻撃者が企業・組織内のネットワークへ侵入するところから始まるため、次のような侵入対策を行うことが重要である。

- 攻撃対象領域（アタックサーフェス）の最小化
  企業・組織の管理する機器が攻撃の対象となる可能性を減らすために、インターネットからのアクセスを可能にしているサーバーやネットワーク機器、プロトコルやサービス等を把握し、最小化することが重要である。特に、製品を初期設定のままにしていること等により、意図せず公開すべきではない情報が外部からアクセス可能な状態になっていないかも確認いただきたい。

- 脆弱性対策
  脆弱性を悪用した侵入や侵害範囲の拡大を防ぐために、VPN 製品を含むネットワーク機器のファームウェア、パソコンやサーバーの OS、利用しているソフトウェア等を常に最新の状態に保つことが重要である。なお、脆弱性の影響を受けないバージョンにバージョンアップした状態であっても、既に攻撃者によって脆弱性が悪用され、設定情報や認証情報等が窃取されている可能性があるため、脆弱性を悪用した攻撃の IoC（Indicator of Compromise：侵害指標）等の情報を収集し、攻撃が行われた痕跡がないか、過去のログを含め調査を怠らないようにしていただきたい。また、脆弱性が公開されてから悪用されるまでの期間が短くなっていることから、公開された脆弱性対策情報に迅速に対応できるような体制や計画を整備しておくことも重要といえる。

- アクセス制御と認証の強化
  企業・組織外からアクセス可能な機器等が攻撃者に不正に侵入・操作されないために、特定の IP アドレスからのアクセスを許可または拒否する等、適切なアクセス制御を行うことが重要である。また、推測されにくい複雑なパスワードを使用することや、認証の試行回数に制限を設けること、多要素認証のような強固な認証方式を使用すること等により、認証を強化することも重要といえる。なお、インシデント発生時に備えて、

平時から、必要なアクセスログや認証ログ等を取得・保管することに加え、攻撃を早期発見するためにログを監視・分析することが望ましい。

- 攻撃メール対策
フィッシングメールやウイルスメール等の攻撃メールによる認証情報の流出やウイルス感染を防ぐために、メールのセキュリティ対策システムで不審メールを検知・隔離する対策が重要である。また、役職員のセキュリティリテラシーを高めるための教育や啓発、訓練等の対策を行うことにより、メール利用者の一人ひとりが「身に覚えのないメールの添付ファイルは開かない、怪しいリンクはクリックしない」という意識を持つことも重要といえる。

(b) 侵害範囲拡大防止のための対策

攻撃手口の高度化に伴い、侵入を完全に防ぐことが難しくなっている中で、侵害された際の影響範囲を局所化することが重要である。

- ネットワーク接続点のセキュリティ強化
組織内の複数拠点におけるネットワーク間接続や他組織とのネットワーク間接続において、セキュリティ対策が十分に実施されていないネットワークがある場合、攻撃者によって、脆弱な箇所からまずそのネットワークに侵入される。そして、ネットワーク間接続を経由して、他のネットワークに存在する自拠点の中枢が侵害される恐れがある。そのため、組織内の拠点間や他組織とのネットワーク接続点において、アクセス制限や不正通信の監視等を実施することが重要である。
- ネットワーク内の通信制御の強化
ネットワーク接続点のセキュリティ強化に加えて、組織内のネットワークを細分化し、内部通信の可視化と制御を行うことが望ましい。このような手法は「マイクロセグメンテーション」と呼ばれる。

被害拡大防止に有効なその他のセキュリティ対策を以下に示す。

- 必要最小限の権限付与
- パスワードの管理
- ドメインコントローラーのセキュリティ強化
- セキュリティソフトの導入
- 正規プログラム・ツールの悪用への対策
- データの窃取と公開への対策

各項目の詳細は、「情報セキュリティ白書2023[67]」の「1.2.1 (4) (c) 侵害範囲拡大への対策」にて解説してい

るため、そちらを参照いただきたい。

(c) 暗号化によるシステム停止への対策

侵入型ランサムウェア攻撃によってデータが暗号化され、システムが停止した場合に備えて、システムの再構築を念頭に置いた対策を行うことが重要である。

- バックアップの取得
システム再構築に備え、バックアップを取得する。それに加えて、バックアップからの復旧が可能なことを確認しておくことが重要である。バックアップサーバーがシステムに接続されている場合、バックアップも含めて一斉に暗号化される可能性がある。このため、複数のバックアップ方式を採用しておくことも重要である。バックアップのうち一つは、テープデバイス等に保存してネットワークから隔離された環境に移す等、攻撃者から手の届かないオフライン環境に配置することが望ましい。このほか、一度保存した後は上書きを禁止する仕組み（WORM（Write Once Read Many）機能）でデータを保護することや、組織のネットワークから切り離したクラウド上に保存する方法も有効である。その他の注意事項として、クラウドサービスを利用する場合には、ユーザーデータのバックアップ機能の有無や責任分界点を確認していただきたい。多くの場合、ユーザーデータの管理責任は利用者側にあり、ランサムウェア攻撃等への対策を目的としたバックアップの実施及びバックアップデータの管理は、クラウドサービスの利用者自らが行う必要がある。
- ランサムウェア攻撃を想定したBCPの策定
自然災害の発生を想定した事業継続計画（BCP：Business Continuity Plan）を策定している企業・組織であっても、侵入型ランサムウェア攻撃等のサイバー攻撃を受けることを想定していない場合がある。BCPの策定時には、地震等の自然災害について考慮することに加え、侵入型ランサムウェア攻撃についても必ず考慮していただきたい。

(d) インシデント対応力の強化

実際に被害に遭った場合に備えて、迅速で適切なインシデント対応を行う能力や応用力を高めるため、経営層を含めたインシデント対応の訓練を定期的に実施することが望ましい。

データ暗号化と身代金要求への対応についてはJPCERT/CCが侵入型ランサムウェア攻撃を受けた際のFAQ[66]を公開しているため、こちらも参照いただき

たい。

　侵入型ランサムウェア攻撃によるインシデントでは、業務の停止や顧客・取引先の情報漏えい等が発生し、自組織内に閉じたインシデントで終わらない傾向がある。そのため、日頃から、経営層を含む顧客や取引先、システムの運用・保守の委託先等との素早い連絡・調整を行うための体制作りが必要である。

1.2.2 標的型攻撃

　標的型攻撃とは、ある特定の企業・組織や業界等を狙って行われるサイバー攻撃の一種である。フィッシングメールやウイルスメールを不特定多数の相手に無差別に送り付ける攻撃とは異なり、標的型攻撃は、標的とする特定の企業・組織（以下、標的組織）や業界が持つ機密情報の窃取等明確な目的をもって行われる。

(1) 標的型攻撃の手口

　標的型攻撃における侵入の手口として、これまで標的型攻撃メールが用いられていたが、ネットワーク貫通型攻撃と呼ばれる手口が確認されるようになってきている。以下に、それぞれの手口について述べる。

(a) 標的型攻撃メールを用いた攻撃の手口

　標的型攻撃メールとは、ウイルスを仕込んだファイルが添付されていたり、ウイルスをダウンロードさせる URL リンクが記載されていたりするメールが標的組織の役職員宛てに送り付けられてくるものである。以前から用いられている手口であり、継続して観測されている。標的型攻撃メールを用いた攻撃の流れを以下に示す（図 1-2-4）。

①偵察・攻撃準備：標的組織を攻撃するための情報を収集、攻撃手法を選定する。

②メール送付：標的組織宛てにメールを送付する。

③ウイルス感染：メールの添付ファイルや URL リンクを開くことでウイルスがインストールされる。

④端末制御：パソコンと C&C（Command and Control）サーバー[68] で通信が行われる。

⑤指令:C&C サーバーを経由し、遠隔操作が可能になる。

⑥水平展開・情報探索：侵害範囲拡大や情報探索を行う。

⑦情報窃取：目的の情報等を窃取する。

(b) ネットワーク貫通型攻撃の手口

　標的組織のネットワークに侵入する手口として、VPN 製品や Web サーバー等のネットワーク境界に接する機器に対し、脆弱性や設定不備を悪用して侵入したり、何らかの方法で得た認証情報（ID とパスワード等）を使って不正アクセスし組織内のネットワークに侵入する手口がある。IPA の J-CRAT（Cyber Rescue and Advice Team against targeted attack of Japan：サイバーレスキュー隊）では、このような手口による攻撃を「ネットワーク貫通型攻撃」と呼んでいる[69]。2023 年には、この手口による攻撃の被害が複数確認されたことから、IPA においても注意喚起を行っている[70]。なお、標的型攻撃メールを用いた攻撃とは侵入の手口が異なるだけで、侵入後のウイルス感染や端末制御等、目的達成までの活動に違いはない。ネットワーク貫通型攻撃の流れを以下に示す（図 1-2-5）。

①偵察・攻撃準備：標的組織を攻撃するための情報を収集、攻撃手法を選定する。

②攻撃：VPN 機器等の脆弱性を悪用し不正アクセスを行う。

③侵入：標的組織のネットワーク内に侵入し内部偵察を行う。

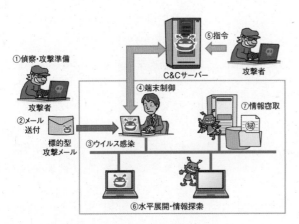

■図 1-2-4　標的型攻撃メールを用いた攻撃の流れ

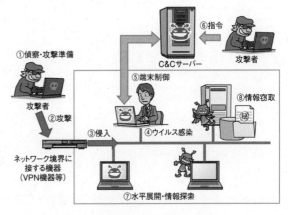

■図 1-2-5　ネットワーク貫通型攻撃の流れ

④ウイルス感染:パソコン等に侵入しウイルスをインストールする。

⑤端末制御:パソコンとC&Cサーバーで通信が行われる。

⑥指令:C&Cサーバーを経由し、遠隔操作が可能になる。

⑦水平展開・情報探索:侵害範囲拡大や情報探索を行う。

⑧情報窃取:目的の情報等を窃取する。

(2)標的型攻撃の事例

標的型攻撃のうち、国家の支援を受けた攻撃者グループによる、機密情報（先端技術や国家安全保障に関わる情報等）の窃取やシステムの破壊等の妨害工作を目的とした、持続的かつ高度なサイバー攻撃は「APT（Advanced Persistent Threat）攻撃」とも呼ばれる。APT攻撃の特徴として、標的別に改変・開発したウイルスの使用[71]や、標的組織の内部に長期間潜伏して活動する点等が挙げられる。日本の企業・組織を標的とした攻撃は、継続的に発生しており、本項では、2023年度に確認された、APT攻撃であることが疑われる標的型攻撃の事例を紹介する。

(a)標的型攻撃メールを用いた攻撃の事例

伊藤忠サイバー＆インテリジェンス株式会社は、「Tropic Trooper」（別名、Pirate Panda、KeyBoy）と呼ばれる攻撃者グループによる標的型攻撃メールを用いた攻撃があったとしている[72]。

この攻撃では、中国企業で働く従業員のための公的制度に関する内容を装ったメールを標的組織へ送付し、添付ファイルを開くよう促していた。添付ファイルはZIP形式で圧縮されており、展開するとExcelファイルに偽装したショートカットファイルが一つだけ表示されるが、実際には隠しフォルダも生成される。この隠しフォルダ内には、ウイルスに感染させるための複数のファイルが格納されている。また、この隠しフォルダは、ゴミ箱のフォルダ名に似せた名称になっており、隠しフォルダが表示される設定になっていても、不審なフォルダではないと、誤認させることを狙っていると考えられる。こうした細工で、ユーザーにウイルスと気付かせずにファイルを実行するよう仕向けていると見られる。Excelファイルに偽装されたショートカットファイルを実行すると、McAfee, LLCの正規プログラムと思われる実行ファイルを呼び出す。この実行ファイルには脆弱性が存在しており、実行するとDLL Side-Loading[73]と呼ばれる手法により、攻撃者が用意した悪意あるDLLファイルが読み込まれる。最終的に正

規のセキュリティツールであるCobalt Strike Beacon[74]が実行されるようになっていた。攻撃者はCobalt Strike Beaconを悪用し、C&Cサーバーと通信を行うことで端末を遠隔操作し、侵害範囲の拡大、情報探索や情報窃取を行おうとしたと考えられる。

(b)ネットワーク貫通型攻撃の事例

IPAは、日本の組織を標的とした標的型攻撃として、VPN製品のArray Networks Array AGシリーズ（以下、Array AG）、FortiOS/FortiProxy、オンラインストレージアプリケーションのProselfの脆弱性を狙ったネットワーク貫通型攻撃について、注意喚起を行っている[70]。

JPCERT/CCが公表[75]した情報によると、2022年5月以降にArray AGの「リモートコード実行の脆弱性（CVE-2023-28461）」「コマンドインジェクションの脆弱性（CVE-2022-42897）」を悪用した攻撃が観測されている。また、2023年3月以降にFortiOS/FortiProxyの「SSL-VPN事前認証におけるヒープベースのバッファオーバーフローの脆弱性（CVE-2023-27997）」を悪用した攻撃が観測されている。更に、2023年7月以降には、Proselfの「管理者権限での認証バイパス（CVE-2023-39415）の脆弱性」及び「OSコマンドインジェクション（CVE-2023-39416）の脆弱性」、2023年8月以降に「XML外部実体参照（XXE）（CVE-2023-45727）に関する脆弱性」を悪用した攻撃が観測されている。

2023年10月には、実際に攻撃を受けた組織が被害を公表している[76]。これによると、アカウントのリストやパスワードハッシュが窃取され、その情報を利用して不正アクセスが行われ、一部のファイルへアクセスされたとしている。攻撃を受けた国内組織では、サーバー内に保管していた個人情報を含むデータの一部が外部に漏えいした可能性があるとしている。

これら一連の攻撃に関連して、トレンドマイクロ株式会社（以下、トレンドマイクロ社）では「Earth Kasha」（別名、MirrorFace）と呼ばれる攻撃者グループの活動について報告している。この攻撃者グループは、以前は標的型攻撃メールを用いた攻撃を行っていたが、2023年5月以降、Array AG、FortiOS/FortiProxy、Proselfの脆弱性を悪用した新たな攻撃キャンペーンを行うようになったという[77]。同攻撃キャンペーンでは、日本の政府機関やハイテク関連団体等を対象とした情報窃取を目的に活動しているとされる。

インターネットとの境界に設置されるネットワーク機器に

対する攻撃として、Cisco Systems, Inc. 製ルーターの
ファームウェアを不正なファームウェアに入れ替えること
で、標的組織ネットワークへの長期的な侵入を維持しよう
とする攻撃が確認されている。この攻撃は中国を背景と
する「BlackTech」と呼ばれる攻撃者グループによるもの
とされ、不正に入手した管理者の認証情報を用いて、
管理者レベルの設定等を行っていたという[78]。2023 年
9 月には、警察庁及び内閣サイバーセキュリティセンター
（NISC：National center of Incident readiness and
Strategy for Cybersecurity）が、米国国家安全保障
局（NSA：National Security Agency）、FBI 及び
CISA と合同で注意喚起を行っている[79]。

このほかにもメールゲートウェイ製品が対象となった
ケースもあり、Mandiant, Inc. によると、Barracuda
Networks, Inc. の Barracuda ESG（Barracuda Email
Security Gateway）のゼロデイ脆弱性（CVE-2023-2868）
を悪用した攻撃が、2022 年 10 月から観測されていると、
2023 年 5 月に発表された。これには中国からの支援が
疑われる「UNC4841」と呼ばれる攻撃者グループが関
わっているとされている[80]。UNC4841 は、Barracuda
ESG がメールの添付ファイルの中身を検査しウイルスを
検出する機能における、コマンドインジェクションの脆弱
性を悪用することで、同製品内にバックドアを設置したも
のと推定される。その後、標的組織内に侵入し、情報
窃取や侵害範囲拡大等の活動を行ったと見られる。こ
の攻撃では、日本を含む世界中の政府機関やハイテク
関連を始め、多数の業種が標的になっているという[81]。

海外で発生したネットワーク貫通型攻撃として、
Microsoft 社は、中国で活動する「Storm-0558」と呼ば
れる攻撃者グループによる、Outlook Web Access 及び
Outlook.com への不正アクセスについて公表した[82]。
この攻撃により、米国の政府機関等、複数組織が被害
を受けたという。

(c)その他の特徴的な標的型攻撃の事例

2023 年度に確認されているその他の特徴的な事例と
して、USB メモリーを用いた攻撃が観測されている。
「Mustang Panda」（別名、TEMP.HEX）と呼ばれる攻
撃者グループによる、感染した USB 機器を経由してウイ
ルスを拡散する標的型攻撃が、日本を含む東アジアや
欧州、北米等の複数の業界で観測されているという[83]。
報告された事例では、ヨーロッパの医療機関において感
染した USB メモリーを通じて「WispRider」と呼ばれるウ
イルスがシステムに侵入し、他のコンピューターに感染が

拡大する被害を受けたとしている。きっかけは医療カン
ファレンスに参加した医療従事者が USB メモリーを他者
と共有した際に、その中にウイルスに感染したコンピュー
ターがあったことから、USB メモリーにウイルスが感染し
たとされている。

(3) 標的型攻撃への対策

「1.2.2（1）標的型攻撃の手口」に記載したとおり、攻
撃者は多種多様な手口で、用意周到に準備をした上で
計画的かつ巧妙に攻撃を行う。また攻撃手法も随時アッ
プデートされている。そのため、攻撃手口の変化により
対策が有効でなくなる場合があるので、特定の対策の
みに頼るのではなく、システム全体で多数の対策を組み
合わせた多層防御が必要である。組織の規模や業種に
より取り得る対策は異なるが、情報資産を守るためには、
あらゆる可能性を想定し、情報資産の重要度と対応に
要する費用も考慮して、対策の選別をした上で実施する
ことが重要である。以下に、対策の例を示す。

(a)役職員の意識向上

役職員の意識向上を目的とした対策例を以下に示す。
* 不審メールに対する注意力の向上
標的型攻撃メールでは、標的組織に関連する人・組
織をかたる、組織や業界固有の用語等を用いて自然
な文章を装う、標的組織の役職員の関心を引く題材
を用いる、標的組織の役職員への依頼事項を投げか
けてその後のやり取りを続け油断させる等の受信者を
騙す巧妙な手口が使われる。しかし、すべての標的
型攻撃メールが見抜けない程完成度の高いものでは
ない。役職員自身も日頃から不審メールに対する意識
を高め、不用意に開封や返信をしないこと、不審なメー
ルだと少しでも疑った場合は組織のシステム管理者に
連絡することが求められる。そのため、組織として役
職員に標的型攻撃メールを見抜くための教育や注意
喚起、標的型攻撃メール訓練を実施することは、標
的型攻撃による被害を防ぐのに有効である。
* SNS を悪用した手口の周知
攻撃者グループが、SNS で標的組織の役職員への
接触を図り、悪意ある URL リンクやファイルを送り、
それを開くように誘導することで初期潜入経路を開拓
する手口がある。このような手口があることや注意点
を役職員に周知し、役職員の警戒意識を高めること
は対策として有効である。

25

(b) 組織としての対応体制の強化

組織として攻撃に対応するための体制強化を図る対策例を以下に示す。

- CSIRT の設置と運用

  組織の役職員が標的型攻撃メール等の不審なメールを受信した際に、連絡するべき窓口が組織内に存在することは重要である。また、セキュリティ機関やベンダー、利用者（顧客）等の組織外部からの連絡を受けて標的型攻撃の被害に気が付くことも考えられるため、外部からの連絡を受け付ける窓口を設けることも重要である。このような、組織内部と外部との適切な連絡体制の整備やセキュリティインシデントが発生した際の調査・分析、セキュリティの教育・啓発活動の実施等を行う組織体制のことを CSIRT（Computer Security Incident Response Team）と呼ぶ。セキュリティインシデントの未然防止、またはインシデント発生時の迅速な対応を行うために、CSIRT やそれに準ずる体制を組織内に設置することは有効な手段である。

- インシデントの発生を想定した事前準備

  組織内に CSIRT の体制を整えるだけではなく、実際にセキュリティインシデントが発生した際に事業を継続できるように、事業継続計画に情報セキュリティの観点を組み込むことは重要である。CSIRT 向けの取り組みでは、他組織で発生したインシデントや自組織で起こり得るインシデントを基にシナリオを作成し、インシデントの発生を想定した演習や訓練を行うことが望ましい。演習や訓練を通じて、自組織の対応能力の維持・向上、現在の対応力や体制の問題点の発見・改善を行う。これらは、組織全体の対応力・回復力（サイバーレジリエンス）の強化に有効である。

- 攻撃の手口や対策の把握と情報共有

  標的型攻撃が発生すると、セキュリティベンダーやマスコミ、あるいは被害組織自体から、攻撃手口や対策に関する情報が公表されることがある。また、業界内でのサイバーセキュリティに関する情報共有体制を通じて、他組織で発生した標的型攻撃の情報を得られる場合もある。これらの情報を CSIRT が継続して収集し、対策に活用していくことが重要である。例えば、攻撃者グループの侵入手口が特定機器の脆弱性を悪用したものであれば、自組織のシステムに該当する機器がないか確認し、該当するものがあれば、脆弱性の有無を確認し必要に応じて修正プログラムを適用する。標的型攻撃メールの情報が得られた場合は、社内にその特徴を周知し、メールのフィルタリング設定を行うことで、被害防止につなげることができる。もし、自組織が標的型攻撃を受けた場合には、前述の情報共有体制や IPA 等の組織と連携し、攻撃の手口や IoC 等の情報を積極的に共有していただきたい。情報を共有することで、対応方法等のフィードバックを得られる場合がある。また、組織間の情報共有が活発化することで、より多くの攻撃事例や知見が共有される。これにより、他組織だけではなく自組織の攻撃被害の防止につながることも期待できる[84]。

- 海外拠点・サプライチェーン等を意識したセキュリティ対策の強化

  セキュリティ対策が不十分な子会社や関連会社、取引先企業、海外拠点を初期侵入の標的にする手口がある。このため、自組織と関わりのある組織全体を意識したセキュリティ対策の強化が求められる。具体的には、子会社や関連会社、海外拠点においても国内拠点と同様に、セキュリティポリシーを策定、周知し、またセキュリティリスクの可視化、改善や対策を行うことが望ましい。これらの対策を実施する際は、海外拠点所在地の法制度や労働慣行の違い等も把握して、国内と同一の対策が取れない場合は代替策を考える必要がある。取引先等のサプライチェーンのセキュリティ対策強化の取り組み例としては、取引先の選定時にセキュリティ関連の認証取得状況等のセキュリティへの取り組みを考慮する、取引先とセキュリティに関して担うべき役割と責任範囲を明確化する、セキュリティ対策の共同実施や導入の支援を実施する、第三者によるセキュリティ対策の評価検証を実施する、セキュリティに関する情報共有を行うこと等が挙げられる。「サイバーセキュリティ経営ガイドライン[85]」にも対策例が記載されているので参考にしていただきたい。

- 脆弱性に対応する仕組みや体制の構築

  OS やアプリケーション、ネットワーク境界装置等のシステムの脆弱性を悪用する攻撃に対抗するために、自組織が利用しているソフトウェアや機器の脆弱性情報と一時的な緩和策を含む対策方法をいち早く入手し、自組織に展開できるような体制作りが重要である。IT 資産管理システム等を活用することで、自組織のサーバーや端末等に報告されている脆弱性がないかを確認し、修正プログラムの適用等の対応を漏れなく行える仕組みを作ることが望ましい。特に「1.2.2(1)(b) ネットワーク貫通型攻撃の手口」で紹介したように、企業・組織のネットワークとインターネットとの境界に設置されるネットワーク機器やセキュリティ製品は、脆弱性が悪

用される事例が確認されているため、一時的な緩和策を含めすぐに対応できるような体制が望ましい。

（c）システムによる対策

システムによる対策例を以下に示す。

- 不審メールを警告する仕組みの導入

自組織のメールシステムでメール受信時に、送信者（From）メールアドレスの偽装や、フリーメールアドレスの利用、悪用されやすい添付ファイルの拡張子やファイルタイプ、メール内のURLリンク先の情報を検査し、フリーメールアドレスから送られてきたメールや添付ファイル等について、必要に応じて受信者に警告することで、不審メールであると気付く機会を与えることが可能である。また、添付ファイル付きメールの受信時やインターネット上のファイルダウンロード時には、ウイルスの検査はもちろん、サンドボックスと呼ばれる隔離された環境でファイルを動的に解析する仕組みを採用することも有効である。なお、オンラインで提供されるウイルス検査やサンドボックスのサービスの一部には、ファイルをアップロードすることで意図せず情報漏えいにつながる危険性があるため十分な注意が必要である。加えて、セキュリティインシデント発生に備え、不審メールを確保できる仕組みを導入することが望ましい。不審メールを調査可能にしておくことで、影響範囲等の解析が可能となり、解析結果を組織全体で共有し対策を取ることができる。

- 通常業務で使わないファイルの実行防止・ソフトウェアの利用防止

役職員が通常の業務では使わないファイルやソフトウェアについては、あらかじめ、システムやポリシーで実行できないよう制限することが望ましい。具体的には、あらかじめ業務等で必要なソフトウェアや実行可能なファイルの種類を洗い出し、それらの実行のみを許可し、他のものを禁止すること（許可リスト方式）で、ウイルスへの感染を防止する。許可リスト方式による制限の実施が難しい場合は、端末で実行することが望ましくないファイルの種類やソフトウェアを特定し、実行を禁止する（拒否リスト方式）。例えば、悪用されることの多いPowerShellやJavaScript等のスクリプトファイル（拡張子が.ps1や.js等のファイル）のような、業務で使用しないであろうファイルの実行を禁止することが有効である。

- 利用方法の変化に伴うセキュリティ対策の見直し

標的型攻撃においては、働き方の多様化やクラウド利用の浸透等、システムの利用方法の変化に伴い発生する脆弱性を狙われるケースも考えられる。働き方の多様化により、仕事場を従来の職場に限定せず、職場外での勤務を可能にする勤務形態や、BYOD（Bring Your Own Device：私物端末の業務利用）により、これまでのような組織内ネットワークとインターネットの境界におけるセキュリティ対策だけでは、侵害を防ぐことが難しくなってきている。そのため、パソコンや携帯端末等のエンドポイントにおいて不審な挙動を監視し、攻撃活動の抑え込みを行うEDR製品の導入等も有効な対策である。EDR製品は、すべてのウイルス等に対して万能ではないものの、ファイルレスマルウェア[86]や未知のウイルス等の検知・対策にも有効である可能性がある。また、クラウドの利用等によって、業務情報を自社システム外に保管するケースも増えている。そこでデータの持ち出しや流出の可能性を考慮したセキュリティ対策としてファイルの暗号化やDLP（Data Loss Prevention）等の対策の導入を検討する必要がある。

- 取得するログの種類と保存期間の定期的な見直し

標的型攻撃は巧妙化しており、これまでに記載した対策だけでは防げない可能性もある。標的型攻撃を受けて万が一侵入されてしまった場合でも早期に検知できるように、各端末や各セキュリティ製品、ネットワーク機器等で取得するログの種類を定期的に見直すことや、ログの監査方法を見直すことも有効である[87]。また、標的型攻撃は長期にわたる場合もあるため、過去の攻撃の痕跡を調査できるように、ログの保管期間についても定期的に見直しを行うことが望ましい。

- Attack Surface Managementの導入

経済産業省は、「ASM（Attack Surface Management）導入ガイダンス」を公開している[88]。Attack Surface（アタックサーフェス）とは、ネットワーク機器やWebサービス等、外部（インターネット）との境界にあり、組織の外部からアクセス可能な資産を指し、これらは外部からの攻撃を受ける可能性がある。サイバー攻撃の初期段階では、公開情報やインターネットからアクセス可能な資産から得られる情報により偵察が行われ、脆弱な部分を狙われて侵入されることがある。こうした攻撃から自組織の資産を守るため、Attack Surfaceを把握・管理（Management）する手法をASMと呼ぶ。セキュリティベンダーが提供するASMツール等を用いることで、ツールにより資産を一元管理し、収集した脆弱性情報と資産を突き合わせて、リスクの評価・可

視化等ができる。これにより、脆弱性が早期発見でき、迅速かつ適切に対応を行うことで、攻撃のリスクを減らし、自組織を標的型攻撃から守ることにつながる。

1.2.3 ビジネスメール詐欺（BEC）

ビジネスメール詐欺（BEC：Business Email Compromise）は、巧妙な騙しの手口を駆使した偽のメールを企業・組織に送り付け、役職員を騙して送金取引に関わる資金を詐取する等の金銭被害をもたらすサイバー攻撃の一種である。偽のメールを送るための前段階として、企業の役職員や取引先のメールアカウント情報を狙うケースもあり、フィッシング攻撃や情報を窃取するウイルスを使用することもある。

本項では、2023年度に公表されたビジネスメール詐欺の被害状況、事例を紹介し、その巧妙な手口と対策について解説する。

（1）ビジネスメール詐欺の被害状況

FBIのインターネット犯罪苦情センター（IC3：Internet Crime Complaint Center）が2024年3月に公開した年次報告書[89]によると、2023年にIC3に報告されたビジネスメール詐欺の被害総額は、前年比約7.5%増の約29億4,700万ドルとなっている。IC3が公開した2015年から2023年までの年次被害総額の推移を図1-2-6に示す。

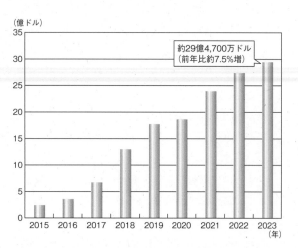

(億ドル)

■図1-2-6　ビジネスメール詐欺の被害総額推移（2015〜2023年）
(出典)IC3年次報告書[89]を基にIPAが作成

この図から、被害総額が年々継続して増加しており、ビジネスメール詐欺の脅威がより深刻なものとなっていることが見て取れる。

なお、当該報告書によると、被害件数は2022年が21,832件、2023年が21,489件とわずかながら減少しており、ここから1件あたりの被害金額が増加傾向にあることも推測される。

（2）ビジネスメール詐欺検挙の事例

脅威がより深刻となる一方で、世界の法執行機関がビジネスメール詐欺の容疑者を検挙する事例も前年度に引き続き多数公開された。国際刑事警察機構（ICPO：International Criminal Police Organization、INTERPOLとも呼ばれる）は、2023年7月から12月にかけて「HAECHI IV」と呼ぶ国際的な取り締まりを主導し、34ヵ国が参加した。その成果として、ビジネスメール詐欺を含むサイバー犯罪に関わっていた約3,500人を逮捕し、悪用されていた82,112件の銀行口座や仮想通貨口座を凍結させ、約3億ドルの資産を押収したという[90]。

また、地域の法執行機関と民間企業の協力によって容疑者の逮捕につながった事例も公開されている。一例としては、INTERPOLとアフリカ警察協力機構（AFRIPOL：African Union Mechanism for Police Cooperation）が、パートナーである民間企業数社の協力を得て、アフリカ25ヵ国で共同の捜査を行い、ビジネスメール詐欺の容疑者の逮捕に至った事例が挙げられる[91]。

（3）2023年度に報道された事例

2023年度においても国内外で金銭被害に遭った事例の報道が確認されている。

国内で発生した事例では、イベント事業を展開する株式会社NHKプロモーションが、虚偽のメールによる送金指示により詐欺被害を受けたという事例[92]や、医療製品事業を展開する株式会社スリー・ディー・マトリックスが、取引先を装った虚偽のメールによる送金指示により約2億円の被害を受けた事例[93]が挙げられる。

国外で発生した事例では、米国のフロリダ州フォートローダーデール市が、建設業者を装った攻撃者による虚偽のメール及び巧妙な請求書の偽造によって約120万ドルを送金させられたものの、市警察が資金を追跡し全額を回収した事例[94]が挙げられる。また、手口としてディープフェイクが悪用された事例の報道も複数あり、ビデオ会議に参加していた数人すべてがディープフェイクにより生成されたものであったという事例[95]の報道もある。

（4）IPAが情報提供を受けた事例

IPAでは、2022年9月からWebサイト上で「ビジネ

スメール詐欺（BEC）対策特設ページ[※96]」（以下、特設ページ）と題して、情報提供を受けた事例や対策等を紹介しているほか、サイバー情報共有イニシアティブ（J-CSIP：Initiative for Cyber Security Information sharing Partnership of Japan）の運用状況レポートでも事例を公開している（J-CSIPの活動については「2.1.3（5）J-CSIP（サイバー情報共有イニシアティブ）」参照）。

IPAが情報提供を受け、2023年度に公開したビジネスメール詐欺事例3件の概要を表1-2-2に示す。

IPAではビジネスメール詐欺を「経営者等へのなりすまし」と「取引先との請求書の偽装」の二つのパターン[※99]に分類している。ここでは各パターンで使用される代表的な手口について、表1-2-2の項番1及び2の事例を用いて、「（a）海外関連企業を狙った電話を併用した攻撃事例」「（b）偽造文書を使い海外取引先を狙った攻撃事例」で紹介する。

また、「経営者等へのなりすまし」分類の代表的なビジネスメール詐欺である「CEO（Chief Executive Officer：最高経営責任者）を詐称するビジネスメール詐欺」（以下、CEO詐欺）について、継続して情報提供を受けたため、概要を「（c）CEOを詐称する一連の攻撃の特徴」で紹介する。

（a）海外関連企業を狙った電話を併用した攻撃事例
（表1-2-2の項番1）

同事例は、2023年5月、J-CSIPの参加組織（A社：請求側）の海外関連企業（B社：支払側）の社長に対し、A社の会長及び専務になりすました攻撃者から、偽のメールと発信者電話番号を偽装した電話が着信したものである。この電話ではA社専務の声が模倣されていた。昨今では、ディープフェイクで生成された音声による電話がビジネスメール詐欺に用いられたとの報道があり、同

事例でもディープフェイクが使用されていた可能性もある。なお、同事例では、攻撃者からの電話を受けたB社社長がなりすましに気付いたことで、金銭的な被害は発生しなかった。

攻撃に関連したメール及び電話のやり取りを図1-2-7に示す。

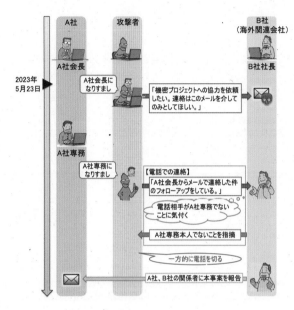

■図1-2-7　攻撃者とのやり取り
（出典）IPA「サイバー情報共有イニシアティブ（J-CSIP）運用状況［2023年4月～6月］」

この攻撃は、前述のビジネスメール詐欺の二つのパターンのうち、「経営者等へのなりすまし」に該当する。同事例では詐欺の過程で次の手口が使われた。

（ア）実在する経営者をかたるメール

同事例は、A社の会長を装いB社の社長に対して機密プロジェクトへの協力を依頼するもので、メール本文には、実在する会計・法律事務所の実在する人員の

第1章　情報セキュリティインシデント・脆弱性の現状と対策

項番	事例概要	被害の有無	備考
1	2023年5月、国内企業（請求側）と海外グループ企業（支払側）の間で、請求側の国内企業の会長及び専務になりすました攻撃者から、偽のメールと電話が発信されて海外グループ企業の社長に着信したが、詐欺であると気付き、金銭的な被害は発生しなかった。	なし	「サイバー情報共有イニシアティブ（J-CSIP）運用状況［2023年4月～6月］[※97]」に記載
2	2023年5月、国内企業（請求側）と海外企業（支払側）との取り引きにおいて、請求側の国内企業の担当者になりすました攻撃者から正規のメールを流用した偽のメールが発信されて海外企業の経理担当者に着信したが、経理担当者が不審に思い、信頼できる別の経路で事実確認を行い、金銭的な被害は発生しなかった。	なし	「サイバー情報共有イニシアティブ（J-CSIP）運用状況［2023年4月～6月］」に記載
3	2022年8月、国内企業（請求側）と海外グループ企業（支払側）の間で、請求側の国内企業の社長になりすました攻撃者から支払い要求をするメールが発信されて海外グループ企業の役員に着信したが、詐欺であると気付き、金銭的な被害は発生しなかった。	なし	「ビジネスメール詐欺（BEC）の詳細事例6[※98]」に記載

■表1-2-2　IPAが情報提供を受け2023年度に公開したビジネスメール詐欺事例の概要

氏名が挙げられていた。攻撃者が送付したメールを図 1-2-8 に示す。

■図 1-2-8　攻撃者が送付したメール
(出典)IPA「サイバー情報共有イニシアティブ(J-CSIP)運用状況 [2023 年 4 月〜6 月]」

(イ)正規のメールアドレスに似せたメールアドレス

同事例では、攻撃者がメールの差出人を A 社会長であるかのように偽装するため、差出人(From)に表示される表示名(スクリーンネーム)には A 社会長の氏名(英語表記)を、メールアドレスには A 社会長のメールアドレスに似た、実在しないメールアドレスを設定していた。このメールアドレスは、ドメイン部を A 社で使用している正規のドメインに偽装しており、@ より前のローカル部は A 社会長の氏名を含むものであった。攻撃者が設定したメールアドレスの偽装パターンを図 1-2-9 に示す。

■なりすまされた人物の名前を「山田 太郎(Yamada Taro)」さんとした場合の例

本物のメールアドレス表示：Taro Yamada < t.yamada @ [A社の正規ドメイン] >
偽のメールアドレス表示　：Taro Yamada < taro_yamada @ [A社の正規ドメイン] >
　　　　　　　　　　　→ 氏名からローカル部への変換規則が実際のA社のものと異なる

■図 1-2-9　攻撃者によるメールアドレスの偽装パターン
(出典)IPA「サイバー情報共有イニシアティブ(J-CSIP)運用状況 [2023 年 4 月〜6 月]」

(ウ)発信者電話番号を偽装した電話

同事例では、A 社会長を詐称したメールを受信した当日中に、A 社専務になりすました攻撃者から、「A 社会長からメールで連絡した件のフォローアップをしている」と称した電話が B 社社長に着信した。発信者電話番号は A 社の代表番号に偽装されていたという。また、この電話では、攻撃者は A 社専務の声を模倣していたとのことであった。こうした詐欺に、ディープフェイクで生成した音声が利用されているとの情報[100]もあるため、発信者電話番号や声色のみで判断しないよう注意が必要である。

(b)偽造文書を使い海外取引先を狙った攻撃事例 (表 1-2-2 の項番 2)

同事例は、2023 年 5 月、J-CSIP の参加組織(A 社：請求側)が、海外取引先企業(B 社：支払側)との取引きを行っている中、A 社の担当者になりすました攻撃者から B 社経理担当者に、偽の口座への振込先の変更を要求するメールが送られたものである。B 社経理担当者が連絡内容を不審に思い A 社担当者に連絡を行ったため、金銭的な被害は発生しなかった。

攻撃に関係したメールのやり取りを図 1-2-10 に示す。

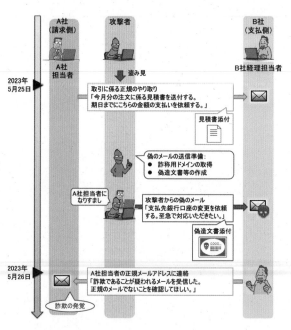

■図 1-2-10　攻撃者とのやり取り
(出典)IPA「サイバー情報共有イニシアティブ(J-CSIP)運用状況 [2023 年 4 月〜6 月]」

この攻撃は、前述のビジネスメール詐欺の二つのパターンのうち、「取引先との請求書の偽装」に該当する。

同事例では、A 社担当者から送信されたメールが攻撃者により不正に盗み見られ、その情報を悪用して偽メールの送信が行われたと推測される。詐欺の過程では次の手口が使われた。

(ア)正規のやり取りへ介入するメール

A 社と B 社の間で取り引きに関するメールのやり取りを

している中で、A 社担当者になりすました攻撃者から、支払い先の銀行口座の変更を依頼する偽のメールが B 社経理担当者へ送られた。このメールには、過去にやり取りされた正規のメールの内容が流用されており、攻撃者が何らかの方法で正規のメールを盗み見ていたことが推測される。

同事例で攻撃者から送られたメールを図 1-2-11 に示す。前述のとおり、正規のメールを流用しており、図内の赤枠部分のみを追加したメールとなっていた。

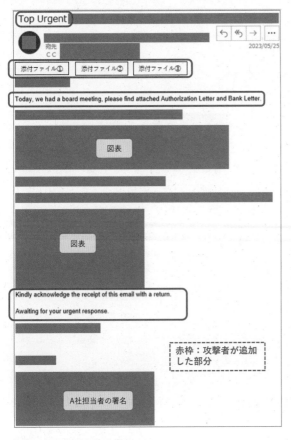

■図 1-2-11　攻撃者が送付したメール
(出典)IPA「サイバー情報共有イニシアティブ(J-CSIP)運用状況
[2023 年 4 月～6 月]」

メールを受信した B 社経理担当者が不審に思い、A 社担当者に連絡したところ、詐欺であることが発覚した。

(イ) 偽造文書をメールに添付

同事例で送信された偽メールには、3 点のファイル (2 点の PDF ファイルと 1 点の ZIP ファイル) が添付されており、2 点の PDF ファイルは攻撃者が偽造したファイルであった。添付ファイルの内容を以下に示す。

• PDF ファイル 1：A 社の正規の文書を模倣したと推測される、振込先口座の変更を依頼する偽造された文書ファイル

• PDF ファイル 2：A 社の依頼を元に変更先口座の銀行が発行したように見せかけた、A 社の口座が開設したことの証明書類を装った文書ファイル

• ZIP ファイル：ZIP ファイルの拡張子を「zip」から一文字違いに変更したファイル。メールシステムの制限を回避するための A 社の習慣に沿うメールに見せかけて、B 社経理担当者に正規のメールであると誤認させるために添付されたと推測される

攻撃者が作成した文書ファイルは、A 社担当者が正規のメールを送信した 4 ～ 5 時間後に作成されたと推測される。PDF ファイル 1 のイメージを、図 1-2-12 に示す。

■図 1-2-12　攻撃者が作成した PDF ファイル 1 のイメージ
(出典)IPA「サイバー情報共有イニシアティブ(J-CSIP)運用状況
[2023 年 4 月～6 月]」

(ウ) 正規ドメインと類似した詐称用ドメインの利用

同事例の攻撃メールでは、差出人 (From) 及び同報先 (CC) のメールアドレスには、A 社のメールアドレスに似せた偽のメールアドレスが使用されていた。攻撃者が同報先にも偽のメールアドレスを設定していたのは、A 社関係者が同報でメールを確認できる状況にあると錯覚させることや、実際には A 社関係者にメールが届かないようにすることで詐欺の発覚を避けることが目的であったと推測される。攻撃者が設定したメールアドレスの偽装パターンを図 1-2-13(次ページ)に示す。

偽のメールアドレスのローカル部は本物のメールアドレスと同一であり、ドメイン部には A 社の正規ドメインに似せた詐称用ドメインが使用されていた。

本物のメールアドレス　：[A社担当者の正規ローカル部] @ abc●●company.co.jp
偽のメールアドレス　：[A社担当者の正規ローカル部] @ abc●●company-co-jp.com
→「.」を「-」に変更
→ TLD(トップレベルドメイン)を「com」に変更

■図 1-2-13　攻撃者によるメールアドレスの偽装パターン
(出典)IPA「サイバー情報共有イニシアティブ(J-CSIP)運用状況[2023年4月～6月]」を基に編集

同事例の詐称用ドメインは、偽のメールに流用された正規メールの送信から5時間後、攻撃者が偽造文書を作成したと推測される時刻とほぼ同時刻に取得されていた。

(c) CEOを詐称する一連の攻撃の特徴

2023年においても、CEO詐欺について継続して情報提供があった。更にIPAでJ-CSIP外の情報を含め独自に調査を行ったところ、複数の類似するメール検体を入手した。

ここでは、攻撃メールの特徴から同一の攻撃者による攻撃と推測される二つのCEO詐欺について説明する。いずれも企業の極秘買収をテーマとしてCEOや会長等の役員をかたり、偽の弁護士とやり取りさせることで多額の金銭を詐取しようとするものである。また、メールに加えて電話やWhatsApp等を併用しようとする手口を2020年4月以降、継続して観測している。

(ア) 複数組織に行われたCEOを詐称する一連の攻撃

IPAでは「複数組織へ行われたCEOを詐称する一連の攻撃」について、2023年に9件(2022年は11件)、2022年以前も含めると合計約260件のメール情報を入手した。同攻撃は、2019年7月以降継続して観測しており※101、中には1億円程度の大きな金額を要求するメールも確認している。メールの件名や内容は時期によって変化が見られるが、メールのヘッダー情報に類似する点があり、一連の攻撃は同一の攻撃者によるものとIPAでは推測している(表1-2-2(p.29)の項番1も同攻撃の一つであると推測している)。また、同攻撃メールについては、米国のセキュリティベンダーが公開したレポート※102と同様の手口であることを確認している。

(イ)「日本語化」されたCEO詐欺の攻撃

IPAでは「『日本語化』されたCEO詐欺の攻撃」について、2023年に82件(2022年は27件)、2022年以前も含めると合計約190件のメール情報を入手した。同攻撃は、2019年11月以降継続して観測しており、中には数千万円から1億円程度を送金するよう要求するメールも確認している。メールの件名や内容は一部に変化が見られるが、ほぼ同じ内容のメールであり、メールのヘッダー情報や、「SendGrid」「SMTP2GO」「Sendinblue(現、Brevo)」「Fastmail」「Mailgun」「Mailhostbox」というメールサービスを使用する場合がある等、類似する点があり、一連の攻撃は同一の攻撃者によるものと推測している(表1-2-2(p.29)の項番3も同攻撃の一つであると推測している)。

これら二つのCEO詐欺は、特定の組織や業種を狙うものではなく、多くの業種に対して試みられたことが確認されている。このため、業種に関わらず、今後も継続して国内外の組織に対して多額の金銭を詐取しようとする攻撃が行われる可能性があり、注意が必要である。

(5) ビジネスメール詐欺への対策

攻撃者は被害者から金銭を詐取するために、手口を多様に組み合わせて巧妙に攻撃を仕掛ける場合があることや、時流に沿った口実で相手を騙そうとする等、手口を新しくしながら攻撃を行っていることを認識しておく必要がある。日頃からビジネスメール詐欺への意識を高め、組織内の送金チェック体制や監視体制、被害に遭ったときの迅速な対応体制を整えておくことが重要である。

また、JPCERT/CCや株式会社マクニカ、PwCの報告書※103等に加え、IPAの特設ページにも対策や被害に遭ってしまった際の対応について公開しているため、そちらも活用いただきたい。

今後、AI等を悪用し手口は更に巧妙になることが想定されるものの、ビジネスメール詐欺への対策は変わらず、以下を徹底することが重要である(AIの悪用については「4.2 AIのセキュリティ」参照)。

(a) ビジネスメール詐欺の周知徹底と情報共有

ビジネスメール詐欺は、企業間のビジネス活動がメールに依存している点を悪用した巧妙な騙しの手口であり、その手口を知らなければ、被害を防止することは困難である。代表的な手口については、前述の特設ページにて公開しているレポート「ビジネスメール詐欺(BEC)の特徴と対策※104」の「3 ビジネスメール詐欺の代表的な手口の紹介」に掲載しているため参照いただきたい。

ビジネスメール詐欺におけるなりすましは外部企業との取り引きだけでなく、グループ企業同士の取り引きにおいても発生している。このため、海外関連企業を含む全グループ企業の全役職員に対して詐欺の手口について周

知徹底し、ビジネスメール詐欺への意識を高めておくことが重要である。特に、最高財務責任者（CFO：Chief Financial Officer）や経理部門等の金銭を取り扱う担当者が、ビジネスメール詐欺の脅威についてよく理解し、送金前に攻撃に気付くことができれば、金銭的な被害を未然に防ぐ可能性が高まる。

また、メールに普段とは異なる言い回しや表現の誤りがあった、返信したメールが送信エラーになった等、不審な兆候が見られた場合に、CSIRT 等の社内の適切な部門に報告できる体制をあらかじめ整えておき、その情報を組織内外で共有することも重要である。ビジネスメール詐欺は、自組織だけではなく、取引先にも被害が及ぶことがあり、取引先と情報を共有することにより、サプライチェーン全体でビジネスメール詐欺への耐性を高めることができる。自組織を詐称したビジネスメール詐欺を確認した場合や自組織が被害に遭った場合に、警察や金融機関に相談するとともに、取引先への注意喚起、IPA への報告等を迅速に行うことができる体制をあらかじめ整えておくことで、更なる被害拡大を防ぐことが可能となる。

(b) 送金処理のチェック体制強化

ビジネスメール詐欺の被害を防止するためには、送金時のチェック体制を強化することが最も重要である。金銭を取り扱う担当者は、通常と異なる対応（役員等からの通常の手順とは異なる支払い依頼や、企業間取引において別の口座への突然の変更依頼、見積価格の修正、支払方法の変更、急なメールアドレス変更等）を求められた場合はビジネスメール詐欺を疑い、別の担当者とダブルチェックを行うことや、信頼できる方法で入手した連絡先に、電話や FAX 等メール以外の手段で事実を確認するといった、二重三重のチェックを行う体制とすることが必要である。

(c) 攻撃に使われるメールアドレスへの対策

ビジネスメール詐欺において、攻撃者がメールを偽装する方法は様々であるが、返信先に設定されたメールアドレスに注意していれば偽メールであると見破れる可能性があったにも関わらず、返信してしまった事例が多く見られるため、送信前にメールアドレスが正しいかどうか、落ち着いて確認していただきたい。

ビジネスメール詐欺で使われるメール偽装の手口として、フリーメールを悪用する場合や、自組織のドメイン名に似せた詐称用のドメインを取得し、そのドメインのメー

ルアドレスを用いて攻撃を行う場合がある。フリーメールや自組織外のメールアドレスから着信したメールについて、件名や本文にその旨の警告を表示するメールシステムを採用すれば、役職員がそれらのメールを見分けやすくなる。なお、このようなメールシステムを利用していても、取引先がフリーメールをビジネスに使っている場合や、攻撃者が取引先等のドメイン名に似せた詐称用のドメインを取得し、そのドメインのメールアドレスを用いる場合等、正しいメールと偽のメールの区別がつきにくい場合があるため、注意が必要である。また、送信元(From)を正しい送信者のメールアドレスに偽装し、返信先(Reply-To)を攻撃者のメールアドレスにする手口もあり、送信元(From)と返信先(Reply-To)が異なる際に警告を表示する機能があるメールシステムを導入することも対策として有効である。

(d) フィッシング・ウイルス・不正アクセス対策

ビジネスメール詐欺を行う攻撃者は、攻撃に至る前に、何らかの方法でメールのやり取りを盗み見ている場合がある。その方法として、フィッシング攻撃によるメールアカウント情報の詐取、ウイルス感染等によるメールの内容やメールアカウント情報の窃取、メールサーバーへの不正アクセス等がある。そのため、基本的なフィッシング対策・ウイルス対策・不正アクセス対策を徹底していただきたい。

特に、Microsoft 365 や Google Workspace 等のクラウドサービスを利用している場合は、多要素認証等を活用し、第三者による不正ログインを防ぐことが重要である。ただし、多要素認証を設定している場合でも、「AiTM（adversary-in-the-middle）」と呼ばれるフィッシング攻撃により認証を突破される被害が確認されている[105]。多要素認証を設定しても対策は万全ではないことを認識の上、不審なメール内の URL にはアクセスしない等、基本的なフィッシング対策も同時に実施していただきたい。

また、利用者本人が行っていない転送設定やフォルダの振り分け設定がされている等、攻撃者によってメールアカウントが乗っ取られている兆候があった場合には、Microsoft 社等より該当アカウントへの対処方法[106]が公開されているため、そちらを参照いただきたい。

1.2.4 DDoS攻撃

DDoS（Distributed Denial of Service）攻撃とは、Web サーバー等の攻撃対象に対して、複数の送信元から同時に大量のパケットや問い合わせを送信すること

で、攻撃対象のリソースに負荷をかけ、サービス運用を妨害する攻撃である。

本項では、2023年度に確認されたDDoS攻撃について手口と事例、対策を解説する。

(1) DDoS攻撃の動向

セキュリティベンダーによると、2023年上半期に全世界で確認されたDDoS攻撃は、過去最多となる約790万回で、前年同期と比較して30.5%増加した[107]。ロシア・ウクライナ戦争や、フィンランドの北大西洋条約機構（NATO：North Atlantic Treaty Organization）加盟等の世界的な出来事が、DDoS攻撃の増加要因とされる。戦争の発生に伴い、攻撃対象国の政府機関や重要インフラ事業者のサイトを使用不能にし、経済活動を麻痺させることを狙い、DDoS攻撃が増加したと考えられる。DDoS攻撃によりインターネットに接続しづらい状態にし、国民に不便を強いることで、国民がその国の政府に不満を持つように仕向けることも目的として考えられるという[108]。

また、アジア太平洋地域の無線通信プロバイダーに対するDDoS攻撃が増加しており、これは、多くのオンラインゲーム利用者が、5G固定無線アクセスに移行していることと相関しているという[109]。オンラインゲーム業界はDDoS攻撃の対象とされやすく、オンラインゲーム利用者のインターネット接続方式の移行に合わせて、攻撃対象が変化していることが考えられる。

(2) DDoS攻撃の手口と事例

ここでは、2023年度における、DDoS攻撃に関する主だった手口と事例を紹介する。

(a) リフレクション攻撃の手口と事例

通信プロトコルの中には、リクエスト（要求）よりもレスポンス（応答）のデータサイズの方が大きくなるものがある。

攻撃者がそのような仕様を悪用し、送信元を攻撃対象のIPアドレスに偽装した要求パケットをインターネット上の機器へ大量に送信することで、増幅された応答パケットが攻撃対象のIPアドレス宛てに送信される。攻撃対象はデータサイズの大きいパケットを受信することとなり、パケットの受信が継続すると、やがて処理能力が限界に達し、パフォーマンスの低下や動作の停止に至る。このようなDDoS攻撃を「リフレクション攻撃」と呼ぶ。

リフレクション攻撃では、外部に公開されているUDP（User Datagram Protocol）[110]を用いて通信を行うサービス（以下、UDPサービス）を悪用した攻撃が、2022年度に引き続き、2023年度においても多く観測されている[111]。UDPサービスを悪用した攻撃では、UDPの以下の三つの特徴が悪用される。

① UDPの仕様上、要求パケットの送信元IPアドレスを確認しないことから、送信元を偽装してパケットを送信することができる。

② 応答パケットの方が、要求パケットよりもサイズが大きくなる増幅効果（Amplification）がある。

③ UDPサービスを提供するサーバー（以下、UDPサーバー）に要求パケットを送信することで、要求パケットに指定した送信元IPアドレスへ応答パケットが返される。リフレクション攻撃においては、送信元の機器として偽装された攻撃対象の機器に対し、増幅された応答パケットが反射（Reflection）される。

UDPサービスがDDoS攻撃に悪用されると、①の特徴により、攻撃元の特定が困難となり、②③の特徴を悪用することで、送信するデータサイズを数十倍から数百倍に増幅させた攻撃が可能となる。また、攻撃元とインターネット上からアクセス可能なUDPサーバーとの間の通信自体は正常であるため、攻撃の兆候を検出して対応を行うには、後述の「1.2.4（3）（c）DDoS攻撃に加担しないための対策」が必要となる。

UDPサービスを悪用したリフレクション攻撃の事例としては、2023年4月に、BitSight Technologies, Inc.及びcuresec GmbHによって公表された、SLP（Service Location Protocol）の脆弱性（CVE-2023-29552[112]）を悪用したものが挙げられる。LAN内のプリンターやファイルサーバーを見つけるためのプロトコルであるSLPが単なるリフレクション攻撃に悪用された場合、増幅率は最大で12倍程度であるが、SLPへサービスを登録することにより、29バイトのリクエストに対して約6万5,000バイトを応答させることも可能であり、その場合の増幅率は約2,200倍もの高さになるという[113]。SLPの脆弱性（CVE-2023-29552）は、悪用が確認されているとして、2023年11月に、CISAのKEV（Known Exploited Vulnerabilities Catalog：既知の悪用された脆弱性カタログ）にも登録された[114]。

(b) ランダムサブドメイン攻撃の手口と事例

DNS（Domain Name System）の仕組みを悪用した「ランダムサブドメイン攻撃」（別名、DNS水責め攻撃）と呼ばれるDDoS攻撃が、2023年初めより急増している

という。セキュリティベンダーによると、2023 年初めは、1 日あたり平均 144 件であったところ、同年 6 月末には 611 件まで増加したとされる[115]。ここでは、その手口について紹介する[116]。

ランダムサブドメイン攻撃は、次の①～④の四つのステップで行われる。

①ボットネット[117] の作成

　攻撃者が、以下の二つから構成されるボットネットを作成する。

　　– 攻撃者が、ソフトウェアの脆弱性を悪用したりウイルスを感染させたりすることによって乗っ取った多数のコンピューター、ネットワーク機器及び IoT 機器等

　　– 乗っ取った機器に対して、遠隔で命令を送信するための C&C サーバー

②オープンリゾルバー[118] への問い合わせ

　攻撃者は、①で作成したボットネットに対して、インターネット上に存在するオープンリゾルバーに、攻撃対象ドメイン名のランダムなサブドメインを DNS 問い合わせするように命令する。この際、規制を回避するため、ボットネットからの DNS 問い合わせは低い頻度で行われる。しかし、ボットネットに属する機器は多数であるため、オープンリゾルバーには大量の問い合わせが到達する。

③権威 DNS サーバー[119] への問い合わせ

　ボットネットからの DNS 問い合わせについては、ランダムに作成される文字列がサブドメインとして設定されている。そのため、オープンリゾルバーのキャッシュには情報が存在せず、攻撃対象である権威 DNS サーバーへの問い合わせが毎回発生することとなる。

④権威 DNS サーバー停止

　攻撃対象の権威 DNS サーバーに問い合わせが集中することで負荷がかかり、やがてサービス不能の状態となる。

　ランダムサブドメイン攻撃は、DNS の仕組みそのものを悪用することから、根本的な対策が難しいと考えられる。対策としては、権威 DNS サーバーの性能強化や、外部から不正使用できるオープンリゾルバーを減らす等が挙げられる[120]。

　2023 年 5 月に開催された G7 広島サミットの期間中、地方公共団体を含む複数の官公庁に対して、DNS や HTTP（Hyper Text Transfer Protocol）を悪用した DDoS 攻撃が行われ、広島市の Web サイトにおいても一時的に接続しづらい状態となったという[121]。

　このケースでは、Web サイトの一時的に接続しづらい状態が確認されたものの、警察庁によると、関係施設の事業者や重要インフラ事業者等との共同対処訓練等の取り組みの結果として、サミット等の進行に影響を及ぼすようなサイバー攻撃は発生しなかったとされている[122]。

(3) DDoS 攻撃への対策

　DDoS 攻撃への対策では、平時からの対策や、DDoS 攻撃の被害に遭った場合の対策に加えて、管理または所有する機器が乗っ取られ DDoS 攻撃に加担してしまうことを防ぐための対策が求められる。これらの対策について解説する。

　また、DDoS 攻撃への対策については、2023 年 5 月に、警察庁と NISC が連名で注意喚起を行っているため、そちらも参照いただきたい[123]。

(a) DDoS 攻撃への平時の対策

　DDoS 攻撃の被害に遭う前に、平時から攻撃を想定した対策をしておくことを推奨する。以下に、具体的な対処方法を挙げる。

- サービスの重要度に応じて、費用をかけて守る必要があるサービスと、一定期間の停止を許容できるサービスを選別する。選別したサービスごとに対応方針を策定する。選別した各サービスについて、システムを分離することが可能な場合は分離することを検討する。具体的には、顧客情報等の重要な情報を保管しているシステムと、外部に公開されているような狙われやすいシステムを分離する。

- DDoS 攻撃を受けた際、迅速に対応できるように、社内・社外の関係者、関係する行政機関及び警察等への連絡先をまとめておく。加えて、各主体がどのように対応を行うか等を記載した対応マニュアルや BCP を策定しておく。

- 取引先や顧客等に対して、DDoS 攻撃を受けていてサービスに接続しづらい、または接続できない状態にあることを知らせることができるように、SNS 等のアカウントや、通常のサービス提供とは別の Web サーバーにソーリーページを準備しておく。

- サービスの重要性によっては、インターネットサービスプロバイダー（ISP：Internet Service Provider、以下 ISP 事業者）等が提供する DDoS 攻撃対策サービスや、セキュリティベンダー等が提供する DDoS 攻撃対策製品の利用を検討する。

- ランダムサブドメイン攻撃のように根本的な対策が難し

い DDoS 攻撃に備えて、サービスを提供しているサーバーやネットワーク機器の性能強化、CDN（Contents Delivery Network）の導入及び契約しているネットワーク回線の増強等を検討する。

（b）DDoS 攻撃の被害に遭った場合の対策

DDoS 攻撃によって送られてくる通信データを遮断し、サービスを提供するサーバーやネットワークのリソースを保護する対策が必要である。正常なアクセスと DDoS 攻撃によるアクセスを、どのように切り分けるかが対策のポイントとなる。以下に、具体的な対処方法を挙げる。

- アクセスログや通信ログ等を確認し、攻撃が特定の IP アドレスから行われていると判断できる場合は、当該 IP アドレスからのアクセスを遮断する。
- 国内からのアクセスを主に想定しているサイトでは、海外の IP アドレスからのアクセスを一時的に遮断することを検討する。
- 攻撃者が攻撃元の IP アドレスや攻撃方法を定期的に変更してくる場合がある。変化に応じた対策ができるように、継続して監視を実施する。
- 組織内で対処しきれない程、大規模な攻撃や執拗な攻撃を受けている場合は、ISP 事業者との対策協議等の連携や警察等への通報を実施する。

（c）DDoS 攻撃に加担しないための対策

自組織や個人で使用する機器が DDoS 攻撃に悪用されないように、セキュリティソフトの導入や機器への適切な設定等の対策が必要である。また、自組織の機器を悪用された場合に、それを早期に検知できるように通信の監視を行うような対策も推奨する。以下に、具体的な対処方法を挙げる。

- ネットワーク機器や IoT 機器の OS やファームウェアを最新の状態に保ち、脆弱性の悪用により制御を奪われることを防ぐ。
- パスワードが初期設定のままの機器が存在しないか確認し、存在した場合は適切なパスワードに変更する。パスワードが初期設定のままの機器は、攻撃者により容易に侵入され、制御を奪われてしまう可能性がある。
- 外部と接続しているネットワーク機器や IoT 機器をとおして組織内の他の機器に対して感染拡大を試みるウイルスも確認されているため、インターネットに直接接続していない機器においても脆弱性対策等を行う。
- 組織内で運用している機器（例えば、プリンターや屋外に設置してリモートで管理している Web カメラ・セ

ンサー等）について、それらの機器上で稼働しているソフトウェアや各サービスが適切に運用されていることを確認する。具体的には、OS を始めとするソフトウェアや各サービスについて、脆弱性を含むバージョンで運用されていないかどうかや、DDoS 攻撃に悪用される設定になっていないこと（例えば、不要なポートが開放されていないことや、不要なサービスが起動していないこと等）を確認する。また、それらのサービスを組織内のみで利用している場合でも、意図せずインターネット上に公開していないかを確認する。

- 組織内の機器の外向きの通信を監視し、異常な通信を確認した場合は、自組織で管理している機器が攻撃に悪用されている可能性がある。異常な通信を行っている機器が確認された場合、ウイルス感染等が生じていないか調査し、対処を行う。自組織での対処が困難な場合は関係当局やセキュリティベンダー等への相談を検討する。

1.2.5 ソフトウェアの脆弱性を悪用した攻撃

2023 年度も、前年から継続して VPN 製品の脆弱性を狙った攻撃が多く報告された。また、多くの利用者がいる Microsoft 製品や、政府機関や企業等において利用者の多いファイル転送ソフトウェアに関する脆弱性を狙った攻撃も報告された。本項では、これらの脆弱性を悪用した攻撃の状況と対策について解説する。

（1）VPN 製品の脆弱性を対象とした攻撃

VPN は、専用のネットワーク回線を仮想的に構築することで、物理的に離れている拠点のネットワーク間を、あたかも同一のネットワークであるかのように接続する技術である。拠点のネットワークと離れた場所にあるパソコン等を安全に接続するために、VPN は使用される。

新たな脆弱性の発見と、脆弱性が解消されていない VPN 製品を狙った攻撃は 2023 年度も続いた。

本項では、VPN 製品の脆弱性を狙った攻撃事例と対策について解説する。

（a）Citrix Bleed を悪用した攻撃事例

2023 年 10 月 10 日、Citrix Systems, Inc.（以下、Citrix 社）は、自社製 Citrix NetScaler ADC（旧 Citrix ADC）及び NetScaler Gateway（旧 Citrix Gateway）に関して、複数の脆弱性（CVE-2023-4966 及び CVE-2023-4967[※124]）を公開し、脆弱性が解消されているバー

ジョンへ、ソフトウェアをバージョンアップすることを求めた。このうち CVE-2023-4966 は「Citrix Bleed」と呼ばれ、当該製品がゲートウェイ、またはＡＡＡ[125]仮想サーバーとして構成されている場合において、攻撃者が細工したHTTP あるいは HTTPS リクエストを送信することで、Web 管理インターフェースの認証をバイパスすることが可能となる。結果として、攻撃者により任意の操作が行われる恐れのある脆弱性である（脆弱性対策情報の登録状況については「1.3.1（3）Citrix Bleed に関する脆弱性を悪用した攻撃について」参照）。

　同年 10 月 17 日、米国のセキュリティベンダーは、この脆弱性が同年 8 月下旬からゼロデイ脆弱性として存在していたとし、修正プログラムを適用する以前に、攻撃者がこの脆弱性を悪用して正規ユーザーのセッション情報を取得していた場合、修正プログラムを適用した後でも、セッションハイジャック攻撃により認証をバイパスされることを確認したと公表した[126]。これを受けて Citrix 社は、ソフトウェアのバージョンアップに加え、アクティブなセッションや永続的なセッションの削除を推奨している[127]。なお、セキュリティベンダーは、同年 10 月 31 日、この脆弱性における攻撃コード（PoC[128]）を公開した[129]。

　この脆弱性は、LockBit や BlackCat 等の攻撃グループによるランサムウェア攻撃にも悪用され[130]、これを受けて、同年 11 月 21 日、米国の CISA は FBI 等と共同でセキュリティアドバイザリーを公開した[131]。

(b) VPN 製品の脆弱性を狙った攻撃への対策

　新型コロナウイルス感染症の影響や働き方改革によるテレワークの普及等により VPN 製品の必要性が高まっているが、様々な理由により古い製品を利用せざるを得ないことも考えられる。その際は、ベンダーから継続的にサポートを受けられる状態であることを確認し、必要な修正プログラムを適用して既知の脆弱性を解消してから利用を継続することが望ましい。

　利用しているソフトウェア等に脆弱性が発見されると攻撃者に狙われ、被害が発生してしまう可能性がある。新たな脆弱性が公開された際は、VPN 製品に限らず、迅速な対応が求められる。そのためには、事前の準備が重要である。自らが保有または利用するシステムについて、構成管理を適切に行い、システムを構成するソフトウェア等の脆弱性に関する情報収集を日々行う必要がある。また、事前に対策の実施手順を整えておき、脆弱性の対応を遅延なく着実に実施することが重要である。対策の実施手順として、以下に示す内容をあらかじ

め定めておくことを推奨する。

- 利用しているソフトウェア等の脆弱性情報の収集方法
- 脆弱性が確認された場合の対応方法
- 脆弱性の緊急度や深刻度に応じた対応の優先順位
- 他部署やベンダー等への連絡の要否基準

　このような実施手順の準備に加え、侵害されている痕跡の有無の確認や、攻撃を受けてしまった場合の対応を定めておくことを推奨する。VPN 製品に対する攻撃は、組織内部への更なる攻撃の起点となる可能性があるため、包括的な対策が必要となる。

(2) Microsoft 製品の脆弱性を対象とした攻撃

　2023 年度も、Microsoft 製品の脆弱性を狙った攻撃が多数報告されている。本項では、Microsoft Office が関係する脆弱性を狙った攻撃事例と対策を紹介する。

(a) Microsoft Office が関係する脆弱性を狙った攻撃事例

　2023 年 7 月 11 日、Microsoft 社は、月例セキュリティ更新の際に、Microsoft Office が関係するリモートコード実行の脆弱性（CVE-2023-36884[132]）の存在を公表した。この脆弱性は、攻撃者が細工した悪意のあるMicrosoft Office 文書ファイルをユーザーに送り付け、これをユーザーが開くことで、スクリプトを含むファイルがダウンロードされ、結果的に任意のコードが実行されるものである（図 1-2-14）。本来であれば、Mark of the

① 攻撃者が、細工された Office 文書ファイルをユーザーに送る

② ユーザーが文書ファイルを開くと、ファイルに含まれる XML ファイルにより、結果的に攻撃者が用意した HTML ファイルが読み込まれる

③ HTML ファイル内に記述された VBScript を使用して外部に用意された悪意あるファイルが実行される

■図 1-2-14　CVE-2023-36884 の脆弱性を悪用した攻撃イメージ

Web（MOTW）と呼ばれるセキュリティ機能により、文書ファイルは保護ビューで開かれるはずであるが、ここではこの機能を回避する脆弱性（CVE-2023-36584[133]）が悪用されていることが、後の調査で判明した[134]。

これらの脆弱性を「Storm-0978」（別名、RomCom）と呼ばれる攻撃グループが悪用し、欧米の防衛機関及び政府機関を標的として攻撃を行ったとされている[135]。

また、同攻撃グループが攻撃に使用したと見られるWord ファイルが 2023 年 7 月 3 日に VirusTotal へアップロードされていたことが確認されている。Palo Alto Networks, Inc. の調査チームがこのファイルを確認したところ、ウクライナの NATO 加盟を議論する 2023 年 7月の NATO 首脳会議における参加者を狙ったものだったと報告している[134]。

（b）Microsoft 製品の脆弱性を狙った攻撃への対策

脆弱性を狙った攻撃による被害を防ぐため、Microsoft 社から修正プログラムが公開された際は、利用者は速やかにアップデートを実施することが求められる。修正プログラムが公表される前であっても、回避策が存在する場合は、悪用される可能性を踏まえた上で、回避策の実施を検討することが望ましい。

また、事前に対策の実施手順を整えておくことを推奨する（「1.2.5（1）（b）VPN 製品の脆弱性を狙った攻撃への対策」参照）。

（3）ファイル転送ソフトウェアの脆弱性を悪用した攻撃

2023 年度は、ファイル転送ソフトウェアの脆弱性を悪用した攻撃が相次いだ。電子メールの添付ファイルによる送信よりも安全なファイル転送方法として、ファイル転送ソフトウェアを利用する企業が増えているが、そのソフトウェアに脆弱性が見つかり、悪用された場合、重要なデータを窃取されるだけでなく、暗号化された上、脅迫されることもある。

本項では、実際に発生した攻撃事例として、MOVEit Transfer 及び Proself の脆弱性を悪用した攻撃とファイル転送ソフトウェアの脆弱性を狙った攻撃への対策について解説する。

（a）MOVEit Transfer の脆弱性を狙った攻撃事例

MOVEit Transfer は、Progress Software Corporation（以下、Progress Software 社）が提供する高い安全性をうたったファイル転送ソフトウェアであり、米国において

ては幅広い政府系組織をユーザーに持つソフトウェアである。2023 年 5 月 31 日、同社は、このソフトウェアにSQL インジェクションの脆弱性（CVE-2023-34362[136]）があると公表した（脆弱性対策情報の登録状況については「1.3.1（2）MOVEit Transfer のゼロデイ脆弱性について」参照）。

同年 6 月 2 日、米国のセキュリティベンダーは、攻撃グループ「Clop」（「Cl0p」とも表記される）によるゼロデイ攻撃が同年 5 月 27 日から発生し、情報漏えいやランサムウェア攻撃が行われていたと公表している[137]。

この脆弱性は、認証されていないリモートの攻撃者によるMOVEit Transfer のデータベースへの不正なアクセスを可能とするもので、これを悪用されると不正アクセスによって、データの窃取や改ざん、権限の昇格を実行される恐れがある[138]。このソフトウェアが広く使われている欧米を中心に被害が拡大し、海外拠点を持つ日本企業もその対象となり、トヨタ紡織株式会社の欧州子会社も被害に遭った可能性がある[139]。また、2024 年 3月 19 日時点で、全世界で 2,768 組織及び約 9,494 万人の個人が被害を受けたことが明らかとなっている[140]。

Progress Software 社は、MOVEit Transfer について、2023 年 5 月 31 日に CVE-2023-34362 を公開して以降、同年 6 月中に CVE-2023-35036[141] 及び CVE-2023-35708[142] を立て続けに公開した。これらも SQL インジェクションの脆弱性であり、なおかつ、CVSS v3.1 基本値がそれぞれ 9.1、9.8 と最も深刻度が高い「緊急」に分類される脆弱性であったため、広く注目を集めることとなった。

（b）Proself の脆弱性を狙った攻撃事例

Proself は、株式会社ノースグリッドが提供するオンラインストレージ構築パッケージソフトウェアであり、ファイルの受け渡し等の機能を有している。2023 年 7 月 20 日、同社は、Proself における、認証バイパス及び OS コマンドインジェクションのゼロデイ脆弱性（CVE-2023-39415、CVE-2023-39416[143]）を公開し、更に同年 10 月 10 日、XML 外部実体参照（XXE：XML External Entity）のゼロデイ脆弱性（CVE-2023-45727[144]）を公表した。これらの脆弱性が悪用された結果、独立行政法人日本学術振興会が不正アクセスされ、個人情報が漏えいする等の被害を受けた[145]。

(c) ファイル転送ソフトウェアの脆弱性を狙った攻撃への対策

脆弱性を狙った攻撃による被害を防ぐため、利用するソフトウェアは常に最新のバージョンにアップデートしておくことが望ましい。アップデートによる対応が難しい場合は、脆弱性による影響を低減させる回避策がベンダーから提示されている場合があり、必要に応じて対応を実施することが推奨される。ただし、ここで紹介したゼロデイ脆弱性等、脆弱性の存在が明らかとなっていない状況では、日頃からログや通信の監視等を実施し、攻撃及びその予兆をいち早く察知できるよう備えておくことが肝要である。なお、IPA では、ファイル転送ソフトウェア等オンラインストレージを利用する際の脆弱性対策として、2023 年 10 月 19 日に「オンラインストレージの脆弱性対策について[146]」と題した注意喚起を実施しているので、併せて確認していただきたい。

また、事前に対策の実施手順を整えておくことを推奨する（「1.2.5 (1) (b) VPN 製品の脆弱性を狙った攻撃への対策」参照）。

1.2.6 個人を狙うSMS・メールを悪用した手口

従来フィッシングサイトへの誘導は、主にメールで行われてきたが、SMS（ショートメッセージ）を悪用したものが増えてきている。個人がインターネットを利用する際の端末は、スマートフォンが約 7 割となっていることも背景として考えられる[147]。

2023 年度に IPA の「情報セキュリティ安心相談窓口」（以下、安心相談窓口）に寄せられた SMS を悪用した手口の相談件数は、国税庁等公的機関をかたるものがメールに移行したこともあり、2022 年度に比べ減少したが、金融機関をかたる偽の内容の SMS（以下、偽SMS）の手口が出現した。宅配便業者をかたる偽 SMS の手口は相談が継続して寄せられている（図 1-2-15）。

メールを悪用した手口では、ETC 利用照会サービスをかたるフィッシングのフィッシング対策協議会への報告が増加している[148]。また、世の中の関心に乗じる手口としてマイナポイントに関連した手口が出現している。

(1) SMS を悪用した手口

2023 年度も、偽 SMS の手口に関する相談は継続して寄せられている。国税庁等公的機関をかたる偽 SMS は減少する一方、宅配便業者をかたる偽 SMS の手口が継続して多い状況である（図 1-2-15）。

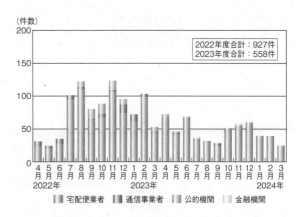

■図 1-2-15　偽 SMS に関する月別相談件数推移（2022〜2023 年度）

(a) 金融機関をかたる偽 SMS

2023 年 6 月ごろより、金融機関をかたる「口座一時停止」等の文面が記載された偽 SMS（図 1-2-16）を送り付け、URL をタップさせようとする手口が出現し、IPA に相談が寄せられるようになった。2023 年 12 月には金融庁[149] や警察庁[150] から、被害額が過去最多になったと注意喚起が行われている。

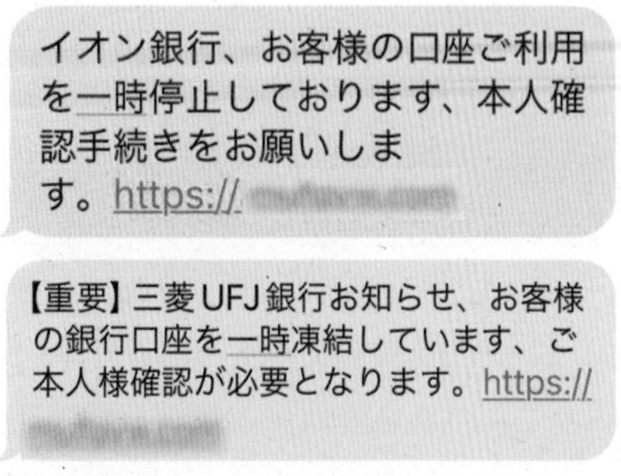

> イオン銀行、お客様の口座ご利用を一時停止しております、本人確認手続きをお願いします。https://▮▮▮▮▮▮
>
> 【重要】三菱 UFJ 銀行お知らせ、お客様の銀行口座を一時凍結しています、ご本人様確認が必要となります。https://▮▮▮▮▮▮

■図 1-2-16　金融機関をかたる偽 SMS の例

この手口では、「口座一時凍結」「一時利用停止」という金融機関をかたった偽 SMS を送り付け、SMS 内のリンクからフィッシングサイトへ誘導する。iPhone や iPad 等の iOS 端末（以下、iPhone）と Android 端末（以下、Android）に共通して、偽 SMS の URL をタップさせ、銀行口座の情報を入力させるフィッシングサイトに誘導する手口が確認されている。URL をタップさせ、金融機関になりすましたフィッシングサイトへ誘導し、口座情報やログインパスワードを入力させる（次ページ図 1-2-17）。

この事例の金融機関のシステムでは、ログイン時に普段と異なる環境からインターネットバンキングにアクセスしていると判断されると、利用者本人にメールでワンタイムパスワードを送信し、第三者が不正ログインできないように対策を取っている[151]。しかし、被害者が偽サイトに ID とパスワードを入力し、攻撃者がその情報を使って不正ログインを試みると、普段と異なる端末からのアクセス

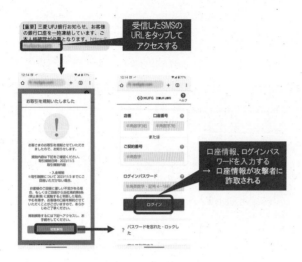

■図 1-2-17　金融機関をかたるフィッシングサイトにログイン情報を入力させる例

であるため、被害者宛てにワンタイムパスワードが送信される。被害者が受信したワンタイムパスワードを偽サイトに入力してしまうと、攻撃者にワンタイムパスワードが伝わり、不正ログインが成功すると考えられる。

攻撃者は、他にも各インターネットバンキングの認証システムに合わせて偽の入力画面を表示し、情報を詐取していると考えられる。

安心相談窓口では、以下の被害を確認している。
- フィッシングサイトで入力した銀行口座情報、メールアドレス、電話番号、氏名等の個人情報が詐取された。
- インターネットバンキングの口座に不正ログインされ、偽サイトでワンタイムパスワードを入力してしまい、攻撃者の口座へ不正に送金された。

金融機関をかたったフィッシングサイトにアクセスして口座情報やログインパスワード等の情報を入力した場合や金銭被害に遭った場合は、金融機関や警察に相談する必要がある。

(b) 宅配便業者をかたる偽 SMS

本件に関する相談は、2017 年から確認されている。この手口は、当初、佐川急便株式会社をかたるものであった。その後、ヤマト運輸株式会社や日本郵便株式会社といった実在する複数の宅配便業者名もかたられることがあったが、業者名がない偽 SMS も出現するようになった。2022 年 7 月からは、業者名のない偽 SMS の相談が増加し、ほとんどの相談が、業者名のないものとなっており、2023 年度も同様な手口が続いている（図1-2-18）。

従来、通信事業者の迷惑 SMS ブロックサービスで止

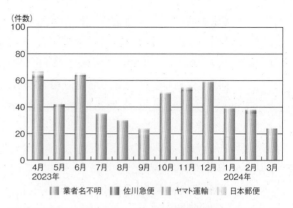

■図 1-2-18　宅配便業者をかたる SMS の相談件数推移（2023 年度）

められないよう、偽 SMS の URL 表記として数学用英字等の特殊な文字が使われるケースがあったが、2023年 10 月ごろからは、特殊な文字の使用はなくなり、X（旧Twitter）が提供する短縮 URL 表記となった（図 1-2-19）。短縮 URL をタップすると攻撃者のサイトに転送される手口が出現してきている。

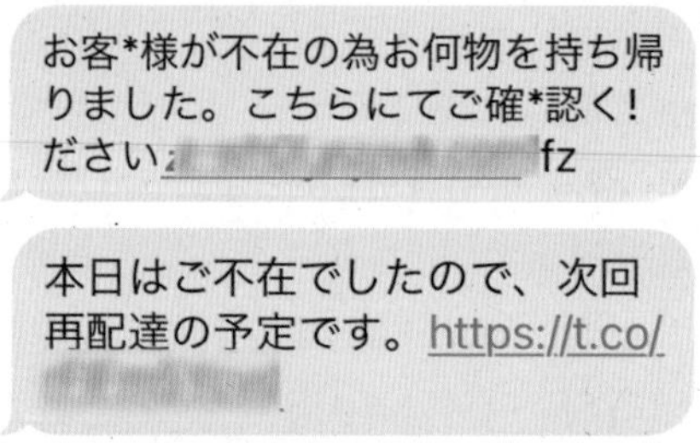

> お客*様が不在の為お何物を持ち帰りました。こちらにてご確*認く！ださい.　　　　　　　fz

> 本日はご不在でしたので、次回再配達の予定です。https://t.co/

■図 1-2-19　偽宅配便 SMS の例

URLをタップさせ、Androidに不正なアプリをインストールさせる手口や、iPhone でフィッシングサイトに誘導する手口については変化が少ないため、「情報セキュリティ白書2021[※152]」の「1.2.7（3）（a）宅配便の不在通知を装う SMS」を参照いただきたい。

(2) メールを悪用したフィッシングの手口

SMS を悪用したフィッシングが増加しているが、メールを悪用したフィッシングの手口でも、様々な組織、企業をかたったり、世の中の動向に合わせた内容のメールが継続的に送られている。

(a) 国税庁をかたるメール

国税庁をかたるフィッシングの手口は、2022 年度は偽SMS を送信する手口であったが、2023 年度には偽メールを送信する手口へと変化している（次ページ図 1-2-20）。

メールの文面の変化が続いており、当初は、「税金が納められていない」という内容がほとんどであったが、

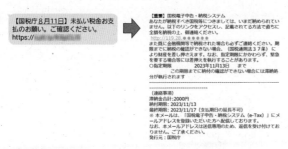

■図 1-2-20　国税庁フィッシングの手口が SMS 送信からメール送信に変化

「国税還付金の電子発行を開始しました。」という、e-TAX への登録と思わせる文面が増えてきている。

「税金が納められていない」という内容の場合は、メールの URL をクリックすると、個人情報を入力させる画面が表示され、プリペイドカードでの支払いに誘導される（図1-2-21）。

■図 1-2-21　プリペイドカードでの支払いに誘導する例

「国税還付金の電子発行を開始しました。」という内容の場合は、メールの URL をクリックすると、e-Tax への登録とかたる画面が表示され、クレジットカード情報の入力に誘導される（図1-2-22）。

(b) 世の中の関心に乗じる手口

2023 年は、マイナンバーカード取得によるポイント給付の締め切りが 9 月末であった[153] こともあり、マイナポイントの給付やマイナポータルサイトから給付金が支払われるといったフィッシングメールの手口が出現した。

2023 年 9 月末以降もポイント給付期限が延長されたと偽った内容のメールが送信されている（次ページ図 1-2-23）。

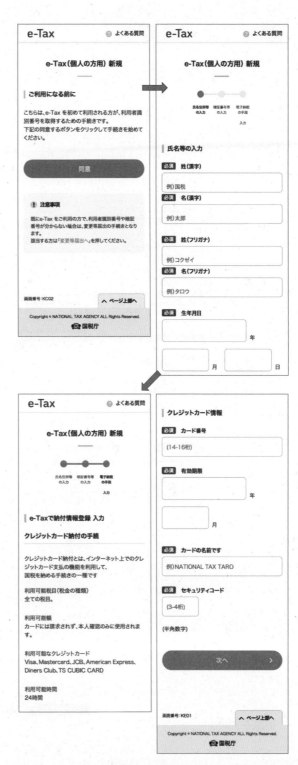

■図 1-2-22　e-Tax への登録とかたる例

URL をタップすると、フィッシングサイトに誘導され、個人情報を入力させる。更に、マイナポイントの受け取りにキャッシュレスサービスの登録が必要とかたり、クレジットカード情報を入力させ、詐取する（次ページ図 1-2-24）。

また、物価高騰に伴う、給付金の受給がマイナポータルサイトから申請できるとかたる偽メールが、「電力・ガス・食料品等価格高騰緊急支援給付金」という内容で送信

第1章
情報セキュリティインシデント・脆弱性の現状と対策

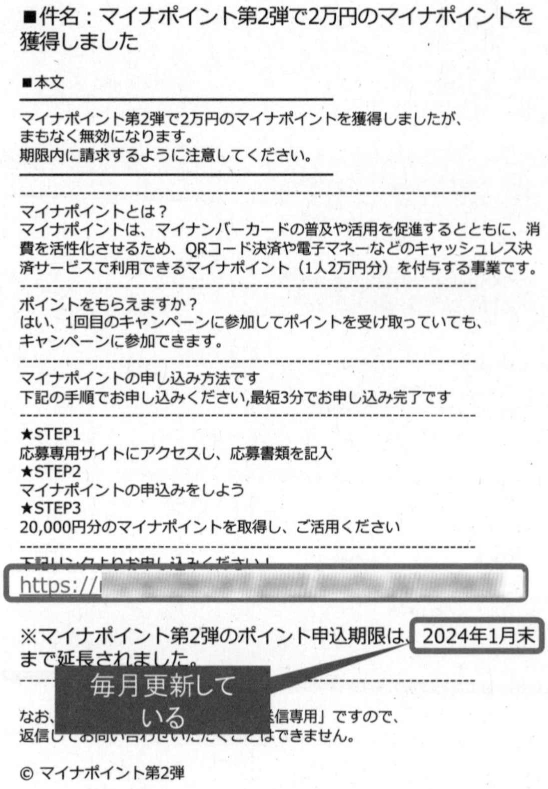

■件名：マイナポイント第2弾で2万円のマイナポイントを
獲得しました

■本文
─────────────────────
マイナポイント第2弾で2万円のマイナポイントを獲得しましたが、
まもなく無効になります。
期限内に請求するように注意してください。
─────────────────────
マイナポイントとは？
マイナポイントは、マイナンバーカードの普及や活用を促進するとともに、消
費を活性化させるため、QRコード決済や電子マネーなどのキャッシュレス決
済サービスで利用できるマイナポイント（1人2万円分）を付与する事業です。
─────────────────────
ポイントをもらえますか？
はい、1回目のキャンペーンに参加してポイントを受け取っていても、
キャンペーンに参加できます。
─────────────────────
マイナポイントの申し込み方法です
下記の手順でお申し込みください，最短3分でお申し込み完了です

★STEP1
応募専用サイトにアクセスし、応募書類を記入
★STEP2
マイナポイントの申込みをしよう
★STEP3
20,000円分のマイナポイントを取得し、ご活用ください
─────────────────────
下記リンクよりお申し込みください！

https://▓▓▓▓▓▓▓▓▓▓▓▓▓▓

※マイナポイント第2弾のポイント申込期限は、 2024年1月末
まで延長されました。
毎月更新して
いる
なお、▓▓▓▓▓▓▓▓▓▓▓▓信専用」ですので、
返信してお問い合わせいただくことはできません。

© マイナポイント第2弾

■図 1-2-23　マイナポイント第二弾をかたるフィッシングメール

■図 1-2-24　クレジットカード情報の登録に誘導する例

されている（図1-2-25）。フィッシングサイトに誘導し、クレジッ
トカード情報を入力させ、詐取する。

（3）SMS・メールを悪用した手口への対策

　金融機関によっては、取り引きに関するお知らせ等を
SMSで送ることはないと注意喚起している。また金融庁
は、金融機関がID・パスワード等をSMS等で問い合
わせることはないと注意喚起している[149]。特にSMS

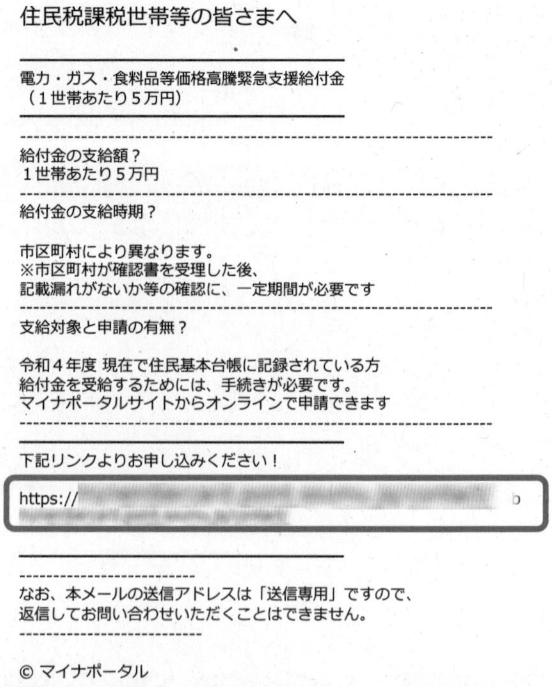

住民税課税世帯等の皆さまへ

─────────────────────
電力・ガス・食料品等価格高騰緊急支援給付金
（1世帯あたり5万円）
─────────────────────
給付金の支給額？
1世帯あたり5万円
─────────────────────
給付金の支給時期？

市区町村により異なります。
※市区町村が確認書を受理した後、
記載漏れがないか等の確認に、一定期間が必要です
─────────────────────
支給対象と申請の有無？

令和4年度 現在で住民基本台帳に記録されている方
給付金を受給するためには、手続きが必要です。
マイナポータルサイトからオンラインで申請できます
─────────────────────
下記リンクよりお申し込みください！

https://▓▓▓▓▓▓▓▓▓▓▓▓▓▓▓▓ ▓
─────────────────────
なお、本メールの送信アドレスは「送信専用」ですので、
返信してお問い合わせいただくことはできません。
─────────────────────
© マイナポータル

**■図 1-2-25　電力・ガス・食料品等価格高騰緊急支援給付金を
かたるフィッシングメール**

に記載されているURLには注意が必要である。
　また、SMS、メールともに送信元の情報表示は偽装さ
れている場合もあることに注意する。
　不審と感じたメールやSMSの真偽は、公式サイト等
の確かな情報源で確かめ、真偽がはっきりしないメール
やSMSについては、下記の対応をする。

- 添付ファイルを開かない
- 記載のURLからWebサイトにアクセスしない
- 記載の電話番号に電話をしない
- 返信しない

　SMSを悪用した手口では、不正なアプリをインストール
してしまうと、他人に同様な偽SMSが送られることがあ
る。SMSを悪用された場合は、不審なメッセージを受信
した本人が被害を受けるだけでなく、他人に被害の連鎖
を広げてしまう可能性があることに注意が必要である。

1.2.7　個人を狙う様々な騙しと悪用の手口

　本項では、「1.2.6 個人を狙うSMS・メールを悪用し
た手口」に続いて、その他の個人を狙う騙しの手口と対
策について述べる。
　インターネットサービスやアプリを悪用して個人から金銭
を奪うネット詐欺の被害が拡大している。中でも、2022
年に引き続き、偽のセキュリティ警告（サポート詐欺）の被

害が拡大した。また、2022年からIPAの安心相談窓口に相談が寄せられるようになった、副業詐欺、偽ECサイトの被害も増加している。

副業詐欺は比較的新しい手口である。偽ECサイトは以前から存在するが、2021年に検索サイトを悪用して被害者を誘い込む手口の報告件数が増加し、現在も続いている[154]。

一方で、サポート詐欺は2015年ごろに出現して以来その手口に大きな変化はない。その反面、こうした従来の手口で騙されてしまう被害者も後を絶たない状況である。

(1) 偽のセキュリティ警告（サポート詐欺）

この手口では、パソコンに偽のセキュリティ警告を表示させ、それを見て慌てた被害者に偽のサポート窓口まで電話をかけさせる。その上で、サポート料金と称して高額の金銭を騙し取る。そのため、「サポート詐欺」とも呼ばれている[155]。

2023年度にIPAの安心相談窓口に寄せられた相談件数は、過去最高の4,521件となった（図1-2-26）。2023年は、金銭を騙し取る際に、パソコンの遠隔操作ソフトウェアを悪用してネットバンキングの不正送金に誘導する新たな手口が出現した。IPAの安心相談窓口に寄せられた相談では、攻撃者が遠隔操作を悪用して送金額に0（ゼロ）を加えたため、その結果として被害者がネットバンクから198万円を送金させられた事例が発生した（「1.2.7（1）（a）手口」の「⑥サポートプランを示して支払いを求める」参照）。また警察の発表によると、サポート詐欺の被害に遭い、複数回にわたり不正送金をされた結果、1,690万円もの被害に遭った事例が発生している[156]。

サポート詐欺の1年間の被害額も年々増加しており、独立行政法人国民生活センター（以下、国民生活センター）によると、2022年度の被害額は過去最高の約5億9,000万円であった[157]。

(a) 手口

具体的な手口について順を追って解説する。

①ネットに偽の警告を表示させる罠を仕掛ける

パソコンでインターネットを閲覧中に、突然偽のセキュリティ警告を表示させる罠の仕掛け方として、広告や検索サイトの悪用がある。例えば、2023年の11月中旬から12月にかけて、検索サイトで「2024年賀状 無料 イラスト」といったキーワードを入力して検索を行うと、結果に不審なサイトが表示され、そのリンクをクリックすると不審なサイトに誘導された（図1-2-27）。誘導先の不審なサイトには、無料イラストのコンテンツはなかった。代わりに「クリックしてご覧ください」と記載した広告が表示され、この広告をクリックすると偽のセキュリティ警告サイトにリダイレクトされた。アダルトサイトの動画再生リンク等から誘導される場合もある。このような形でネット上には、クリックすると偽の警告に誘導される罠が仕掛けられている。

■図1-2-27　検索結果と広告から偽のセキュリティ警告に誘導する例

②偽のセキュリティ警告で恐怖を煽る

偽のセキュリティ警告は、図1-2-28に示すような形で、Webサイトを閲覧中のWebブラウザーによって表示される。

画面を埋め尽くすように次々と表示される警告の中に

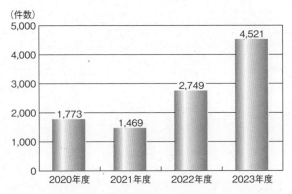

■図1-2-26　偽のセキュリティ警告（サポート詐欺）に関する相談件数の推移（2020〜2023年度）

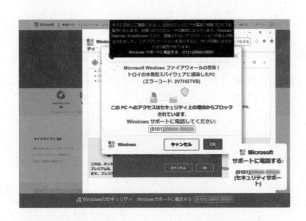

■図1-2-28　画面を埋め尽くすように表示される警告画面の例

は、「トロイの木馬スパイウェアに感染したPC」「PC
へのアクセスがセキュリティ上の理由からブロックされ
た」等の警告文が書かれている。これらはすべて根
拠のない偽の内容である。

③巧妙な細工で焦らせる

偽のセキュリティ警告が表示された際に、警告を消そ
うとしてキャンセルボタン等をクリックすると、Webブラ
ウザーがフルスクリーン表示に変わり、「×」(閉じる) ボ
タンが非表示になってしまう。画面上に見えている偽の
「×」(閉じる) マークをクリックしても反応はない。加え
てスピーカーからは、「今すぐお電話ください、パソコ
ンを再起動するとデータや個人情報の損失につながり
ます」といった警告アナウンスが流れる。

このような細工によって、被害者に、パソコンが正常
に操作できないという焦りや、ウイルスに感染してしまっ
たのではないかとう恐怖心をいだかせて、正常な判
断力を奪おうとしていると考えられる。

④実在する企業の名前をかたり信用させる

偽のセキュリティ警告画面には、Microsoft社等の実
在する企業のサポートセンターと称する電話番号が表
示される。被害者を焦らせた上で、著名な企業名を
かたることによって、「ここに電話すれば解決してもら
える」と思わせようとしていると考えられる。

偽のセキュリティ警告に表示される電話番号では、国
内の通信事業者が提供するIP電話番号 (050番号)
が悪用されていたが、2023年10月ごろから、0101
で始まる電話番号への変化が見られた。この番号は、
国番号1の北米 (主に米国) に国際電話をかけさせる
ものである。この変化は、犯罪防止を目的として050番
号契約時に本人確認の厳格化を求める法令改正[158]
に攻撃者側が対応した動きであると思われる。

⑤遠隔操作ソフトウェアを悪用して虚偽の説明を行う

被害者が偽のサポートセンターに電話をしてしまうと、
片言の日本語を話す外国人のオペレーターにつなが
る。オペレーターは、キー操作等を指示して、遠隔操
作ソフトウェアのダウンロードを行わせる。このソフトウェ
アは市販のもので、AnyDesk、LogMeIn Rescue、
TeamViewer、UltraViewer等を悪用している。遠
隔操作が可能になると、オペレーターは、被害者のパ
ソコンを遠隔操作して様々な画面を開き、「これらはパ
ソコンがウイルス感染している証拠である」という虚偽の
説明を行う。例えば、テキストエディターでWindows
フォルダ内のバイナリーファイルを開いて文字化けした
画面を見せ、「これは犯罪者の危険なファイルである」

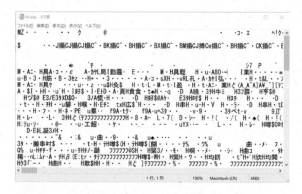

■図 1-2-29　文字化けしたファイルを危険なファイルであると主張

と主張する (図1-2-29)。

2023年は、企業・組織の役職員が同手口の被害に
遭うケースも目立った。その際に、業務用のパソコン
を遠隔操作されたことによる情報漏えいの懸念から、
個人情報保護委員会への報告や、関係者への謝罪
に至る事例があった。そのためIPAは、「安心相談
窓口だより」で、業務で使用しているパソコンに偽の警
告が突然表示された場合は、慌てずにシステム管理
者に連絡を行うよう注意喚起を行った[159]。

⑥サポートプランを示して支払いを求める

被害者に虚偽の説明を信じさせると、3～10万円の
サポートプランを示す。料金の支払いには、Google
Playギフトカード、Appleギフトカード等のプリペイドカー
ドを近くのコンビニで買うように指示してギフトコードを詐
取する。金銭の詐取は現在もこのようなプリペイドカー
ドを悪用した手口が多くを占めるが、安心相談窓口で
相談を受けた事例[160]において、遠隔操作を悪用し
てネットバンキングで不正送金を行う手口を確認した。
この事例では、攻撃者からネットバンクで料金を振り込
むように求められた被害者が、遠隔操作が可能な状
態のままネットバンキングサービスにログインして指示さ
れた口座に送金を行った。この際に、被害者が料金
として19,800円を送金画面に入力した後で、攻撃者
が遠隔操作を悪用して送金額に0 (ゼロ) を2桁加え
て、1,980,000円を送金させられた可能性がある。
ネットバンキングサービスでは、ログイン認証に加えて、
送金時のワンタイムパスワード等で不正送金に対する
多重のセキュリティ対策を行っているが、遠隔操作を
悪用されると画面を見られたり、勝手に操作されること
でセキュリティ対策を無力化されてしまう危険がある。

(b)対処

パソコンの警告画面については、Webブラウザーを閉

じるだけでよい。画面を閉じるには、「ESC」キーを長押ししてWebブラウザーのフルスクリーン表示を解除した上で画面右上に現れた「×」(閉じる)ボタンをクリック、または「Ctrl」「Alt」「Delete」キーを同時に押してからパソコンの再起動を行う[161]。

上記の対処方法は、パソコンの操作に不慣れな初心者はうまく実施できない場合が多い。そのためIPAでは、東京都の消費者月間イベント「見て、聞いて、話そう!交流フェスタ2023[162]」に偽警告の体験コーナーを出展し、偽警告画面の閉じ方を多くの来場者が体験した。加えて、IPAのWebサイトに「偽セキュリティ警告(サポート詐欺)画面の閉じ方体験サイト」を公開してこの操作を練習できるようにした[163]。

パソコンに遠隔操作ソフトウェアをインストールさせられた場合は、Windowsの「システムの復元」機能を使用して、当該ソフトウェアをインストールする前の状態にシステムを戻すことを推奨する。遠隔操作の及ぼす影響について判断できないため、システムの復元ができない場合は、パソコンの初期化を推奨する。

(2) スマートフォンのWebブラウザーに表示される偽のセキュリティ警告

同手口は、スマートフォンでWebサイトを閲覧中に「ウイルスに感染している」等の根拠のない警告画面を表示して、偽のセキュリティ警告からiPhoneやAndroidの公式アプリストアに誘導して、有償アプリの自動継続課金[164]に誘導するものである[165]。

相談件数は減少しているものの、依然として不審な警告からアプリをインストールさせられたという相談がIPAの安心相談窓口に寄せられている。

(a) 手口

この手口では、インターネット閲覧中に偽のセキュリティ警告から誘導されることが多い。例えば2024年1月初頭に発生した攻撃では、箱根駅伝の動画配信を装った罠の動画が、検索サイトの検索結果に表示された。それをクリックすると、偽のセキュリティ警告が表示され、アプリのインストールに誘導された(図1-2-30)。

以下では、iPhoneの場合の手口と対処を中心に説明する。この手口では、「iPhoneがウイルスにより深刻なダメージを受けています」「今すぐウイルスを除去」というような、偽のセキュリティ警告を表示して公式ストア上のアプリをインストールするよう誘導する(図1-2-30)。

アプリのインストール時、または起動時に出る「1週間

■図1-2-30　偽警告(図の中央)からアプリのインストールに誘導する例

無料トライアル」等の承認を行うと自動継続課金が登録されてしまう。当初は無料であっても、トライアル期間が過ぎると自動的に課金が始まる。この手口の目的は、偽のセキュリティ警告によってインストールさせたアプリの自動継続課金に相手を誘導することであると考えられる。

(b) 対処

偽のセキュリティ警告が表示された場合は、Webブラウザーのタブを閉じることで対処できる。

アプリをインストールしてしまった場合は、アンインストールする。アンインストールだけでは自動継続課金は解約されないので、自動継続課金が登録されてしまった場合は取り消す必要がある。iPhoneの場合はサブスクリプションの解約、Androidの場合は定期購入の解約を実施する。

(3) Webブラウザー通知機能の悪用

パソコンやスマートフォンで、「システムエラー」「スマホをきれいにする!壊れる前に」等の警告がWebサイトを閲覧していない状態においても繰り返し表示されることがある。この表示は、攻撃者がWebブラウザーの通知機能を悪用して偽の警告として表示したもので、表示された警告のリンクやボタンをクリックすると、セキュリティソフトの購入ページや、不審なスマートフォンアプリのインストールに誘導される場合がある[166]。パソコンの場合は、「1.2.7(1)偽のセキュリティ警告(サポート詐欺)」で解説した、サポート詐欺に誘導される場合もある(次ページ図1-2-32)。IPAの安心相談窓口への相談件数は横ばいであるが、その中では電話をしてしまいサポート詐欺の被害に遭ったという相談が多い。

(a) 手口

Webブラウザーの通知機能は、よく訪問するサイトから更新情報の通知等を受け取る機能である。この機能

第1章　情報セキュリティインシデント・脆弱性の現状と対策

を悪用して偽のセキュリティ警告のプッシュ通知を表示させ、不審サイトに誘導する。この手口は、以下の流れとなる場合が多い。

① Webブラウザーの通知を許可するように誘導する

通知を受け取るためには、被害者がWebサイトからの通知を「許可」する必要がある。そのため、悪意のあるWebサイトを訪れた被害者を騙して通知を「許可」させようとする。パソコンの場合は、Webブラウザーにに reCAPTCHA v2[※167] 認証を装った画面を表示して、「許可」ボタンを押させようとする（図1-2-31）。スマートフォンの場合、通知を許可するか否かを求めるポップアップが表示される。

■図 1-2-31　reCAPTCHAv2認証を装った「許可」ボタンへの誘導事例（パソコンの場合）

② 偽の通知が表示される

通知を「許可」してしまうと、「システムエラー」「ウイルスを除去」等の偽のセキュリティ警告がデスクトップの右下から現れるようになる（図1-2-32）。スマートフォンの場合は、「スマホをきれいにする！壊れる前に」等の通知が表示される。これらの表示は、アプリやパソコン、スマートフォンを再起動しても出続ける。

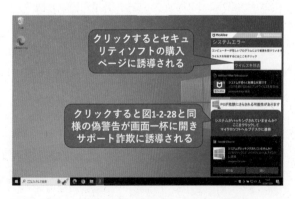

■図 1-2-32　Webブラウザーの通知機能を悪用した偽警告の例

なおiPhoneではWebブラウザーの通知機能を提供していないため、この手口による被害が発生することはない。

(b) 対処

Webブラウザーに登録した通知許可を削除することで、通知表示を止めることができる。各ブラウザーの操作方法の詳細は、IPAの「安心相談窓口だより[※166]」や、パソコン・スマートフォンメーカーのサポート情報、各Webブラウザーのヘルプページを参照いただきたい。

偽の通知に従って操作を行ってしまった場合は、行った操作や誘導された不審サイトの手口に応じて、以下の対処を行う。

- 偽の警告が画面一杯に広がり記載された番号に電話をしてしまった場合は、「1.2.7（1）偽のセキュリティ警告（サポート詐欺）」に記載した対処を行う。
- スマートフォンで不審なアプリのインストールに誘導された場合は、「1.2.7（2）スマートフォンの Webブラウザーに表示される偽のセキュリティ警告」に記載した対処を行う。

(4) 副業詐欺

副業詐欺では、通常は考えられない好条件の副業をSNS等で宣伝して被害者を誘い込み、遠隔操作アプリを悪用して高額な副業マニュアルの購入やサポート契約を行わせる。

この手口は2022年からIPAの安心相談窓口に相談が寄せられるようになり、2023年度は相談件数が大幅に増加した（図1-2-33）。国民生活センターにも多くの相談が寄せられている[※168]。悪用される遠隔操作アプリは、2022年に続いて、AnyDeskである場合が多い。副業詐欺に加えて、有利な投資を持ちかける投資詐欺においても遠隔操作アプリを悪用する事例が発生している。

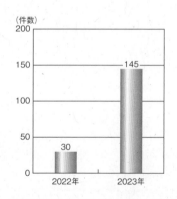

■図 1-2-33　副業詐欺に関する相談件数の推移（2022〜2023年度）

(a) 手口

具体的な手口について順を追って解説する。

① SNS を使用した宣伝で誘導

SNS の広告やダイレクトメッセージを使用して副業紹介業者の URL に誘導する。

② 高額なサポートプランに勧誘

副業紹介業者は、宣伝に興味を持った被害者を、業者の LINE アカウントに友達登録するように誘導する。そして、友達登録した被害者に、副業マニュアル購入等の高額なサポートプランの契約を強引に勧誘する。

③ 消費者金融からの借り入れを指示

被害者が契約に必要な現金を持っていない場合、消費者金融から借り入れを行うように指示する。その際に副業紹介業者は、遠隔操作アプリを公式アプリストアからインストールさせ、遠隔操作アプリを使用して被害者のスマートフォンの画面を見ながら借り入れの方法等を指示する。

(b) 対処

遠隔操作が始まった後で、業者の行為に不審な点を感じた場合は、ネットワークを切断して遠隔操作接続を強制的に切断する。スマートフォンの場合、機内モードにすることでネットワークを切断する。遠隔操作を切断した後は、遠隔操作を受ける側が再度承認しない限り再接続されることはできない。

スマートフォンに遠隔操作アプリをインストールさせられた場合は、他のアプリと同様にアンインストールが可能である。ただし、副業紹介業者からの返金等を求めたい場合は、アンインストールは行わずに消費生活センターや警察に相談することを推奨する。

(5) 偽 EC サイト

ネット検索で見つけた商品を EC サイトで購入したが商品が届かない等、偽 EC サイトの被害に関する相談が IPA の安心相談窓口に引き続き寄せられている。

2023 年は、業者に返金を求めた際に更に金銭を騙し取られる手口が現れた。この手口では、返金を装い LINE の通話機能等で被害者に接触し、キャッシュレス決済アプリ（PayPay 等）の送金機能を悪用して、被害者から業者に送金をさせてしまう。国民生活センターが注意喚起[169] を行っており、IPA の安心相談窓口でも同様の相談を受けている。

(a) 手口

一般財団法人日本サイバー犯罪対策センター（JC3：Japan Cybercrime Control Center）によると、悪質な

ショッピングサイト等に関する通報の際に「どのようにそのサイトを知りましたか」と質問したところ、「インターネット検索結果」との回答が継続して最も多くなっているという。特に 2023 年上半期は、「インターネット検索結果」の割合が約 75% となっている[154]。攻撃者は、インターネットの検索サイトを積極的に悪用して被害者を悪質な偽 EC サイトに誘い込んでいると思われる。

ここでは、検索サイトの検索結果から、改ざんされた Web サイトを経由して、被害者を偽 EC サイトに誘導する手口について紹介する。偽 EC 業者は、脆弱性の対処が行われていない WordPress 等の CMS（Contents Management System）で構築された Web サイトを改ざんし、偽 EC サイトの商品情報を仕込む。この情報を検索サイトの検索エンジンにクローリング（自動収集）させる。その結果、改ざんされた Web サイトのドメイン名に紐付く形で偽 EC サイトの商品情報の検索インデックスが生成され、検索サイトの検索結果にこの情報が表示される（図1-2-34）。このとき、商品名に加えて「激安」等のキーワードを入れて検索を行うと、偽 EC サイトが検索結果の上位に表示される可能性が高まる。

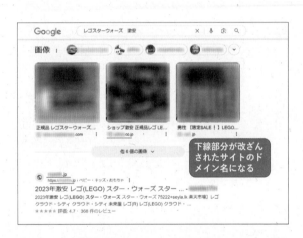

■図 1-2-34　改ざんされた Web サイトに仕込まれた偽 EC サイトの商品情報

被害者が検索結果をクリックすると、改ざんされた Web サイトに HTTP リクエストが発行されるが、改ざんされた Web サイトは偽 EC サイトにリダイレクトする応答を行う。この結果、改ざんされた Web サイトを経由して、被害者が偽 EC サイトに誘導される[170]。検索サイトの検索結果に目当ての商品が安い価格で表示されたとしても、安易に飛びつかないことが重要である。

(b) 対処

偽 EC サイトに、他のサイトでも使用しているパスワードを入力してしまった場合は、当該パスワードを変更する。

また、配送先として入力した住所・氏名等の情報を悪用した不審メールやSMSに注意する。

支払いや返金に関する問題が発生した際は、最寄りの警察または、消費生活センターに相談していただきたい。

（6）ネット詐欺の被害に遭わないために手口を知る

本項のまとめとして、個人を狙う手口に対する対策を示す。個人を狙う手口に共通する点は、ネットに様々な罠を仕掛け、罠にかかった被害者を騙して金銭を詐取することである。こうした手口は、個人を狙う「サイバー攻撃」というよりは、人の心理的な弱点に付け込み、被害者を騙すための道具として既存のインターネットサービスやアプリを悪用する「ネット詐欺」と呼ぶ方がふさわしい。これらのネット詐欺への対策として最も重要なのは、手口を知り、騙されないことである。

正規のセキュリティソフトが、「1.2.7（1）偽のセキュリティ警告（サポート詐欺）」で解説したサポート詐欺の手口のように、セキュリティ警告を画面一杯に表示して今すぐサポートセンターに電話するように警告することはない。そのため、こうした偽警告の不自然さを知ることが騙されないために有効である。

サポート詐欺や副業詐欺で行われる遠隔操作アプリの悪用の被害に遭わないためには、遠隔操作のリスクや悪用の手口を知り、安易に遠隔操作を許可しないことが重要である。IPAでは遠隔操作アプリの悪用に関する注意喚起を行っているため参照いただきたい[171]。

偽ECサイトは、価格の安さや限定商品であることを訴求している一方で、雑多な商品が乱雑に並んでいることが多い。また、個人が撮影してフリーマーケットサイトに掲載した商品画像と思われる写真を盗用して掲載している等の不自然な点も見受けられる。

こうした騙しの手口に対する知識を持つことによって、不審な状況に初めて遭遇した際も、慌てずに適切な対処が可能となる。

1.2.8　情報漏えいによる被害

2023年度も多数の情報漏えい被害が発生している。

本項では、外部からの不正アクセス、操作ミス等の過失、内部者の故意による持ち出し等の内部不正、不適切な情報の取り扱い等を主な要因とする情報漏えい被害について述べる。

（1）2023年度の情報漏えい件数

2024年1月に株式会社東京商工リサーチ（以下、東京商工リサーチ社）が公開した上場企業とその子会社の個人情報漏えい・紛失事故の調査結果[172]によると、2023年に漏えいした個人情報は4,090万8,718人分（2022年は592万7,057人分）に達し、過去最多（2014年の3,615万1,467人分）を大幅に更新した。

2023年に個人情報の漏えい・紛失事故を公表した社数は147社（2022年[173]は150社）、事故件数は175件（2022年は165件）であった。漏えい・紛失事故を公表した社数は、2014年から2019年までは50〜70社台で推移していたが、2020年から増加傾向にあり、2023年も147社と高止まりしている。事故件数は、3年連続で過去最多を更新した（図1-2-35）。

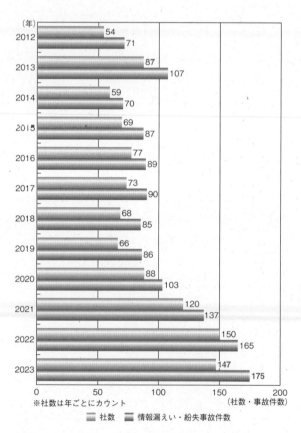

■図1-2-35　漏えい・紛失事故　年次推移
（出典）東京商工リサーチ社「2023年の『個人情報漏えい・紛失事故』が年間最多　件数175件、流出・紛失情報も最多の4,090万人分[172]」を基にIPAが編集

2023年の情報漏えい・紛失事故175件のうち、原因として最も多かったのは「ウイルス感染・不正アクセス」の93件で53.1%を占め、次いで「誤表示・誤送信」が43件で24.5%、「不正持ち出し・盗難」が24件で13.7%であった。「不正持ち出し・盗難」は、2022年の5件から約5倍の24件となった（次ページ図1-2-36）。「不正

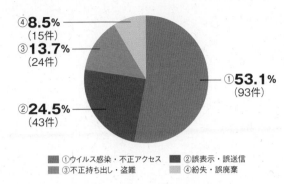

■図1-2-36 情報漏えい・紛失 原因別
(出典) 東京商工リサーチ社「2023年の『個人情報漏えい・紛失事故』が年間最多 件数175件、流出・紛失情報も最多の4,090万人分」を基にIPAが編集

持ち出し・盗難」による大きな事故が相次いだことが、漏えいした個人情報の件数が過去最多となる要因となった。

(2)不正アクセスによる情報漏えい

不正アクセスの手口は年々巧妙化しており、システムの脆弱性を悪用したものや、サプライチェーンを含む対策が不十分な取引先や委託先、システムへの侵入等、様々な原因から不正アクセスが発生している。

(a)不正アクセスによる情報流出事例

2023年11月に公表されたJCOM株式会社の事例[174]では、提携先のサーバーが不正アクセスを受け、顧客の個人情報(氏名または氏名とメールアドレス)合計約23万件が漏えいしたという。

LINEヤフー株式会社の事例[175]では、委託先企業への第三者による不正アクセスを受け、ユーザー・取引先・従業者等に関する約52万件の個人情報が漏えいした可能性があることが2024年2月に公表された。2023年9月、委託先企業の従業員が所有するパソコンがウイルスに感染したことを契機に、同社のシステムへ第三者による不正アクセスが行われたという(「3.6.2(2)(c)業務委託先経由のサイバー攻撃の事例」参照)。

(b)不正アクセスによる情報流出への対策・対処

不正アクセスへの事前対策については、「1.2.2(3)標的型攻撃への対策」を参照いただきたい。不正アクセスが発生した場合、情報流出の有無の調査に時間を要することが多い。情報漏えいは企業・組織の信頼を失墜させる可能性があり、流出の事実が確認できるまでは公表を避けたいと考える企業もある。しかし、不正アクセスが検知された段階で公表することにより、類似の攻撃によるインシデントの未然防止や早期検知に貢献できる。ま

た流出が確認された場合は、情報の悪用による二次被害を防げる可能性がある。そのため、企業・組織は早期に公表、あるいは関連機関への報告を行い、調査を継続して経過を伝えることが重要である。調査しても情報流出の有無が判明しない場合は、不正アクセス対策を強化するとともに、流出した情報が悪用されていないかを定期的に確認することが必要である。

複数の企業・組織が利用するシステムやサービスに対する不正アクセスは、影響範囲が広く、システムやサービスの提供事業者は、不正アクセス対策と流出した情報を特定する調査に更に時間を要することが多い。利用各社は当該事業者から情報流出の可能性について報告を受けた場合、すぐに二次被害を防ぐための対応と当該システムやサービスの利用継続の可否を検討しなければならない。情報流出被害がなかった委託元企業・組織も、システムやサービスの運用停止、改修等の影響を受ける可能性がある。システムやサービスの委託にあたっては日頃から委託している情報の種類、量、保管状態等を確認し、この情報が流出あるいは利用できない状態となった場合の対応策についても検討しておくことが望ましい。

(3)過失による情報漏えい

認定個人情報保護団体である一般財団法人日本情報経済社会推進協会(JIPDEC)が2023年7月24日に公表した「2022年度 個人情報の取扱いにおける事故報告集計結果[176]」によると、個人情報の取り扱いにおける事故等について、2022年度は1,460社のプライバシーマーク取得事業者から7,009件の事故報告があった。2021年度と比較すると、事故の報告件数、報告事業者数ともに大幅に増加している(図1-2-37)。

事故分類は、「誤配達・誤交付」が最多の3,013件で43.0%を占め、「誤送信」が1,730件で24.7%、「紛失・

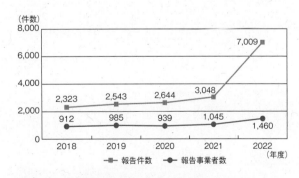

■図1-2-37 事故報告の状況(2018～2022年度)
(出典)JIPDEC「2021年度『個人情報の取扱いにおける事故報告集計結果』[177]」「2022年度 個人情報の取扱いにおける事故報告集計結果」を基にIPAが作成

第1章 情報セキュリティインシデント・脆弱性の現状と対策

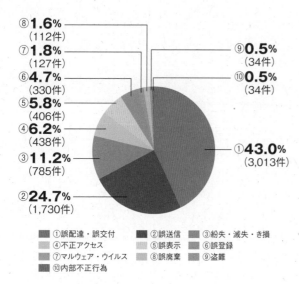

■図 1-2-38　事象分類別の事故報告件数(n=7,009 件)
(出典)JIPDEC「2022 年度『個人情報の取扱いにおける事故報告集計結果』」を基に IPA が編集

滅失・き損」が 785 件で 11.2%と続いた(図 1-2-38)。

　事故原因は、「手順・ルール違反作業、操作」が最も多く 2,803 件、次いで「作業・操作ミス」が 2,445 件、「確認不足」が 1,979 件であった。組織(事業者、部署、グループ等)の対策不備に起因するものは少ない一方で、担当者の不適切な作業に起因するものが多かった(図 1-2-39)。

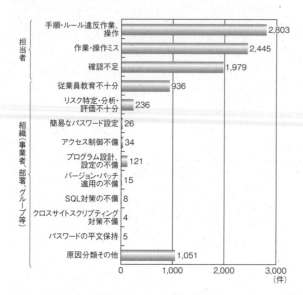

■図 1-2-39　事故原因別集計(n=9,663 件[178])
(出典)JIPDEC「2022 年度『個人情報の取扱いにおける事故報告集計結果』」を基に IPA が編集

(a)過失による情報漏えい事例

　ひまわりネットワーク株式会社の事例[179]では、システムの機能停止によって、顧客へ同時送信した電子メールのアドレス 652 件が受信者に見える状態となっていたこ

とが 2023 年 4 月に公表された。宛先アドレスを強制的に「BCC」へ変換するシステムに必要なソフトウェアライセンスの更新手続きを失念していたという。

　株式会社出前館の事例[180]では、924 万 4,553 件のアカウント情報を第三者が閲覧できる状態にあったことが 2023 年 6 月に公表された。LINE アカウント等との連携システムに不備があり、同じパソコンやスマートフォンを複数人で共有している状態で、アカウント連携サービスにログインすると、直前に利用していたユーザーのログイン情報を閲覧できる状態であった。

　2023 年 11 月に公表された九州電力株式会社の事例[181]では、帳票システムへのアクセス権限設定の誤りにより、約 290 万件の顧客情報が子会社の送配電会社で閲覧できる状態であった。閲覧可能だったのは、契約する顧客の名前や料金プラン、電気料金等の電子データであり、子会社の送配電会社からの指摘で発覚した。

(b)過失による情報漏えいへの対策

　情報の取り扱いに人が介在する状況においては、過失による情報漏えい被害を完全に防ぐことは難しい。事故事例に基づく教育等で担当者の意識向上を図ることに加え、重要な情報の取り扱いルールを設け、運用を徹底する、適宜見直す等で、過失の発生機会をできる限りなくす体制作りが望まれる。うっかりミスを減らすために、ダブルチェック等の対策が取られることも多いが、テレワークや省人化・自動化のため、1 人で業務することも増えており、業務フローの見直しも含めたリスク低減策が必要である。また、業務を委託している場合は、ルール順守状況の点検や成果物の確認等を委託元の責任として実施することも大切である。

(c)クラウドの設定不備による情報流出事例

　トヨタ自動車株式会社の事例[182]では、顧客の車台番号や位置情報等の一部が外部から閲覧できる状態になっていたことが 2023 年 5 月に公表された。漏えいした可能性があるのは、同社のコネクテッドサービス等の車載通信サービスに契約した顧客のデータ約 215 万人分であり、約 10 年間にわたり、外部からアクセスできる状態だった。同社の子会社トヨタコネクティッド株式会社が顧客のデータを誤ってクラウド上で公開設定にしていたことが、クラウド上のデータ取り扱いを点検する過程で判明したという(「3.6.2(1)(b)IaaS/PaaS 利用時の設定ミス」参照)。

2023年12月に公表された株式会社エイチームの事例[183]では、クラウドサービス上で作成した個人情報約94万件を含むファイルがインターネット上で閲覧可能な状態にあったと判明した。クラウドサービスで管理する閲覧範囲を誤って「このリンクを知っているインターネット上の全員が閲覧できます」と設定していた。グループ全体で導入を検討しているセキュリティ製品の精度を検証したレポートにより、リスクのあるファイルとして検知されたことで発覚したという。

(d)クラウドの設定不備による情報流出への対策・対処

ここ数年、クラウドサービスを利用する事業者において、設定不備による情報漏えいが増加している。外部に公開すべきでない情報を設定不備で公開してしまい情報漏えいにつながるケースや、不正アクセスの原因となるケースが多く、社会的影響が無視できなくなっている。その他のクラウドサービスの課題と対策については「3.6 クラウドのセキュリティ」を参照いただきたい。

(4)内部不正による情報漏えい

2023年も引き続き元社員等による営業秘密を不正に持ち出す事例が発生している。国の研究機関でも、元職員が中国企業に営業秘密を漏えいさせたとして逮捕された事例が発生している。

(a)内部不正による情報漏えい事例

国立研究開発法人産業技術総合研究所の事例[184]では、元研究所職員が不正競争防止法違反の容疑で逮捕されたことが2023年6月に公表された。元研究所職員は、2018年4月に研究内容を中国の民間企業にメールで送り、営業秘密を漏えいした疑いが持たれている[185]。

日本山村硝子株式会社の事例[186]では、元社員が不正競争防止法違反の容疑で逮捕されたことが2023年10月に公表された。元社員は同社固有の製造技術に関する機密情報を無断で社外に持ち出したとして、2022年11月に懲戒解雇処分となっていた。

2023年7月に公表された株式会社NTTドコモの事例[187]では、顧客の情報約596万件が不正に持ち出されたという。委託先の株式会社NTTネクシアの元派遣社員が業務に使用しているパソコンから個人として契約する外部ストレージへアクセスし、顧客情報を含む業務情報を不正に持ち出したという。

2023年10月に公表された株式会社NTTマーケティ

ングアクトProCX(以下、ProCX社)とNTTビジネスソリューションズ株式会社(以下、BS社)の事例では、BS社の元派遣社員により、ProCX社の顧客情報約928万件が不正に持ち出されたという。ProCX社は企業よりテレマーケティング業務を受託し、その遂行に必要なコールセンターシステムをクラウドサービスとしてBS社がProCX社に提供する関係にあった。BS社の元派遣社員は、顧客情報を預かるシステム運営企業の内部関係者にあたる。本件については、グループ親会社である西日本電信電話株式会社(以下、NTT西日本)により招集された社内調査委員会による詳細な報告書がまとめられている[188]。報告書によれば不正な持ち出しは9年以上に及び、2022年には顧客企業より不正の疑いありとの訴えがあったにも関わらず、その時点での発覚とはならなかった。報告書では、2022年時点で行われた調査は「『調査』と表現することも憚られるほどの極めて杜撰な『作業』」と批判しつつ、直接的なセキュリティ対策上の問題としては、データ持ち出しを防ぐ技術的対策が導入されていなかったことや、十分な監視が行われていなかったことがある一方で、業務上の便宜を優先する空気が蔓延し、セキュリティがそもそもないがしろにされる組織となっていたことを厳しく指摘している。この事件を受け、NTT西日本の森林正彰社長は、2024年3月末をもって引責辞任することを表明した[189]。

(b)内部不正による情報漏えいへの対策

IPAでは、2022年4月に「組織における内部不正防止ガイドライン[190]」第5版を公開している。内部不正による情報セキュリティ事故を防止するための幅広い対策を掲載しているため、参照いただきたい。

2024年4月に施行された不正競争防止法の改正では、内部不正に対する営業秘密の保護が強化された。被告が不正取得した「営業秘密」を使用したと推定する規定の適用対象が、元々営業秘密にアクセス権限のある者(元従業員、業務委託先等)にも拡充された(「2.1.3(2)(b)不正競争防止法の改正」参照)。

(5)不適切な情報の取り扱い

誤送信等の情報の不適切な取り扱いによる漏えいも継続している。

(a)不適切な情報の取り扱い事例

2023年11月に公表された株式会社プラスワン教育の事例[191]では、3,732名分の個人情報が含まれるCSV

データを添付した電子メールを、自社が運営するWebサイト会員登録者約2,000名へ誤送信したという。誤送信されたCSVデータにはパスワードがかかっておらず、子供や保護者の氏名、生年月日、住所等が含まれていた。

三井住友カード株式会社の事例[192]では、2023年4月18日と20日にダイレクトメールの表面宛先部に、誤ってクレジットカード番号を印字した状態で顧客へ送付していた。ダイレクトメールにはクレジットカード番号以外の情報（有効期限やセキュリティコード等）は記載していなかった。顧客が申告した住所宛てに発送していることから第三者がクレジットカード番号を知り得た可能性は極めて低いという。

(b) 不適切な情報の取り扱いへの対策

個人情報や営業秘密情報等の取り扱いについては、法改正やガイドラインの整備が進んでおり、組織内ルールへの取り込みや周知徹底のために役職員への教育等を継続して行う必要がある。

また図1-2-38（前々ページ）で見たとおり、電子メールには誤送信による情報漏えいの恐れがある。誤って重要情報が関係者以外に渡ってしまう可能性も考慮して、重要情報については暗号化等で保護することが必要である。

COLUMN

サポート詐欺で人が騙されてしまう心理的要因とその対策

サポート詐欺の手口で、被害者がどのように騙されてしまうのか、順番に心理的要因について考察していきたいと思います。

①偽の警告画面との接触時

インターネット検索や広告が悪用されて、Web ブラウザーに偽のセキュリティ警告画面が表示されると、被害者は次のような心理的な要因で騙されやすくなると考えます。

信頼感：Microsoft 等の社名やロゴマークが使われているため本物だと信じてしまう。

焦りや恐怖心：偽の警告画面は警報音とともに全画面に突然表示され、通常の操作では閉じにくいように細工されているため、異常が発生して操作できなくなったと思ってしまう。

②電話や遠隔操作による偽オペレーターの説明時

冷静な判断ができなくなり、表示された番号へ電話をかけてしまうと、次のような心理的な要因で詐欺の話術にはまってしまうと考えます。相手を信じて、言われるまま操作するとパソコンが遠隔操作されることになります。

信頼感：片言の日本語に違和感があっても、Microsoft 等の社名を名乗っているため信用してしまう。また、遠隔操作では偽の社員証を画面上に映され、安心してしまう。

焦りや恐怖心：パソコン内のシステムファイルを開かれ、ウイルスやハッカーの影響であるという嘘の説明や、すぐに処置をしないと更に情報が流出する等の嘘の説明を信じてしまう。カメラアプリを起動され、自身や室内の様子を画面上に表示され、映像が流出していると等の嘘の説明にパニックに陥った事例もある。

③偽オペレーターによる解決策の説明と支払い要求時

問題の解決策として料金の支払いを求められると、次のような心理的な要因で支払ってしまうと考えます。

信頼感：警告画面が消え、Microsoft 等のサポートを受けたと認識してしまっている。

安心感：嘘であるにもかかわらず、説明により恐怖や不安がなくなり、料金を支払えば安心だと考えてしまう。保証期間に応じた料金を選択できることで、支払いに対する不安も低減する。

以上のような心理的要因で騙されてしまうとすれば、手口を詳しく知らない場合でも、次のような心構えで対処することで被害に遭う可能性を減らせると考えます。

冷静に考える：焦りや恐怖心を抑え、落ち着いて判断や対処することが重要。

警戒心を持ち、真実を確かめる：初めて遭遇した出来事や不明なことは、周りの人に相談したりネットで検索したりして、真偽を確認する。

違和感を見逃さない：偽オペレーターは緊急性を訴えたり、矛盾した回答や高圧的な言葉遣いをしてくる特徴がある。電話をかけてしまった場合でも、違和感を持ったらすぐに電話を切る。

不審に思ったらどの段階でも、IPA の「情報セキュリティ安心相談窓口」等の信頼できる機関へ相談されることをお勧めします。

i　https://www.ipa.go.jp/security/anshin/about.html〔2024/5/30 確認〕

1.3 情報システムの脆弱性の動向

本節では、ソフトウェア製品の脆弱性の動向や、ソフトウェア製品及び Web アプリケーションの脆弱性対策について概説する。

1.3.1 JVN iPedia の登録情報から見る脆弱性の傾向

IPA は、脆弱性対策情報データベース「JVN iPedia [193]」に、国内外のソフトウェア製品の脆弱性対策情報を収集し、蓄積している。このデータベースに登録されている脆弱性対策情報から、ソフトウェア製品に関する脆弱性の特徴を統計的に分析することができる。本項では、主に 2023 年 12 月までに登録された JVN iPedia の脆弱性対策情報の傾向を分析する。

(1) JVN iPedia への登録状況

JVN iPedia は、国内外で利用されているソフトウェア製品の脆弱性対策情報を、以下の三つの公開情報から収集・蓄積しており、2007 年 4 月 25 日から公開している。

- 脆弱性対策情報ポータルサイト JVN [194] で公表した脆弱性対策情報
- 国内のソフトウェア開発者が公開した脆弱性対策情報
- 米国国立標準技術研究所（NIST：National Institute of Standards and Technology）の脆弱性データベース「NVD [195]」で公開された脆弱性対策情報

(a) JVN iPedia の登録件数の推移

JVN iPedia に登録されている脆弱性対策情報の件数を、製品ベンダーやセキュリティ関連企業が情報を公表した年別 [196] にまとめると、2011 年を境にして NVD から収集した情報の登録件数がおおむね増加傾向となっており、2022 年は 2 万件を超えた。なお、2023 年の登録件数は 12 月末時点で 1 万 5,354 件であるが、脆弱性対策情報の公開から JVN iPedia への登録までタイムラグがあるため、2023 年の登録件数も最終的には 2022 年と同程度になる見込みである（図 1-3-1）。2017 年以降、NVD に公開される脆弱性対策情報の件数が大幅に増加した理由としては、脆弱性を登録するための共通識別子である CVE（Common Vulnerabilities and Exposures）[197] の採番機関（CNA：CVE Numbering Authority）[198] が増加したことが一因として

挙げられる。The MITRE Corporation [199]（以下、MITRE 社）によると、2016 年 12 月に 47 組織 [200] だった CNA は、2023 年 12 月には 345 組織 [201] と約 7.3 倍となった。2023 年だけでも 82 組織が新たに CNA となっている。この増加した CNA によって、多くの脆弱性に CVE が付与され、NVD に公開される脆弱性対策情報の件数増加につながった可能性がある。

一方、JVN から収集した脆弱性対策情報のうち、JVN が 2023 年に公表したものは 900 件で、2022 年の 1,561 件から大幅な減少となっている。ただし、NVD から収集した脆弱性対策情報と同様に情報の公開から JVN iPedia への登録までのタイムラグが生じる場合があるため、最終的には 2022 年と同程度になる見込みである。また、国内製品開発者から公表された脆弱性対策情報は、近年十数件から 20 件の登録が続いた中で 2022 年は 7 件と減少していたが、2023 年は 14 件と例年と同程度の件数となった。

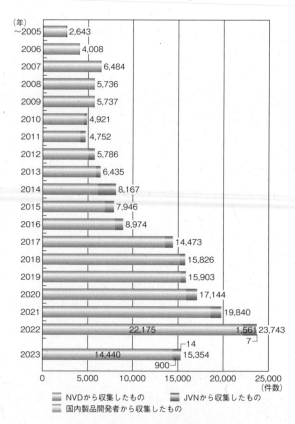

（年）

	件数
～2005	2,643
2006	4,008
2007	6,484
2008	5,736
2009	5,737
2010	4,921
2011	4,752
2012	5,786
2013	6,435
2014	8,167
2015	7,946
2016	8,974
2017	14,473
2018	15,826
2019	15,903
2020	17,144
2021	19,840
2022	22,175 / 1,561 / 23,743 / 7
2023	14,440 / 14 / 15,354 / 900

■ NVD から収集したもの　■ JVN から収集したもの
■ 国内製品開発者から収集したもの

■図 1-3-1　JVN iPedia 登録状況（公表年別）
（出典）JVN iPedia の登録情報を基に IPA が作成

JVN iPedia は、発見された脆弱性の種類を識別するための共通脆弱性タイプ一覧 CWE（Common

54

Weakness Enumeration)[202-1] を脆弱性対策情報に付与して登録を行っている。2023 年に登録された CWE の割合は上位 10 種が全体の 47.6% を占めており、その内訳を見ると「クロスサイト・スクリプティング」が 16.6% と最も高く、「SQL インジェクション」が 7.4%、「境界外書き込み」が 6.2%、「クロスサイトリクエストフォージェリ」が 3.4% と続いている（図 1-3-2）。

最も件数の多かった「クロスサイト・スクリプティング」に分類される脆弱性を悪用されると、偽の Web ページが表示されたり、情報が漏えいしたりする恐れがある。

2021 年以降の CWE 別割合を年別に見ると、今回 1 位となった「クロスサイト・スクリプティング」は増加傾向で、2023 年は 2022 年から 3.6% の増加となった。それ以外に 2022 年から 2023 年にかけて 1% 以上の増減が見られたのは、8.2% から 6.2% に減少した 3 位の「境界外書き込み」及び、1.7% から 2.9% に増加した 6 位の「認証の欠如」であった（図 1-3-3）。

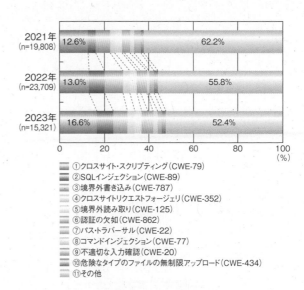

■図 1-3-3　JVN iPedia における脆弱性対策情報の CWE 別割合（2021～2023 年）
（出典）JVN iPedia の登録情報を基に IPA が作成

（b）JVN iPedia の登録情報における脆弱性の深刻度

JVN iPedia は、オープンで汎用的な脆弱性評価手法である CVSS（Common Vulnerability Scoring System：共通脆弱性評価システム）[203-1] を用いて、脆弱性の深刻度を公開している。なお、JVN iPedia では CVSS v2 及び CVSS v3 の二つのバージョンの情報を公開しているが、昨今では JVN iPedia の情報収集元が CVSS v2 を公開しないことが多いため、本項ではすべて CVSS v3 を基に統計処理を行っている。

CVSS のスコアは数値が大きい程、深刻度が高くなる。CVSS v3 では基本評価基準（BM：Base Metrics）を基に評価した基本値によって、深刻度が「緊急」「重要」「警告」「注意」「なし」の 5 段階に分けられる。

深刻度のレベルごとに想定される影響は以下である。

- 深刻度 緊急：基本値 9.0 ～ 10.0
  複雑な条件なしに、リモートからシステムを完全に制御されたり、大部分の情報が漏えいしたりする等の複数の影響が想定される。

- 深刻度 重要：基本値 7.0 ～ 8.9
  リモートからシステムを完全に制御されたり、大部分の情報が漏えいしたりする等の影響が想定される。

- 深刻度 警告：基本値 4.0 ～ 6.9
  一部の情報が漏えいしたり、サービス停止につながったりする等の影響が想定される。

- 深刻度 注意：基本値 0.1 ～ 3.9
  「警告」相当の影響があるが、攻撃するには複雑な条件を必要とする。

- 深刻度 なし：基本値 0

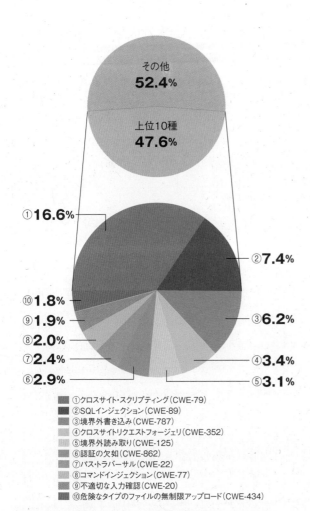

①16.6%
②7.4%
③6.2%
④3.4%
⑤3.1%
⑥2.9%
⑦2.4%
⑧2.0%
⑨1.9%
⑩1.8%
その他 52.4%
上位10種 47.6%

■①クロスサイト・スクリプティング（CWE-79）
■②SQLインジェクション（CWE-89）
■③境界外書き込み（CWE-787）
■④クロスサイトリクエストフォージェリ（CWE-352）
■⑤境界外読み取り（CWE-125）
■⑥認証の欠如（CWE-862）
■⑦パス・トラバーサル（CWE-22）
■⑧コマンドインジェクション（CWE-77）
■⑨不適切な入力確認（CWE-20）
■⑩危険なタイプのファイルの無制限アップロード（CWE-434）

■図 1-3-2　JVN iPedia における脆弱性対策情報の CWE 別割合（2023 年、n=15,321[202-2]）
（出典）JVN iPedia の登録情報を基に IPA が作成

影響は発生しないと考えられる。

2023 年に登録された脆弱性対策情報を深刻度のレベルで分類すると、「緊急」が 16.1%、「重要」が 37.7%、「警告」が 44.5%、「注意」が 1.7% となっており、脆弱性を悪用された場合の影響が大きい「緊急」及び「重要」が過半数を占めている（図 1-3-4）。

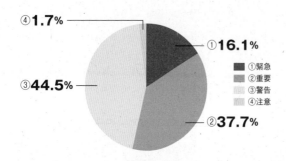

■図 1-3-4　JVN iPedia における脆弱性対策情報のレベル別割合
　　　　　（2023 年、n=15,227[※ 203-2]）
（出典）JVN iPedia の登録情報を基に IPA が作成

2021 年以降の深刻度のレベル別割合を年別に見ると、「緊急」及び「重要」に分類される脆弱性の割合が 2022 年は 57.5% と 2021 年の 55.7% から増加していたが、2023 年は減少に転じ 53.8% となった。一方で、「警告」に分類される脆弱性の割合が、2023 年は 44.5% と 2022 年から 3.9% 増加している（図 1-3-5）。これは、比較的「警告」に分類されることが多い「クロスサイト・スクリプティング」の脆弱性の割合が増加したことが一因と考えられる。

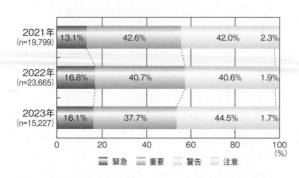

■図 1-3-5　JVN iPedia における脆弱性対策情報のレベル別割合
　　　　　（2021～2023 年）
（出典）JVN iPedia の登録情報を基に IPA が作成

直近 3 年間の登録情報の深刻度から見ても、製品開発者は、ソフトウェアの企画・設計・製造の各段階からセキュアコーディング[※ 204]を含めたセキュリティ対策を講じる等、脆弱性による被害を未然に防ぐための対応が必要となる。また、製品の利用者にも、日頃から新たに公開される脆弱性対策情報に注意を払い、脆弱性が公開された場合には製品を最新バージョンにアップデートす

る等の対応が必要となる。

（2）MOVEit Transfer のゼロデイ脆弱性について

2023 年 5 月、Progress Software 社が提供するファイル転送ソフトウェア MOVEit Transfer の脆弱性 CVE-2023-34362 が公開された[※ 136]。同脆弱性はデータベースを不正に操作される恐れのある SQL インジェクションの脆弱性で、認証されていないリモート攻撃者がこれを悪用すると、MOVEit Transfer に不正アクセスされ、データの窃取や改ざん、権限の昇格を実行される恐れがある。脆弱性の深刻度を示す CVSS v3 基本値は 9.8 で、最も深刻度が高い「緊急」と評価されている[※ 205]。同脆弱性は、脆弱性対策情報が公開される前から攻撃に悪用されていたことが確認されていた。このような脆弱性はゼロデイ脆弱性と呼ばれている。2023 年は MOVEit Transfer の脆弱性がほかにも複数公開され、深刻度が高い脆弱性も含まれていたことから広く注目を集めていた。

JVN iPedia には 2024 年 1 月末時点で累計 29 件の MOVEit 関連製品の脆弱性が登録されている。図 1-3-6 はその深刻度別割合を示したものである。脆弱性の深刻度が高い順に「緊急」が 31.0%、「重要」が 31.0%、「警告」が 20.7%、「注意」が 0.0% となっており、60% 以上が脆弱性を悪用された場合の影響が大きい「緊急」及び「重要」に分類されている。

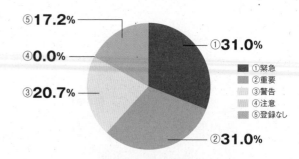

■図 1-3-6　MOVEit 関連製品の脆弱性の深刻度別割合（n=29）
（出典）JVN iPedia の登録情報を元に IPA が作成

MOVEit Transfer のように利用者の多い製品は、脆弱性対策情報が公開されると攻撃者の注目も集め、攻撃に悪用される恐れがある。MOVEit Transfer は主に海外の企業・組織での利用が多いためか、日本における被害は限定的であった（攻撃事例については「1.2.5（3）（a）MOVEit Transfer の脆弱性を狙った攻撃事例」参照）。しかし、国内で広く使用されている製品にも、MOVEit Transfer の脆弱性と同様の深刻な

脆弱性が発見される可能性は常にある。利用者においては、継続的に脆弱性対策情報を収集し、修正プログラムが公開された場合は速やかに対応することが求められる。また、同事例のように脆弱性を悪用した攻撃が既に確認されている場合もあるため、脆弱性対策情報と併せて攻撃に関する情報も収集し、被害の有無を確認することを推奨する。

(3) Citrix Bleed に関する脆弱性を悪用した攻撃について

2023 年にも数々の脆弱性が発見されたが、10 月に公表された CVE-2023-4966 [206] は「Citrix Bleed」と呼ばれて話題になった。Citrix Bleed は Citrix 社の Citrix NetScaler ADC（旧 Citrix ADC）及び NetScaler Gateway（旧 Citrix Gateway）に存在する脆弱性で、製品がゲートウェイ、または AAA 仮想サーバーとして構成されている場合に、バッファオーバーフローが引き起こされ、情報漏えいが発生する恐れがある。また、バッファオーバーフローを発生させた際に窃取したセッション情報を悪用した攻撃も確認された。更にランサムウェアへの悪用も確認され、被害が拡大した（攻撃事例については「1.2.5(1)(a) Citrix Bleed を悪用した攻撃事例」参照）。

開発元である Citrix 社は、この脆弱性への対策としてソフトウェアのアップデートだけではなく、追加でコマンドを実行してアクティブなセッションや永続的なセッションを削除することを推奨した [207]。また、同社は CVE-2023-4966 の CVSS v3 基本値を 9.4 とし、最も深刻度が高い「緊急」と評価した。

2021 年から 2023 年に公表され、JVN iPedia に登録された Citrix NetScaler ADC 及び NetScaler Gateway を含む Citrix 社製品の脆弱性対策情報件数の推移及び深刻度別割合を図 1-3-7、図 1-3-8 に示す。

JVN iPedia では 2012 年から毎年 Citrix 社製品の

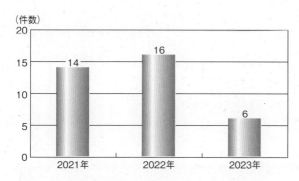

■図 1-3-7　2021 年〜2023 年に公表された Citrix 社製品の脆弱性対策情報件数
（出典）JVN iPedia の登録情報を元に IPA が作成

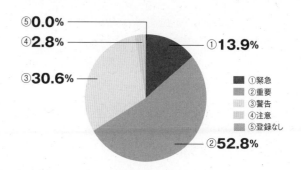

⑤ 0.0%
④ 2.8%
③ 30.6%
① 13.9%
② 52.8%

①緊急
②重要
③警告
④注意
⑤登録なし

■図 1-3-8　2021 年〜2023 年に公表されたシトリックス・システムズ製品の深刻度割合（CVSS v3）（n=36）
（出典）JVN iPedia の登録情報を元に IPA が作成

脆弱性が登録されている。深刻度別割合を見ると脆弱性の深刻度が高い順に「緊急」が 13.9%、「重要」が 52.8%、「警告」が 30.6%、「注意」が 2.8% となっており、全体の 66.7% が脆弱性を悪用された場合の影響が大きい「緊急」もしくは「重要」に分類されている。

ソフトウェアやハードウェアの導入当初には既存の脆弱性に対応した最新バージョンを利用していても、時間が経過するとともに新しく脆弱性が発見される恐れがある。また、脆弱性に対応した最新バージョンへのアップデートだけではなく、今回の Citrix Bleed のようにアップデート以外に追加の対応が必要になる場合もある。自組織で利用している製品の脆弱性対策情報を収集し、開発元等から最新バージョンへのアップデート以外に追加の対応が要求されている場合は速やかに実施する必要がある。

(4) 今後の展望

JVN iPedia に登録された脆弱性対策情報の登録件数は 2023 年 12 月末時点で累計約 20 万件となった。公表年単位で見ると、件数が大きく増えた 2017 年は約 1 万 4,000 件であったが、2022 年には約 2 万 4,000 件となっており、毎年脆弱性の公開件数が増えていく状況になっている。2023 年の公開件数は 2023 年 12 月末時点で約 1 万 5,000 件となっており、今後も更に増えるものと思われる。そして、2024 年に公表される脆弱性対策情報も同様の傾向になると考えられる。非常に多くの脆弱性対策情報が公開されるため、自組織に必要な脆弱性対策情報を機械的に収集する仕組みを活用することを検討いただきたい。その仕組みとしては、IPA が提供する「MyJVN API [208]」や「MyJVN 脆弱性対策情報フィルタリング収集ツール（mjcheck4）[209]」等が挙げられる。

また、2023 年は身近に生成 AI という言葉が使われ出した。そして、その仕組みを利用したサービスやソフトウェ

アが提供され、企業や官公庁では活用の検討や試験的な活用が始まっている。例えば、大和証券株式会社では2023年4月に対話型AIであるChatGPTが導入され、資料作成の時間短縮やChatGPTを利用した更なる活用のアイデアの創出を期待しているとしている[210]。

一方、生成AIの普及に伴い、生成AI本体の脆弱性や、生成AIを利用したソフトウェアの脆弱性が、セキュリティの研究者や攻撃者に興味を持たれ、数多く発見されることで、脆弱性対策情報が公開される機会が増えると考えられる。既にJVN iPediaでは生成AIを利用したソフトウェアの脆弱性対策情報が登録されており、今後は更にJVN iPediaへの登録も増加すると見込まれる。

それぞれの環境で使用しているソフトウェア等をきちんと把握した上で、アップデート等の情報収集を行い、適切な脆弱性対応ができるようにする必要がある。その手段の一つとしてJVN iPediaを活用いただきたい。

1.3.2 早期警戒パートナーシップの届出状況から見る脆弱性の動向

ソフトウェア製品やWebアプリケーション(以下、Webサイト)[211]の脆弱性を悪用した攻撃による情報漏えい、及びWebサイト改ざん等の被害は、2023年も引き続き発生している。2000年ごろより、ソフトウェア製品やWebサイトに脆弱性が発見されることが増え、重大な被害が生じるようになった。そこで、脆弱性関連情報の円滑な流通、及び対策の普及を図るため、「情報セキュリティ早期警戒パートナーシップ[212]」(以下、パートナーシップ)制度が整備された。

2023年にパートナーシップへ届出された件数は、ソフトウェア製品が316件、Webサイトが505件、合計821件であった(図1-3-9)。

2023年のソフトウェア製品及びWebサイトの総届出件数(821件)と、2022年の件数(712件)を比較すると、約15%増加している。なお、2023年のソフトウェア製品

とWebサイトそれぞれの届出件数を2022年の件数と比較すると、ソフトウェア製品の届出は約9%減少、Webサイトの届出は約39%増加した。

パートナーシップ開始時点(2004年7月8日)から2023年12月末時点での届出件数を累計すると、ソフトウェア製品は5,670件、Webサイトは1万2,993件、合計は1万8,663件に上る。これらの届出のうちIPAでの取り扱いが終了[213]した届出件数は、ソフトウェア製品3,400件(60.0%)、Webサイト1万1,075件(85.2%)である(図1-3-10)。

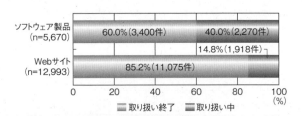

■図1-3-10 脆弱性関連情報の種類別取り扱い終了状況 (2023年12月末時点での累計)
(出典)パートナーシップの届出状況を基にIPAが作成

(1)ソフトウェア製品の脆弱性

2023年のソフトウェア製品の脆弱性の状況を、パートナーシップへの届出件数や製品開発者による対策の取り組み状況等から解説する。

(a)2023年のパートナーシップの届出受付動向

図1-3-11は、2019年から2023年までの5年間のソフトウェア製品の届出受付数(不受理を除く)を示している。2023年の届出受付数は305件であり、2019年から増加傾向にあったものが減少に転じた。一方で、製品開発者自身による届出である自社製品に関する届出は42件となり、5年間で最も件数が多くなった(「1.3.2(1)

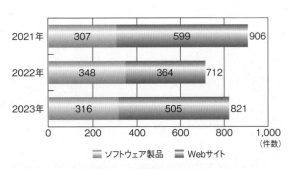

■図1-3-9 脆弱性関連情報の種類別届出状況(2021～2023年)
(出典)パートナーシップの届出状況を基にIPAが作成

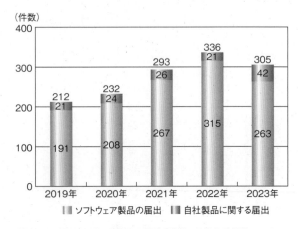

■図1-3-11 ソフトウェア製品の不受理を除いた届出受付数 (2019～2023年)
(出典)パートナーシップの届出状況を基にIPAが作成

（c）製品開発者によるパートナーシップへの届出の活用」参照）。

図 1-3-12 は、2019 年から 2023 年までの 5 年間の製品種類別の届出受付数の割合を示している。2022 年に比べ 2023 年に割合が増加したものは「ウェブアプリケーションソフト[214]」で、28.0% から 37.4% に増加した。Web サイトを構築するためのソフトウェアである CMS（Contents Management System）や、CMS の機能拡張プラグインに関する届出が多い傾向にあった。「ウェブアプリケーションソフト」「スマートフォン向けアプリ」「ルーター」の割合は、直近 5 年間で常に上位 3 位を占めている。

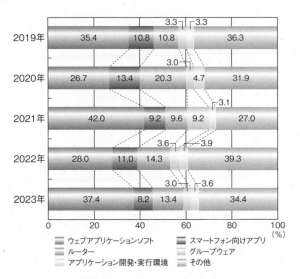

■図 1-3-12　製品種類別のソフトウェア製品の届出受付数の割合
　　　　　（2019〜2023 年）
（出典）パートナーシップの届出状況を基に IPA が作成

（b）2023 年の JVN 公表の動向

図 1-3-13 は、2019 年から 2023 年までの 5 年間の JVN 公表数を示している。パートナーシップへの届出のうち 2023 年に JVN 公表に至った件数は、203 件であっ

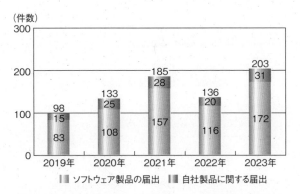

■図 1-3-13　届出されたソフトウェア製品のうち JVN 公表した件数
　　　　　（2019〜2023 年）
（出典）パートナーシップの届出状況を基に IPA が作成

た。2022 年の 136 件と比べて増加し、5 年間で最も件数が多くなった。また、2023 年に JVN 公表した自社製品に関する届出は 31 件であり、5 年間で最多であった。

パートナーシップにおけるソフトウェア製品の届出については、パソコンやサーバーにインストールして使うパッケージソフトや、スマートフォンアプリといったソフトウェアだけでなく、ルーターやプリンター、IoT 製品等の組み込み機器に関する脆弱性届出も受付している。

表 1-3-1 は 2023 年に JVN 公表に至った IoT 製品の例である。2023 年の JVN 公表の事例から、データロガー機能を持つ温度計やセンサーを搭載した眼鏡等、様々な種類の製品で届出がされ、脆弱性が修正されていることが分かる。

製品ジャンル	JVN 番号	件名
カメラ	JVN#98612206	プラネックスコミュニケーションズ製　ネットワークカメラ「CS-WMV02G」における複数の脆弱性
温度計	JVN#14778242	ティアンドデイ製およびエスペックミック製データロガーにおける複数の脆弱性
住まい	JVN#19748237	Panasonic 製「AiSEG2」における複数の脆弱性
眼鏡	JVN#13306058	「JINS MEME CORE」におけるハードコードされた暗号鍵の使用の脆弱性
鍵・錠	JVN#48687031	「Qrio Lock (Q-SL2)」における Capture-replay による認証回避の脆弱性

■表 1-3-1　2023 年に JVN 公表した IoT 製品の脆弱性の例
（出典）JVN を基に IPA が作成

（c）製品開発者によるパートナーシップへの届出の活用

製品開発者は、脆弱性対策された修正版の情報を広く利用者に周知し、アップデートを促すことが重要となる。しかしながら、パートナーシップの届出において、修正版が公開されているにも関わらず、利用者がアップデートせずにそのまま製品が使用されており、脆弱性が再現するという指摘が外部の人より届出されるケースがある。

利用者が製品をアップデートしていない要因として、業務へ影響が出る可能性がある、他のソフトウェア製品への影響調査に時間を要する等のケースがあるが、そもそも修正版が公開されていることを認知していないケースも考えられる。製品開発者は脆弱性対策情報を自社 Web サイトで公開するだけでなく、脆弱性対策情報を複数経路で提供し、入手しやすくすることで、利用者が認知しやすくなると考えられる。パートナーシップでは、

そのような対応の一助として、製品開発者自身による自社製品の届出（自社届出）を用意している。自社届出として受け付けた脆弱性についても、JVN 公表をしている。

図 1-3-14 は 2019 年から 2023 年までの 5 年間について、自社届出の届出受付数を示している。自社届出の年間の受付数は、2021 年の 26 件、2022 年の 21 件に対し、2023 年は 42 件と倍増している。一度自社届出をした製品開発者が、その後も継続的に自社届出をするケースが増加したことが一因と考えられる。

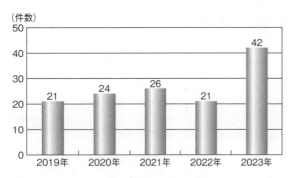

■図 1-3-14　自社届出の届出受付数（2019～2023 年）
（出典）パートナーシップの届出状況を基に IPA が作成

製品開発者は脆弱性対策情報の公表手段として、自社 Web サイトでの公開のほかに、自社届出の活用も検討いただき、より多くの利用者への情報周知を心がけていただきたい。情報周知にあたっては、利用者へ修正版へのアップデートを促すため、当該脆弱性を利用した攻撃の有無や、影響の大きさ等の緊急性を認識できる情報を含むことが好ましいと考える。脆弱性対策が行われていないソフトウェア製品を使い続ける利用者を少しでも減らすため、今後も自社届出を利用する製品開発者が増えることを期待したい。

（2）Web サイトの脆弱性

2023 年にパートナーシップで受け付けた Web サイトの届出（不受理 3 件を除く）は、502 件であった。

図 1-3-15 は、2019 年から 2023 年までの Web サイトの届出件数（不受理を除く）を示している。届出件数は 2019 年から減少傾向にあり、2022 年は 363 件であったが、2023 年は増加に転じた。

図 1-3-16 は、2019 年から 2023 年までに IPA が修正完了と判断した届出件数を、修正完了までに要した日数別に示している。なお、本件数は、当該年に届出された中で修正完了と判断した件数ではなく、届出された年は問わず、当該年において修正完了と判断した件数である。修正完了と判断した件数は、2023 年は 242 件

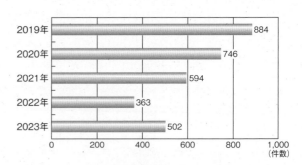

■図 1-3-15　Web サイトの不受理を除いた届出受付数
　　　　　　（2019～2023 年）
（出典）パートナーシップの届出状況を基に IPA が作成

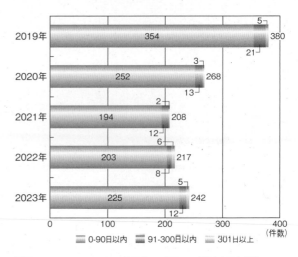

■図 1-3-16　Web サイトの修正完了に要した日数別の届出件数
　　　　　　（2019～2023 年）
（出典）パートナーシップの届出状況を基に IPA が作成

であった。2019 年から減少傾向にあったが、2022 年に増加に転じており、2023 年も増加傾向が続いた。

（a）パートナーシップから見る 2023 年の届出の動向

図 1-3-17 は、2019 年から 2023 年までに受け付けた

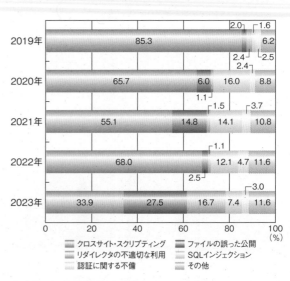

■図 1-3-17　Web サイトの不受理を除いた脆弱性種類別届出件数割合
　　　　　　（2019～2023 年）
（出典）パートナーシップの届出状況を基に IPA が作成

届出（不受理を除く）における Web サイトの脆弱性について種類別内訳の割合を示している。

例年、「クロスサイト・スクリプティング」の脆弱性が最も多く、2023 年も最多であった。ただし、2019 年以降、割合としては毎年 50% 以上を占めていたが、2023 年は 33.9% まで小さくなった。また、2022 年に「クロスサイト・スクリプティング」に次いで 12.1% を占めた「SQL インジェクション」の脆弱性は、2023 年には 7.4% となった。

一方、2023 年にその割合が大きくなったものとしては「ファイルの誤った公開」と「リダイレクタの不適切な利用」の脆弱性がある。

「ファイルの誤った公開」の脆弱性は 2023 年には 27.5% を占め、2 番目に多かった。届出件数では 138 件となり、2021 年の 88 件を超え、脆弱性種類別で見ると、パートナーシップ開始の 2004 年から最多の届出件数となった。

2023 年に 3 番目に多く届出されたのは「リダイレクタの不適切な利用」の脆弱性であった。「リダイレクタの不適切な利用」は、例年、1 ～ 2% 程度の届出割合であり、最も大きかった年でも 2019 年の 2.4% であったが、2023 年ではそれを超え、16.7% を占めた。届出件数では 84 件で、「ファイルの誤った公開」と同様に、パートナーシップ開始以来、最多の届出件数となった。

パートナーシップは、原則として、セキュリティ研究者を始めとする発見者が見つけた脆弱性を届出として受け付ける制度であり、その届出傾向は、世の中全体で発見される脆弱性や、サイバー攻撃等に悪用される脆弱性の傾向を反映するものではない。しかしながら、この届出傾向から、2023 年においても、様々な種類の脆弱性が Web サイトに存在していること、そして「クロスサイト・スクリプティング」や「SQL インジェクション」の脆弱性のような、よく発見される脆弱性以外の脆弱性についても、日々、発見されている状況にあることが分かる。

以下では、2023 年に届出が多かった「ファイルの誤った公開」と「リダイレクタの不適切な利用」について紹介する。

(b) 2023 年のファイルの誤った公開の届出

「ファイルの誤った公開」は、Web サイトにおいてアクセス制限をすべきファイルが意図せず公開状態になっていることを問題とする脆弱性である。アプリケーションの機能や仕組み上の問題に由来するものだけではなく、Web サイト管理者の確認不足等により、誤って機微なファイルを Web サイトにアップロードしてしまうような場合も含

まれる。

2023 年には、あるアプリケーションの認証に関連する設定情報ファイルが Web サイトで公開状態となっていることを指摘するものが複数届出された。このファイルはアプリケーションの構築・実装の段階で自動的に生成されるものであって、Web サイト運営者が意図してアップロードしたものではない可能性があると推定されるものであった。Web サイト運営者がそのファイルの存在を認識できていなかったために、アクセス制限の必要性を検討する機会を逸していたことが考えられる。

(c) 2023 年のリダイレクタの不適切な利用の届出

「リダイレクタの不適切な利用」は、Web サイトに設置されたリダイレクタ（他の Web ページに遷移するための仕組み）が悪意あるリンクの踏み台にされ、利用者が意図せずに悪意ある Web ページを表示させられる問題である。「オープンリダイレクト（Open Redirect）」とも呼ばれる。

この脆弱性は、悪用することで、正しいリンクだと誤認した利用者に悪意あるページを表示させることができるため、フィッシング攻撃に用いられることがある。2023 年の届出にも、フィッシングを目的に送信されたと思われるメール等で悪用されている可能性を指摘するものが複数存在した。

また、Web サイト運営者が独自に構築したアプリケーションではなく、広く頒布されているソフトウェア製品にオープンリダイレクトの脆弱性があり、その製品を Web サイトに組み込んで利用していることによって脆弱性が生じていることを指摘するものも複数あった。

(d) Web サイト運営者に求められる対策

2023 年は届出件数も増加に転じており、届出傾向からも認識できるように、Web サイトにおける脆弱性は様々な種類のものが存在している。Web サイト運営者には、自組織で運用する Web サイトについて、脆弱性診断を実施して、改めて脆弱性の有無を確認するよう努めていただきたい。自組織で実施が難しい場合には、外部のセキュリティベンダーに依頼して実施することも一案となる。

特に 2023 年に届出の多かった「ファイルの誤った公開」については、どのようなファイルが自組織で運用する Web サイト上で外部からアクセス可能な状態となっているか改めて確認することが必要となる。また、Web サイトと同一のサーバーで稼働させているアプリケーションについて、構築・運用時にどのようなファイルを生成するの

か、それらのファイルが Web サーバー上のどの領域に配置されるのかについても、情報を把握することが有用だと考えられる。

「リダイレクタの不適切な利用」については、IPA が提供している「ウェブ健康診断仕様※215」において検出方法を紹介しているので、運用している Web サイトにおける脆弱性の有無の確認に役立てていただきたい。また、Web サイトの運用に利用しているアプリケーションがサポート対象となっているかどうか等も確認していただきたい。

前述のとおり、「クロスサイト・スクリプティング」や「SQL インジェクション」といった種類の脆弱性も継続して発見されている。IPA が提供している「安全なウェブサイトの作り方※216」等を参考としながら、構築時にこれらの脆弱性を作り込まないようにすることが基本的な対策となる。

また、EC サイトを主に扱ったものではあるが、IPA は 2023 年に、Web サイトの構築から運用までについて、経営者やセキュリティ対策を実践する責任者・担当者が認識すべき事項について広くまとめた「EC サイト構築・運用セキュリティガイドライン※217」を公表している。Web サイトの運用管理にあたって、参考としていただきたい。

※ 1 CSIS：Significant Cyber Incidents https://www.csis.org/programs/strategic-technologies-program/significant-cyber-incidents〔2024/5/16 確認〕
※ 2 Microsoft 社：Microsoft mitigates China-based threat actor Storm-0558 targeting of customer email https://msrc.microsoft.com/blog/2023/07/microsoft-mitigates-china-based-threat-actor-storm-0558-targeting-of-customer-email/〔2024/5/16 確認〕
※ 3 Microsoft 社：Analysis of Storm-0558 techniques for unauthorized email access https://www.microsoft.com/en-us/security/blog/2023/07/14/analysis-of-storm-0558-techniques-for-unauthorized-email-access/〔2024/5/16 確認〕
※ 4 Microsoft 社：Results of Major Technical Investigations for Storm-0558 Key Acquisition https://msrc.microsoft.com/blog/2023/09/results-of-major-technical-investigations-for-storm-0558-key-acquisition/〔2024/5/16 確認〕
※ 5 Reuters：中国系ハッカー、米商務長官のメールに侵入＝関係筋 https://jp.reuters.com/article/usa-china-cyber-idJPL6N38Z0GM/〔2024/5/16 確認〕
※ 6 Microsoft 社：Volt Typhoon targets US critical infrastructure with living-off-the-land techniques https://www.microsoft.com/en-us/security/blog/2023/05/24/volt-typhoon-targets-us-critical-infrastructure-with-living-off-the-land-techniques/〔2024/5/16 確認〕
※ 7 Palo Alto Networks, Inc.：[2024-02-15 JST 更新] 脅威に関する情報：Volt Typhoon (Unit 42 追跡名 Insidious Taurus) に帰属する重要インフラへの攻撃 https://unit42.paloaltonetworks.jp/volt-typhoon-threat-brief/〔2024/5/16 確認〕
※ 8 BBC NEWS JAPAN：米 FBI、中国支援のハッキングを阻止と報告 主要インフラが標的に https://www.bbc.com/japanese/68163206〔2024/5/16 確認〕
※ 9 Joint Cybersecurity Advisory：People's Republic of China State-Sponsored Cyber Actor Living off the Land to Evade Detection https://media.defense.gov/2023/May/24/2003229517/-1/-1/0/CSA_Living_off_the_Land.PDF〔2024/5/16 確認〕
CISA：PRC State-Sponsored Actors Compromise and Maintain Persistent Access to U.S. Critical Infrastructure https://www.cisa.gov/news-events/cybersecurity-advisories/aa24-038a〔2024/5/16 確認〕
※ 10 Microsoft 社：Espionage fuels global cyberattacks https://blogs.microsoft.com/on-the-issues/2023/10/05/microsoft-digital-defense-report-2023-global-cyberattacks/〔2024/5/16 確認〕
※ 11 NCSC：The near-term impact of AI on the cyber threat https://www.ncsc.gov.uk/report/impact-of-ai-on-cyber-threat〔2024/5/16 確認〕
※ 12 https://www.ic3.gov/media/pdf/annualreport/2023_ic3report.pdf〔2024/5/16 確認〕
※ 13 https://apwg.org/trendsreports/〔2024/5/16 確認〕
※ 14 Krebs On Security：Sued by Meta, Freenom Halts Domain Registrations https://krebsonsecurity.com/2023/03/sued-by-meta-freenom-halts-domain-registrations/〔2024/5/16 確認〕
※ 15 APWG：Phishing Activity Trends Report, 4th Quarter 2023 https://docs.apwg.org/reports/apwg_trends_report_q4_2023.pdf〔2024/5/16 確認〕
※ 16 FBI：Internet Crime Report 2022 https://www.ic3.gov/Media/PDF/AnnualReport/2022_IC3Report.pdf〔2024/5/16 確認〕
※ 17 IBM 社：IBM X-Force 脅威インテリジェンス・インデックス 2024 https://www.ibm.com/jp-ja/reports/threat-intelligence〔2024/5/16 確認〕
※ 18 本白書では文献引用上の正確性を期す必要がない場合、表記の統一のため、悪意のあるプログラム、マルウェア等を総称して「ウイルス」と表記する。
※ 19 Emsisoft Ltd：Unpacking the MOVEit Breach: Statistics and Analysis https://www.emsisoft.com/en/blog/44123/unpacking-the-moveit-breach-statistics-and-analysis/〔2024/3/22 確認〕
※ 20 CISA：#StopRansomware: CL0P Ransomware Gang Exploits CVE-2023-34362 MOVEit Vulnerability https://www.cisa.gov/news-events/cybersecurity-advisories/aa23-158a〔2024/5/16 確認〕
※ 21 CISA：ESXiArgs Ransomware Virtual Machine Recovery Guidance https://www.cisa.gov/news-events/cybersecurity-advisories/aa23-039a〔2024/5/16 確認〕
※ 22 CrowdStrike Blog：Hypervisor Jackpotting, Part 3: Lack of Antivirus Support Opens the Door to Adversary Attacks https://www.crowdstrike.com/blog/hypervisor-jackpotting-lack-of-antivirus-support-opens-the-door-to-adversaries/〔2024/5/16 確認〕
※ 23 マクニカネットワークスブログ：急増中！今猛威を振るうランサムウェアとは？ https://mnb.macnica.co.jp/2023/06/aptir/ransomware.html〔2024/5/16 確認〕
※ 24 警察庁：令和 5 年におけるサイバー空間をめぐる脅威の情勢等について https://www.npa.go.jp/publications/statistics/cybersecurity/data/R5/R05_cyber_jousei.pdf〔2024/5/16 確認〕
※ 25 Europol：Law enforcement disrupt world's biggest ransomware operation https://www.europol.europa.eu/media-press/newsroom/news/law-enforcement-disrupt-worlds-biggest-ransomware-operation〔2024/5/16 確認〕
※ 26 The Register：LockBit extorted $1B+ from victims over four years https://www.theregister.com/2024/02/23/lockbit_extorted_billions_of_dollars/〔2024/5/28 確認〕
※ 27 IBM 社：2023 年「データ侵害のコストに関する調査」 https://www.ibm.com/jp-ja/reports/data-breach〔2024/5/16 確認〕
※ 28 AT&T Inc.：AT&T Addresses Recent Data Set Released on the Dark Web https://about.att.com/story/2024/addressing-data-set-released-on-dark-web.html〔2024/5/16 確認〕
※ 29 AT&T Inc.：Keeping your account secure https://www.att.

第1章

情報セキュリティインシデント・脆弱性の現状と対策

com/support/article/my-account/000101995〔2024/5/16 確認〕

※ 30 TechCrunch：AT&T resets account passcodes after millions of customer records leak online https://techcrunch.com/2024/03/30/att-reset-account-passcodes-customer-data/〔2024/5/16 確認〕

※ 31 Electoral Commission：Public notification of cyber-attack on Electoral Commission systems https://www.electoralcommission.org.uk/privacy-policy/public-notification-cyber-attack-electoral-commission-systems〔2024/5/16 確認〕

※ 32 TechCrunch：Parsing the UK electoral register cyberattack https://techcrunch.com/2023/08/09/parsing-uk-electoral-commission-cyberattack/〔2024/5/16 確認〕

※ 33 GOV.UK：UK holds China state-affiliated organisations and individuals responsible for malicious cyber activity https://www.gov.uk/government/news/uk-holds-china-state-affiliated-organisations-and-individuals-responsible-for-malicious-cyber-activity〔2024/5/16 確認〕

※ 34 U.S. Department of the Treasury：Treasury Sanctions China-Linked Hackers for Targeting U.S. Critical Infrastructure https://home.treasury.gov/news/press-releases/jy2205〔2024/5/16 確認〕

※ 35 Bleeping Computer：MGM casino's ESXi servers allegedly encrypted in ransomware attack https://www.bleepingcomputer.com/news/security/mgm-casinos-esxi-servers-allegedly-encrypted-in-ransomware-attack/〔2024/5/16 確認〕

※ 36 Okta 社：Cross-Tenant Impersonation: Prevention and Detection https://sec.okta.com/articles/2023/08/cross-tenant-impersonation-prevention-and-detection〔（2024/5/16 確認〕

※ 37 Okta 社：Okta October 2023 Security Incident Investigation Closure https://sec.okta.com/harfiles〔2024/5/16 確認〕

※ 38 https://www.antiphishing.jp/report/monthly/〔2024/5/21 確認〕

※ 39 https://www.npa.go.jp/publications/statistics/cybersecurity/data/R04_cyber_jousei.pdf〔2024/5/21 確認〕

※ 40-1 https://www.npa.go.jp/publications/statistics/cybersecurity/data/R03_cyber_jousei.pdf〔2024/5/21 確認〕

※ 40-2 https://www.jpcert.or.jp/pr/2024/IR_Report2023Q4.pdf〔2024/5/21 確認〕

※ 40-3 フィッシング対策協議会：URL に飾り文字などが含まれるフィッシング（2023/10/17）https://www.antiphishing.jp/news/alert/decourl_20231017.html〔2024/5/21 確認〕

※ 40-4 フィッシング対策協議会：URL に特殊な IP アドレス表記を用いたフィッシング（2023/11/14）https://www.antiphishing.jp/news/alert/ipurl_20231114.html〔2024/5/21 確認〕

※ 40-5 フィッシング対策協議会：2023/10 フィッシング報告状況 https://www.antiphishing.jp/report/monthly/202310.html〔2024/5/21 確認〕

※ 40-6 フィッシング対策協議会：総務省をかたるフィッシング（2023/04/05）https://www.antiphishing.jp/news/alert/mic_20230405.html〔2024/5/21 確認〕

フィッシング対策協議会：三井住友信託銀行をかたるフィッシング（2023/04/10）https://www.antiphishing.jp/news/alert/smtb_20230410.html〔2024/5/21 確認〕

フィッシング対策協議会：国土交通省をかたるフィッシング（2023/04/25）https://www.antiphishing.jp/news/alert/mlit_20230425.html〔2024/5/21 確認〕

フィッシング対策協議会：Apple をかたるフィッシング（2023/05/02）https://www.antiphishing.jp/news/alert/apple_20230502.html〔2024/5/21 確認〕

※ 40-7 IPA：サイバー情報共有イニシアティブ（J-CSIP）運用状況〔2023 年 7 月～9 月〕https://www.ipa.go.jp/security/j-csip/ug65p9000000nkvm-att/fy23-q2-report.pdf〔2024/5/21 確認〕

※ 40-8 株式会社東京商工リサーチ：2023 年の「個人情報漏えい・紛失事故」が年間最多件数 175 件、流出・紛失情報も最多の 4,090 万人分 https://www.tsr-net.co.jp/data/detail/1198311_1527.html〔2024/5/21 確認〕

※ 40-9 株式会社 NTT マーケティングアクト ProCX、NTT ビジネスソリューションズ株式会社：NTT ビジネスソリューションズに派遣された元派遣社員によるお客さま情報の不正流出について（続報）https://www.nttactprocx.com/info/detail/231219.html〔2024/5/21 確認〕

ITmedia：NTT 西子会社の内部不正、追加で 28 万件の持ち出し明らかに 社内調査で 計 928 万件に https://www.itmedia.co.jp/news/articles/2312/19/news176.html〔2024/5/21 確認〕

※ 40-10 株式会社 NTT ドコモ：【お詫び】「ぷらら」および「ひかり TV」をご利用のお客さま情報流出のお知らせとお詫び https://www.docomo.

ne.jp/info/notice/page/230721_00_m.html〔2024/5/21 確認〕

※ 40-11 https://www.ipa.go.jp/security/10threats/10threats2024.html〔2024/5/21 確認〕

※ 40-12 https://www.npa.go.jp/publications/statistics/safetylife/seikeikan/R05_nenpou.pdf〔2024/5/21 確認〕

※ 40-13 JPCERT/CC：JPCERT/CC インシデント報告対応レポート 2023 年 1 月 1 日～2023 年 3 月 31 日 https://www.jpcert.or.jp/pr/2023/IR_Report2022Q4.pdf〔2024/5/21 確認〕

※ 41 日経クロステック：警察庁命名のサイバー攻撃の新手口「ノーウエアランサム」、SNS で大喜利始まる https://xtech.nikkei.com/atcl/nxt/column/18/00001/08492/〔2024/4/12 確認〕

※ 42 警察庁：令和5年におけるサイバー空間をめぐる脅威の情勢等について https://www.npa.go.jp/publications/statistics/cybersecurity/data/R5/R05_cyber_jousei.pdf〔2024/4/12 確認〕

※ 43 トレンドマイクロ社：2023 年、サプライチェーンにおけるセキュリティリスク動向～被害事例にみる企業が直面するリスクとは？ https://www.trendmicro.com/ja_jp/jp-security/23/k/securitytrend-20231113-01.html〔2024/4/12 確認〕

※ 44 wiz LANSCOPE：ノーウェアランサムとは？新種のランサムウェア手口と対策について最新情報を解説 https://www.lanscope.jp/blogs/cyber_attack_cpdi_blog/20231026_15683/〔2024/4/12 確認〕

※ 45 トレンドマイクロ社：警察庁のサイバー犯罪レポートに見る「ノーウェアランサム」とは？ ～組織として対策しておくべきことは変わるのか？～ https://www.trendmicro.com/ja_jp/jp-security/23/j/securitytrend-20231006-01.html〔2024/4/12 確認〕

※ 46 IPA：コンピュータウイルス・不正アクセスの届出事例〔2023 年上半期（1 月～6 月）〕https://www.ipa.go.jp/security/todokede/crack-virus/ug65p9000000nnpa-att/2023-h1-jirei.pdf〔2024/4/12 確認〕
IPA：コンピュータウイルス・不正アクセスの届出事例〔2023 年下半期（7 月～12 月）〕https://www.ipa.go.jp/security/todokede/crack-virus/ug65p9000000nnpa-att/2023-h2-jirei.pdf〔2024/4/12 確認〕

※ 47 名古屋港運協会、名古屋港コンテナ委員会、ターミナル部会：名古屋港統一ターミナルシステムのシステム障害について https://meikoukyo.com/wp-content/uploads/2023/07/165c5b14bf0021d077a4852f0cb232b8.pdf〔2024/4/12 確認〕

※ 48 名古屋港運協会、名古屋港コンテナ委員会、ターミナル部会：NUTS システム障害の経緯報告 https://meikoukyo.com/wp-content/uploads/2023/07/0bb9d9907568e832da8f400e529efc99.pdf〔2024/4/12 確認〕

※ 49 コンテナターミナルにおける情報セキュリティ対策等検討委員会：名古屋港のコンテナターミナルにおけるシステム障害を踏まえ緊急に実施すべき対応策及び情報セキュリティ対策等の推進のための制度的措置について https://www.mlit.go.jp/kowan/content/001719866.pdf〔2024/4/12 確認〕

※ 50 トレンドマイクロ社：ランサムウェア「LockBit」の概要と対策～名古屋港の活動停止を引き起こした犯罪集団 https://www.trendmicro.com/ja_jp/jp-security/23/h/securitytrend-20230823-01.html〔2024/4/12 確認〕

※ 51 日経クロステック：国際サイバー犯罪集団「ロックビット」摘発、メンバー 2 人を逮捕 https://xtech.nikkei.com/atcl/nxt/news/24/00289/〔2024/4/12 確認〕

※ 52-1 Codebook：LockBit ランサムウェアが復活、新リークサイトに 5 つの被害組織を掲載 https://codebook.machinarecord.com/threatreport/32128/〔2024/4/12 確認〕
BleepingComputer：LockBit ransomware returns, restores servers after police disruption https://www.bleepingcomputer.com/news/security/lockbit-ransomware-returns-restores-servers-after-police-disruption/〔2024/4/12 確認〕

※ 52-2 NISC：サイバーセキュリティ戦略本部第 39 回会合の開催について https://www.nisc.go.jp/pdf/council/cs/dai39/39cs_press.pdf〔2024/6/21 確認〕

※ 52-3 国土交通省：コンテナターミナルにおける情報セキュリティ対策等について https://www.mlit.go.jp/policy/shingikai/content/001727807.pdf〔2024/4/12 確認〕

※ 53 エムケイシステム社：【お詫び】弊社製品障害に関するご報告 https://www.mks.jp/company/topics/20230605〔2024/4/12 確認〕

※ 54 エムケイシステム社：第三者によるランサムウェア感染被害のお知らせ https://contents.xj-storage.jp/xcontents/AS97180/bc464498/fb3c/479a/ad33/51ec0cd39818/140120230606596742.pdf〔2024/4/12 確認〕

※ 55 エムケイシステム社：当社サーバへの不正アクセスに関する調査結果のご報告（第3報）https://contents.xj-storage.jp/xcontents/AS97180/813d570f/5138/4bc7/a113/f4837598df38/140120230719524126.pdf〔2024/4/12 確認〕

※ 56 日本経済新聞：「社労夢」のエムケイシステム、社労士クラウド障害

を謝罪　https://www.nikkei.com/article/DGXZQOUF074GH0X00C23A9000000/〔2024/4/12 確認〕

※ 57 Security NEXT：人事労務システム障害、給与システムを順次提供 - MK システム　https://www.security-next.com/146843〔2024/4/12 確認〕

※ 58 Security NEXT：「社労夢」の復旧、6 月末から 7 月上旬を予定 - MK システム　https://www.security-next.com/147265〔2024/4/12 確認〕

※ 59 ITmedia NEWS：ランサムウェアで約 1 カ月停止の社労士向けクラウド、サービスを一部再開　開発中の AWS 版を急きょ改修　https://www.itmedia.co.jp/news/articles/2307/05/news144.html〔2024/4/12 確認〕

※ 60 日経クロステック：番外編：ランサムウエア攻撃が憎い、顧客の給与支給が間に合うか窮地に立たされる　https://xtech.nikkei.com/atcl/nxt/column/18/00084/00270〔2024/4/12 確認〕

※ 61 個人情報保護委員会：株式会社エムケイシステムに対する個人情報の保護に関する法律に基づく行政上の対応について　https://www.ppc.go.jp/files/pdf/240325_houdou.pdf〔2024/4/12 確認〕

※ 62 個人情報保護委員会：クラウドサービス提供事業者が個人情報保護法上の個人情報取扱事業者に該当する場合の留意点について（注意喚起）　https://www.ppc.go.jp/files/pdf/240325_alert_cloud_service_provider.pdf〔2024/4/12 確認〕

※ 63 株式会社 Y4.com：不正アクセスによる情報漏えいのお知らせとお詫び　https://y-4.jp/wp-content/uploads/2023/12/jyoho1218.pdf〔2024/4/12 確認〕

※ 64 株式会社 Y4.com：不正アクセスによる情報漏えいに関するお詫びとご報告（最終）　https://y-4.jp/wp-content/uploads/2024/01/jyohoroei0122.pdf〔2024/4/12 確認〕

※ 65 千葉市：委託事業者による個人情報の流出した可能性のある事案の発生について　https://www.city.chiba.jp/hokenfukushi/kenkofukushi/shien/hokensidouosirase.html〔2024/4/12 確認〕
伊丹市：委託事業者による個人情報の流出事案の発生について https://www.city.itami.lg.jp/SOSIKI/KENKOFUKUSHI/KENKO_SEISAKU/37560.html〔2024/4/12 確認〕

※ 66 JPCERT/CC：侵入型ランサムウェア攻撃を受けたら読む FAQ https://www.jpcert.or.jp/magazine/security/ransom-faq.html〔2024/4/12 確認〕

※ 67 https://www.ipa.go.jp/publish/wp-security/2023.html〔2024/4/12 確認〕

※ 68 C&C（Command and Control）サーバ：ウイルス等により乗っ取ったコンピューター等に対し、遠隔から命令を送り制御させるサーバー。

※ 69 IPA：サイバーレスキュー隊（J-CRAT）活動状況〔2020 年度上半期〕　https://www.ipa.go.jp/security/j-crat/ug65p9000000nks8-att/000086892.pdf〔2024/4/12 確認〕

※ 70 IPA：インターネット境界に設置された装置に対するサイバー攻撃について～ネットワーク貫通型攻撃に注意しましょう～　https://www.ipa.go.jp/security/security-alert/2023/alert20230801.html〔2024/4/12 確認〕

※ 71 IPA：サイバー情報共有イニシアティブ（J-CSIP）運用状況〔2022年 7 月～ 9 月〕　https://www.ipa.go.jp/security/j-csip/ug65p9000000nkvm-att/000103970.pdf〔2024/4/12 確認〕

※ 72 伊藤忠サイバー&インテリジェンス株式会社：熱帯の海賊からの贈り物　- メールとマルウェアに隠された新しい危険な武器 - https://blog.itochuci.co.jp/entry/2023/09/27/105758〔2024/4/12 確認〕

※ 73 DLL Side-Loading：Windows の DLL 検索順序メカニズム（最初に実行されたプログラムと同じフォルダにある DLL を探索する仕様）を悪用し、悪意あるDLL を読み込ませる手法。このとき、プログラム側が読み込む DLL の正当性を確認する処理を行わない場合、悪意あるコード（ウイルス）は、正規のプログラムを介して実行されるため、セキュリティ対策ソフト等で検知されにくくなる特徴を持つ。

※ 74 Cobalt Strike Beacon：Fortra, LLC の正規のセキュリティツールである、Cobalt Strike を使用するためのエージェントプログラム（Cobalt Strike Beacon）である。本来は、セキュリティツールとして有益な機能を、多くの攻撃者グループが悪用している。

※ 75 JPCERT/CC：日本の組織を標的にした外部からアクセス可能な IT 資産を狙う複数の標的型サイバー攻撃活動に関する注意喚起　https://www.jpcert.or.jp/at/2023/at230029.html〔2024/4/12 確認〕

※ 76 国立研究開発法人国立環境研究所：国立環境研究所が運用するオンラインストレージサービス（Proself）への不正アクセスについて https://www.nies.go.jp/whatsnew/2023/20231030-1.html〔2024/4/12 確認〕

※ 77 トレンドマイクロ社：Spot the Difference: An Analysis of the New LODEINFO Campaign by Earth Kasha https://jsac.jpcert.or.jp/archive/2024/pdf/JSAC2024_2_7_hara_shoji_higashi_vickie-

su_nick_dai_en.pdf〔2024/4/12 確認〕

※ 78 Cisco 社：Reports about Cyber Actors Hiding in Router Firmware https://sec.cloudapps.cisco.com/security/center/content/CiscoSecurityAdvisory/cisco-sa-csa-cyber-report-sept-2023〔2024/4/12 確認〕

※ 79 警察庁、NISC：中国を背景とするサイバー攻撃グループ BlackTech によるサイバー攻撃について（注意喚起）　https://www.npa.go.jp/bureau/cyber/pdf/20230927press.pdf〔2024/4/12 確認〕

※ 80 Mandiant, Inc.：中国との関連が疑われる攻撃的、かつ高度なスキルを持つ攻撃者が Barracuda ESG のゼロデイ脆弱性（CVE-2023-2868）を悪用　https://www.mandiant.jp/resources/blog/barracuda-esg-exploited-globally〔2024/4/12 確認〕

※ 81 Mandiant, Inc.：Barracuda ESG のゼロデイ修復（CVE-2023-2868）後の UNC4841 の活動についてのさらなる考察　https://www.mandiant.jp/resources/blog/unc4841-post-barracuda-zero-day-remediation〔2024/4/12 確認〕

※ 82 Microsoft 社：マイクロソフトは、顧客の電子メールを標的とした中国を拠点とする脅威アクター Storm-0558 を緩和しました。　https://msrc.microsoft.com/blog/2023/07/microsoft-mitigates-china-based-threat-actor-storm-0558-targeting-of-customer-email-ja/〔2024/4/12 確認〕

※ 83 Mandiant, Inc.：The Spies Who Loved You: Infected USB Drives to Steal Secrets　https://www.mandiant.com/resources/blog/infected-usb-steal-secrets〔2024/4/12 確認〕
チェック・ポイント・ソフトウェア・テクノロジーズ株式会社：チェック・ポイント・リサーチ、USB 機器を介して増殖する中国の諜報活動用マルウェアの新バージョンを発見　https://prtimes.jp/main/html/rd/p/000000218.000021207.html〔2024/4/12 確認〕

※ 84 サイバー攻撃被害に係る情報の共有・公表ガイダンス検討会：サイバー攻撃被害に係る情報の共有・公表ガイダンス　https://www.meti.go.jp/press/2022/03/20230308006/20230308006-2.pdf〔2024/4/12 確認〕

※ 85 経済産業省、IPA：サイバーセキュリティ経営ガイドライン Ver 3.0　https://www.meti.go.jp/policy/netsecurity/downloadfiles/guide_v3.0.pdf〔2024/4/12 確認〕

※ 86 ファイルレスマルウェア・ウイルス本体をディスクドライブ上に直接格納せず、悪意あるコードを PowerShell 等のツールに読み込ませることで、メモリ上で実行・動作するタイプのウイルスのこと。

※ 87 JPCERT/CC：高度サイバー攻撃への対処におけるログの活用と分析方法 1.2 版　https://www.jpcert.or.jp/research/APT-loganalysis_Report_20220510.pdf〔2024/4/12 確認〕
JPCERT/CC：ログを活用した高度サイバー攻撃の早期発見と分析 https://www.jpcert.or.jp/research/APT-loganalysis_Presen_20151117.pdf〔2024/4/12 確認〕

※ 88 経済産業省：「ASM（Attack Surface Management）導入ガイダンス～外部から把握出来る情報を用いて自組織の IT 資産を発見し管理する～」を取りまとめました　https://www.meti.go.jp/press/2023/05/20230529001/20230529001.html〔2024/4/12 確認〕

※ 89 被害金額については、2015 ～ 2023 年の年次報告書（IC3：Annual Reports https://www.ic3.gov/Home/AnnualReports〔2024/4/12 確認〕）を参照した。

※ 90 Security Affairs：Law enforcement Operation HAECHI IV led to the seizure of $300 Million https://securityaffairs.com/156209/cyber-crime/haechi-iv-operation-interpol.html〔2024/4/12 確認〕
INTERPOL：USD 300 million seized and 3,500 suspects arrested in international financial crime operation https://www.interpol.int/News-and-Events/News/2023/USD-300-million-seized-and-3-500-suspects-arrested-in-international-financial-crime-operation〔2024/4/12 確認〕

※ 91 The Register：Interpol arrests 14 who allegedly scammed $40m from victims in 'cyber surge' https://www.theregister.com/2023/08/20/interpol_africa_arrests/〔2024/4/12 確認〕
INTERPOL：Cybercrime：14 arrests, thousands of illicit cyber networks disrupted in Africa operation https://www.interpol.int/en/News-and-Events/News/2023/Cybercrime-14-arrests-thousands-of-illicit-cyber-networks-disrupted-in-Africa-operation〔2024/4/12 確認〕

※ 92 株式会社 NHK メディアホールディングス、株式会社 NHK プロモーション：送金詐欺被害が疑われる事案の発生について　https://www.nhk.or.jp/keiei-iinkai/giji/shiryou/1430_kaicho01.pdf〔2024/4/12 確認〕

※ 93 株式会社スリー・ディー・マトリックス：送金詐欺による資金流出被害のお知らせ　https://pdf.irpocket.com/C7777/ZoWa/awjA/EOHM.pdf〔2024/4/12 確認〕
株式会社スリー・ディー・マトリックス：営業外収益、営業外費用及び特

別損失の計上並びに役員報酬の一部自主返納に関するお知らせ https://pdf.irpocket.com/C7777/nGVW/npNB/aTkn.pdf〔2024/4/12確認〕

※94 Fort Lauderdale Police Department：FLPD RECOVERS APPROXIMATELY $1.2M TAKEN IN A CONSTRUCTION FRAUD SCHEME https://www.flpd.gov/home/showpublisheddocument/6914〔2024/4/12確認〕
WSVN 7News：City of Fort Lauderdale falls victim to $1.2 million fraud scheme https://wsvn.com/news/local/broward/city-of-fort-lauderdale-falls-victim-to-1-2-million-fraud-scheme/〔2024/4/12確認〕

※95 CNN：Finance worker pays out $25 million after video call with deepfake 'chief financial officer' https://edition.cnn.com/2024/02/04/asia/deepfake-cfo-scam-hong-kong-intl-hnk/index.html〔2024/4/12確認〕

※96 IPA：ビジネスメール詐欺（BEC）対策特設ページ https://www.ipa.go.jp/security/bec/about.html〔2024/4/12確認〕

※97 https://www.ipa.go.jp/security/j-csip/ug65p9000000nkvm-att/fy23-q1-report.pdf〔2024/4/12確認〕

※98 https://www.ipa.go.jp/security/bec/hjuojm0000003c8r-att/case6.pdf〔2024/4/12確認〕

※99 IPA：ビジネスメール詐欺のパターンとは https://www.ipa.go.jp/security/bec/bec_pattern.html〔2024/4/12確認〕

※100 ZDNET Japan：CEOになりすましたディープフェイクの音声で約2600万円の詐欺被害か https://japan.zdnet.com/article/35142255/〔2024/4/12確認〕

※101 IPA：サイバー情報共有イニシアティブ（J-CSIP）運用状況〔2019年10月～12月〕 https://www.ipa.go.jp/security/j-csip/ug65p9000000nkvm-att/000080133.pdf〔2024/4/12確認〕

※102 Fortra, LLC：Cosmic Lynx: A Russian Threat Hits the BEC Scene https://www.agari.com/blog/cosmic-lynx-russian-bec〔2024/4/12確認〕

※103 JPCERT/CC：ビジネスメール詐欺の実態調査報告 https://www.jpcert.or.jp/research/BEC-survey.html〔2024/4/12確認〕
株式会社マクニカ：ビジネスメール詐欺の実態と対策アプローチ 第1版 https://www.macnica.co.jp/business/security/security-reports/141698/〔2024/4/12確認〕
PwC：Business-Email-Compromise-Guide（BEC） https://github.com/PwC-IR/Business-Email-Compromise-Guide/blob/main/PwC-Business_Email_Compromise-Guide.pdf〔2024/4/12確認〕

※104 IPA：ビジネスメール詐欺（BEC）の特徴と対策 https://www.ipa.go.jp/security/bec/hjuojm00000037nn-att/000102392.pdf〔2024/4/12確認〕

※105 Microsoft 社：From cookie theft to BEC: Attackers use AiTM phishing sites as entry point to further financial fraud https://www.microsoft.com/en-us/security/blog/2022/07/12/from-cookie-theft-to-bec-attackers-use-aitm-phishing-sites-as-entry-point-to-further-financial-fraud/〔2024/4/12確認〕
Microsoft 社：Detecting and mitigating a multi-stage AiTM phishing and BEC campaign https://www.microsoft.com/en-us/security/blog/2023/06/08/detecting-and-mitigating-a-multi-stage-aitm-phishing-and-bec-campaign/〔2024/4/12確認〕

※106 Microsoft 社：侵害されたメールアカウントへの応答 https://learn.microsoft.com/ja-jp/defender-office-365/responding-to-a-compromised-email-account?view=o365-worldwide〔2024/4/12確認〕

※107 NetScout Systems, Inc.：Internet Traffic and Slipstreamed Threats - Latest Cyber Threat Intelligence Report https://www.netscout.com/threatreport/internet-traffic-slipstreamed-threats/〔2024/4/12確認〕

※108 NHK：あなたはなぜ「参戦」するのか?ウクライナ侵攻でサイバー攻撃に手を染める市民たち https://www3.nhk.or.jp/news/special/sci_cul/2022/07/special/cyber-hacker-ukraine-0728/〔2024/4/12確認〕

※109 NetScout Systems, Inc.：NETSCOUT Identified Nearly 7.9 Million DDoS Attacks in 1H2023 According to Its Latest DDoS Threat Intelligence Report https://www.netscout.com/press-releases/netscout-identified-nearly-79-million-ddos-attacks-1h2023〔2024/4/12確認〕

※110 UDP（User Datagram Protocol）：インターネットで標準的に使われているプロトコルの一種。接続のチェックが不要なコネクションレスなサービスに利用される。

※111 Cloudflare, Inc.：2023年第4四半期DDoS脅威レポート https://blog.cloudflare.com/ja-jp/ddos-threat-report-2023-q4-ja-jp/〔2024/4/12確認〕

※112 BitSight Technologies, Inc.：New high-severity vulnerability（CVE-2023-29552）discovered in the Service Location Protocol（SLP） https://www.bitsight.com/blog/new-high-severity-vulnerability-cve-2023-29552-discovered-service-location-protocol-slp〔2024/4/12確認〕

※113 Security NEXT：「SLP」に反射攻撃のおそれ、早急にアクセス制限を - 最大2200倍に増幅 https://www.security-next.com/145722〔2024/4/12確認〕

※114 CISA：Known Exploited Vulnerabilities Catalog https://www.cisa.gov/known-exploited-vulnerabilities-catalog?search_api_fulltext=CVE-2023-29552&field_date_added_wrapper=all&sort_by=field_date_added&items_per_page=20〔2024/4/12確認〕
Security NEXT：米当局、「SLP」や「Atlassian Confluence」狙う脆弱性攻撃に注意喚起 https://www.security-next.com/150961〔2024/4/12確認〕

※115 NetScout Systems, Inc.：Revealing Adversary Methodology - Latest Cyber Threat Intelligence Report https://www.netscout.com/threatreport/revealing-adversary-methodology/〔2024/4/12確認〕

※116 株式会社日本レジストリサービス：JPRSトピックス＆コラム（No.021）Bot経由でDNSサーバーを広く薄く攻撃～DNS水責め攻撃の概要と対策～ https://jprs.jp/related-info/guide/021.pdf〔2024/4/12確認〕
株式会社日本レジストリサービス：[Interop Tokyo 2023出展報告] 権威DNSサーバーを狙った攻撃の影響範囲と可用性を高めるためのポイント～ランダムサブドメイン攻撃を題材として～ https://jprs.jp/related-info/event/2023/InteropTokyo-02.html〔2024/4/12確認〕
GMOインターネットグループ株式会社：ランダムサブドメイン攻撃についてドメイン名登録者が出来ること https://dnsops.jp/event/20230623/20230623-nagai.pdf〔2024/4/12確認〕

※117 ボットネット：攻撃者に乗っ取られた複数の機器から形成されるネットワーク。

※118 オープンリゾルバー：外部の不特定のIPアドレスからの再帰的な問い合わせを許可しているDNSサーバー。

※119 権威DNSサーバー：あるゾーンの情報を保持し、他のサーバーに問い合わせることなく応答を返すことができるサーバー。

※120 株式会社日本レジストリサービス：ランダムサブドメイン攻撃（DNS水責め攻撃） https://jprs.jp/glossary/index.php?ID=0137〔2024/4/12確認〕

※121 Akamai Technologies, Inc.：金融・公共部門におけるDDoS攻撃トレンドと対策ソリューション https://www.akamai.com/ja/blog/security/ddos-attack-2023-fsipub〔2024/4/12確認〕

※122 警察庁：令和5年上半期におけるサイバー空間をめぐる脅威の情勢等について https://www.npa.go.jp/publications/statistics/cybersecurity/data/R05_kami_cyber_jousei.pdf〔2024/4/12確認〕

※123 警察庁：DDoS攻撃への対策について https://www.npa.go.jp/bureau/cyber/koho/caution/caution20230501.html〔2024/4/12確認〕
警察庁、NISC：DDoS攻撃への対策について https://www.npa.go.jp/bureau/cyber/pdf/20230501.pdf〔2024/4/12確認〕

※124 Cloud Software Group, Inc.：NetScaler ADC and NetScaler Gateway Security Bulletin for CVE-2023-4966 and CVE-2023-4967 https://support.citrix.com/article/CTX579459/netscaler-adc-and-netscaler-gateway-security-bulletin-for-cve20234966-and-cve20234967〔2024/4/12確認〕

※125 AAA：Authentication（認証）、Authorization（認可）、Accounting（課金）の略。

※126 Mandiant, Inc.：Remediation for Citrix NetScaler ADC and Gateway Vulnerability（CVE-2023-4966） https://www.mandiant.com/resources/blog/remediation-netscaler-adc-gateway-cve-2023-4966〔2024/4/12確認〕

※127 Cloud Software Group, Inc.：NetScaler investigation recommendations for CVE-2023-4966 https://www.netscaler.com/blog/news/netscaler-investigation-recommendations-for-cve-2023-4966/〔2024/4/12確認〕

※128 PoC（Proof of Concept）：発見された脆弱性を実証するために公開されたプログラムコード。不正侵入やウイルス感染を試みる悪意のあるプログラムの一部として悪用されることがある。

※129 Mandiant, Inc.：Investigation of Session Hijacking via Citrix NetScaler ADC and Gateway Vulnerability（CVE-2023-4966） https://www.mandiant.com/resources/blog/session-hijacking-citrix-cve-2023-4966〔2024/4/12確認〕

※130 ITmedia エンタープライズ：CitrixBleedは消えない サイバー攻撃者に利用される悪質な脆弱性についてまとめた https://www.itmedia.co.jp/enterprise/articles/2401/20/news021.html〔2024/4/12確認〕

第1章 情報セキュリティインシデント・脆弱性の現状と対策

※ 131 CISA：#StopRansomware: LockBit 3.0 Ransomware Affiliates Exploit CVE 2023-4966 Citrix Bleed Vulnerability https://www.cisa.gov/news-events/cybersecurity-advisories/aa23-325a〔2024/4/12 確認〕

※ 132 Microsoft 社：Windows Search のリモートでコードが実行される脆弱性 https://msrc.microsoft.com/update-guide/vulnerability/CVE-2023-36884〔2024/4/12 確認〕

※ 133 Microsoft 社：Windows Mark Of The Web セキュリティ機能のバイパスの脆弱性 https://msrc.microsoft.com/update-guide/vulnerability/CVE-2023-36584〔2024/4/12 確認〕

※ 134 Palo Alto Networks, Inc.：CVE-2023-36884、CVE-2023-36584 を悪用する 2023 年 7 月のエクスプロイトチェーンの詳解 https://unit42.paloaltonetworks.jp/new-cve-2023-36584-discovered-in-attack-chain-used-by-russian-apt/〔2024/4/12 確認〕

※ 135 サイバーリーズン合同会社：【脅威分析レポート】CVE-2023-36884 - Windows Search のゼロデイ脆弱性 https://www.cybereason.co.jp/blog/threat-analysis-report/11012/〔2024/4/12 確認〕
Security NEXT：「Office」のゼロデイ脆弱性、ロシア攻撃グループが悪用 https://www.security-next.com/147778〔2024/4/12 確認〕

※ 136 Progress Software 社：MOVEit Transfer Critical Vulnerability (May 2023) (CVE-2023-34362) https://community.progress.com/s/article/MOVEit-Transfer-Critical-Vulnerability-31May2023〔2024/4/12 確認〕

※ 137 Mandiant, Inc.：Zero-Day Vulnerability in MOVEit Transfer Exploited for Data Theft https://www.mandiant.com/resources/blog/zero-day-moveit-data-theft〔2024/4/12 確認〕

※ 138 Palo Alto Networks, Inc.：脅威に関する情報：MOVEit Transfer の SQL インジェクションの脆弱性 (CVE-2023-34362、CVE-2023-35036、CVE-2023-35708) https://unit42.paloaltonetworks.jp/threat-brief-moveit-cve-2023-34362/〔2024/4/12 確認〕

※ 139 日経クロステック：MOVEit の脆弱性を突いた情報窃取で英シェルなどを脅迫、日本企業への影響は https://xtech.nikkei.com/atcl/nxt/column/10/00001/08130/〔2024/4/12 確認〕

※ 140 Security NEXT：「MOVEit Transfer」にゼロデイ脆弱性 - 侵害状況も確認を https://www.security-next.com/146673.html〔2024/4/12 確認〕
Reuters：US energy department, other agencies hit in global hacking spree https://www.reuters.com/world/us/us-government-agencies-hit-global-cyber-attack-cnn-2023-06-15/〔2024/4/12 確認〕
Bleeping Computer：Sony confirms data breach impacting thousands in the U.S. https://www.bleepingcomputer.com/news/security/sony-confirms-data-breach-impacting-thousands-in-the-us/〔2024/4/12 確認〕
Emsisoft Ltd：Unpacking the MOVEit Breach: Statistics and Analysis https://www.emsisoft.com/en/blog/44123/unpacking-the-moveit-breach-statistics-and-analysis/〔2024/3/22 確認〕

※ 141 Progress Software 社：MOVEit Transfer Critical Vulnerability - CVE-2023-35036 (June 9, 2023) https://community.progress.com/s/article/MOVEit-Transfer-Critical-Vulnerability-CVE-2023-35036-June-9-2023〔2024/4/12 確認〕

※ 142 Progress Software 社：MOVEit Transfer Critical Vulnerability - CVE-2023-35708 (June 15, 2023) https://community.progress.com/s/article/MOVEit-Transfer-Critical-Vulnerability-15June2023〔2024/4/12 確認〕

※ 143 株式会社ノースグリッド：[至急] Proself の脆弱性（CVE-2023-39415、CVE-2023-39416）による攻撃発生について（更新） https://www.proself.jp/information/149/〔2024/4/12 確認〕

※ 144 株式会社ノースグリッド：[至急] Proself のゼロデイ脆弱性（CVE-2023-45727）による攻撃発生について（更新） https://www.proself.jp/information/153/〔2024/4/12 確認〕

※ 145 日経クロステック：日本学術振興会が 8 月に続き 11 月も個人情報漏洩を発表、Proself の脆弱性悪用される https://xtech.nikkei.com/atcl/nxt/column/18/00598/100500243/〔2024/4/12 確認〕

※ 146 https://www.ipa.go.jp/security/security-alert/2023/alert20231019.html〔2024/4/12 確認〕

※ 147 総務省：令和 4 年通信利用動向調査の結果 https://www.soumu.go.jp/johotsusintokei/statistics/data/230529_1.pdf〔2024/4/12 確認〕

※ 148 フィッシング対策協議会：2023/12 フィッシング報告状況 https://www.antiphishing.jp/report/monthly/202312.html〔2024/4/12 確認〕

※ 149 金融庁：フィッシングによるものとみられるインターネットバンキングによる預金の不正送金被害が急増しています。 https://www.fsa.go.jp/

ordinary/internet-bank_2.html〔2024/4/12 確認〕

※ 150 警察庁、金融庁：フィッシングによるものとみられるインターネットバンキングに係る不正送金被害の急増について（注意喚起） https://www.npa.go.jp/bureau/cyber/pdf/20231225_press.pdf〔2024/4/12 確認〕

※ 151 株式会社三菱UFJ銀行：三菱UFJダイレクトのセキュリティ対策 https://direct.bk.mufg.jp/secure/index.html?link_id=direct_top_security〔2024/4/12 確認〕

※ 152 https://www.ipa.go.jp/publish/wp-security/qv6pgp0000000vcv-att/000094186.pdf〔2024/4/12 確認〕

※ 153 政府広報オンライン：マイナポイント第 2 弾! ポイント申込期限は 2023 年 9 月末まで! https://www.gov-online.go.jp/useful/article/202206/2.html〔2024/4/12 確認〕

※ 154 JC3：悪質なショッピングサイト等に関する統計情報（2023 年上半期） https://www.jc3.or.jp/threats/topics/article-515.html〔2024/4/12 確認〕

※ 155 IPA：偽のセキュリティ警告に表示された番号に電話をかけないで https://www.ipa.go.jp/security/anshin/attention/2021/mgdayori20211116.html〔2024/4/12 確認〕

※ 156 長野県警察：電話でお金詐欺（特殊詐欺）等被害の発生（飯山署） https://www.pref.nagano.lg.jp/police/news24/2312/14.html〔2024/4/12 確認〕

※ 157 国民生活センター：パソコンで警告が出たらサポート詐欺に注意! https://www.kokusen.go.jp/pdf/n-20240327_1.pdf〔2024/4/12 確認〕

※ 158 総務省：携帯電話の犯罪利用の防止 関係資料 https://www.soumu.go.jp/main_sosiki/joho_tsusin/d_syohi/050526_1.files/Page377.html〔2024/4/12 確認〕

※ 159 IPA：会社や組織のパソコンにセキュリティ警告が出たら、管理者に連絡! https://www.ipa.go.jp/security/anshin/attention/2023/mgdayori20230711.html〔2024/4/12 確認〕

※ 160 IPA：情報セキュリティ安心相談窓口の相談状況［2023 年第 4 四半期（10 月〜 12 月）］ https://www.ipa.go.jp/security/anshin/reports/2023q4outline.html〔2024/4/12 確認〕

※ 161 IPA：サポート詐欺で表示される偽のセキュリティ警告画面の閉じ方 https://www.ipa.go.jp/security/anshin/doe3um0000005cag-att/20231115173500.pdf〔2024/4/12 確認〕

※ 162 「見て、聞いて、話そう!交流フェスタ 2023」は、消費者意識の啓発、消費者団体相互の連携強化、消費者・事業者・行政の協働の推進を目的として東京都と消費者団体が協働して行う「くらしフェスタ東京 2023」のイベントの一つとして、2023 年 10 月 22 〜 23 日の期間に、新宿駅西口広場イベントコーナーで開催された。
東京都消費者月間実行委員会：くらしフェスタ東京 2023 https://kurashifesta-tokyo.org/2023/festa/〔2024/4/12 確認〕

※ 163 IPA：偽セキュリティ警告（サポート詐欺）画面の閉じ方体験サイト https://www.ipa.go.jp/security/anshin/measures/fakealert.html〔2024/4/12 確認〕

※ 164 自動継続課金：ここでは「一定の利用期間ごとに定額を支払う料金方式、かつ、利用契約が自動更新される方式」を指す。なお、「一定の利用期間ごとに定額を支払う料金方式」は、Android では「定期購入」、iPhone では「サブスクリプション」と呼ばれる。

※ 165 IPA：スマートフォンの偽セキュリティ警告から自動継続課金アプリのインストールへ誘導する手口にあらためて注意! https://www.ipa.go.jp/security/anshin/attention/2022/mgdayori20221025.html〔2024/4/12 確認〕

※ 166 IPA：ブラウザの通知機能から不審サイトに誘導する手口に注意 https://www.ipa.go.jp/security/anshin/attention/2021/mgdayori20210309.html〔2024/4/12 確認〕

※ 167 reCAPTCHA v2：reCAPTCHA とは、アクセスしているのが機械でなく人間であることの判別をするための認証機能。reCAPTCHA v2 は Google が提供する CAPTCHA（キャプチャ）認証システムの名称。

※ 168 国民生活センター：20 歳代が狙われている!? 遠隔操作アプリを悪用して借金をさせる副業や投資の勧誘に注意 https://www.kokusen.go.jp/news/data/n-20230607_1.html〔2024/4/12 確認〕

※ 169 国民生活センター：【新手の詐欺】「○○ペイで返金します」に注意! －ネットショッピング代金を返金するふりをして、送金させる手口－ https://www.kokusen.go.jp/news/data/n-20230927_2.html〔2024/4/12 確認〕

※ 170 株式会社ラック：LAC Security Insight 第 2 号 2022 秋 － 特集：偽ショッピングサイト誘導の調査 https://www.lac.co.jp/lacwatch/report/20221214_003222.html〔2024/4/12 確認〕

※ 171 IPA：遠隔操作ソフト（アプリ）を悪用される手口に気をつけて! https://www.ipa.go.jp/security/anshin/attention/2023/mgdayori20230411.html〔2024/4/12 確認〕

※ 172 東京商エリサーチ社：2023 年の「個人情報漏えい・紛失事故」

が年間最多 件数 175 件、流出・紛失情報も最多の 4,090 万人分 https://www.tsr-net.co.jp/data/detail/1198311_1527.html〔2024/4/12 確認〕

※ 173 東京商工リサーチ社：個人情報漏えい・紛失事故 2 年連続最多を更新 件数は 165 件、流出・紛失情報は 592 万人分 ～ 2022 年「上場企業の個人情報漏えい・紛失事故」調査 ～ https://www.tsr-net.co.jp/data/detail/1197322_1527.html〔2024/4/12 確認〕

※ 174 JCOM 株式会社：お客さまの個人情報漏えいに関するお知らせとお詫び https://newsreleases.jcom.co.jp/news/20231122_9239.html〔2024/4/12 確認〕

※ 175 LINE ヤフー株式会社：不正アクセスによる、情報漏えいに関するお知らせとお詫び（2024/2/14 更新）https://www.lycorp.co.jp/ja/news/announcements/007712/〔2024/4/12 確認〕

※ 176 https://www.privacymark.jp/guideline/wakaru/g7ccig0000002vj1-att/2022JikoHoukoku_230802.pdf〔2024/06/19 確認〕

※ 177 https://privacymark.jp/news/2022/other/g7ccig0000001e7p-att/2021JikoHoukoku_221007.pdf〔2024/06/19 確認〕

※ 178 一つの発生事象に対して複数の原因が報告される場合があるため、事故報告件数を上回る件数になっている。

※ 179 ひまわりネットワーク株式会社：当社システムの機能停止による豊田市が送信した電子メールアドレスの流出について（完報）https://www.himawari.co.jp/corporate/company_info/ct2197/〔2024/4/12 確認〕

※ 180 株式会社出前館：【続報】アカウント連携システム不備による『出前館』アカウント情報閲覧の恐れに関するお詫びとお知らせ https://corporate.demae-can.co.jp/pr/info/20230623.html〔2024/4/12 確認〕
ITmedia NEWS：出前館で他人のログイン情報が表示されるバグ キャッシュ削除処理に不備 924 万人が対象 https://www.itmedia.co.jp/news/articles/2306/26/news178.html〔2024/4/12 確認〕

※ 181 九州電力株式会社：お客さまの個人情報の漏えいに関するお知らせとお詫びについて https://www.kyuden.co.jp/notice_231220.html〔2024/4/12 確認〕
読売新聞オンライン：九州電力の顧客情報290万件が子会社で閲覧可能な状態に…設定誤り、政府委員会に報告 https://www.yomiuri.co.jp/local/kyushu/news/20231130-OYTNT50032/〔2024/4/12 確認〕

※ 182 トヨタ自動車株式会社：クラウド環境の誤設定によるお客様情報の漏洩可能性に関するお詫びとお知らせについて https://global.toyota/jp/newsroom/corporate/39174380.html〔2024/4/12 確認〕
個人情報保護委員会：トヨタ自動車株式会社による個人データの漏えい等事案に対する個人情報の保護に関する法律に基づく行政上の対応について https://www.ppc.go.jp/files/pdf/230712_01_houdou.pdf〔2024/5/23 確認〕

※ 183 株式会社エイチーム：個人情報漏えいの可能性に関するお知らせ https://www.a-tm.co.jp/news/43858/〔2024/4/12 確認〕
株式会社エイチーム：個人情報漏えいの可能性に関するご報告とお詫び https://www.a-tm.co.jp/news/44238/〔2024/5/2 確認〕

※ 184 国立研究開発法人産業技術総合研究所：職員の逮捕について https://www.aist.go.jp/aist_j/news/announce/au20230615.html〔2024/4/12 確認〕

※ 185 読売新聞オンライン：中国企業に先端技術情報を漏えいした疑い、産総研の中国籍研究員を逮捕 https://www.yomiuri.co.jp/national/20230615-OYT1T50179/〔2024/4/12 確認〕

※ 186 日本山村硝子株式会社：当社元社員の逮捕について https://www.yamamura.co.jp/cms/wp-content/uploads/2023/10/20231005_CMS0289.pdf〔2024/4/12 確認〕

※ 187 株式会社 NTT ドコモ：【お詫び】「ぷらら」および「ひかり TV」をご利用のお客さま情報流出に関するお知らせとお詫び https://www.docomo.ne.jp/info/notice/page/230721_00_m.html〔2024/4/12 確認〕

※ 188 NTT 西日本、ProCX 社、BS 社：お客さま情報の不正持ち出しを踏まえた NTT 西日本グループの情報セキュリティ強化に向けた取組みについて https://www.ntt-west.co.jp/news/2402/240229a.html〔2024/4/12 確認〕

※ 189 NHK：NTT 西日本 森林社長 3 月末で退任 子会社の個人情報不正流出で https://www3.nhk.or.jp/news/html/20240229/k10014374531000.html〔2024/4/12 確認〕

※ 190 https://www.ipa.go.jp/security/guide/insider.html〔2024/4/12 確認〕

※ 191 株式会社プラスワン教育：お客様の個人情報漏えいに関するお知らせとお詫び https://riso-plus1.co.jp/ お客さまの個人情報漏えいに関するお知らせとお詫び .pdf〔2024/4/12 確認〕

※ 192 三井住友カード株式会社：ご利用代金明細書の有料化ご案内 DM に関するお詫び https://www.smbc-card.com/mem/cardinfo/cardinfo4010656.jsp〔2024/4/12 確認〕

※ 193 IPA：JVN iPedia 脆弱性対策情報データベース https://jvndb.jvn.jp/〔2024/4/12 確認〕

※ 194 JPCERT/CC、IPA：Japan Vulnerability Notes（JVN）https://jvn.jp/〔2024/4/12 確認〕

※ 195 NIST：National Vulnerability Database（NVD）https://nvd.nist.gov/〔2024/4/12 確認〕

※ 196 公表年は、ベンダーがアドバイザリーを公開した年、他組織やセキュリティポータルサイト等の登録／公開した年、発見者が一般向けに報告した年等、脆弱性対策情報が一般に公表された年を指す。なお、JVN iPedia で脆弱性対策情報を公開した年は「登録年」としている。

※ 197 IPA：共通脆弱性識別子 CVE 概説 https://www.ipa.go.jp/security/vuln/CVE.html〔2024/4/12 確認〕

※ 198 MITRE 社：CVE Numbering Authorities（CNAs）https://www.cve.org/ProgramOrganization/CNAs〔2024/4/12 確認〕

※ 199 The MITRE Corporation：米国政府向けの技術支援や研究開発を行う非営利組織。80 を超える主要な脆弱性情報サイトと連携して、脆弱性情報の収集と、重複のない CVE の採番を行っている。

※ 200 MITRE 社：CVE Adds 7 New CVE Numbering Authorities（CNAs）https://cve.mitre.org/news/archives/2016/news.html〔2024/4/12 確認〕

※ 201 MITRE 社：ARC Informatique Added as CVE Numbering Authority（CNA）https://www.cve.org/Media/News/item/news/2023/12/19/ARC-Informatique-Added-as-CNA〔2024/4/12 確認〕

※ 202-1 IPA：共通脆弱性タイプ一覧 CWE 概説 https://www.ipa.go.jp/security/vuln/CWE.html〔2024/4/12 確認〕

※ 202-2 JVN iPedia の情報収集元が CWE を付与していない脆弱性対策情報については対象外としている。

※ 203-1 IPA：共通脆弱性評価システム CVSS v3 概説 https://www.ipa.go.jp/security/vuln/scap/cvssv3.html〔2024/4/12 確認〕

※ 203-2 JVN iPedia の情報収集元が CVSS v3 を付与していない脆弱性対策情報については対象外としている。

※ 204 JPCERT/CC：セキュアコーディング https://www.jpcert.or.jp/securecoding/〔2024/4/12 確認〕

※ 205 NVD：CVE-2023-34362 https://nvd.nist.gov/vuln/detail/CVE-2023-34362〔2024/4/12 確認〕

※ 206 NVD：CVE-2023-4966 https://nvd.nist.gov/vuln/detail/CVE-2023-4966〔2024/4/12 確認〕

※ 207 Citrix Systems, Inc.：CVE-2023-4966: Critical security update now available for NetScaler ADC and NetScaler Gateway https://www.netscaler.com/blog/news/cve-2023-4966-critical-security-update-now-available-for-netscaler-adc-and-netscaler-gateway/〔2024/4/12 確認〕

※ 208 https://jvndb.jvn.jp/apis/index.html〔2024/4/12 確認〕

※ 209 https://jvndb.jvn.jp/apis/myjvn/mjcheck4.html〔2024/4/12 確認〕

※ 210 株式会社大和証券グループ本社：大和証券における全社員の ChatGPT 利用開始について https://ssl4.eir-parts.net/doc/8601/tdnet/2263460/00.pdf〔2024/4/12 確認〕

※ 211 「1.3.2 早期警戒パートナーシップの届出状況から見る脆弱性の動向」では、「ソフトウェア製品」と「Web アプリケーション」は、早期警戒パートナーシップにおける対象の区分を意味するものであり、特に断りのない限り、または文献引用上の正確性を期す必要のない限り、「Web アプリケーション」の省略形として「Web サイト」を使用する。

※ 212 IPA：情報セキュリティ早期警戒パートナーシップの紹介 https://www.ipa.go.jp/security/guide/vuln/ug65p90000019by0-att/000059695.pdf〔2024/4/12 確認〕

※ 213 ソフトウェア製品の取り扱い終了は、「不受理」「脆弱性でない」「脆弱性対策情報公表済み」「公表せずに製品開発者が利用者ごとに個別で対策を実施済み」のいずれかであることを指す。Web アプリケーションの取り扱い終了は、「不受理」「脆弱性でない」「連絡不可能」「修正完了」「IPA による注意喚起実施済み」のいずれかであることを指す。

※ 214 「1.3.2 早期警戒パートナーシップの届出状況から見る脆弱性の動向」では、「ウェブアプリケーションソフト」は、Web サイト構築関係のソフトウェアを指す。これは、四半期ごとの脆弱性関連情報の届出状況のレポート（IPA：ソフトウェア等の脆弱性関連情報に関する届出状況 https://www.ipa.go.jp/security/reports/vuln/software/index.html〔2024/4/12 確認〕）で使用している製品種類の「ウェブアプリケーションソフト」と同じである。

※ 215 https://www.ipa.go.jp/security/vuln/websecurity/ug65p900000196e2-att/000017319.pdf〔2024/4/12 確認〕

※ 216 https://www.ipa.go.jp/security/vuln/websecurity/about.html〔2024/4/12 確認〕

※ 217 https://www.ipa.go.jp/security/guide/vuln/guideforecsite.html〔2024/4/12 確認〕

第2章
情報セキュリティを支える基盤の動向

2023年5月に新型コロナウイルス感染症が5類感染症に分類され、国際間でも対面での人材育成や国際会議等が再開された。重要インフラや産業システムのセキュリティ対策について、世界各国は喫緊の課題として法制、制度、人材育成の取り組みを進めている。米国では2023年12月に「SBOM管理のための推奨事項」が、2024年2月に大幅に改訂されたサイバーセキュリティフレームワーク2.0版が公開された。国内では、深刻化するDDoS攻撃への対処として、脆弱なIoT機器の調査継続が決定した。また、IoT機器の信頼性を開発段階から検証するため「情報セキュリティサービス基準」に「機器検証サービス」が追加された。本章では、情報セキュリティに関する国内外の政策、国際標準化の動向、人材育成の取り組みについて解説する。

2.1 国内の情報セキュリティ政策の状況

本節では、政府が推進する情報セキュリティ政策の状況について述べる。

2.1.1 政府全体の政策動向

政府全体のサイバーセキュリティ政策は、3年ごとに改定される「サイバーセキュリティ戦略[※1]」に基づき、各年度の年次計画が逐次文書化される。本項では、2023年度に発行された年次計画「サイバーセキュリティ2023[※2]」（以下、年次計画）に基づく主な取り組みと、経済安全保障関連施策の状況について述べる。

(1) 年次計画が注力する政策課題

「サイバーセキュリティ戦略」では、サイバーセキュリティ政策の方向性について、「①デジタル改革を踏まえたデジタルトランスフォーメーションとサイバーセキュリティの同時推進」「②公共空間化と相互連関・連鎖が進展するサイバー空間全体を俯瞰した安全・安心の確保」「③安全保障の観点からの取組強化」の3点が示されている。年次計画では、更に国家の支援を受けた組織等によるサイバー攻撃の深刻化・巧妙化が指摘され、安全保障分野で欧米に比肩しうる対応能力の向上、実効的な対策強化のための政策課題として、①各主体による対策の強化・対処能力の向上、②政府による支援等の充実・強化、③国際連携・協力の強化が挙げられている。また、2022年度に引き続き、注力項目として「経済社会の活力の向上及び持続的発展」「国民が安全で安心して暮ら

せるデジタル社会の実現」「国際社会の平和・安定及び我が国の安全保障への寄与」等に関わる施策を推進するとしている。以下では、この記載に基づき、2023年度に行った取り組みを概観する。

(2) 経済社会の活力の向上及び持続的発展

年次計画では、サイバー攻撃被害のリスクが高まる状況においても、サイバーセキュリティ対策への経営者の関与が高まらず、経営層とIT部門やDX推進部門との認識ギャップが存在するとし、経営層にサイバーセキュリティに関する意識改革のための「気づき」を与えることが重要であるとしている。経営層の意識改革については、経済産業省とIPAが2023年3月に改訂した「サイバーセキュリティ経営ガイドライン Ver 3.0[※3]」の活用を促進するとし、これに基づきIPAは2023年10月、「サイバーセキュリティ経営ガイドライン Ver 3.0 実践のためのプラクティス集 第4版[※4]」を発行した。なお、2023月7月には、「サイバーセキュリティ経営ガイドライン Ver 3.0」の「付録A-2」に対応したサイバーセキュリティ経営可視化ツールについても業界平均値比較機能の追加を行った（「2.1.3(1)(b)WG2（経営・人材・国際）」「3.1.1(2)(e)サイバーセキュリティ経営可視化ツール・プラクティス集」参照）。

また年次計画では、2022年度に引き続き「サイバーセキュリティ対策情報開示の手引き[※5]」を踏まえた民間の取り組みを支援し、官民の障害対応体制を強化するため、「重要インフラにおける情報セキュリティ確保に係る安全基準等策定指針」を改定するとした。これに基づき内閣

サイバーセキュリティセンター（NISC：National center of Incident readiness and Strategy for Cybersecurity）は 2023 年 7 月、同指針を改定し、「重要インフラのサイバーセキュリティに係る安全基準等策定指針[6]」として公開した。

更に年次計画は、特に中小企業の対策の充実が求められるとしている。これについては 2022 年度に引き続き、経済産業省における「サイバーセキュリティお助け隊サービス[7]」の拡充やサプライチェーン・サイバーセキュリティ・コンソーシアム（SC3：Supply-Chain Cybersecurity Consortium）[8] との連携が「特に強力に取り組む施策」に選出されている。また総務省・経済産業省において、引き続き、地域 SECUNITY[9] におけるセミナーやインシデント演習等のコミュニティの自発的な運営に向けた取り組みを支援するとしている（「3.1.1（2）（a）サプライチェーン・サイバーセキュリティ・コンソーシアム」「3.1.1（2）（b）サイバーセキュリティお助け隊サービス制度」参照）。

サプライチェーンセキュリティについては、業界ごとのプラクティスの横展開や産学官の結節点となる基盤の整備、サイバーとフィジカル双方に対応したフレームワーク作成等の取り組みが重要であるとしている。特に 2023 年度は、オープンソースソフトウェア（OSS：Open Source Software）の利用に伴うソフトウェアサプライチェーンリスクへの懸念から、脆弱性管理で重要な Software Bill of Materials（SBOM）[10] に関わる活動が含められた。経済産業省は、SBOM の活用促進に関するドキュメント整備と普及啓発に取り組んでおり、その一貫として 2023 年 7 月、「ソフトウェア管理に向けた SBOM（Software Bill of Materials）の導入に関する手引」を策定した[11]（「2.1.3（1）（a）（イ）分野横断 SWG」参照）。また総務省は、代表的な通信システムの SBOM を作成・評価する等、通信分野の SBOM 導入に向けた実証事業を実施した[12]。

このほか年次計画では、2022 年度に引き続き、経済産業省の情報セキュリティサービス審査登録制度[13] に「機器検証サービス」を追加し、信頼性のある検証事業者を確認する仕組みを構築するほか、開発段階の IoT 機器の脆弱性検証による検証済製品ラベルの仕組みの構築に向けた検討を進めるとしている。また、2024 年 4 月更新の「情報セキュリティサービス基準 第 4 版[14]」に「ペネトレーションテスト（侵入試験）サービス」が追加された（「2.1.3（4）情報セキュリティサービス審査登録制度」参照）。

「サイバーセキュリティ戦略」が掲げる「誰も取り残さないデジタル／セキュリティ・リテラシーの向上と定着」の取り組みとして、年次計画は、総務省が Wi-Fi の利用と提供に必要なセキュリティ対策のガイドライン類の改定を検討するとしている。総務省はこの一環として 2024 年 3 月、無線 LAN（Wi-Fi）のセキュリティに関するガイドラインの改定を行った[15]。

また年次計画は、子供達の安全なインターネット利用に関する周知啓発の取り組みとして、文部科学省と協力し、「e-ネットキャラバン[16]」等の啓発講座の必要な内容更新、及び実施を行うとしている。更に情報モラル教育については 2022 年度に引き続き、教員等へのオンラインセミナーによる指導力向上を図るとしている。2023 年度の e-ネットキャラバンは協力企業の支援のもとに、2,166 件の講座が実施された[17]。

(3) 国民が安全で安心して暮らせるデジタル社会の実現

年次計画では、本項目の取り組みを、以下の項目ごとにまとめている。

(a) 国民・社会を守るためのサイバーセキュリティ環境の提供

年次計画は、関係政府機関（主体）ごとに取り組みを整理している。まず警察庁は、サイバー警察局、サイバー特別捜査隊による国内外関係機関との連携による重大サイバー事案への対処を行うとしている。この一環として 2023 年 12 月、警察庁はランサムウェア LockBit によって暗号化されたデータの復号化ツールを欧州刑事警察機構（Europol：European Union Agency for Law Enforcement Cooperation）に提供[18]、国際的攻撃者集団の摘発に貢献した（「2.1.5（2）（b）（ア）ランサムウェアに対する対処」参照）。

また総務省は、国立研究開発法人情報通信研究機構（NICT：National Institute of Information and Communications Technology）が実施している脆弱な IoT 機器の調査事業 NOTICE（National Operation Towards IoT Clean Environment）[19] の継続・拡充に関する法改正を行うとし、2023 年 12 月に「国立研究開発法人情報通信研究機構法の一部を改正する等の法律の施行に伴う関係政令の整備及び経過措置に関する政令」が成立した[20]。年次計画はまた、NICT が運営する「サイバーセキュリティネクサス（CYNEX：Cybersecurity Nexus）[21]」による情報共有推進、更に 2022 年に策定された「5G セキュリティガイドライン[22]」

の普及推進等を行うとしている（その他の取り組みについては「2.1.4 総務省の政策」参照）。

また厚生労働省では、2023 年 5 月に策定された「医療情報システムの安全管理に関するガイドライン第 6.0 版※23」の普及啓発を行うとしている。なお、年次計画で求められた「水道分野における情報セキュリティガイドライン」の改訂は、2024 年 4 月に国土交通省に移管され、継続検討されている※24。

更に経済産業省は、2022 年度に引き続き、フィッシングサイトの閉鎖依頼等を実施するとともに、増加傾向にあるフィッシング詐欺の攻撃手法分析、対応力向上を図る。また、ソフトウェア製品開発者が配慮すべきセキュリティ上の事項の普及、脆弱性情報への対処に関わる情報提供、製品開発者の体制や、サプライチェーン等の脆弱性調整に影響する項目についての啓発等を実施するとしている。

(b) デジタル庁の施策に基づくサイバーセキュリティ確保

デジタル庁では、2022 年度に「誰一人取り残されない、人にやさしいデジタル化」実現のためのセキュリティ基盤構築施策として、政府情報システムにおけるセキュリティ・バイ・デザインやセキュリティリスク分析のガイドライン、ゼロトラストアーキテクチャ等に関する技術レポート等、九つのドキュメントを公開している。年次計画では、2023 年度に上記のドキュメントのデジタル庁システムへの活用、及び技術動向に応じた改訂を行うとした（「2.1.2 デジタル庁の政策」参照）。

また制度運用面では、「政府情報システムのためのセキュリティ評価制度（ISMAP）」について、審査業務の実施と業務効率化の改善検討、SaaS（Software as a Service）を対象とする ISMAP-LIU の普及施策に取り組むとした（「3.2.3 政府情報システムのためのセキュリティ評価制度（ISMAP）」参照）。

マイナポータルについては、利用者視点に立った UI・UX の改善等を継続するとしている。これらの一環として、2024 年 1 月以降、医療保険情報取得 API 等が公開され※25、2024 年 3 月 24 日にはマイナポータルのトップページが更新された※26。

(c) 経済社会基盤を支える主体の取り組み

年次計画は、政府機関等、重要インフラ事業者、大学・教育研究機関の主体ごとに取り組みを整理している。

(ア) 政府機関等の各主体の取り組み

年次計画ではまず、政府機関等のサイバーセキュリティ対策のベースラインとなる「政府機関等のサイバーセキュリティ対策のための統一基準群」を 2023 年度に改定し、同改定を踏まえ、「政府機関等における情報システム運用継続計画ガイドライン」「SBD（Security By Design）マニュアル」等の統一基準適用個別マニュアルの改定について検討を行うとしている。この改定作業は NISC が担い、2023 年 7 月、全面的に改定された基準群を公開した※27。改定のポイントとして以下が挙げられ、各府省庁が実施することとなる。

- 米国国立標準技術研究所（NIST：National Institute of Standards and Technology）の対策を参考にしたサプライチェーン対策の強化
- ISMAP の活用や認証強化によるクラウドサービス利用における対策強化（ISMAP については「3.2.3 政府情報システムのためのセキュリティ評価制度（ISMAP）」参照）
- 重要ソフトウェアの設定確認や教育、脆弱性診断等、ソフトウェア利用における対策強化
- サイバー攻撃に対するレジリエンスや脅威・技術動向を踏まえての対策強化
- 組織横断的な情報セキュリティ対策の強化と情報システムの重要度に応じた対策の確保

また年次計画は、安全性・透明性の検証が可能なセンサーを政府端末に導入、収集したログ情報を前掲の CYNEX にて集約、NICT が蓄積するサイバーセキュリティ情報と横断的に解析し、結果を関係機関で共有する事業（CYXROSS※28）を開始するとしている。

(イ) 重要インフラの各主体の取り組み

サイバーセキュリティ戦略本部が 2022 年に「重要インフラのサイバーセキュリティに係る行動計画※29」を策定した。年次計画では、2022 年度の上記行動計画の実施状況はおおむね順調であるとされ、2023 年度も引き続き行動計画に沿った以下の施策を行うとした。

- 障害対応体制の強化：重要インフラ事業者の組織統治の在り方を「重要インフラのサイバーセキュリティに係る安全基準等策定指針」において規定化する等の実施。
- 安全基準等の整備及び浸透：安全基準等の継続改善と自主的な取り組みの推進。この一環で、2023 年 7 月、NISC は改訂した「重要インフラのサイバーセキュリティに係る安全基準等策定指針」を公開した。

- 情報共有体制の強化：IPA、一般社団法人JPCERTコーディネーションセンター（JPCERT/CC：Japan Computer Emergency Response Team Coordination Center）等との連携を含めた、官民を挙げた共有体制の継続強化。重要インフラ事業者の自律的な組織であるセプターカウンシルの活性化支援（「2.1.3（5）J-CSIP（サイバー情報共有イニシアティブ）」参照）。
- リスクマネジメントの活用：重要インフラ事業者等におけるリスクマネジメントの継続強化。この一環で、2023年7月、NISCは「重要インフラのサイバーセキュリティ部門におけるリスクマネジメント等手引書[※30]」を発行した。
- 防護基盤の強化：2022年度に実施した「分野横断的演習」の継続拡充、及び重要インフラ内演習の促進。分野横断的演習は2023年12月に開催され、重要インフラ事業者以外の組織も参加した[※31]。

（ウ）大学・教育研究機関等の主体の取り組み

文部科学省は2022年度、各大学（主体）等で規定したサイバーセキュリティ対策等基本計画の実践状況についてフォローアップを行った。また各主体のセキュリティ担当者の役割に応じた層別研修、情報システムの脆弱性診断等を実施した。

年次計画では2023年度、これらの調査・実践を基に、セキュリティ対策の共通課題の検討を進め、各主体の対策強化を促すとしている。また各主体の担当者向け研修は、実践に利用できる知識を習得できるよう充実を図り、情報システムに対する脆弱性診断やペネトレーションテストを引き続き実施するとしている。更に、2022年度に発足した国立情報学研究所（NII：National Institute of Informatics）ストラテジックサイバーレジリエンス研究開発センター[※32]の活動を中心に、国立大学間のサイバー攻撃情報共有・研修・脅威解析手法の開発を推進するとしている。

（d）情報共有・連携と東京2020オリンピック・パラリンピック競技大会の知見活用

サイバーセキュリティ基本法に基づき、行政機関、重要インフラ事業者、サイバー関連事業者等が早期の段階でサイバーセキュリティ情報を迅速に共有する会議体として、2019年にサイバーセキュリティ協議会[※33]が設立された。年次計画では、サイバーセキュリティ協議会の2022年度活動について、迅速な対策情報の公開に至った案件が30件あった等により一定の評価を示した。

また、東京2020オリンピック・パラリンピック競技大会におけるサイバー脅威・対策の知見・ノウハウを、G7広島サミット[※34]や大阪・関西万博等の国際イベントの対策に活用する民間企業のリスクマネジメントの取り組み等について、一定の評価が与えられた。年次計画では、2023年度もこれらの取り組みを継続し、国際イベントの万全な開催を確保するとしている。こうした準備の結果、2023年5月のG7広島サミット、及び4～5月の関係閣僚会合ではサイバー攻撃による大きな被害は発生しなかった。

（e）大規模サイバー攻撃等の対処態勢の強化

年次計画では、2022年度は、内閣官房による重要インフラへの攻撃を想定した大規模サイバー攻撃事態等対処訓練、警察庁によるインシデント対応訓練や観測強化、個人情報保護委員会による情報漏えい事案の連携検討、金融庁によるインシデント対応連携等の事例を紹介し、一定の評価を与えた。2023年度も引き続き、大規模サイバー攻撃事態の演習、各主体の取り組みを継続するとしている。

この一環として、NISCは2023年12月、重要インフラサービスの継続が脅かされるケースを想定した分野横断的演習を実施した[※35]。また2024年2月、警視庁は重要インフラ事業者や半導体関連事業者と合同で、サイバー攻撃対応訓練を実施した[※36]。

（4）国際社会の平和・安定及び我が国の安全保障への寄与

年次計画では、本項目の取り組みを、以下の項目ごとにまとめている。

（a）「自由・公正かつ安全なサイバー空間」の確保

政府は、サイバー空間における法の支配の推進について、首脳・閣僚級協議や東南アジア諸国連合（ASEAN：Association of Southeast Asian Nations）等との多国間協議、14ヵ国と継続的に実施している二国間サイバー協議、サイバーセキュリティに関する国連オープン・エンド作業部会等を通じ、関係各国との連携・議論の深化を進めている。年次計画では2023年度も、サイバー空間における国際法の適用、自由、公正かつ安全なサイバー空間の確保等の議論に寄与するとしている。また日本がG7議長国であることから、サイバー犯罪捜査に対する国際連携の強化に貢献するとしている。

こうした連携の一環として、NISC、経済産業省、総

第2章 情報セキュリティを支える基盤の動向

務省は 2023 年 10 月、「第 16 回 日 ASEAN サイバーセキュリティ政策会議[37]」を開催し、ASEAN 諸国とのサイバーセキュリティ政策・重要インフラ防護に関する事例共有・能力構築・演習等に関する連携の在り方を協議した（「2.2.1（2）（b）日本 ASEAN 友好協力 50 周年の取り組み」参照）。

（b）我が国の防御力・抑止力・状況把握力の強化

国家の防御能力の確保・強靭化について、サイバーセキュリティの重要性が増す中、政府は 2022 年度、各自衛隊の防護システムやネットワークインフラの強化、防衛調達におけるセキュリティを担保する「防衛産業サイバーセキュリティ基準」の導入準備等を実施した。また 2022 年 12 月に閣議決定された「国家防衛戦略[38]」等を踏まえ、敵対的勢力の「サイバー空間の利用を妨げる能力」等に対する抜本的な防衛力強化を図るため、ASEAN 地域フォーラム（ARF：ASEAN Regional Forum）等の枠組みで国際連携を深めた。また、関係政府機関によるサイバー脅威情報の収集にも努め、北朝鮮が支援する攻撃者集団の攻撃について暗号資産関連事業者への注意喚起等を行った。

年次計画では、2023 年度も引き続き、国家安全に対するサイバー攻撃防御・抑止・状況把握の取り組みを強化するとしている。この一環として、「防衛産業サイバーセキュリティ基準」の防衛調達契約への適用が 2023 年度から開始された[39]。また 2023 年 7 月に開催された第 30 回 ASEAN 地域フォーラム（ARF）閣僚会合では、ウクライナ情勢、南シナ海に関する行動規範、北朝鮮の弾道ミサイル発射、ミャンマー情勢等に対する ASEAN と日本の協力強化が表明された[40]。

（c）国際協力・連携

「2.1.1（4）（a）『自由・公正かつ安全なサイバー空間』の確保」で述べたとおり、政府は自由・公正かつ安全なサイバー空間の確保のために、二国間のサイバー協議、ASEAN 諸国等との多国間政策会議や演習・能力構築イベントに加え、ネットワーク監視に関する国際会議[41]参加等の連携の取り組みを実施している。年次計画では、これらの取り組みが成果を挙げ、同盟国・同志国との信頼構築に貢献したとし、インド太平洋地域への連携拡大が必要としている。また、2023 年度はこれらの取り組みを継続し、米国・英国・オーストラリア等の主要同盟国・同志国との連携に加え、友好協力 50 周年を迎える ASEAN との協力強化や能力構築の更なる推進、

大洋州島しょ諸国への支援拡大等に取り組むとしている。これに基づき 2023 年度に実施されたイベントについては、「2.2.1 国際社会と連携した取り組み」を参照されたい。

（5）横断的施策

年次計画は、「横断的施策」を「研究開発の推進」「人材の確保、育成、活躍促進」「全員参加による協働、普及啓発」の三つに整理している。以下では、「研究開発の推進」について取り上げる。

「研究開発の推進」では、「国際競争力の強化と産学官エコシステムの構築」「実践的な研究開発の推進」「中長期的な技術トレンドを視野に入れた対応」の 3 点について取り組みが進められている。

国際競争力の強化において、2023 年度の特徴と思われるのは、内閣府の「経済安全保障重要技術育成プログラム（K Program）[42]」の推進である。同プログラムは 2022 年度より内閣府、文部科学省、経済産業省により、府省横断的に経済安全保障上重要な先端技術の研究開発を推進する事業として開始され、第一次の研究開発ビジョンでは海洋、宇宙・航空、領域横断・サイバー空間、バイオの 4 領域が明示された[43]。また 2022 年度に第 1 次、2023 年度に第 2 次の研究開発構想が示され、サイバーセキュリティ関係では以下の 5 件が公開されている。

- 「サプライチェーンセキュリティに関する不正機能検証技術の確立（ファームウェア・ソフトウェア）[44]」
- 「人工知能（AI）が浸透するデータ駆動型の経済社会に必要な AI セキュリティ技術の確立[45]」
- 「先進的サイバー防御機能・分析能力強化[46]」
- 「偽情報分析に係る技術の開発[47]」
- 「セキュアなデータ流通を支える暗号関連技術（高機能暗号）[48]」

これらの研究開発構想に AI による防御、AI による脅威、が含まれているのが注目される。このうちサプライチェーンセキュリティに関する構想は 2023 年 7 月、AI セキュリティに関する構想は同年 11 月に国立研究開発法人科学技術振興機構（JST：Japan Science and Technology Agency）が公募を行い、研究が開始されることとなった。

また経済安全保障関連の中長期の研究開発において、セキュリティ分野では量子暗号が含まれる。これについて年次計画は、内閣府、文部科学省による「戦略的

イノベーション創造プログラム（SIP）第3期」課題[49]の推進、及びデジタル庁、経済産業省、総務省による政府調達暗号評価プロジェクトCRYPTREC[50]における現行暗号への影響分析を行うとしている（CRYPTRECについては「3.3.1 CRYPTRECの動向」参照）。

(6) 経済安全保障関連施策の状況

2022年5月、経済活動に関して国家及び国民の安全を損なう行為を防ぐための経済安全保障推進法が成立した[51]。本項では、同法に基づく施策の整備状況を述べる。

(a) 経済安全保障推進法の整備状況

経済安全保障推進法では、以下の4項目について制度を創設するとし、公布から6ヵ月～2年以内の段階的施行が規定されている。
①重要物資の安定的供給
②基幹インフラ役務の安定的提供
③先端的な重要技術の開発支援
④特許出願の非公開

上記項目のうち①と③は2022年9月に基本指針が決定され、③については「2.1.1 (5) 横断的施策」で述べたK Program実践等の運用が始まっている。また②と④については2023年4月に基本指針が決定され、④については同年8月、特許出願非公開の対象となる技術分野及び付加要件が、また12月には非公開に関する適正管理措置のガイドラインが公開された[52]。

なお国土交通省は2024年1月、経済安全保障推進法に基づく事前審査の対象となる「基幹インフラ」に港湾運送事業を追加する方針を示した[53]。同時に、港湾分野の安全ガイドラインの整備を行い、これらに基づき、「重要インフラのサイバーセキュリティに係る行動計画」は2024年3月に改定され、港湾分野が15番目の重要インフラとして明記された[54]。

(b) セキュリティ・クリアランス制度の整備状況

「セキュリティ・クリアランス制度」は、安全保障上重要な情報にアクセスが必要な者の信頼性を政府が確認する制度である。経済安全保障分野における同制度の検討は、経済安全保障推進法の成立を機に、2023年2月から内閣官房の有識者会議にて進められた[55]。経済安全保障分野では、政府が指定する「重要経済安保情報」の詳細、民間事業者が保有する情報へのアク

セス、調査におけるプライバシーや労働法制との調整等が懸案事項となる。有識者会議の検討結果は2024年1月に取りまとめられ、同制度創設に関する「重要経済安保情報の保護及び活用に関する法律案[56]」が第213回国会に提出された。同法案は衆議院内閣委員会にて、政府による「重要経済安保情報」の指定や解除、及びクリアランス調査の運用状況を国会に報告する等の修正が行われた後、2024年4月9日、衆議院本会議にて可決された[57]。

(7) AI戦略に基づく取り組みの状況

2019年6月、内閣府の統合イノベーション戦略推進会議は「AI戦略2019[58]」を決定した。AI戦略2019は「人間尊重」「多様性」「持続可能」の三つの理念を掲げ、これらの理念を実装する四つの戦略目標（人材、産業競争力、技術体系、国際）を設定した。そして、戦略目標達成に向け、「未来への基盤作り」「産業・社会の基盤作り」「倫理」に関する取り組みが行われた。2021年6月、「AI戦略2019『フォローアップ』」として、各取り組みはおおむね計画どおり進捗しているが、社会実装につながる実感が出ていないとして、「AI戦略2021」が決定された[59]。更に、2022年4月、「AI戦略2022[60]」では五つ目の戦略目標として「差し迫った危機への対処」を設定し、パンデミックや大規模災害等に対する取り組みが具体化された。

2023年5月、「AI戦略会議（イノベーション政策強化推進のための有識者会議）」は、生成AIの普及や各国の取り組み状況等の急激な変化や広島AIプロセスを踏まえて「AIに関する暫定的な論点整理[61]」を公表した。同会議は2023年～2024年度に8回にわたり、広島AIプロセスの進め方、AI事業者ガイドライン等の行動規範の履行確保及びAI利用の促進の検討等の議論を重ねた[62]（広島AIプロセスについては「2.2.1 (2) (a) G7広島サミットとAI関連の国際連携」、AI事業者ガイドラインについては「2.1.3 (2) (a) AI事業者ガイドライン検討会」、AIセキュリティについては「4.2 AIのセキュリティ」参照）。

また、AIの安全性に対する国際的な意識の高まりを踏まえ、AIの安全性の評価手法の検討等を行う機関として、米国や英国等に続き、日本も「AIセーフティ・インスティテュート」を2024年2月に設立した。同機関は、関係10省庁（内閣府（科学技術・イノベーション推進事務局）、国家安全保障局、NISC、警察庁、デジタル庁、総務省、外務省、文部科学省、経済産業省、防衛省）、

関係4機関（NICT、国立研究開発法人理化学研究所、NII、独立行政法人産業技術総合研究所）の協力のもと、IPAに設置され、諸外国の機関とも連携して、AIの安全性評価に関する基準や手法の検討等を進めていく[63]。

2.1.2 デジタル庁の政策

デジタル庁では、デジタル庁及び各府省庁におけるサービス・業務改革並びにこれらに伴う政府情報システムの整備及び管理についての手続き・手順や、各種技術標準等に関する共通ルールや参考ドキュメントである「デジタル社会推進標準ガイドライン」群をまとめている。そのうちセキュリティに関するドキュメントとしては、九つのドキュメント（ガイドライン、適用方針、エンタープライズアーキテクチャ、技術レポート）を公開している[64]。

(1) 「デジタル社会推進標準ガイドライン」群におけるセキュリティに関するドキュメントの改訂

デジタル庁では、「デジタル社会推進標準ガイドライン」群のセキュリティに関するドキュメントを2022年及び2023年に公開してきた。ドキュメント公開後に寄せられた関係者や有識者の意見等の反映や2023年7月にサイバーセキュリティ戦略本部で決定された「政府機関等のサイバーセキュリティ対策のための統一基準（令和5年度版）[65]」に関連する修正等を行い、以下の三つのドキュメントの改訂を行った。

(a) 「政府情報システムにおけるセキュリティ・バイ・デザインガイドライン」の改訂

情報システムに対して効率的にセキュリティを確保するためには、情報システムの企画から運用まで一貫したセキュリティ対策（セキュリティ・バイ・デザイン）を実施する必要がある。「政府情報システムにおけるセキュリティ・バイ・デザインガイドライン[66]」では、システムライフサイクルにおけるセキュリティ対策を俯瞰的にとらえるため、各工程でのセキュリティ実施内容、要求事項、関係者の役割の定義が記載されている。2024年1月に実施された改訂の主なポイントは以下のとおりである。

- 各工程での実施内容や構成を見直して品質強化、実用的なセキュリティ対策のポイントを拡充し、使いやすさを向上
- リスク管理体制整備の重要性、具体的な体制整備に関連する内容の見直し

- システム利用者や開発者／運用者等の「人に起因するセキュリティ脅威、対策の必要性、対策の考え方」を追記
- 米国サイバーセキュリティ・インフラストラクチャセキュリティ庁（CISA：Cybersecurity and Infrastructure Security Agency）等が策定し、日本も共同署名した「Secure by Design[67]」の改訂案におけるセキュア・バイ・デザイン、セキュア・バイ・デフォルト原則の内容を踏まえて更新
- 2023年9月に改訂された「政府情報システムにおけるクラウドサービスの適切な利用に係る基本方針[68]」に基づき、クラウド・バイ・デフォルトを前提としたクラウドベースの記載を拡充

(b) 「常時リスク診断・対処（CRSA）のエンタープライズアーキテクチャ（EA）」の改訂

ゼロトラストアーキテクチャの環境下において、安定かつ安全なサービス提供を実現するためには、政府全体のサイバーセキュリティリスクを早期に検知し、低減することが必要となる。「常時リスク診断・対処（CRSA）のエンタープライズアーキテクチャ（EA）[69]」には、この活動を継続的に実施するための、情報収集・分析を目的としたプラットフォームのアーキテクチャが記載されている。2024年1月に実施された改訂の主なポイントは以下のとおりである。

- CRSA（Continuous Risk Scoring & Action：常時リスク診断・対処）の概要及び目的と効果について明示
- EA（Enterprise Architecture）に関する説明であることを明示して、タイトル、本文及びエンタープライズアーキテクチャ全体図を修正（修正された全体図については次ページ図2-1-1参照）
- 各政府機関の情報システムから統計情報を収集することについて言及
- 診断対象領域と診断対象について明示

(c) 「政府情報システムにおける脆弱性診断導入ガイドライン」の改訂

政府情報システムにおいてサイバーレジリエンスを確保するためには、脆弱性診断を実施することが重要である。「政府情報システムにおける脆弱性診断導入ガイドライン[70]」では、最適な脆弱性診断を選定、調達できるようにするための、脆弱性診断導入に関する基準とその指針について記載されている。2024年1月と2月に

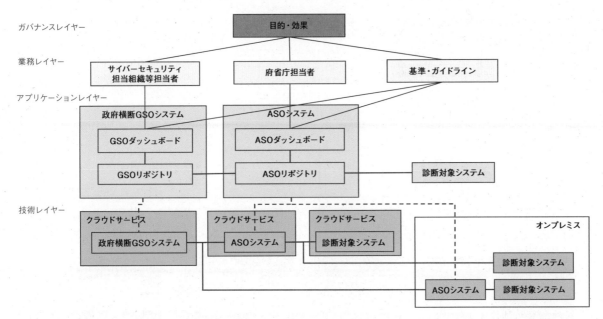

■図 2-1-1　CRSA のエンタープライズアーキテクチャ全体図
(出典)デジタル庁「常時リスク診断・対処(CRSA)のエンタープライズアーキテクチャ(EA)」

実施された改訂の主なポイントは以下のとおりである。

- 政府機関等のサイバーセキュリティ対策のための統一基準群(令和5年度版)の改定に伴い記載を変更
- Web API (Web Application Programming Interface)の診断に関する記載を追加
- 「OWASP Mobile Application Security Verification Standard(MASVS)[71]」の改定に伴い記載を変更
- セキュリティベンダーの脆弱性検出能力を測る手段として、国内外の脆弱性届出制度や開発者等への報告及び調整実績を記載
- 脆弱性の深刻度評価における CVSS (Common Vulnerability Scoring System) のバージョン指定を廃止
- 各機関が保有するインベントリーの見直し方法に ASM (Attack Surface Management)を追加
- 定期診断を実施する際の留意点を追加
- 検出した脆弱性の深刻度評価に際し、CVSS の評価根拠の明記を求める旨を追加
- 診断を実施するセキュリティベンダーに求める要件及び選定手段として、経済産業省の「情報セキュリティサービス基準 第3版[72]」(「2.1.3 (4)情報セキュリティサービス審査登録制度」参照)を記載

(2)「デジタル社会推進標準ガイドライン」群におけるセキュリティ等に関するドキュメントの策定

「デジタル社会推進標準ガイドライン」群の中から、2023 年度に策定したセキュリティ等に関する二つのドキュメントについて紹介する。

(a)「CI／CD パイプラインにおけるセキュリティの留意点に関する技術レポート」の策定

昨今のモダン技術を基に構築されたモダンアプリケーションにおいて、開発のサイクルを自動化する CI/CD パイプラインは、開発プロセスやセキュリティ対策を最適化させる上で欠かせない情報システム・コンポーネントである。攻撃者はコードを直接変更し、ビルドやデリバリまでを自動的に行ってしまうことに着目し、標的にし始めている。「CI／CD パイプラインにおけるセキュリティの留意点に関する技術レポート[73]」では、CI/CD パイプラインをセキュリティの観点から解説し、保護策を検討する際のポイントについて説明している。

図 2-1-2 (次ページ)に CI/CD パイプライン概要図を示す。

同技術レポートでは、CI/CD パイプラインについて、ローカル作業フェーズ、ビルドフェーズ、デリバリフェーズに分けて、セキュリティ対策を整理している。

- 全フェーズに共通した対策
資産管理、脆弱性管理を含む運用・保守、環境への対策 (シークレットの保護、アカウント管理・アクセス制御、ログの取得・管理、CI/CD パイプラインをとおした信頼性の確保)
- ローカル作業フェーズの保護
利用者やエンドポイントにおける対策、ソースコード管

第2章 情報セキュリティを支える基盤の動向

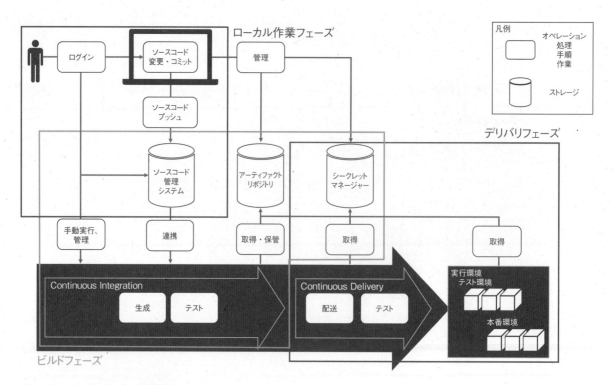

■図 2-1-2　CI/CD パイプライン概要図
(出典)デジタル庁「CI／CD パイプラインにおけるセキュリティの留意点に関する技術レポート」

理システム及びブランチの保護、ソースコード管理システムの公私共用なユーザーアカウントの管理、ソースコードと作業者の紐付き、ソースコード管理システムに対するシークレットの記録予防

- ビルドフェーズの保護
  ビルド上での実行範囲の制限、シークレット情報の漏えい予防、ソースコード・成果物の信頼性の担保、依存物の安全性の担保、ストレージ内の成果物の保護
- デリバリフェーズの保護
  デリバリ時に利用するシークレットの保護、信頼できる成果物をデリバリするための保護、デリバリ時の証跡

(b)「安全保障等の機微な情報等に係る政府情報システムの取扱い」の策定

「安全保障等の機微な情報等に係る政府情報システムの取扱い[74]」では、安全保障等の機微な情報等を扱う情報システムについて、注意が必要とされるリスクとその対応策、クラウド化の検討、データ連携における留意点といった、利用者が検討すべき観点をまとめている。

同ドキュメントでは、「安全保障、公共の安全・秩序の維持といった機微な情報及び当該情報になり得る情報を扱う情報システムにおいては、情報システムの停止や情報漏えい等による社会的影響は計り知れないため、そうした情報を扱う者自らの説明責任が特に強く求められ

ている。そのため、情報システムの利用に当たっては、機器構成や設置場所、運用体制等を利用者自らが把握できることや運用面のガバナンスを利かせられること等、利用者にとっての高度な自律性が重視される。」との基本的な考え方が示されている。

注意が必要なリスクとその対応策としては、構成要素を「データ、運用、ソフトウェア、ハードウェア、データセンタ・通信」に分類し、講じる対策の観点を整理している。また、クラウド化の検討、データ連携における留意点も記載されている。

2.1.3　経済産業省の政策

経済産業省は、サイバー空間とフィジカル空間を統合したサプライチェーン全体にわたるセキュリティ対策の強化に向け、制度、標準化、経営、人材、ビジネス等、様々な観点から施策を検討・実施している。

(1)産業サイバーセキュリティ研究会

2017 年 12 月、経済産業省は我が国の産業界が直面するサイバーセキュリティの課題を洗い出し、関連政策を推進するため、産業界を代表する経営者、インターネット関連の学識経験者等から構成される「産業サイバーセキュリティ研究会」を設置した。図 2-1-3（次ページ）

```
┌─────────────────────────────────┐
│ 産業サイバーセキュリティ研究会        │
└─────────────────────────────────┘
    │  ■ 政策の方向性を提示
    │  ┌───────────────────────┐
    ├──│ WG1　制度・技術・標準化      │
    │  └───────────────────────┘
    │      ■ 制度・技術・標準化を一体的に政策展開する戦略を議論
    │  ┌───────────────────────┐
    ├──│ WG2　経営・人材・国際        │
    │  └───────────────────────┘
    │      ■ サイバーセキュリティ政策全体の共通基盤となる
    │        経営・人材・国際戦略を検討
    │  ┌───────────────────────┐
    ├──│ WG3　サイバーセキュリティビジネス化 │
    │  └───────────────────────┘
    │      ■ セキュリティサービス品質向上と国際プレーヤー創出に係る
    │        政策を検討
    │  ┌───────────────────────┐
    ├──│ サイバー攻撃による被害に関する    │
    │  │ 情報共有の促進に向けた検討会     │
    │  └───────────────────────┘
    │      ■ 情報共有活動における制度的課題や仕組みを検討
    │  ┌───────────────────────┐
    └┄┄│ 中小企業政策審議会基本問題小委員会等 │
  連携  └───────────────────────┘
          ■ 中小企業の生産性向上に資するIT利活用支援策とともに検討
```

■図 2-1-3　産業サイバーセキュリティ研究会及び WG の全体構成
（出典）経済産業省「産業分野におけるサイバーセキュリティ政策[75]」を
基に IPA が編集

に同研究会の構成を示す。

2019 年 4 月、同研究会のワーキンググループ 1（WG1）等での議論を踏まえ、経済産業省は Society 5.0 における産業社会でのセキュリティ対策のフレームワークとして「サイバー・フィジカル・セキュリティ対策フレームワーク[76]」（以下、CPSF）を策定した。同研究会では、CPSF を軸として、各種ガイドラインや対策ツール等を整備している（図 2-1-4）。

同研究会では2024 年 4 月 5 日に第 8 回会合を開催し、以下の四つの柱のもとで推進している産業界におけるサイバーセキュリティ対策強化に向けた取り組みの進捗状況、及び今後の産業サイバーセキュリティ政策について議論した。
① サプライチェーン全体での対策強化
② 国際連携を意識した認証・評価制度等の立ち上げ

③ 政府全体でのサイバーセキュリティ対応体制の強化
④ 新たな攻撃を防ぎ、守るための研究開発の促進

以下では、本研究会で合意された四つの柱の取り組み方針に基づいた各ワーキンググループ（以下、WG）の 2023 年度の活動について述べる。

（a）WG1（制度・技術・標準化）

WG1 では、産業サイバーセキュリティに関する制度・技術・標準化を一体として政策に展開する戦略を議論している。CPSF に基づいて、産業分野別サブワーキンググループ（以下、SWG）と分野横断 SWG が設置され、各分野の特性に応じたセキュリティ対策の検討を行っている[78]（次ページ図 2-1-5）。

（ア）産業分野別 SWG

産業分野別 SWG として、ビル、電力、防衛産業、自動車産業、スマートホーム、宇宙産業、工場の七つの産業分野の SWG が活動している。

ビル SWG は、2023 年 11 月 30 日に第 16 回会合[80]を開催し、IPA を中心に設置が検討されているコンソーシアムにビル SWG が合流すること等について議論した。

電力 SWG は、2024 年 2 月 1 日に第 16 回会合[81]を開催し、電力制御システムにおけるサプライチェーン・リスク、電力システムにおけるサイバーセキュリティリスク点検ツール等について議論した。

防衛産業 SWG と連携する防衛装備庁情報セキュリティ官民検討会は、NIST SP800-171 に対応した防衛産業サイバーセキュリティ基準の適用を 2023 年度の契

■図 2-1-4　CPSF を基にした各種ガイドラインと対策ツール
（出典）経済産業省「第8回 産業サイバーセキュリティ研究会 事務局説明資料[77]」

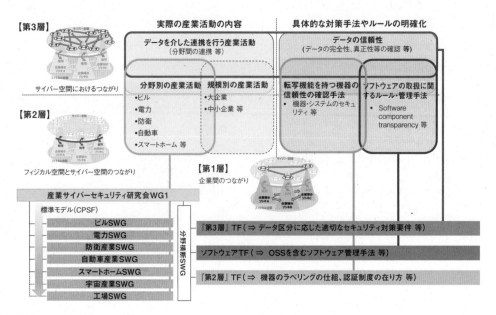

■図 2-1-5　タスクフォースの構成
(出典)経済産業省「サブワーキンググループ、タスクフォース等の検討状況[79]」

約より始めた[39]。

自動車産業 SWG と連携する一般社団法人日本自動車工業会総合政策委員会は、2023 年 9 月に「自工会／部工会・サイバーセキュリティガイドライン 2.1 版[82]」を公開した。

宇宙産業 SWG は、2023 年 3 月に公開した「民間宇宙システムにおけるサイバーセキュリティ対策ガイドライン Ver1.1[83]」について、スコープの拡大、セキュリティ関連規程の雛形の追加、具体的な対策内容に関する改訂を行い、2024 年 4 月に「民間宇宙システムにおけるサイバーセキュリティ対策ガイドライン Ver2.0[84]」を公開した。

工場 SWG は、2022 年 11 月公表「工場システムにおけるサイバー・フィジカル・セキュリティ対策ガイドライン Ver1.0[85]」の別冊として、工場のスマート化に伴う対策のポイントをまとめた「別冊：スマート化を進める上でのポイント Ver1.0[86]」を 2024 年 4 月に公開した。

(イ)分野横断 SWG

分野横断 SWG では、CPSF の実装を促進するべく、各層に焦点を絞った層別タスクフォースである「『第 2 層：フィジカル空間とサイバー空間のつながり』の信頼性確保に向けたセキュリティ対策検討タスクフォース（『第 2 層』TF）」、及び「『第 3 層：サイバー空間におけるつながり』の信頼性確保に向けたセキュリティ対策検討タスクフォース（『第 3 層』TF）」が活動している。

また、OSS 等のソフトウェアの活用・脆弱性管理手法を検討する「サイバー・フィジカル・セキュリティ確保に向けたソフトウェア管理手法等検討 TF（ソフトウェア TF）」

も活動している。ソフトウェア TF は、2023 年 7 月 28 日に「ソフトウェア管理に向けた SBOM（Software Bill of Materials）の導入に関する手引き Ver1.0[11]」を公開した。同手引きは、主にソフトウェアサプライヤー向けに、SBOM を導入するメリットや実際に導入するにあたって認識・実施すべきポイントをまとめている。2024 年 2 月 28 日に第 12 回会合[87]を開催し、SBOM 取引モデル等を拡充した「ソフトウェア管理に向けた SBOM の導入に関する手引き Ver2.0（案）」、及び SBOM の普及展開策について議論した。

(b)WG2(経営・人材・国際)

WG2 では、サイバーセキュリティ政策全体の共通基盤となる経営者の参画と人材育成、中小企業の対策、国際連携に関する政策を議論している。

2024 年 3 月 25 日に第 10 回会合[88]を開催し、サプライチェーン対策として取り組むべき課題、及びセキュリティ人材の育成・活用について議論した。

「サイバーセキュリティ経営ガイドライン Ver3.0[89]」の普及・定着に向けて、IPA を通じて 2023 年 7 月に自己診断結果と業種平均値の比較機能を追加した「サイバーセキュリティ経営可視化ツール Ver2.1[90]」、及び 2023 年 10 月に「サイバーセキュリティ経営ガイドライン Ver3.0 実践のためのプラクティス集 第 4 版」を公開した（「3.1.1 (2) (e) サイバーセキュリティ経営可視化ツール・プラクティス集」参照）。

サプライチェーン上の中小企業支援に関して、サプライチェーン・サイバーセキュリティ・コンソーシアム（SC3：

Supply-Chain Cybersecurity Consortium）で は、2023 年 11 月に国際 WG を新設し、国をまたがるサプライチェーンサイバーセキュリティの強化を推進するため、国外の機関や団体と連携して実施すべき取り組みについて検討・推進した（「3.1.1（2）（a）サプライチェーン・サイバーセキュリティ・コンソーシアム」参照）。

地域 SECUNITY 形成促進 WG では、全国ワークショップ（2 回）及び地域でのワークショップ（中部、九州、近畿）を実施した。地域関連事業では、IPA を通じて経営者のリーダーシップによるセキュリティ対策の推進（机上演習開催[91]：11 件）、担当者のスキルの底上げを通じた対策実装の推進（リスク分析ワークショップ開催[92-1]：12 件）、及び地域の中小企業支援組織と連携した効率的かつ効果的な普及啓発活動の推進（セミナー開催支援：31 件、講師派遣：104 件）等の活動を実施した[92-2]。

サイバーセキュリティお助け隊サービス[93] では、現行（1 類）は価格上限があるため実態上、従業員 10 人前後の中小企業への提供がメインであることから、中規模以上の中小企業のニーズにも応えるサービスとなるよう、お助け隊サービスの新たな類型（2 類）を創設した。価格要件を緩和しつつ、監視機能の強化や定期的なコンサルティング実施等の新たなセキュリティサービスの追加、IPA への重大サイバー攻撃に関する情報の共有等を要件とした「サイバーセキュリティお助け隊サービス基準 2.0 版」を公開した[94]（「3.1.1（2）（b）サイバーセキュリティお助け隊サービス制度」参照）。

国際連携に関しては、日本のサイバー対処能力の強化や国際競争力強化の観点から、サイバー分野におけるルール作りを主導する欧米等の議論に参画し、国内制度との相互運用性の担保に向けて議論した。また、日本企業のサプライチェーン上重要なインド太平洋地域のサイバー対策の能力構築を推進し、幅広い有志国との協議等で国際連携を深めた（「2.2.1 国際社会と連携した取り組み」参照）。

（c）WG3（サイバーセキュリティビジネス化）

WG3 では、セキュリティサービス品質向上と国際的なプレイヤー創出に関わる政策を検討している。

IoT 機器等のセキュリティ検証を行う検証事業者の信頼性可視化のため、情報セキュリティサービス審査登録制度に「機器検証サービス」を追加し、2023 年度より検証事業者の登録及び「情報セキュリティサービス基準適合サービスリスト[95]」への掲載を開始した。更に 2024 年 4 月、同制度に「ペネトレーション（侵入検査）サービス」

を追加し、2024 年 9 月ごろより登録申請の募集を開始する（「2.1.3（4）情報セキュリティサービス審査登録制度」参照）。

IoT 製品の脆弱性を狙ったサイバー脅威が高まっていることを踏まえ、経済産業省では、2022 年 11 月に「IoT製品に対するセキュリティ適合性評価制度構築に向けた検討会」を設置し、2024 年 3 月 15 日に最終取りまとめを公表した[96]。「IoT 製品に対するセキュリティ適合性評価制度」は、IoT 製品共通の最低限の脅威に対応するための基準（☆1）及び IoT 製品類型ごとの特徴に応じた基準（☆2、☆3 及び☆4）を定め、求められるセキュリティ水準に応じた複数の適合性評価レベルを用いる方針である。☆1 は、2024 年度中に制度の開始を目指す（図 2-1-6）。また、現行の「IT セキュリティ評価及び認証制度（JISEC）[97]」と一体となった枠組みで運用する方針である。

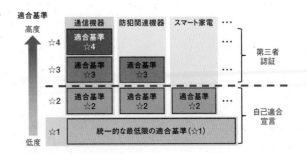

■図 2-1-6 適合性評価レベルのイメージ図
（出典）経済産業省「IoT 製品に対するセキュリティ適合性評価制度 構築方針案[98]」

WG3 では、ニーズとシーズのマッチングの場として2018 年からコラボレーション・プラットフォームを開催してきた。2023 年度にはコロナ禍明けの新たなスタートとしてハイブリッド形式にて、以下の三つのテーマで実施された[99]。

- 第 25 回「ポスト PPAP のメールセキュリティ」（2023 年9 月 22 日）
  パスワード付きの ZIP ファイルとパスワードを別メールで送るという手法の危険性が顕在化している中、その対応策を各分野の識者により、講演とパネルディスカッション形式により広く議論を行った。

- 第 26 回「『サイバーセキュリティ経営ガイドライン』に基づく対策実施状況の可視化」（2023 年 12 月 22 日）
  経営層がサイバーリスクを経営上の重要課題として把握して適切な投資判断を促すことを目的として、経済産業省が公開している「サイバーセキュリティ経営ガイドライン」について、ポイントの解説と IPA が公開して

いる可視化ツールに関するワークショップを開催した。

- 第27回「サイバー・フィジカル・セキュリティ：工場を守るセキュリティ対策とは」(2024年2月26日)
あらゆるものがインターネットにつながるIoT時代を迎え、いかなる工場もサイバー攻撃を受ける可能性がある現在、サイバーとフィジカルという二つの面からどのような対策が有効か実例を交えながら、講演及びパネルディスカッション形式により議論を深めた。

(d)サイバー攻撃による被害に関する情報共有の促進に向けた検討会

同検討会では、「サイバー攻撃被害に係る情報の共有・公表ガイダンス[100]」で主なスコープとしていた被害組織自身による情報共有ではなく、被害組織を直接支援する専門組織間での情報共有の促進を主なスコープとして、検討を実施している。

同検討会は、2023年11月に「サイバー攻撃による被害に関する情報共有の促進に向けた検討会最終報告書」を、2024年3月に「攻撃技術情報の取扱い・活用手引き」「秘密保持契約に盛り込むべき攻撃技術情報等の取扱いに関するモデル条文」を公開した[101]。同報告書では、被害者の同意を個別に得ることなく速やかな情報共有が可能な情報の考え方を整理した。具体的には、通信先情報やマルウェア(ウイルス[102])情報、脆弱性関連情報等の「攻撃技術情報」から被害組織が推測可能な情報を非特定化加工した情報が対象となり得ると提言した。更に、どのような形で非特定化加工を行えばよいか等専門組織として取るべき具体的な方針について同手引きにて整理した。同モデル条文では、ユーザー組織と専門組織が共通の認識を持ち、専門組織が非特定化加工済みの攻撃技術情報を共有したことに基づく法的責任を原則として負わないことを合意するための条文を提示した。

サイバー攻撃が高度化する中、単独組織による攻撃の全容解明は困難となっている。攻撃の全容の把握や被害の拡大を防止する等の観点からサイバー攻撃に関する情報共有の更なる促進が求められる。

(2)その他の検討会の活動

他の検討会等における活動について述べる。

(a)AI事業者ガイドライン検討会

2023年10月、経済産業省は「人間中心のAI社会原則[103]」の実装に向けて、統一的で分かりやすい事業者向けガイドラインを検討するため「AI事業者ガイドライン検討会」を設置した。

同検討会は、既存の三つのガイドライン(総務省の「国際的な議論のためのAI開発ガイドライン案[104]」と「AI利活用ガイドライン[105]」、経済産業省の「AI原則実践のためのガバナンス・ガイドライン Ver.1.1[106]」)について、統合・見直しを行いつつ、国内外の動向を反映し、2024年4月に「AI事業者ガイドライン 第1.0版」を公開した[107]。同ガイドラインは、AIに関するリスクをステークホルダー(「AI開発者」「AI提供者」「AI利用者」)にとって受容可能な水準で管理しつつ、そこからもたらされる便益が最大化するよう、我が国におけるAIガバナンスの統一的な指針を示している。

AI技術の利用拡大に伴い、知的財産権の侵害や偽情報、誤情報の生成・発信等、社会的リスクが増大している。AI活用(開発・提供・利用)に取り組むすべての事業者(政府・自治体等の公的機関を含む)が、同ガイドラインを参考の一つにしながら、具体的な取り組みを推進することが重要である(「4.2 AIのセキュリティ」参照)。

(b)不正競争防止法の改正

2023年6月の通常国会で「不正競争防止法等の一部を改正する法律[108]」が成立し、2024年4月1日に施行された。不正競争防止法の改正では、デジタル化に伴う事業活動の多様化を踏まえたブランド・デザイン等の保護強化、及び国際的な事業展開に関する制度整備が行われた。主な改正内容について述べる。

- デジタル空間における形態模倣品提供行為の防止
改正前の不正競争防止法(以下、改正前不競法)では、形態模倣品提供行為について有体物の商品を想定していた。近年、デジタル空間上で精巧な衣服や小物等のデジタルの商品の経済取引が活発化していることから、デジタル空間上でのデジタル商品の形態模倣品提供行為(電気通信回線を通じて提供する行為)も規律の対象とし、デジタル空間上の商品の保護が強化された[109](次ページ図2-1-7)。

- 限定提供データの定義の明確化
改正前不競法のビッグデータ等を念頭にした「限定提供データ」を保護する制度では、「秘密管理されていないビッグデータ」を保護対象としていた。近年の企業実務では、自社で秘密管理しているビッグデータであっても他社に提供することがあることから、保護対象を「電磁的方法により管理されているビッグデータ」(営業秘密を除く)」に拡充した[110]。これにより、営

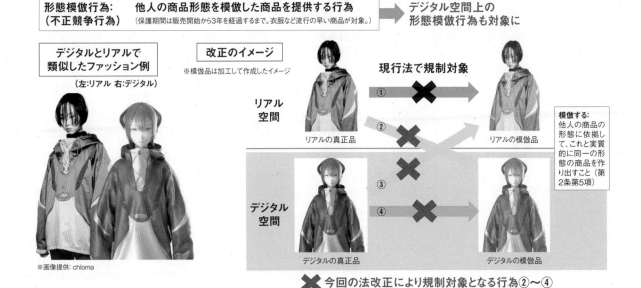

■図 2-1-7　デジタル空間における形態模倣行為の防止のイメージ
(出典)経済産業省・特許庁「令和 5 年不正競争防止法等改正説明会テキスト」を基に IPA が編集

業秘密でも限定提供データでも保護を受けることができない「隙間」が解消されるとともに、実務上は「限定提供データ」と「営業秘密」の一体的な情報管理が可能となった(図 2-1-8)。

• 使用等の推定規定の拡充

改正前不競法では、被告が「技術上の秘密」を不正取得し、かつ、「その技術上の秘密」を使用すれば生産できる製品を生産している場合には、被告が「その技術上の秘密」を使用等したと推定する規定が設けられており、その適用対象は、産業スパイ等の悪質性の高い者に限定していた。オープンイノベーショ

ン・雇用の流動化を踏まえ、前記の推定規定の適用対象を、「元々営業秘密にアクセス権限のある者(従業員・退職者、業務委託先等)」や「不正な経緯を知らずに転得したがその経緯を事後的に知った者」についても、同様に悪質性が高いと認められる場合に限り拡大・拡充した(次ページ図 2-1-9)。これにより、「元々営業秘密にアクセス権限のある者」が許可なく複製すれば悪質性が高いとして適用できるようになり、営業秘密の保護が強化された。

• 外国公務員贈賄に対する罰則の強化・拡充

「国際商取引における外国公務員に対する贈賄の防

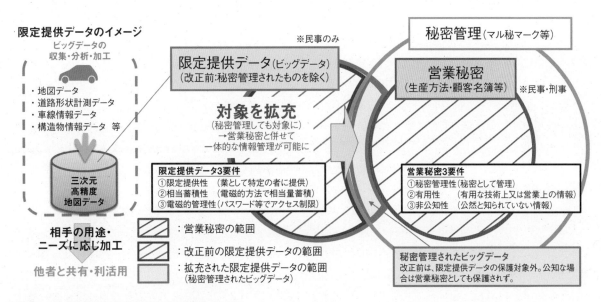

■図 2-1-8　営業秘密・限定提供データの範囲のイメージ
(出典)経済産業省「不正競争防止法等の一部を改正する法律【知財一括法】の概要」を基に IPA が編集

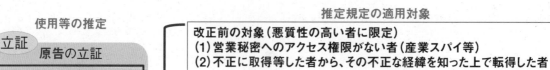

使用等の推定

立証 **原告の立証**

ア. 被告が営業秘密（生産方法等）を**不正取得**

イ. 被告がその営業秘密を使用すれば**生産できる製品を生産**

上記(1)(2)を立証できれば推定

立証 被告がその営業秘密を**使用**

被告に反対証明の責任（独自の生産方法で生産等）

推定規定の適用対象

改正前の対象（悪質性の高い者に限定）
(1) 営業秘密へのアクセス権限がない者（産業スパイ等）
(2) 不正に取得等した者から、その不正な経緯を知った上で転得した者

対象の拡充

(3) 元々営業秘密にアクセス権限のある者（従業員・退職者、業務委託先等）
（※）その営業秘密が記録された媒体等を許可なく複製等（領得）した場合
←元々営業秘密へのアクセス権限があったとしても、許可なく複製する等悪質性が高いため

(4) 不正な経緯を知らずに転得したがその経緯を事後的に知った者
（※）警告書等が届く等により、不正な経緯を事後的に知ったにもかかわらず、記録媒体等を削除等しなかった場合
←不正な経緯を知った後もその営業秘密の記録媒体等を保有し続けることは悪質性が高いため

■図 2-1-9　使用等の推定規定の拡充のイメージ
（出典）経済産業省「不正競争防止法等の一部を改正する法律【知財一括法】の概要」を基に IPA が編集

止に関する条約」をより高い水準で実施するため、外国公務員贈賄罪に対する法定刑を、国内の経済犯罪の中で最も重い水準に引き上げた。更に、日本企業の外国人従業者が当該日本企業の業務に関し、単独で国外において外国公務員等に対する贈賄行為に及んだ場合について、当該外国人従業者を処罰対象とし、当該日本企業も処罰し得ることを明確化した。

• 国際的な営業秘密侵害事案における手続きの明確化
これまで、日本国内で事業を行う企業の営業秘密が海外で侵害された場合の民事訴訟について、日本国内の裁判所で日本の法律に基づき起訴できるのか、事案によって不明確であった。このため、日本国内において事業を行う営業秘密保有者の営業秘密であって、日本国内において管理されているもの（当該営業秘密が専ら日本国外の事業の用に供されるものである場合を除く）に関する訴えについて、日本の裁判所において裁判を行うことができるという国際裁判管轄に関する規定（19条の2第1項）及び、改正前不競法2条1項4号、5号、7号及び8号に掲げる不正競争を日本国外において行う場合についても日本の不競法を適用する、という適用範囲に関する規定（19条の3）を新設した。

(c)ASM 導入ガイダンス

経済産業省は、2023年5月29日に「ASM 導入ガイダンス[111]」を公開した。組織の外部（インターネット）からアクセス可能な IT 資産を把握・評価し、攻撃の初期段階でサイバー攻撃から守るための手法である ASM（Attack Surface Management）について、基本的な考え方や特徴、留意点等の基本情報とともに取り組み事例等をまとめている。クラウド利用の拡大やテレワークの拡大によってサイバー攻撃の起点が増加する中、自社のセキュリティ戦略に ASM を組み込むことで、IT 資産を適切に管理しリスクを洗い出すことが期待される。

(d)クレジット取引セキュリティ対策協議会

同協議会は、クレジットカード取引に関わる事業者が実施すべきセキュリティ対策を定めたガイドラインを改訂し、「クレジットカード・セキュリティガイドライン 5.0 版」を2024年3月15日に公開した[112]。改訂内容には、2025年4月以降、すべての EC 加盟店は、「セキュリティ・チェックリスト」記載の脆弱性対策等のセキュリティ対策を実施すること等が盛り込まれた。

(3)技術情報管理認証制度

経済産業省は「産業競争力強化法等の一部を改正する法律」に基づき、2018年9月から「技術情報管理認証制度」を開始している[113]。これは、事業者の技術等の情報管理について、国が示す認証基準に適合していることを、事業所管大臣及び経済産業大臣が認定した認証機関が認証を付与する制度である。認証機関を目指す組織に対して、独立行政法人中小企業基盤整備機構や IPA が情報提供支援を実施し、2024年2月現在 8 事業者が認証機関として認定を受けている。認証を取得しようとする企業・団体等に対しては、経済産業省が専門家を派遣して認証取得に向けた情報セキュリティ体制構築の無償支援を行う事業を行っており、2023年度は2023年5月～2024年2月の期間に実施した[114]。これまで情報セキュリティ対策に取り組んだ経験がない事業者等に向けて、技術情報管理認証制度

の基準に基づく自己チェックリストが公開されている。引き続き機密性の高い技術情報等を保持する中小企業や業界団体等による同制度の活用が期待される。

(4) 情報セキュリティサービス審査登録制度

　情報セキュリティサービスを安心して活用できる環境を醸成するべく、経済産業省は「情報セキュリティサービス基準」（以下、本サービス基準）及び「情報セキュリティサービスに関する審査登録機関基準」を策定し、2018年2月に公表した[115]。2024年4月4日には、両基準に基づく情報セキュリティサービス審査登録制度の一層の普及を図るべく、本サービス基準の第4版[116]を公開し、併せて、見直し要望の高い項目に対応した「情報セキュリティサービスにおける技術及び品質の確保に資する取組の例示」の第3版を公開した[117]。

　本サービス基準では、従来の分類に2023年4月より新たに「機器検証サービス」を加えた。更に2024年4月からは「脆弱性診断サービス」のオプションとして「ペネトレーションテスト（侵入試験）サービス」の基準を満たすサービスを提供可能である旨の表示を可能とするため、「脆弱性診断サービス」を「脆弱性診断サービス及びペネトレーションテスト（侵入試験）サービス」とした。これらの見直しにより、本サービス基準では、情報セキュリティサービスを以下の五つに分類している。

- 情報セキュリティ監査サービス
- 脆弱性診断サービス及びペネトレーションテスト（侵入試験）サービス
- デジタル・フォレンジックサービス
- セキュリティ監視・運用サービス
- 機器検証サービス

　情報セキュリティサービス審査登録制度は、本サービス基準に照らして、情報セキュリティサービスについて一定の品質の維持・向上が図られているか否かを第三者が客観的に判断し、結果を公開することで、利用者が必要なセキュリティサービスを容易に選定できるようにする枠組みである。

　IPAはこの枠組みに基づき、2018年7月から、審査登録機関[118]による審査の結果、本サービス基準に適合すると認められ、当該機関の登録台帳に登録され、かつIPAに誓約書を提出した事業者の情報セキュリティサービスを「情報セキュリティサービス基準適合サービスリスト[95]」（以下、本リスト）として公開している。

　本リストは、NISCの「政府機関等の対策基準策定のためのガイドライン（令和5年度版）[119]」において、以下のケースにおける外部委託先選定に活用できるように参照されている。

- 監査業務の外部委託先選定
- 脆弱性診断の外部委託先選定
- インシデントレスポンス業務の外部委託先選定
- セキュリティ監視業務の外部委託先選定

　本リストのサービス登録数は堅調に推移しており、2024年4月に308件に達した（図2-1-10）。

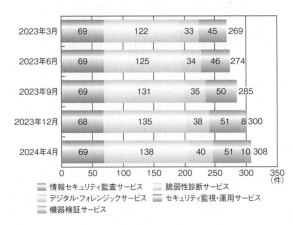

■図2-1-10　情報セキュリティサービス登録数の推移

　「政府情報システムのためのセキュリティ評価制度（ISMAP）」において、評価を実施する監査機関として登録申請する場合、本リストに「情報セキュリティ監査サービス」として登録されていることが要求事項の一つになっている（「3.2.3 政府情報システムのためのセキュリティ評価制度（ISMAP）」参照）。

　本リストの活用がより一層進むことで、情報セキュリティサービスの品質向上に加え、情報セキュリティサービス市場の活性化にもつながることが期待される。

(5) J-CSIP（サイバー情報共有イニシアティブ）

　経済産業省の協力のもと、IPAでは2011年10月から、官民連携による高度なサイバー攻撃対策を目的として、サイバー情報共有イニシアティブ（J-CSIP：Initiative for Cyber Security Information sharing Partnership of Japan）を運用している。

　J-CSIPは、日本の基幹産業を担う企業を中心に、サイバー攻撃等に関する情報を相互に共有し、サイバー攻撃の防御とその被害の低減を目指している。2024年3月末現在、IPAを情報の中継・集約点（情報ハブ）として15の業界から292の企業や業界団体（以下、参

加組織）が J-CSIP に参加している。

参加の形態としては、IPA と参加組織との間で個別に秘密保持契約（NDA：Non-Disclosure Agreement）を締結して情報共有を行う業界単位のグループ（SIG[120]）と、規約を基に業界の情報共有活動を支援するための枠組みである「情報連携体制」が存在する（図 2-1-11）。

また、J-CSIP は IPA を通じて、経済産業省やセプターカウンシル[121] の C⁴TAP、JPCERT/CC 等とも連携している。

J-CSIP では、IPA と参加組織との間でサイバー攻撃に関する手口や被害の情報、標的型攻撃メール等に関する情報共有を行っている。なお、J-CSIP の中で共有される情報は、提供元が明らかにならないよう、情報提供者の固有の情報を除去するルールがある。

2023 年度も、VPN 装置等のインターネット境界に設置された装置に対するサイバー攻撃（ネットワーク貫通型攻撃）が問題となった（ネットワーク貫通型攻撃については「1.2.2 標的型攻撃」参照）。J-CSIP 参加組織からも、この攻撃に関連する情報の提供があり、不正通信先のIP アドレス等の情報を参加組織に共有し[123]、同様の攻撃発見に役立てた。

J-CSIP では、無作為に送信される不審メールやウイルスメール（ばらまき型メール）については、一般的に脅威の度合いが低いと考えられることから、原則として情報の提供依頼や共有の対象とはしていない。しかし、広くばらまかれているメールであっても、セキュリティ製品による検知をすり抜けるテクニックが複数用いられたもの等、特に注意を要する手口については、情報共有の対象とし、参加組織に警戒を促した[123]。ばらまき型メールと見なせる攻撃であっても、かつて標的型攻撃で使われていたような巧妙な手口が取り入れられている傾向があり、状況に応じ、今後も情報共有を図っていく必要があると思われる。

ビジネスメール詐欺に関しては、2022 年度までと同様、複数の情報提供を受けた。企業間の取り引きのメールに介入したり、CEO（Chief Executive Officer：最高経営責任者）になりすましたりする等、基本的な騙しの手口は変わらない。ただし、役員の声に似せた電話の併用や、文書の偽造等、巧妙な騙しの手口を使用する事例が確認されている（「1.2.3 ビジネスメール詐欺（BEC）」参照）。これらの詳しい情報を J-CSIP 内で共有するとともに、情報提供元の許可が得られた範囲で、事例の一般公開も行った[124]。

このほか、情報提供元の組織をかたったフィッシングメールとフィッシングサイトが確認された事例や、日本の企業を装ったウイルス付きのメール等の情報提供があり、

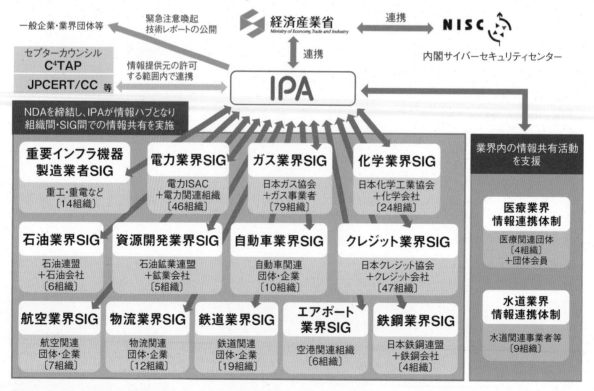

■図 2-1-11　J-CSIP の体制全体図
（出典）IPA「サイバー情報共有イニシアティブ（J-CSIP）運用状況［2023 年 10 月～12 月］[122]」

それぞれ共有を行った。

前述したとおり、ネットワーク境界にある機器のゼロデイ脆弱性を悪用した高度な標的型攻撃が複数確認されている。ネットワーク境界にある機器を侵害されると、攻撃者が目標としている組織の情報資産等に直接アクセスすることが可能となる恐れがあり、一層の注意が必要と思われる。一方で、特定の業界や組織を標的としたメールによる攻撃も引き続き観測されており[125]、警戒が必要である。

情報共有活動は、攻撃の痕跡や手口の情報を基に、防御側で連携して対抗するための重要な施策の一つであり、IPAは引き続きJ-CSIPの運用を継続していく。

(6) J-CRAT（サイバーレスキュー隊）

経済産業省の協力のもと、IPAは2014年7月にJ-CRAT（Cyber Rescue and Advice Team against targeted attack of Japan：サイバーレスキュー隊）を発足させた。J-CRATの目的を以下に示す。
- 攻撃に気付いた組織における被害拡大と再発の抑止・低減
- 標的型攻撃による諜報活動等の連鎖の遮断

J-CRATでは、常時「標的型サイバー攻撃特別相談窓口」（以下、窓口）の運営と「公開情報の分析・収集」の二つの活動を実施している。

窓口では、主に公的機関等の組織から、標的型攻撃メールに関する情報提供や相談を受け付けている[126]。「公開情報の分析・収集」では、日々公開されるインターネット上の情報等から、各種ウイルス情報等を収集している。また、これまでの活動実績から、地政学や国際政治、国際経済や科学技術等に関する動向との関連が明らかになったため、それらの情報収集を幅広く行っている。

標的型攻撃の被害に遭っている、または遭っている可能性が高い組織のうち、特に公的機関や業界団体、重要インフラ関連企業や取引先等サプライチェーンを構成する組織に対して、被害実態の確認と認知の支援、被害緩和の暫定対応に関する助言を「サイバーレスキュー活動」として実施している[127]。また、窓口における対応の結果、必要があると判断した組織に対して、攻撃の期間・内容、感染範囲、想定被害等をヒアリングし、早急な対策着手が行えるよう、民間セキュリティ事業者への移行を前提とした助言を行っている（図2-1-12）。

J-CRATでは、情報収集活動や支援活動から得られた結果を基に、注意喚起情報や技術レポートを随時公開している。これらの取り組み等を通じ、被害組織のセキュリティインシデントに対する速やかな対応力向上や、平時における標的型攻撃への対策力向上に資する活動を行っている。また、活動を通じて組織のセキュリティ人材の育成、標的型攻撃の連鎖の解明、及び攻撃の連

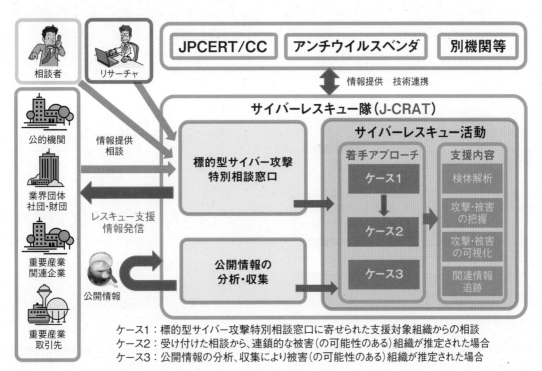

ケース1：標的型サイバー攻撃特別相談窓口に寄せられた支援対象組織からの相談
ケース2：受け付けた相談から、連鎖的な被害（の可能性のある）組織が推定された場合
ケース3：公開情報の分析、収集により被害（の可能性のある）組織が推定された場合

■図 2-1-12　J-CRAT の活動の全体像とスキーム
（出典）IPA「サイバーレスキュー隊 J-CRAT（ジェイ・クラート）について[127]」を基に編集

第2章 情報セキュリティを支える基盤の動向

鎖を遮断することによる被害の低減を推進していく。

（7）重要インフラ業界のサイバーインシデントに係る事故調査事業

近年、重要インフラや社会基盤を狙ったサイバー攻撃のリスクが懸念されており、プラント等で事故が発生した場合に、サイバーインシデントの観点からの原因の究明が可能な機能を整備することが必要となっている。

そのような背景から、日本では2023年12月に「高圧ガス保安法等の一部を改正する法律（令和4年法律第74号）」が施行され、電力、ガス、高圧ガス分野のプラント等で重大な事故等が発生し、保安に係るサイバーセキュリティに関する重大な事態が生じた場合、またはその疑いがある場合に原因究明の調査を行うことが規定された[128]（図2-1-13）。

事故の調査は、経済産業省からの要請を受けて、IPA産業サイバーセキュリティセンター（ICSCoE：Industrial Cyber Security Center of Excellence）の調査分析部サイバーインシデント調査室[129]が実施する。同調査室は産業界や中核人材育成プログラム（「2.3.3（2）産業システムセキュリティ人材育成のための活動」参照）の修了者と連携して、サイバー攻撃に起因する事故かどうかを調査し、経済産業省へ報告する。同調査室が国内初のサイバーセキュリティに関する事故原因の調査機関として機能し、事故原因が明らかになることで、重要インフラ業界におけるサイバーリスクへの対応方針の検討やガイドラインの策定等が可能になり、防護力の向上につながることが期待される。

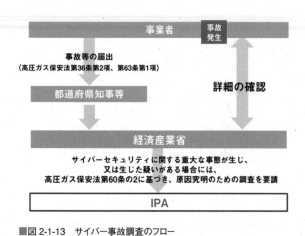

■図2-1-13　サイバー事故調査のフロー

2.1.4　総務省の政策

総務省は「ICTサイバーセキュリティ総合対策2023[130]」（以下、総合対策2023）を2023年8月に公表した。総合対策2023は前年に公表された「ICTサイバーセキュリティ総合対策2022[131]」（以下、総合対策2022）の策定後、国際情勢の緊迫化を含めたサイバー攻撃リスクの拡大等の状況変化を踏まえた議論、及びIoT機器を狙ったサイバー攻撃が多く発生している状況等に対応するため、「情報通信ネットワークにおけるサイバーセキュリティ対策分科会」で2023年1月から行った議論を経て必要な改定を行ったものである。

その際、総務省はサイバーセキュリティについて、総合対策2022と同様に以下のように整理した。

- サイバー空間は、あらゆる主体が利用する公共空間であり、その根幹は情報通信ネットワークである（図2-1-14）。
- サイバー攻撃等により情報通信ネットワークの機能停止や情報の漏えい等が生ずれば、国民の生活や我が国の経済社会に甚大な影響が発生する恐れがある。

その上で「社会経済活動を支える情報通信ネットワークの安全を確保し、サイバー空間を利用するすべての国民のサイバーセキュリティの向上を図ること」を総務省の役割とした。

■図2-1-14　サイバーセキュリティと総務省の役割
（出典）総合対策2023を基にIPAが編集

以下では、総合対策2023に基づき「総合的なIoTボットネット対策の推進」と「電気通信事業者による積極的サイバーセキュリティ対策の推進」等について述べる。なお、総務省における人材育成に関する施策については、「2.3.3（1）（b）NICTにおける人材育成」に記載している。

（1）総合的なIoTボットネット対策の推進

2023年1月、サイバーセキュリティタスクフォースのもとに、総合的なIoTボットネット対策の実現に向けて「情報通信ネットワークにおけるサイバーセキュリティ対策分科会」が設置された[132]。同分科会は、端末（IoT機器）側、ネットワーク側それぞれについて今後取り組むべき対策について検討するため、2023年6月まで毎月1回開

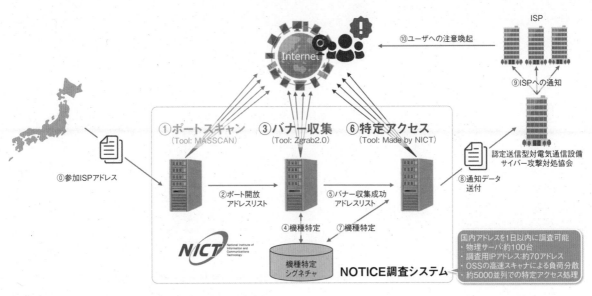

■図 2-1-15　ID、パスワードに脆弱性がある IoT 機器の調査の概要
（出典）付録 4

第2章

情報セキュリティを支える基盤の動向

催された[133]。その検討結果は、総合対策 2023 の「付録 4 情報通信ネットワークにおけるサイバーセキュリティ対策分科会とりまとめ」（以下、付録 4）として公表された。付録 4 に基づいて、IoT ボットネット対策について述べる。

(a) NOTICE における端末（IoT 機器）側の調査

総務省所管の NICT が推進する IoT ボットネット対策は、以下の二つがある。

- NOTICE (National Operation Towards IoT Clean Environment)：ID、パスワードに脆弱性のある IoT 機器を検知し、注意喚起する取り組み（図 2-1-15）
- NICTER (Network Incident analysis Center for Tactical Emergency Response)：ウイルスに感染している IoT 機器を検知し、注意喚起する取り組み

注意喚起は一般社団法人 ICT-ISAC を通じ、インターネットサービスプロバイダー（ISP：Internet Service Provider、以下 ISP 事業者）に通知する。ISP 事業者はそれを受け、個別に利用者に注意喚起を行う。

NOTICE は ISP 事業者の自主的な協力を基本としており、開始当初の参加 ISP 事業者数は 24 社であったが、2024 年 2 月現在 83 社の参加手続きが完了している。また、調査対象となる IP アドレスの総数は 1.12 億個となっている。

ISP 事業者にとって、自網内の IoT ボットネットから自網外に送信される攻撃通信は、外部から自網へ向けての攻撃通信と比べ、通信を遮断した場合に正常な通信も遮断してしまう恐れがあるため、一般的に対策が困難

とされている。そのため、IoT ボットネットとボットネット化の恐れがある IoT 機器をあらかじめ、可能な限り減らす取り組みがポイントとなる。NOTICE の取り組みの結果、ID、パスワードに脆弱性のあるボットネット化の恐れがある IoT 機器の削減にはある程度成果が上がっているものの、現在でも一定数残存しているという。特に注意喚起対象になった機器のうち、10 年以上前に発売された機器が 4 割以上を占めていることが明らかになり（図 2-1-16）、IoT 機器のライフサイクルの長さによる対策の難しさをうかがわせた。

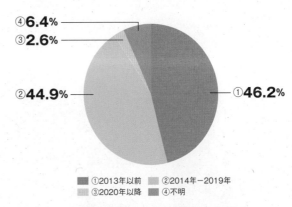

④**6.4%**
③**2.6%**
②**44.9%**
①**46.2%**

■①2013年以前　■②2014年−2019年
③2020年以降　④不明

■図 2-1-16　注意喚起対象となった IoT 機器の発売年の割合
（総数 27,925 台、2022 年 11 月〜2023 年 4 月）
（出典）付録 4 を基に IPA が編集

他方、NICTER によりウイルス感染による感染通信が検知され、注意喚起対象となった IoT 機器の数は 2022 年春以降高止まっているという（注意喚起の実施結果については「3.5.4（1）国内における実態調査と注意喚起」参照）。

付録4では、今後の対応策として以下の3点が示されている。

①脆弱性等のあるIoT機器の調査の延長・拡充
観測能力の維持・強化の観点、及びサイバー攻撃の手法の多様化への対応のため、2024年度以降の調査の延長、拡充を実施する。

②利用者への注意喚起等の実効性の向上
メーカーやシステムインテグレーター（以下、SIer）と連携し、脆弱性のあるIoT機器のリスク、不利益について一般利用者への周知を強化する。更に、感染通信を発しているIoT機器や脆弱性のあるIoT機器に対して利用者が注意喚起等に応じない場合に、ISP事業者が接続を拒否する具体的要件や手続き等の妥当性について示す「端末設備の接続に関するガイドライン（仮称）」を策定する。

③メーカーやSIer等、幅広い関係者との連携による総合的な対処
利用者への注意喚起以外に関係事業者と連携を進め、総合的な脆弱性の対処を推進する（表2-1-1）。

①～③を効果的に実施するため、NOTICEの運営体制の強化が求められる。NOTICEの柔軟かつ効率的な運営に取り組むため、司令塔としての役割を担う「NOTICEステアリングコミッティ」が2023年5月に立ち上げられた。その役割は、サイバー攻撃の事象、脅威の認識共有を行った上で通信サービスへのリスクを評価し、そのリスクレベルに応じてIoT機器の調査や利用者への注意喚起、周知啓発等を機動的に実施するというものである（図2-1-17）。また、取り組みの前提となる脆

連携例	対処例
ISP事業者との連携	レンタルサービス等を通じて機器がISP事業者によって管理されている場合、利用者に直接対処を求めることなくISP事業者側で一括して対処する。
メーカーとの連携	注意喚起対象となった製品について、利用者への情報提供、ファームウェアの改修・更新や新製品の機能改善等必要な対処を促す。
SIerとの連携	法人利用者等、機器の設置・管理にSIerが関与している場合、SIerを通じて機器のID・パスワードの設定等やファームウェアの更新等必要な対処を促す。

■表2-1-1 IoT機器に対する利用者への注意喚起以外の対処例
（出典）付録4を基にIPAが編集

弱性等のあるIoT機器の調査には、必要に応じ外部関係者との連携を一層推進するという。なお、NOTICEは当初、2024年3月末までの時限措置として、2019年2月に開始された。その後、2023年12月に公布された「国立研究開発法人情報通信研究機構法の一部を改正する等の法律」の施行に伴い、時限設定が解除され、NOTICE事業が継続されることになった[134]。これに伴い、IoT機器におけるパスワードの設定不備以外の脆弱性として、ファームウェアの脆弱性を有する機器の調査、及びNICTERを活用した既感染端末の探索も調査対象となった[135]。

(b)ネットワーク側やその他における対策

一般社団法人ICT-ISACは2022年11月に「C2リスト利活用共有-WG」を立ち上げた[136]。そして2022年度から2023年度にかけて「電気通信事業者におけるフロー情報分析によるC&Cサーバ検知に関する調査」

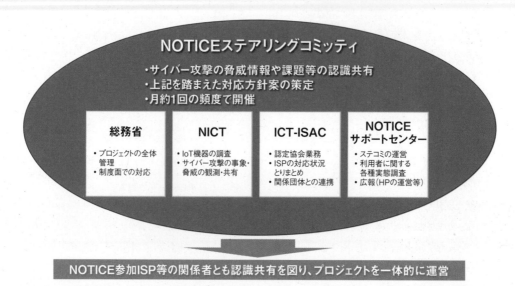

■図2-1-17 NOTICEステアリングコミッティの概要
（出典）付録4

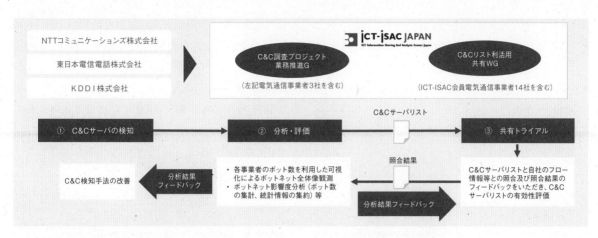

■図 2-1-18 「電気通信事業者におけるフロー情報分析による C&C サーバ検知及び共有に関する調査」概要
(出典)一般社団法人 ICT-ISAC「別紙1. 本調査の概要[140]」

（図 2-1-18）を実施した[137]。同調査の目的は「未知の C&C サーバ検知」と「C&C サーバリストの有効性評価のためのボットネットの調査」である。NTT コミュニケーションズ株式会社、KDDI 株式会社、東日本電信電話株式会社の 3 社（以下、電気通信事業者 3 社）が IP アドレス等のフロー情報[138]から特定した「C&C サーバリスト」を共有し、電気通信事業者の情報と照合するという[139]。その結果、既存手法より早期に検知されたケース、特定の電気通信事業者のみが検知したケースがあり、事業者間連携による多くの検知や、影響度の高い C&C サーバーの特定が期待される。

一方、リアルタイムに検知データが活用できるよう、「C&C サーバリスト」の共有の仕組み、共有すべきデータの検討、具体的利用シーンの整理、検知手法の共有が課題として指摘されている。

今後の対応策としては、以下が挙げられている。
- NICT その他関係機関との連携等による C&C サーバーのさらなる検知精度の向上
- 検知・評価作業の短縮化
- C&C サーバーの死活監視を通じ、活動状況の逐次観測、収集データのリアルタイム性の確保
- 「C&C サーバリスト」の迅速かつ効果的な共有・利活用に向けた具体的な枠組み、ルールの策定
- ISP 事業者間での検知手法の情報共有の促進

加えて、IoT ボットネットの全体像の可視化に向け、観測網である「統合分析対策センター（仮称）」の立ち上げが予定されている[141]。可視化により個々の IoT ボットネットの状況に応じた効果的な対策を実現し、IoT ボットネットの縮小を目指すとしている。

(2) 電気通信事業者による積極的サイバーセキュリティ対策の推進

2023 年度には、電気通信事業者による積極的なサイバーセキュリティ対策に関する総合実証として以下の三つが実施された。
- 自動巡回による機械的処理を活用した、フィッシングサイト等の悪性 Web サイトの検知技術・共有手法の検討・実証
- ネットワーク側の対策としての平時におけるフロー情報の収集・蓄積・分析による C&C サーバーの検知に係る技術実証（「2.1.4（1）（b）ネットワーク側やその他における対策」参照）
- RPKI (Resource Public-Key Infrastructure)[142]や DNSSEC (DNS Security Extensions)[143]、DMARC (Domain-based Message Authentication Reporting and Conformance)[144]等のネットワークセキュリティ技術について、技術的な課題にとどまらない普及方策の検討

上記の実証を踏まえ、2024 年度は収集・分析した悪性 Web サイトの情報をセキュリティサービス等に活用した際の効果検証、悪性 Web サイト対策のガイダンスを作成するとしている。また、RPKI、DNSSEC、DMARC 等のネットワークセキュリティ技術については普及促進に向けたガイドライン案を作成するとしている。

(3) ICT サイバーセキュリティ政策分科会

2024 年 2 月にサイバーセキュリティタスクフォースのもとに「ICT サイバーセキュリティ政策分科会」を開催することが発表された[145]。総務省が中長期的に取り組むべきサイバーセキュリティ施策の方向性を検討するため、

第2章 情報セキュリティを支える基盤の動向

主に以下 3 点を検討するという。

- 重要インフラ分野におけるサイバーセキュリティ対策強化の在り方
- サイバーセキュリティの基盤となる人材育成及び研究開発の在り方
- サイバーセキュリティの確保に向けた国際連携及び普及啓発の在り方

第 1 回の会合は同年 2 月 9 日に行われ、3 月末までに 4 回開催された。サイバーセキュリティの最近の状況、我が国を取り巻くサイバーセキュリティの情勢、通信分野におけるサイバーセキュリティ対策の取り組み等が議題として挙げられた。

(4) 地方自治体に向けたサイバーセキュリティ対策強化

2024 年 3 月 1 日、総務省が地方自治体に対し、サイバー攻撃に対処するための基本方針の策定と公表を義務付ける、地方自治体法改正案が閣議決定され、国会に提出された[146]。「地方自治法の一部を改正する法律案の概要」によれば DX の進展を踏まえた対応の一つとして、地方自治体がサイバーセキュリティの確保の方針を定め、必要な措置を講じることが示されている。そしてその方針の策定等の指針を総務大臣が示すという[147]。総務省は方針策定の参考となるガイドラインを新たに作成する予定で、これが指針となる。地方自治体はこの法改正を受け、2026 年 4 月 1 日までに基本方針の策定が求められ、方針に基づいた各種対策を講じる必要がある。

2.1.5 警察によるサイバー空間の安全確保の取り組み

2021 年 9 月に閣議決定されたサイバーセキュリティ基本法に基づき、警察庁は、2022 年 4 月に「警察におけるサイバー戦略[148]」を改定した。

そこでは、サイバー空間の安全・安心を確保するため、深刻化する脅威に対処できる態勢の整備、国内外の多様な主体との連携強化、社会全体でのサイバーセキュリティ向上に向けた取り組みの推進強化を掲げ、同戦略に基づき「サイバー重点施策について[149]」（以下、重点施策）も併せて改定した。

重点施策では、上記戦略に基づき 2022 年からの 3 年間の取り組みを掲げている。具体的には、「①体制及び人的・物的基盤の強化」としてサイバー空間の脅威に対処するための警察庁及び都道府県警察における体制構築や優秀な人材の確保及び育成、警察における情報セキュリティの確保等、「②実態把握と社会変化への適応力の強化」として通報・相談への対応強化による実態把握の推進や実態解明と実効的な対策の推進等が挙げられている。そのほか「③部門間連携の推進」「④国際連携の推進」「⑤官民連携の推進」も併せた五つの施策が推進されている。

本項では、2023 年度の重点施策への取り組み状況とサイバー攻撃、犯罪の情勢等について、主に「令和 5 年におけるサイバー空間をめぐる脅威の情勢等について[150]」及び「令和 5 年版 警察白書[151]」等に基づいて述べる。

(1) 警察における主な取り組み

2023 年の警察における主な取り組みとして、組織基盤強化、実態把握と社会変化への適応力の強化、国際連携、官民連携等の四つについて述べる。なお、2022 年度以前より継続している人材育成の取り組みについては、「情報セキュリティ白書 2023[152]」の「2.1.5 (1)(b) 警察における人材育成の取り組み」を参照いただきたい。

(a) 警察における組織基盤の更なる強化

警察庁では、サイバー空間をめぐる脅威に対処するため、2022 年 4 月に「サイバー警察局[153]」を、関東管区警察局に「サイバー特別捜査隊[154]」を新設した。

サイバー警察局は、警察庁内各局や国内外の様々な主体と連携し、人材育成等の基盤整備、各国との情報交換、サイバー事案の捜査指揮、不正プログラム等の解析への技術支援等のサイバー政策の推進における中心的な役割を担うものである。一方、サイバー特別捜査隊は、国の捜査機関として国や国民に深刻な影響を及ぼす重大なサイバー事案への対処等を担うものである。その発足後に国内では特殊詐欺の被害金が暗号資産でマネーロンダリングされた形跡を解析、国外では海外の捜査機関と連携し、ランサムウェアの犯人を訴追する等の成果を上げてきたことから、警察庁は 2024 年度の組織改正要求でサイバー特別捜査隊を「サイバー特別捜査部」に格上げすることを明記[155]し、2024 年 4 月 1 日にサイバー特別捜査部が発足した。

警察庁並びに都道府県警察における情報セキュリティの確保も喫緊の課題である。脆弱性情報等情報セキュリティインシデントに発展し得る情報の早期把握を目的とした

最高情報セキュリティ責任者(CISO：Chief Information Security Officer）を中心とした情報セキュリティ体制と、サイバー部門の間で円滑な情報共有が行われる体制の整備と組織内の情報セキュリティインシデントの適切な対処のためにサイバー部門が連携した実効的な CSIRT 体制も構築するとしている。

このほかの 2022 年度以前より継続している組織基盤強化の取り組みについては、「情報セキュリティ白書 2023」の「2.1.5（1）（a）警察における組織基盤の更なる強化」を参照いただきたい。

(b)実態把握と社会変化への適応力の強化

急速に変化するサイバー事案の脅威の情勢に対処するために、次のような施策を実施している（具体的な事例については「2.1.5（2）（b）サイバー攻撃に対する警察の取り組み事例」等で詳述）。

(ア)通報・相談への対応強化による実態把握の推進

サイバー警察局及び都道府県警察では、被害通報を促進するための広報・啓発活動に取り組むとともに、民間事業者とも連携して、通報・相談が適切になされるような気運の醸成や環境整備を行うとしている。また、サイバー部門に遅滞なく伝達する手順を確立する等、部門間連携に加え、より適切かつ円滑な対応を可能とするための相談対応の充実や官民連携の強化も推進している。更に、サイバー犯罪の被害企業等における業務の早期復旧等に配慮した初動捜査を推進している。

(イ)実態解明と実効的な対策の推進

サイバー警察局にサイバー関連情報の分析を担う体制を構築し、警察内のサイバー関連情報に加え、関係機関・団体や事業者から提供される情報等の多様な情報の分析を推進している。また、サプライチェーンの複雑化等へ対処するため、平時から関係機関・団体や事業者等と連携した分析評価を推進している。更に情報窃取の標的となる恐れの高い先端技術を有する事業者等との情報交換を積極的に推進している。一方、サイバー事案の捜査や通報・相談等を通じて事案を把握した場合は、一つの事案のみに着目するのではなく、事案に関係する情勢を俯瞰的にとらえ、攻撃者につながる可能性のある情報や、その他の広範な関連情報を総合的に収集・分析・評価する。それにより、特定の攻撃グループ、国家機関等が関与していることを明らかにする等、より広い範囲での実態解明を進めるとしている。特に、

ランサムウェアについては、多業種にわたって甚大な影響を及ぼしていることから、関係行政機関、団体等が連携してサイバー事案の分析を行い、被害の再発や未然防止・拡大防止に向けた取り組みを推進している。

事案対処に際しては、被疑者の検挙のみならず、犯行手口等の実態解明や被害の拡大防止等にも努めるとしている。そのためには、関係省庁等と連携し、解明された情報の適切な公表等を推進するとともに重要インフラ事業者等との実践的な共同対処訓練も実施する。実態解明のための分析・解析にあたっては、ウイルスの多様化・耐解析機能の実装等に対処していくため、機械学習の活用等を進めて解析態勢を強化し、解析の効率化・高度化を図る。また、インターネット上の脅威情報等の収集及び分析の高度化を狙い、児童ポルノや規制薬物広告、自殺誘引情報等の違法・有害情報に厳正に対処するため、インターネット・ホットラインセンターからの通報及びサイバーパトロール等を通じて把握した情報を端緒として、削除依頼等を積極的に推進している。

更にインターネット上の脅威情報を収集・分析するリアルタイム検知ネットワークシステムについて、能動的に犯罪の端緒等を検知・発見する等、情報収集・分析を高度化するとしている。

(c)国際連携の推進

警察庁は、国際共同捜査への積極的な参画に向けた環境を整備するとともに、国境を越えたサイバー事案に対処するため、外国捜査機関等との信頼関係を構築し、互恵的な関係の構築を図っている。

具体的な連携活動として、2004 年から開催され 13 回目となる ASEAN＋3 国際犯罪閣僚会議が、ASEAN 10 ヵ国に日本、中国及び韓国を加え、2023 年 8 月 22 日に開催された。日本と ASEAN との間で 2013 年から開催され 8 回目となる日・ASEAN 国際犯罪閣僚会議も、同日に開催された。両会議とも各国間の国際連携強化を目的としている。

両会議に出席した谷公一国家公安委員会委員長は、サイバー犯罪対策、特殊詐欺対策、テロ対策等における各国の連携強化の重要性について述べるとともに、北朝鮮による拉致問題の即時解決に向けた協力を要請した。特に谷国家公安委員会委員長が共同議長を務めた日・ASEAN 国際犯罪閣僚会議では、特殊詐欺の深刻な被害について ASEAN 諸国と懸念を共有し、犯罪組織に対峙するため、捜査協力等を強化することを改めて確認した[156]。

(d)官民連携の推進

警察では、次のような官民連携施策を推進している。

- 民間事業者等と連携した犯罪インフラ対策の推進
  データ通信用 SIM カード契約、SMS 認証、インターネットバンキング、e コマースにおけるクレジットカード利用等、新たなサービスや技術の悪用を防止する観点からのサービス仕様の見直しや事後追跡可能性の確保等、民間事業者等による必要な対策推進に向けた被害実態の情報提供等の働き掛けを推進している。

- 地域において活動する多様な主体との連携
  都道府県警察は、サイバー保険を取り扱う損害保険会社等と連携する等[157]、中小企業等に対する広報・啓発活動を推進している。また、サイバー事案の潜在化防止や再発防止を目的とした共同対処協定を広範な業界の企業や商工会等の産業組織と締結することを推進している。更に最近注目度が高まっている経済安全保障の観点から、サイバー事案により様々な情報が窃取されるリスクやサプライチェーンを構成する企業が打撃を受けるリスクがあることについて、注意喚起を行っている。

- 警察庁サイバー警察局と IPA との連携
  2023 年 12 月にサイバー事案の未然防止や事案発生時の被害拡大防止を図るためにサイバー警察局と IPA は連携協定を締結した[158]。同協定に基づき、サイバー事案被害等が発生したときに、都道府県警察が一般的な技術支援・助言を通報・相談者から求められた場合、IPA が運営する情報セキュリティ安心相談窓口を紹介する。また、平時においては、広報啓発セミナーの開催や注意喚起の情報発信等で連携する。
  なお、サイバー警察局では、警察庁の注意喚起情報を集約して公開している[159]。

官民連携の推進については、「2.1.5 (2) (a) サイバー空間の脅威の情勢」のランサムウェアやフィッシングに関する記述の中でも事例を挙げている。

このほかの 2022 年度以前より継続している官民連携の取り組みについては、「情報セキュリティ白書 2023」の「2.1.5 (1) (d) 官民連携の推進」を参照いただきたい。

(2) 2023 年のサイバー攻撃の情勢と警察の取り組み

2023 年におけるサイバー空間の脅威の情勢と、その脅威に対し、安心・安全を確保するための警察の主な取り組みについて述べる。

(a) サイバー空間の脅威の情勢

2023 年におけるサイバー空間の脅威の情勢について述べる。

(ア) センサーにおいて検知したアクセスの概況

警察庁では、インターネット上にセンサーを設置し、不特定多数の IP アドレスに対して無差別に送られてくる通信パケットを収集し、分析することで、インターネットに接続された各種機器の脆弱性の探索行為等を観測している[150]。これにより、脆弱性を悪用した攻撃、ウイルスに感染したコンピューターの動向等、インターネット上で発生している各種事象を把握することができる。2023 年に同センサーが検知したアクセス件数は、1 日・1IP アドレスあたり 9,144.6 件と前年を 18.6% 上回り、2011 年以降、増加の一途をたどっている（図 2-1-19）。アクセス件数が増加している背景として、IoT 機器の普及により攻撃対象が増加していることや技術の進歩により攻撃手法が高度化していること等が想定されるとのことである。

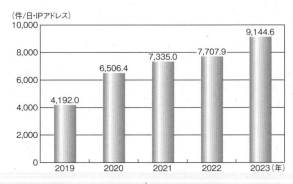

（件/日・IPアドレス）

■図 2-1-19　センサーが検知したアクセス件数の推移（2019〜2023 年）
（出典）警察庁「令和 5 年におけるサイバー空間をめぐる脅威の情勢等について」を基に IPA が編集

2023 年に検知したアクセスの送信元を分析すると、国内を送信元とするアクセスが 1 日・1IP アドレスあたり 53.3 件であるのに対して、海外を送信元とするアクセスが 9,091.4 件と大部分を占めている（次ページ図 2-1-20）。依然、海外が高い割合を占めており、海外からの脅威への対処が引き続き重要であることは明白である。

2023 年においては、IoT 機器に対する Mirai 等のウイルス感染拡大を狙ったと思われるアクセスも多数観測されている。国内を送信元とする Mirai ボットの特徴を有するアクセスを宛先ポート別に分析すると、宛先ポート 52869/TCP に対するアクセスが 2023 年 5 月中旬ごろから増加していたという[125]。

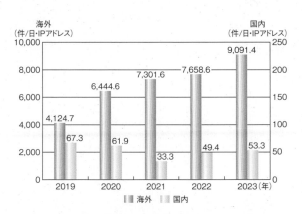

■図 2-1-20　検知したアクセスの送信元で比較した 1 日・1IP アドレス
当たりの件数の推移（2019〜2023 年）
（出典）警察庁「令和 5 年におけるサイバー空間をめぐる脅威の情勢等に
ついて」を基に IPA が編集

また、脆弱性を有する VPN 機器等を探索する目的と
想定される複数種類のアクセスも断続的に観測された。
VPN 機器等の脆弱性を悪用されてネットワークに侵入さ
れた場合は、情報の窃取やランサムウェアの感染による
データの暗号化等の被害に遭う可能性がある（「1.2.5
(1) VPN 製品の脆弱性を対象とした攻撃」参照）。

(イ)ランサムウェア被害の情勢

2023 年の企業・団体等におけるランサムウェア被害
の報告件数は 197 件であった。2022 年よりは減少した
ものの、依然として高い水準で推移している（ランサムウェ
アの被害状況については「1.1.2 (3) ランサムウェアによる
被害」「1.2.1 (1) (a) 被害件数」参照）。

最近のランサムウェア被害の主な特徴として、以下が
挙げられている。

- 二重恐喝（ダブルエクストーション）の被害は 130 件で
あり、手口を確認できたランサムウェア被害（175 件）
の 74%[150]、約 4 分の 3 と高い割合を占めている。
- 企業・団体等のネットワークに侵入し、データを暗号
化する（ランサムウェアを用いる）ことなくデータを窃取し
た上で、企業・団体等に対価を要求する手口である
「ノーウェアランサム攻撃」による被害が出てきている
（「1.2.1 (1) (d) 暗号化を伴わない攻撃手口」参照）。
- 身元が特定されにくい暗号資産による支払い要求が
87% を占めている。

(ウ)フィッシング等に伴う被害の情勢等

2023 年のフィッシング報告件数は、フィッシング対策協
議会によれば、119 万 6,390 件となり、前年比で 22 万
7,558 件増加したという。

フィッシングによる主な犯罪の一つであるインターネットバ

ンキングによる不正送金事犯の 2023 年における発生件数
は過去最多の 5,578 件、被害総額は約 87 億 3,130 万円
と報告されており、2023 年の悪化が著しい（図 2-1-21）。

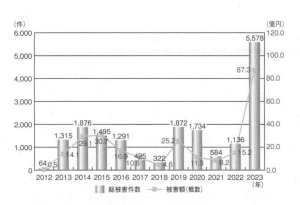

■図 2-1-21　インターネットバンキングに係る不正送金事犯における
フィッシングの推移（2012〜2023 年）
（出典）警察庁「令和 5 年におけるサイバー空間をめぐる脅威の情勢等に
ついて」を基に IPA が編集

(b)サイバー攻撃に対する警察の取り組み事例

サイバー攻撃に対する警察の主な取り組み等につい
て述べる。

(ア)ランサムウェアに対する対処

警察はランサムウェアに対処するため、以下のような取
り組みを実施している。

- サイバー事案の被害潜在化防止
ランサムウェア被害が被害者自身に対する社会的評
価の悪化の懸念等から警察への通報・相談そのもの
がためらわれる傾向にある[150]。警察庁では、「サイ
バー事案の被害の潜在化防止に向けた検討会」を開
催し、業界、セキュリティ関係団体、法曹界、学術
界の有識者による議論を取りまとめ、2023 年 4 月に報
告書を公表した[160]。
- 医療機関等との連携強化
医療機関におけるランサムウェアによる被害が発生し
ていることを踏まえ、2023 年 4 月、公益社団法人日
本医師会と覚書を締結[161]するとともに、2023 年 5 月、
四病院団体協議会及び各国公私立大学病院に対し
て連携強化に関する依頼を行った。
- VPN 機器の脆弱性に関する広報啓発
警察庁 Web サイト、警察庁 X（旧 Twitter）等の様々
な媒体の活用や各都道府県警察が関係機関・団体
等と構築する協議会等を通じて、ランサムウェア被害
の主たる要因となる VPN 機器の脆弱性について情
報発信を行う等、積極的な広報活動を実施した。
- リークサイト上において売買されるアクセス権の把握等

第 2 章　情報セキュリティを支える基盤の動向

ダークウェブ上のリークサイトでは、国内の事業者等のID・パスワード等のアクセス権が掲載されるケースがある。当該リークサイトにおいて売買されるアクセス権等を監視し、都道府県警察を通じて、当該事業者等に対してID・パスワード等が漏えいしていることを示した上で、必要な対策を講じるよう求めた。

- 国際連携の強化

欧州各国の捜査機関との緊密な連携を図るため、2022年6月から、サイバー事案に専従する連絡担当官として警察職員をEuropolに初めて常駐させた。更に、2023年2月から連絡担当官を増員し、国際共同捜査への参画に向けて各国捜査機関との更なる連携強化を推進している。この連携強化の具体的な成果として、複数国の捜査機関が協働してランサムウェア攻撃グループ「LockBit」の一員と見られる被疑者の検挙、及び関連インフラのテイクダウン（停止）を実施した[162]。

また、警察庁とNISCは米国諸機関と連携し、中国を背景とするサイバー攻撃グループ「BlackTech」によるサイバー攻撃に関する注意喚起を発出した[163]。

- サイバー特別捜査隊による捜査及び実態解明

サイバー特別捜査隊が、ランサムウェアが用いられた事案の捜査及び実態解明を推進してきた結果、侵入時、侵入後、攻撃実行時の各段階で共通して見られる攻撃者の手口の解明も進んだ。

（イ）フィッシングによる不正送金等への対処

警察は急増しているフィッシングによる不正送金に対処するため、以下のような取り組みを実施している。

- 金融庁及び一般社団法人全国銀行協会等に対し、インターネットバンキングの不正送金の被害状況等の提供を実施した。

- 金融庁、一般社団法人全国銀行協会及び一般財団法人日本サイバー犯罪対策センター（JC3：Japan Cybercrime Control Center）と連携し、メールやSMSに記載されたリンク先サイトにID及びワンタイムパスワード・乱数表等のパスワードを入力しないよう2023年8月、12月に注意喚起を行った[164-1]。

- SIMスワップによる不正送金事案が増加していた状況を踏まえ、2022年9月、総務省と連携し、携帯電話事業者に対して、携帯電話機販売店における本人確認の強化を要請した。2023年2月までに同対応が完了した結果、2023年におけるSIMスワップによる不正送金の被害が激減した（図2-1-22）。

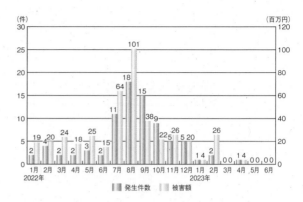

■図2-1-22 SIMスワップに係る不正送金発生状況（2022年1月～2023年6月）
（出典）警察庁「令和5年におけるサイバー空間をめぐる脅威の情勢等について」を基にIPAが編集

（ウ）家庭用ルーターの不正利用に関する注意喚起

家庭用ルーターがサイバー攻撃に悪用され、従来の対策のみでは十分ではないことから、2023年3月、警察庁及び警視庁において、複数の関係メーカーと協力し、注意喚起を行った[164-2]。具体的には、各家庭で所有するルーターについて、初期設定のID・パスワードの変更やソフトウェアの最新バージョンへのアップデート等のほか、見覚えのない設定変更がなされていないか確認するよう呼び掛けた。

（エ）重要インフラ事業者等に対する注意喚起

2023年には、特定の情報通信機器の脆弱性に関して全国に注意喚起を実施した。更に、海外の関係機関・団体等からサイバー攻撃等に関する情報を入手した場合は個別に注意喚起を行う等、サイバー攻撃による重要インフラ事業者等の被害の未然防止・拡大防止を図った。

（オ）C2サーバーのテイクダウン

サイバー攻撃で使用されたウイルスの解析等を通じて把握したC2サーバー（C&Cサーバーとも呼ばれる）に対し、不正な機能を停止（テイクダウン）するよう、サーバーを管理する事業者等に依頼する等の対策を継続的に実施した。

（カ）サイバーインテリジェンス情報共有ネットワーク

サイバーインテリジェンス情報共有ネットワークは、警察及び先端技術を有する等の理由により情報窃取の標的となる恐れのある全国約8,600の事業者等（2023年12月末現在）から構成されている。この枠組みを通じて、事業者等から提供される標的型攻撃メールを始めとする情報窃取を企図したと見られるサイバー攻撃に関する各

種情報を集約するとともに、これらの情報を総合的に分析して、事業者等に対し、分析結果に基づく注意喚起を行っている。

(キ) 共同対処訓練の実施

2023年においても、継続的に自治体、電力事業者、金融機関等の幅広い分野の重要インフラ事業者等を対象に、標的型攻撃メールを題材とした訓練や警察との連携を確認するための現場臨場訓練等の実践的な共同対処訓練を約700回実施し、警察との連携強化や各事業者等のサイバー攻撃に対する対処能力の向上を図った。

(ク) DDoS 攻撃に関する注意喚起

2023年5月、NISCと連名で、重要インフラ事業者等のWebサイトへのDDoS攻撃に関する注意喚起を行った[164-3]。この注意喚起では、2022年9月に発生した国内の政府関連や重要インフラ事業者等のWebサイトに対する一連のDDoS攻撃に関する分析結果を示して、同事案で確認されたDDoS攻撃の主な手口のほか、攻撃元のIPアドレスの99%が海外に割り当てられたものであること等が特徴として示された。DDoS攻撃への対策として、これら海外に割り当てられたIPアドレスからの通信の遮断、同一IPアドレスからのアクセス回数の制限等のサーバー設定の見直し等の対策を示した。そのほか、システムの重要度に基づく選別・分離、通報先・連絡先一覧を含む対策マニュアルの策定等、リスク低減に向けたセキュリティ対策の実施を呼び掛けた。

(ケ) G7 広島サミットにおけるサイバー攻撃対策

G7広島サミットでは、開催地を管轄する広島県警察を中心に、警察庁及び各都道府県警察が、推進態勢の確立、情報収集・分析の強化、管理者対策の徹底、事案対処態勢の充実等の各種取り組みを推進した。具体的な取り組みとしては、G7広島サミット及び関連行事の主催府省庁、電力、空港等の重要インフラ事業者等に対するサイバーセキュリティ対策状況の確認及び助言を行った。また、関係施設の事業者、重要インフラ事業者等とのサイバー攻撃の発生を想定した共同対処訓練、関係事業者が管理するサーバーやネットワーク機器等に対する脆弱性試験、関連Webサイトの改ざんや閲覧障害を早期に検知するための観測強化等のサイバー攻撃対策を行った。サミット期間中、広島市WebサイトにおいてDDoS攻撃によるものと見られる閲覧障害が発生

する等、G7広島サミット開催の機会を狙ったサイバー攻撃が発生したものの、こうした取り組みの成果として、サイバー攻撃によるサミット等の進行への影響を防ぐことができた。

(3) 2023 年のサイバー事案の検挙状況等

2023年における警察が検挙したサイバー事案の状況について述べる。

(a) サイバー犯罪の検挙状況

サイバー犯罪の検挙件数は2020年まで年間、1万件以下で推移していたが、2021年は一気に2割以上増加の1万2,209件に跳ね上がった。2022年は微増にとどまり、2023年もその傾向に変動はなかった（図2-1-23）。

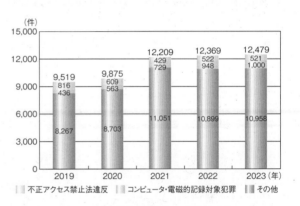

■図 2-1-23 サイバー犯罪の検挙件数（2019～2023 年）
(出典) 警察庁「令和5年におけるサイバー空間をめぐる脅威の情勢等について」を基に IPA が編集

2023年に検挙されたサイバー犯罪で9割近くを占める「その他」1万958件のうち、「詐欺」がほぼ4分の1を占め、「児童買春・児童ポルノ禁止法（児童ポルノ）」違反が続いている（次ページ図2-1-24）。

(b) 不正アクセス禁止法違反の情勢

2023年に検挙されたサイバー犯罪の中で、不正アクセス禁止法違反の検挙件数は521件で前年から横ばいとなった（次ページ図2-1-25）。

521件のうち9割以上を占める475件が認証情報を悪用する手口である識別符号窃用型となっており、その中で「利用権者のパスワードの設定・管理の甘さに付け込んで入手」が最多の203件で、全体の42.7%となっている（次ページ図2-1-26）。

一方、識別符号窃用型の不正アクセス行為の検挙数（475件）を、不正に利用されたサービス別に見ると、「オンラインゲーム・コミュニティサイト」が最多の234件と、

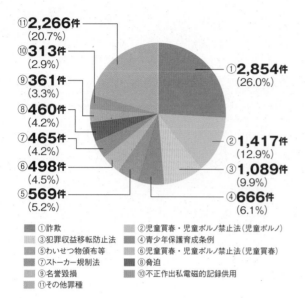

■図 2-1-24　その他の検挙状況（2023 年、n=10,958 件）
（出典）警察庁「令和 5 年におけるサイバー空間をめぐる脅威の情勢等について」を基に IPA が編集

凡例：
- ①詐欺　②児童買春・児童ポルノ禁止法（児童ポルノ）
- ③犯罪収益移転防止法　④青少年保護育成条例
- ⑤わいせつ物頒布等　⑥児童買春・児童ポルノ禁止法（児童買春）
- ⑦ストーカー規制法　⑧脅迫
- ⑨名誉毀損　⑩不正作出私電磁的記録供用
- ⑪その他罪種

①2,854件（26.0%）
②1,417件（12.9%）
③1,089件（9.9%）
④666件（6.1%）
⑤569件（5.2%）
⑥498件（4.5%）
⑦465件（4.2%）
⑧460件（4.2%）
⑨361件（3.3%）
⑩313件（2.9%）
⑪2,266件（20.7%）

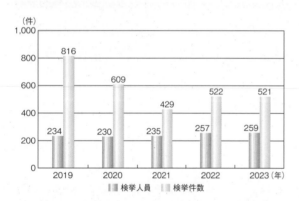

■図 2-1-25　不正アクセス禁止法違反の検挙件数（2019～2023 年）
（出典）警察庁「令和 5 年におけるサイバー空間をめぐる脅威の情勢等について」を基に IPA が編集

（凡例）検挙人員　検挙件数

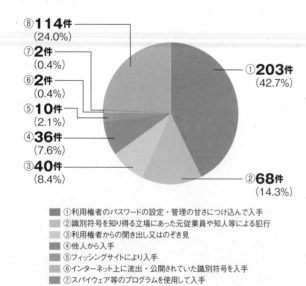

■図 2-1-26　不正アクセス行為（識別符号窃用型）に係る手口別検挙数（2023 年、n=475 件）
（出典）警察庁「令和 5 年におけるサイバー空間をめぐる脅威の情勢等について」を基に IPA が編集

①203件（42.7%）
②68件（14.3%）
③40件（8.4%）
④36件（7.6%）
⑤10件（2.1%）
⑥2件（0.4%）
⑦2件（0.4%）
⑧114件（24.0%）

凡例：
- ①利用権者のパスワードの設定・管理の甘さにつけ込んで入手
- ②識別符号を知り得る立場にあった元従業員や知人等による犯行
- ③利用権者からの聞き出し又はのぞき見
- ④他人から入手
- ⑤フィッシングサイトにより入手
- ⑥インターネット上に流出・公開されていた識別符号を入手
- ⑦スパイウェア等のプログラムを使用して入手
- ⑧その他

身近なエンターテインメントがほぼ半数を占めている（図 2-1-27）。

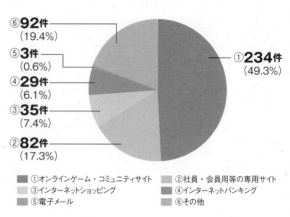

①234件（49.3%）
②82件（17.3%）
③35件（7.4%）
④29件（6.1%）
⑤3件（0.6%）
⑥92件（19.4%）

凡例：
- ①オンラインゲーム・コミュニティサイト　②社員・会員用等の専用サイト
- ③インターネットショッピング　④インターネットバンキング
- ⑤電子メール　⑥その他

■図 2-1-27　不正に利用されたサービス別検挙件数（識別符号窃用型）（2023 年、n=475 件）
（出典）警察庁「令和 5 年におけるサイバー空間をめぐる脅威の情勢等について」を基に IPA が編集

(c)コンピュータ・電磁的記録対象犯罪の検挙件数と特徴

2023 年におけるコンピュータ・電磁的記録対象犯罪の検挙件数は 1,000 件と初めて 4 桁に乗り、前年と比べて 52 件増加した。

また、総検挙件数のうち、「電子計算機使用詐欺」が 950 件と圧倒的多数を占めている。同詐欺が 90% 以上を占める傾向は 2020 年から続いている（図 2-1-28）。

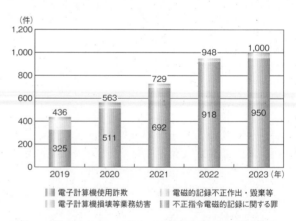

■図 2-1-28　コンピュータ・電磁的記録対象犯罪の検挙件数の推移（2019～2023 年）
（出典）警察庁「令和 5 年におけるサイバー空間をめぐる脅威の情勢等について」を基に IPA が編集

凡例：
- 電子計算機使用詐欺　電磁的記録不正作出・毀棄等
- 電子計算機損壊等業務妨害　不正指令電磁的記録に関する罪

重要な社会経済活動が営まれる公共空間へと変貌を遂げているサイバー空間において、国民が安全・安心に生活できるデジタル社会の実現に向け、警察には引き続き、その脅威に事前予防的に対処していくことが期待されている。

2.2 国外の情報セキュリティ政策の状況

サイバー攻撃は国境を問わず、あらゆる国・地域の脆弱なシステムに対して仕掛けられる。また、IT 化した社会サービスやそれを支えるサプライチェーンは国境を越えてつながり合い、他国におけるサイバー脅威が自国に深刻な影響を与える可能性がある。更に近年、国家の支援を受けた攻撃者による他国へのサイバー攻撃や虚偽情報流布等の脅威が現実になっている。こうした状況に国や地域が単独で対処することは難しく、国際連携が不可避である。本節では、国際連携に向けた状況理解のために、各国・各地域における情報セキュリティ政策について述べる。

2.2.1 国際社会と連携した取り組み

国際社会の概況、及び我が国と各国の首脳・外相等の連携協議を中心に取り組みを述べる。なお、国際間のサイバーセキュリティ連携の基盤となる安全保障に関する協議・連携状況も含める。

(1)国際社会の概況

2020 年から世界中で猛威を振るった新型コロナウイルス感染症に対する各国の対策、ワクチン開発が進み、感染拡大防止対策として行われてきた制限は徐々に解除された。日本でも、2023 年 5 月 8 日より、5 類感染症に位置付けられ[165]、外出自粛等の制限が解除されたことで経済活動は活発になってきている。一方、2022 年 2 月に発生したロシアによるウクライナ侵攻から 2 年以上経過したが、未だに解決には至らない[166]。また、2023 年 10 月にはイスラエル・パレスチナをめぐる情勢が悪化し、武装勢力による攻撃で多数の死者が出る等、緊迫した状況が継続している[167]。

新しい技術としては人工知能（AI：Artificial Intelligence）が注目されている。2022 年 11 月に OpenAI, Inc. がリリースした生成 AI「ChatGPT」は、公開 2 ヵ月でユーザーが 1 億人を突破する等、AI が身近なツールとして利用されるようになった。その反面、AI 利用の安全性について各方面で議論されており、ルールや規制の整備も進んでいる。

(a)イスラエル・パレスチナ情勢に対する国際社会の対応

2023 年 12 月、国連安全保障理事会（以下、安保理事会）において、ガザ地区への人道支援の拡大及び監視に関する決議案が賛成多数で採択された[168]。その後、安保理事会では、停戦等を求める決議案が提出される都度、米国が拒否権を4回にわたり行使した[169]が、2024 年 3 月 25 日、イスラエルとイスラム組織ハマスとのパレスチナ自治区ガザでの戦闘の即時停戦と人質全員の即時かつ無条件の解放を求める決議案を賛成多数で採択した。全 15 理事国のうち 14 ヵ国が賛成し、米国は棄権した[170]。

この軍事衝突をめぐっては、SNS でイスラエルとパレスチナのそれぞれを支持する立場から非難し合う様子が見られ、偽の動画等を拡散しているものもあるという[171]。これに対し欧州連合（European Union）の Thierry Breton 欧州委員（産業政策担当）は 2023 年 10 月、SNS 経営者 Elon Musk、Mark Zuckerberg 両氏に対し、2023 年 8 月発効のデジタルサービス法（Digital Services Act）を遵守し、それぞれが提供する X（旧 Twitter）と Facebook、Instagram におけるデマの拡散に対処するよう要請した[172]（「4.1.3（1）イスラエル・ハマス間の武力衝突」参照。デジタルサービス法については「2.2.3（2）（d）データガバナンスに関する規格の運用状況」参照）。

(b)AI の軍事利用や安全性に関する国際的な議論

AI は多方面での利活用に期待がある一方、軍事利用による脅威が懸念されている。2023 年 2 月、オランダで開催された「軍事領域における責任ある AI 利用（REAIM：Responsible Artificial Intelligence in the Military Domain）」サミットでは、AI の責任ある軍事利用について国際的な理解を深めることを目的に議論が行われた。REAIM 宣言では、AI の安全保障上のメリットのみならず課題への理解を深めることの必要性や、将来の議論の継続、及び多様なステークホルダーによる議論の重要性をアピールしつつ、国際法上の義務に従い、国際的な安全保障、安定、説明責任を損なわない、責任ある軍事利用が重要であるとする内容が盛り込まれた[173]。米国は、同サミットにおいて、AI の責任ある軍事利用の更なる促進に向けた、国際的な規範形成を目

的とした「AIと自律性の責任ある軍事利用に関する政治宣言」構想を発表し、2023年11月にはBonnie Jenkins米国国務次官（軍備管理・国際安全保障担当）主催により、同政治宣言の初会合を行った。同政治宣言には、日本を含む46ヵ国が参加を表明した[174]。

2023年12月、国連総会において、AIが人間の判断を介さずに敵を殺傷する「自律型致死兵器システム（LAWS: Lethal Autonomous Weapon Systems）」[175]について、世界の安全保障に与える影響を懸念し、対応が急務だとする決議を日米等152ヵ国の賛成多数で採択した。LAWSに関する総会決議はこれが初めてであり、各国でAIを利用した兵器システムの開発が進む中、具体的な規制につながるか注目される[176]。また2024年3月には、スイス・ジュネーブでLAWSの規制を目指す「自律型致死兵器システム（LAWS）に関する政府専門家会合」が開催された。今後3年間で規制対象兵器や法的拘束力等を検討し、成果文書の採択を目指すとしている[177]。

軍事利用の議論が進む一方、生成AIの急速な技術革新と普及に伴い、汎用AI技術の安全な開発と使用についても国際的な検討が進んでいる。2023年11月、英国で「AI安全性サミット（AI Safety Summit）」が開催され[178]、最先端AIのリスクの理解の促進を図り、国際的に協調した行動を通じて、リスクを軽減する方途等について議論された。Kamala Harris米国副大統領、Ursula von der Leyen欧州委員会委員長、Giorgia Meloniイタリア首相、Justin Trudeauカナダ首相を始めとするG7を含む各国首脳・閣僚級のほか、国際機関、主要なAI企業、有識者等が参加した。岸田文雄首相もオンラインで参加し、2023年5月のG7広島サミットで主導した「広島AIプロセス」の計画について、生成AIを含む高度なAI開発者向けの「広島プロセス国際指針」と「広島プロセス国際行動規範」に合意したことを述べた[179]。更に、2024年3月、国連総会においてAIの安全性や信頼性をめぐる決議案が採択された。同決議案は、米国が取りまとめ、日本等120ヵ国以上が共同提案国となった。決議案は、すべての国連加盟国に対し、AI技術の安全性や信頼性を確保するため、規制や管理の枠組み作りに協力して取り組むよう求めているほか、AI技術の利用で各国間の格差を是正するため、途上国を支援すること等を求めている[180]。AIの安全性はセキュリティと密接な関係にある。AIの安全性とセキュリティについては「4.2 AIのセキュリティ」を参照いただきたい。

(c)サイバー犯罪に関する国際協力

サイバー犯罪は、犯罪行為の結果が国境を越えて広範な影響を及ぼし得ることから、その防止及び抑制のために国際的に協調して有効な手段を取る必要がある。2021年11月、欧州評議会閣僚委員会は、容易に国境を越えるサイバー犯罪対策のため、他の締約国からより迅速かつ円滑な手続きによる電子的形態の証拠収集を可能にすること等を目的とした「協力及び電子的証拠の開示の強化に関するサイバー犯罪に関する条約の第二追加議定書」を採択した。2023年8月、日本も同議定書を受諾した。「ドメイン名の登録情報の開示」「インターネット・サービス・プロバイダが保有する情報の開示」「緊急事態における相互援助及びコンピュータ・データの迅速な開示」等が含まれている[181]。

サイバー犯罪に対する国際協力としては、ランサムウェア攻撃グループ「LockBit」の被疑者検挙において、警察庁サイバー特別捜査隊等がEuropolの主導する作戦に参加し、外国捜査機関との国際共同捜査を推進した結果、被疑者逮捕、テイクダウン（同グループが使用するサーバー等の機能停止）が実施された[150]「2.1.5（2）(b)（ア）ランサムウェアに対する対処」「2.2.3（2）(c)欧州におけるサイバー脅威と対策の状況」参照）。

(2)日本の国際協力

2023年は、G7広島サミットと日本ASEAN（Association of South East Asian Nations：東南アジア諸国連合）友好協力50周年記念という日本のリーダーシップが問われる節目の年であった。それぞれの概要について述べる。

(a)G7広島サミットとAI関連の国際連携

2023年度のサミットは、5月19～21日、広島にて開催された[182]。日本、イタリア、カナダ、フランス、米国、英国、ドイツの7ヵ国首脳並びに欧州理事会議長及び欧州委員会委員長が出席した。そのほか、豪州、ブラジル、コモロ（アフリカ連合議長国）、クック諸島（太平洋諸島フォーラム議長国）、インド（G20議長国）、インドネシア（ASEAN議長国）、韓国、ベトナムの8ヵ国の首脳と国連、国際エネルギー機関（IEA：International Energy Agency）、国際通貨基金（IMF：International Monetary Fund）、経済協力開発機構（OECD：Organisation for Economic Cooperation and Development）、世界銀行、世界保健機関（WHO：World Health Organization）、世界貿易機関（WTO：World Trade Organization）の七つの国際機関の長が招待された。また、21日には

Volodymyr Zelenskyy ウクライナ大統領が訪日し、ウクライナに関するセッションに参加した[183]。

2023年5月、「G7広島首脳コミュニケ[184]」において、生成AIに関する議論を年内に行うための枠組み「広島AIプロセス」を立ち上げるよう関係閣僚に指示がなされた。2023年12月、G7デジタル・技術担当大臣並びにOECD及びAIに関するグローバル・パートナーシップ（GPAI：Global Partnership on AI）[185]は、広島AIプロセスG7デジタル・技術閣僚声明において、「広島AIプロセス包括的政策枠組み」及び「広島AIプロセスを前進させるための作業計画」を取りまとめた。G7首脳はこれらの成果を承認した。そして、AIライフサイクルに関わるあらゆる主体に対して「すべてのAI関係者向けの広島プロセス国際指針」に適宜従うことを奨励し、特に、高度なAIシステムを開発する組織に対して「高度なAIシステムを開発する組織向けの広島プロセス国際行動規範」の履行にコミットすることを求めた[186]。

(b)日本ASEAN友好協力50周年の取り組み

2023年は日本ASEAN友好協力50周年を迎え、日本とASEANの友好関係を更に強固なものとすべく、年間をとおして、日本とASEANの双方において、様々な記念事業や交流事業を実施した[187]。

2023年6月には、タイ・バンコクの日・ASEANサイバーセキュリティ能力構築センター（AJCCBC：ASEAN-Japan Cybersecurity Capacity Building Centre）において、国際協力機構（JICA：Japan International Cooperation Agency）の技術協力プロジェクト「サイバーセキュリティとデジタルトラストサービスに関する日ASEAN能力向上プログラム強化プロジェクト」の初回研修の記念セレモニーが開催され、日本から、石月英雄外務省総合外交政策局審議官兼サイバー政策担当大使のほか、総務省、JICAの関係者が、タイから、ティラウット・ワイタヤコーン国家サイバーセキュリティ局副長官がそれぞれ出席した[188]。このプロジェクトは、ASEAN地域のサイバーセキュリティ対応能力の強化を図るため、AJCCBCにおけるサイバーセキュリティ・トレーニング、若年層向けサイバーセキュリティ人材開発プログラムの拡大、第三者機関協力によるセミナー等の開催、情報収集・分析能力の強化を図るものである（「2.3.3(1)(d)AJCCBC」参照）。

2023年10月、NISCは、「日ASEANサイバーセキュリティ官民共同フォーラム」を東京で開催した。同フォーラムは、日ASEAN友好50周年を祝し、サイバーセキュリティ関係者のための記念式典として企画された。個々の成果を称える「功労者表彰」と、ASEAN諸国の民間協会団体との連携を強化する「MOU締結式典」等、ASEANの官民協力の価値を共有する場となった[189]。

2023年12月、日本ASEAN友好協力50周年特別首脳会議が東京で開催された。岸田首相と2023年のASEAN議長国であるインドネシアのJoko Widodo大統領が共同議長を務め、特別首脳会議の成果文書として、日本ASEAN友好協力に関する共同ビジョン・ステートメント及びその実施計画を採択した[190]。共同ビジョン・ステートメントには、「デジタル化、ICTソリューション及びAIに関する協力の推進」や「サイバーセキュリティ並びにテロ、国境を越える犯罪及び偽情報対策等の分野における協力を強化」が記された[191]。

これらの記念事業とは別に、2009年より継続している日ASEANサイバーセキュリティ政策会議も2023年10月に開催された。ASEAN加盟国のサイバーセキュリティ関係省庁及び情報通信関係省庁、ASEAN事務局、日本の内閣官房、総務省、外務省、経済産業省の関係者が出席した。第16回となるこの政策会議では、一年間の各国のサイバーセキュリティ政策について意見交換を行ったほか、重要インフラ防護に関する事例の共有、共同意識啓発、能力構築、産学官連携、サイバー演習等の協力活動の実施を確認し、今後の更なる協力活動の在り方についても議論した[37]。また、日本ASEAN友好協力50周年記念活動の結果も確認した。

(3)その他の各国・地域との連携強化

日本と二国間、あるいは多国間で行われたその他の連携強化について述べる。

(a)日米豪印4ヵ国の連携強化

2023年12月、東京で、第3回日米豪印上級サイバーグループ対面会合を行い、日米豪印がサイバー分野で確認した諸原則（国際法の適用、「日米豪印サイバーセキュリティ・パートナーシップ：共同原則[192]」等）に対する支持を表明し、「日米豪印上級サイバーグループ共同プレスリリース[193]」を行った[194]。日本から市川恵一国家安全保障局次長兼内閣官房副長官補、オーストラリアからHamish Hansford内務次官補（サイバー・インフラセキュリティ担当）、インドからMU Nair国家サイバーセキュリティ調整官（中将）、米国からAnne Neuberger国家安全保障担当大統領次席補佐官（サイバー・新興技術担当）が参加した。

第2章 情報セキュリティを支える基盤の動向

(b)日米の連携強化

2023年5月、外務省で第8回日米サイバー対話を開催した。日米両国の政府横断的な取り組みの必要性を踏まえ、日米双方の幅広い関係者が、両国におけるサイバー政策、国際場裡における協力及び二国間協力等、サイバーに関する日米協力について幅広く議論した[195]。日本から、石月外務省総合外交政策局審議官兼サイバー政策担当大使、外務省、国家安全保障局、NISC、警察庁、公安調査庁、総務省、経済産業省、防衛省を含む関係者が、米国から、Nathaniel Fick国務省サイバー・デジタル政策局サイバー大使、国務省、国防省を含む関係者がそれぞれ出席した。

(c)日・NATO の連携強化

2023年11月、ベルギーのブリュッセルで、第1回日・NATOサイバー対話を開催し、日本と北大西洋条約機構（NATO：North Atlantic Treaty Organization）の双方のサイバー政策、サイバー分野における今後の協力等の幅広い論点について意見交換を行った[196]。石月外務省総合外交政策局審議官兼サイバー政策担当大使とDavid van Weel NATO事務総長補が共同議長を務め、日本から、外務省、NISC、防衛省の関係者が出席した。

(d)日・EU の連携強化

2023年11月、ベルギーのブリュッセルで、第5回日・EUサイバー対話を開催し、日本とEUの双方のサイバーセキュリティ戦略・政策、日・EU間及び国連等の多国間の協力、能力構築支援等の幅広い論点について意見交換を行った[197]。石月外務省総合外交政策局審議官兼サイバー政策担当大使とJoanneke Balfoort欧州対外活動庁共通安全保障・防衛政策危機管理総局次長が共同議長を務め、日本から、外務省、NISC、警察庁、総務省、経済産業省、防衛省、JPCERT/CCの関係者が、EUから、欧州対外活動庁、欧州委員会及びEuropolの関係者がそれぞれ出席した。

(e)インド太平洋地域向け日米 EU 産業制御システムサイバーセキュリティウィーク

2023年10月、米国政府・EU政府と連携した制御システムのサイバーセキュリティ対策に関するキャパシティビルディングプログラム「インド太平洋地域向け日米EU産業制御システムサイバーセキュリティウィーク[198]」を経済産業省とIPAの共催で開催した。これまで新型コロ

ナウイルス感染症の影響によりリモート形式で実施していたが、2023年度は4年ぶりに対面形式で開催した。同プログラムではインド太平洋地域の研修生に対して、工業用プラント等で用いられる水位調整を行う制御システムの模擬プラントやAIを活用したロボットアームを用いて、サイバー攻撃の手口やそれによって起きる事象、攻撃の対処法等を学ぶハンズオン演習を提供した。また、サプライチェーンのリスクマネジメントをテーマにしたセミナーでは、中核人材育成プログラムの修了者が米国の専門家とともにパネルディスカッションに登壇して知見を共有した。

(f)大洋州島しょ国向けサイバーセキュリティ能力構築演習

政府が掲げる「自由で開かれたインド太平洋」の実現に向けた取り組みの一環として、総務省は、インフラ構築やデジタル化が進み、地理的に重要な位置を占めている大洋州島しょ国（パラオ、ミクロネシア連邦、マーシャル諸島、ナウル、キリバス）からサイバーセキュリティ対策に従事する政府職員及び通信事業者等の重要インフラ事業者の職員を招聘し、2024年2月、米国のグアムにてサイバーセキュリティに関する基礎知識の習得を目的とした研修と実践的サイバー防御演習（CYDER）を含んだサイバーセキュリティ能力構築演習を実施した[199]（「2.3.3(1)(b)(イ)CYDER」参照）。

(g)その他の二国間での連携強化

2023年6月、テレビ会議方式で、第1回日・ヨルダン・サイバーセキュリティ協議を開催し、両国のサイバーセキュリティ政策、脅威認識等について議論した[200]。日本から、西永知史外務省中東アフリカ局参事官及び山口勇NISC参事官ほかが、ヨルダンからは、Mohammad Khasawneh王宮府国家政策会議局長ほかが出席した。

2023年9月、外務省で、第5回日・インド・サイバー協議を開催し、両国のサイバー政策やサイバーセキュリティ戦略、両国が直面しているサイバー空間の脅威、5G・オープンRAN（Open Radio Access Network）技術の発展について意見交換を行うとともに、能力構築支援関連の二国間協力や国連、日米豪印における協力についても議論した[201]。日本から、石月外務省総合外交政策局審議官兼サイバー政策担当大使、国家安全保障局、サイバー安全保障体制整備準備室、NISC、警察庁、公安調査庁、総務省、経済産業省、防衛省、JPCERT/CC等から代表者が、インドから、Muanpuii Saiawi外務省サイバー外交担当局長、内務省、国家

安全保障会議事務局、電子情報技術省、電気通信局、国家重要情報インフラ保護センター、CERT-In、防衛研究開発機構、国防省、在京インド大使館の代表者が出席した。

2023年11月、フランスで、第7回日仏サイバー協議を開催し、両国のサイバーセキュリティ戦略や政策、二国間及び国連等の多国間での協力、能力構築支援等の幅広い論点について意見交換を行った[202]。日本から、石月外務省総合外交政策局審議官兼サイバー政策担当大使、外務省、NISC、警察庁、総務省、経済産業省、JPCERT/CC等の関係者が、フランスから、Henri Verdier欧州・外務省デジタル大使、欧州・外務省、国家情報システムセキュリティ庁、軍事省、及び内務省の関係者がそれぞれ出席した。

2023年12月、東京で、第5回日豪サイバー政策協議を開催し、両国のサイバーセキュリティ戦略や政策、二国間及び国連等の多国間での協力、能力構築支援等の幅広い論点について意見交換を行った[203]。日本から、石月外務省総合外交政策局審議官兼サイバー政策担当大使、外務省、NISC、警察庁、総務省、経済産業省、防衛省、JPCERT/CC等の関係者が、オーストラリアから、Brendan Dowling外務貿易省サイバー問題・重要技術担当大使、外務貿易省、内務省、豪州通信情報局サイバーキュリティセンターの関係者がそれぞれ出席した。

2.2.2 米国の政策

米国にとって、2023年は中間選挙と大統領選挙の谷間の年であった。前年の中間選挙では当初予想より共和党の躍進はなく、健闘した民主党は下院の過半数を押さえた。これにより、上院で過半数を占める共和党との間でねじれが発生し、民主党のJoseph Biden大統領は引き続き、難しい政権運営を強いられている。

そのような中、2023年10月にAIの安全、安心、信頼できる開発と使用に関する大統領令をBiden大統領が発令したことは、米国のみならず、全世界のITセキュリティ業界に大きな影響を与えた。

一方、米国の外に目を移すと2022年2月に始まったロシア・ウクライナ戦争は2年以上が経過して膠着状態が深まり、終わりが見えない状況に陥る一方、中東地域ではイスラム組織ハマスによるイスラエル大規模攻撃が勃発する等、グローバル規模での地政学的不安定さが増した。

本項では、これらのグローバルな政治的リスクを見据えながら、かじ取りの困難さが増した2023年の米国の政策について述べる。

(1) AIを主とした国家サイバーセキュリティ政策

OpenAI, Inc.が開発したChat GPT等の生成AIの一般利用は2023年に急速に拡大した。しかし、その一方で、生成AIを悪用したフェイクニュース、画像、動画のディープフェイク等が世の中を騒がせた[204]。2024年は今後の世界の動向を左右するような大型選挙が目白押しであり、また、各地での紛争激化も続く見込みであることからAI利用による偽情報の拡散増大がますます懸念される。

事実、2024年1月13日の台湾総統選挙では、AIを悪用した偽動画が拡散した等の報道が相次いだ[205]。11月に控えている米国の大統領選挙等でも国内外からの妨害には予断を許さない。

一方、選挙がAIの偽情報等で妨害されるのを防ぐためにMicrosoft Corporation、Google LLC、TikTok Ltd.等20社は自主的に連携していくことを合意し、2024年2月、ドイツで開かれたミュンヘン安全保障会議において連名で発表した[206]。

以下では、サイバーセキュリティでも注目されている生成AI対策を中心に2023年1月～2024年2月に各政府機関で実施された施策、及びBiden政権が新たに発令した施策について述べる。

(a) 新たな大統領令

2023年10月30日、Biden大統領はAIに関する大統領令であるEO 14110（Executive Order on the Safe, Secure, and Trustworthy Development and Use of Artificial Intelligence）[207]を発令した。これは、AIを扱うものとしては、Donald Trump大統領時代のEO 13859[208]とEO 13960[209]に続く、3番目の大統領令である。同大統領令は、AI産業における競争の促進、市民の自由と国家安全保障に対するAI対応の脅威の防止、AI分野における米国の国際競争力の確保等を規定しており、法的拘束力のある行政措置である。

同大統領令の特徴の一つに、主要な連邦政府機関に対し、最高AI責任者（CAIO：Chief AI Officer）の設置を義務付けていることが挙げられる。

また、この大統領令が発令された背景の一つには、生成AIが誤った情報を拡散することにより、差別を助長したり、場合によっては国家安全保障を損なうケースさ

え発生させたことが挙げられる。一方、米国が AI から潜在的な恩恵を獲得するための規定も含まれる。米国は、これまでのクラウド基盤、各種アプリケーションサービスや情報機器の提供等において世界の IT 分野を牽引してきたが、それに AI も加えて、米国の優位性を維持していきたいとの強い意向があり、本大統領令の主な政策目標として、次のような項目を挙げている。

- AI 作業における競争とイノベーションの促進
- 公民権と労働者の権利擁護による、AI による危害からの消費者とそのプライバシーの保護
- AI の調達と使用を管理する連邦政策の特定
- AI 生成コンテンツの電子透かしシステム開発による知的財産の盗難の回避
- AI のグローバルリーダーとしての地位を維持

また、同大統領令により、米国商務省（DOC：U.S. Department of Commerce）の NIST は、既存の「AI リスクマネジメントフレームワーク（AI RMF：AI Risk Management Framework）[210]」を補完するために、安心かつ安全で信頼できる AI システムの開発導入に関わる基準やベストプラクティスを策定するよう求められている。

そのほか、同大統領令で注目された具体的内容には、次のようなものがある。

- デュアルユース基盤モデル（dual-use foundation model）の開発者等に対する報告義務
  同モデルは、化学・生物・放射線・核兵器の開発や深刻なサイバー攻撃等、国家安全保障に関わるようなリスクを内包した AI モデルのことである。同モデルの安全性、確実性、信頼性を確保するために、開発者に対し、レッドチームによる一般公開前の安全性テストの結果を連邦政府と共有する義務を課す。
- 生成 AI のラベリング等に関するガイダンスの策定
  生成 AI のリスクを踏まえながら、AI が生成したコンテンツを識別する能力を高めるため、デジタルコンテンツ承認（digital content authentication）及び生成コンテンツの電子透かしによるラベリング（digital watermarking）等に関するガイダンスを作成することを求める。
- プライバシーの保護
  すべての米国国民のプライバシー保護を強化するため、同大統領令では、プライバシー強化技術（PETs：Privacy Enhancing Technologies）の開発等を連邦政府が支援することを求めている。なお、PETs には、通信経路を隠すための Tor（The Onion Router/

Onion Routing）、集計対象となった要素の値や性質を集計結果から推察されにくくする「差分プライバシー」、情報自体は伝えず情報が満たす性質を証明する「ゼロ知識証明」等、広範な分野が含まれる。

(b) AI 利用推進の新イニシアティブ

2023 年 11 月 1 日、Harris 副大統領は EO 14110 に基づき、「AI の安全かつ、責任ある利用を推進する新イニシアティブ[211]」を発表した。その中では、透明性、プライバシー、説明責任、消費者保護等、民主的な価値と利益を反映した AI に関するルールと規範を同盟国やパートナー国とともに確立することをうたい、次の項目に取り組むことを示した。

- 米国 AI セーフティ・インスティテュート
  Biden 政権は DOC を通じて、NIST 内に米国 AI セーフティ・インスティテュート（USAISI：U.S. AI Safety Institute）[212] を設立する。USAISI は、AI の危険性を評価・軽減するためのガイドライン、ツール、ベンチマーク、ベストプラクティスを作成し、AI 利用におけるリスクを特定・軽減する評価を行うことで、NIST の AI RMF を運用する。また、英国の AI セーフティ・インスティテュート等の類似機関との情報共有や研究協力を行い、民間、学界、産業界の外部専門家と連携する。
- AI 利用に関する政策指針案
  Biden 政権は、米国行政管理予算局（OMB：Office of Management and Budget）を通じて、連邦政府による AI 利用に関する初の政策指針（ガイダンス）案[213] をパブリックコメント用に公表した。この政策指針案には、連邦政府における責任ある AI イノベーションの推進、透明性と説明責任の確保、連邦職員の保護、AI の利用時の便益とコストによるリスク管理等の内容が盛り込まれている。
  同政策指針案では、米国政府機関が AI を活用して政府サービスを向上させ、米国国民により公平にサービスを提供できるようにするための取り組みの概要が述べられており、CIO.Gov という組織は、その中でも米国の技術系高官向けに最重要ポイントを挙げた「連邦政府テクノロジー・リーダーが OMB の AI 政策ドラフトについて知っておくべきことトップ 10[214]」を公表している。
- AI と自律性の責任ある軍事利用に関する政治宣言
  米国国務省（DOS：U.S. Department of State）は 2023 年 2 月に「AI と自律性の責任ある軍事利用に関

する政治宣言（Political Declaration on Responsible Military Use of Artificial Intelligence and Autonomy[215]）」を発表した。本宣言は、世界中の責任ある国家が、自国の軍事・防衛施設への自律的な機能やシステムの導入を含め、責任ある合法的な方法でAI能力の活用や軍事AI能力の責任ある開発・配備・使用に関する規範を確立するためのものである。

- 公益のためのAIを推進する資金提供

  米国は、Harris副大統領の主導のもと、AI分野において慈善団体との取り組みも推進する。これには、労働者、消費者、地域社会、歴史的に疎外されてきた人々の利益のために設計され、利用されるAIを推進するための慈善寄付の構想が含まれている。

（c）新たなサイバーセキュリティ戦略

Biden政権は2023年3月2日、「国家サイバーセキュリティ戦略（National Cybersecurity Strategy[216]）」を公表した。2021年に発生したランサムウェアによる燃料パイプライン運営会社への攻撃等、重要インフラをターゲットとした事案が後を絶たない中、同政権は安心・安全な社会を実現するための施策の一環として、サイバーセキュリティ戦略を強化してきた。今回の戦略の冒頭では「サイバーセキュリティは経済の基盤的機能、重要インフラの運営、民主主義と民主的制度の強靭さ、個人のデータと通信のプライバシー、国家防衛に不可欠なもの」とうたい、以下の五つの柱を掲げた。

- 重要インフラの防衛

  重要インフラとそれが提供する重要なサービスの可用性とレジリエンスについて、次のような施策により、米国国民に信頼感を与える。

  国家の安全保障と公共の安全を確保するために、重要なセクターにおけるサイバーセキュリティの最小要件の適用を拡大し、規制を調和させてコンプライアンスの負担を軽減する。

  重要インフラと重要なサービスを守るために必要なスピードと規模での官民協働を可能にする。

  連邦ネットワークの防御と近代化、連邦事故対応ポリシーを更新する。

- 脅威ある行動者の破壊と解体

  国力のあらゆる手段を用いて、悪意のあるサイバー攻撃者を、次のような方針で米国の国家安全保障や公共の安全を脅かすことができないようにする。

  敵対者を混乱させるために、あらゆる国力の手段を

戦略的に使用しながら、スケーラブルなメカニズムを通じて、民間部門を破壊活動に参加させる。

ランサムウェアの脅威に対して、連邦政府の包括的なアプローチと国際的なパートナーとの連携により対処する。

- セキュリティとレジリエンスを達成するための市場の力の形成

  デジタルエコシステムをより信頼できるものにするために、リスクを低減し、サイバーセキュリティの不備がもたらす結果を最も脆弱な人々から遠ざけるために、デジタルエコシステム内の最適な立場にある人々に責任を負わせる。そのためには、プライバシー保護や個人データの安全性保護を促進する。また、ソフトウェア製品やサービスに対する責任を転換し、安全な開発慣行を促進し、連邦政府の補助金プログラムが、安全でレジリエンスに優れた新しいインフラへの投資を促す。

- レジリエンスな未来への投資

  戦略的な投資と協調的な行動を通じて、米国は、安全でレジリエンスに優れた次世代技術やインフラの革新において、世界をリードし続ける。インターネットの基盤やデジタルエコシステム全体におけるシステム的な脆弱性を低減し、国境を越えたデジタル抑圧に対するレジリエンスを向上させる。対象分野として、ポスト量子暗号、デジタルIDソリューション、クリーンエネルギーインフラ等、次世代技術に対するサイバーセキュリティ研究開発を優先する。そのために、多様で強固な国家サイバー人材の育成を行う。

- 共通の目標を達成するための国際的パートナーシップの構築

  米国は、サイバー空間における国家の責任ある行動が期待・強化され、無責任な行動を取る国家、組織は国際社会から孤立し、コストがかかるような世界を求めている。志を同じくする国同士の国際連合やパートナーシップを活用し、共同の準備、対応、コスト賦課を通じて、我々のデジタルエコシステムへの脅威に対抗する。平時と有事の両方で、サイバー脅威から自らを守るためにパートナーの能力を向上させる。情報通信技術や運用技術に関する製品・サービスのグローバルなサプライチェーンを安全、確実、信頼できるものにするために、同盟国やパートナーと協力する。

（d）NISTの施策

NISTは計測を中心とした技術的な標準化とともに、米国政府機関向け規格の策定についても重要な役割を

担っている。ここでは、EO 14110 への対応とサイバーセキュリティフレームワークの改訂について述べる。

（ア）AI に対する米国のスタンスについて

Biden 大統領は EO 14110 の中で「AI は我々の世代を定義する技術であり、我々は AI の力を善のために活用する一方で、そのリスクから人々を守る義務がある。大統領令の一環として、DOC は産業界、学界、市民社会等からの意見を募集し、AI の安心、安全で信頼できる業界標準を策定することで、米国がこの急速に進化する技術の責任ある開発と利用において世界をリードし続けることができるようにする」と明言している。

すなわち、NIST は、幅広い利害関係者が参加するオープンで透明性の高いプロセスを通じてガイダンスを策定すること等により、AI の安心、安全で信頼できる業界標準を策定することを目指している。そこには、「AIと自律性の責任ある軍事利用に関する政治宣言」に示されているように、急速に進化する技術の責任ある開発と利用においても米国が世界を牽引し続けることができるようにしたいという DOS の意向が示されている（「2.2.2（1）（b）AI 利用推進の新イニシアティブ」参照）。

また、EO 14110 では NIST に対し、AI の評価や実際の攻撃者と同じ条件で攻撃を実施するレッドチーム等のガイドラインを策定し、コンセンサスに基づく標準の開発を促進することにより、AI システムの評価のためのテスト環境を提供するよう指示している。そこで、NIST は2023 年 12 月に情報提供要請書（RFI：Request for Information）[217] を発行した。

NIST では、これらのガイドラインとインフラは、AI の安全で信頼できる開発と責任ある利用において、AI コミュニティを支援するリソースとなると想定している。

（イ）サイバーセキュリティフレームワークの改訂

2024 年 2 月 26 日、NIST はサイバーセキュリティフレームワーク（CSF：Cyber Security Framework）2.0 版を公開した[218]。これまで、1.0 版を 2014 年、1.1 版を2018 年に公開しており、大きな改訂としては 10 年ぶりとなる。主な改訂は以下のとおりである。

- 対象を重要インフラにとどまらないすべての規模や業種の組織での利用に拡大
- 機能（識別（Identify）、防御（Protect）、検知（Detect）、対応（Respond）、復旧（Recover））にあらたに「統治（Govern）」を追加
- サイバーサプライチェーンリスク管理の強化

- 他フレームワークとの整合と実装ガイダンスの紐付け[219]
- 実装事例の充実と分野別フレームワークの包含
- CSF に基づく評価事例の充実

CSF は法律や国際標準のような強制力はないが、サイバーセキュリティ対策の枠組として多くの組織やガイドライン等で参照されている。今回の改訂で、対象が重要インフラだけでないことが明確に示されたことで、更に利用が拡大することが予想される。

（e）CISA の施策

CISA は EO 14110 を含む Biden 政権のサイバーセキュリティ政策の実装、普及を主導しているが、ここ数年の重点テーマである重要インフラへの攻撃対策、ウクライナへの親ロシア勢力によるサイバー攻撃対策に加え、2023 年は AI も重要テーマとして取り上げられている。

（ア）Roadmap for AI について

2023 年 11 月 14 日、CISA は EO 14110 に基づき、セキュリティ向上のための AI の利用促進や重要インフラ組織への AI 導入支援に関する取り組みを示したドキュメント「CISA Roadmap for Artificial Intelligence[220]」（以下、Roadmap for AI）を発表した。

CISA によると、AI システムは従来のソフトウェアとは異なるものの、基本的なセキュリティ慣行は同じように適用され、そのロードマップは、既存のサイバーセキュリティ及びリスク管理プログラムを基礎としている。

Roadmap for AI では、AI を有効活用することによるサイバーセキュリティ能力の強化や、AI システムそのものの脅威からの防御、AI の目標の統一・加速に向けた CISA の次の五つの取り組みも述べられている。

- 責任ある AI の使用
- AI ベースの Secure by Design ソフトウェアの採用
- AI 悪用からの重要インフラの保護
- AI の取り組みに関するパートナーとの協力
- AI ベースのソフトウェアのシステムと技術に関する従業員の教育

（イ）セキュア・バイ・デザインについて

2023 年 10 月 16 日、CISA は日本の NISC 等 17 ヵ国のサイバーセキュリティ組織と共同で、セキュア・バイ・デザインの原則とアプローチに関するガイダンス「Shifting the Balance of Cybersecurity Risk: Principles and Approaches for Security-by-Design and -Default[221]」

の更新版を公開した。

同ガイダンスは、2023年に公表された米国国家サイバーセキュリティ戦略の具体化施策の一つである。

同ガイダンスの公開は、製品セキュリティラベリング制度（「2.2.2（2）（a）（ア）U.S. Cyber Trust Mark プログラムについて」参照）の国家間相互認証の観点から、製品セキュリティに関する各国の歩調を合わせることを意図している。そして、同ガイダンス更新版の内容は、「EU サイバーレジリエンス法案（EU Cyber Resilience Act）※222」のように製品のセキュリティ確保に向けた各国の国内法令に今後反映される可能性がある。

今回の更新版では、2023年4月に公開された初版における「顧客のセキュリティ課題に当事者意識を持つ」「徹底的な透明性と説明責任を積極的に受容」「経営層のリーダーシップ」の3原則をより詳しく展開しており、すべての AI システムに適用できるよう拡張されている。

また、同ガイダンスは、ソフトウェア製造者とその顧客を対象として、それぞれの製品に関して技術的な脆弱性の影響を低減し、組織的な競争力を向上させることを目的に製品セキュリティにおいて講じるべき戦略や方策を提示しており、組織のセキュリティ体制としてあるべき姿が示されている。

なお、CISA の取り組みについては「3.4.3（1）米国CISA の取り組み」も参照されたい。

(2) 米国のその他の国家セキュリティ政策

2023年のセキュリティ関連トピックの中では AI の存在感が大きかったが、それ以外にも様々な施策が遂行されてきた。ここでは、AI 関連以外の 2023年を中心とした米国の重要施策の状況を述べる。

(a) EO 14028 の実装状況

EO 14028 は、2021年5月に発令された「国家のサイバーセキュリティ向上に関する大統領令」であり、本項では同大統領令に基づいて 2023年に実施された内容等を紹介する。

(ア) U.S. Cyber Trust Mark プログラムについて

U.S. Cyber Trust Mark プログラム※223 は、同大統領令に基づき、2023年7月に発表された。

具体的には、米国人がより安全でサイバー攻撃に対する脆弱性の少ないスマート機器をより簡単に選択できるよう、サイバーセキュリティ認証とラベリングを行うためのプログラムであり、2024年中に開始される見込みである。

その一環として、NIST が定めるセキュリティ基準を満たす IoT 製品には「U.S. Cyber Trust Mark」が付与される。

なお、当該プログラムを推進することをコミットした企業の中には、LG Electronics U.S.A. や Samsung Electronics のような製造業者のほか、Amazon.com, Inc. や Best Buy といった流通業者等も含まれている。

(イ) SBOM 管理のための推奨事項について

2023年12月、米国の国家安全保障局（NSA：National Security Agency）が「SBOM 管理のための推奨事項（Recommendations for Software Bill of Materials（SBOM）Management※224）」を公表した。SBOM は、日本ではソフトウェア部品表とも称され、製品を含むソフトウェアを構成するコンポーネントや互いの依存関係、ライセンスデータ等をリスト化した一覧表である。同表は、オープンソースソフトウェアのライセンス管理や脆弱性の管理、ソフトウェアのサプライチェーンのリスク管理等の用途で活用される。また、大統領令 EO 14028 において、政府調達における SBOM 活用の検討指示が明記されたことから、米国規制当局を中心とした取引組織への SBOM 整備の義務化等が進められてきた。

今回の推奨事項は、国家安全保障システム（National Security Systems）を対象に、適切に SBOM 管理機能を組み込むことを支援する目的で作成されたものであるが、一般の企業やソフトウェア開発者等にとっても参考になる内容となっている。最新版は 2024年1月4日に更新された。

(b) 国防総省のセキュリティ施策

サイバー領域も、陸・海・空・宇宙と並んで米国の防衛を担う米国国防総省（DoD：U.S. Department of Defense）が守るべき領域の一つである。本項では 2023年を中心とした同省の施策を述べる。

(ア) サイバー戦略 2023 について

2023年9月、DoD は「2023年国防総省サイバー戦略（2023 DOD Cyber Strategy）」の要約である「SUMMARY 2023 CYBER STRATEGY of The Department of Defense※225」を公表した。

米国がこれまで実施してきたサイバー作戦の中から得られた教訓に加え、ロシア・ウクライナ戦争でサイバー技術がどのように利用されたかを観察した結果に基づい

て、同戦略が作られたことが示されている。また、同戦略では、同盟国、パートナー、産業界と緊密に協力し、紛争を抑止すること、抑止が失敗した場合でも戦いを続け、勝利するために、適切なサイバー能力、サイバーセキュリティ、サイバーレジリエンスを確保する必要性があることに言及している。

更に国防総省自身のサイバーネットワークとインフラの防御、可用性、信頼性、レジリエンスを確保することに加え、国防総省以外の機関の関連する役割を支援し、防衛産業基盤を保護するための国防総省の行動を強調している。

(イ)CYBERCOM の Under Advisement について

米国サイバー軍（CYBERCOM：U.S. Cyber Command）は、米国軍のサイバー戦を担当する統合軍のことであり、同軍が2023年6月に発表したアンダーアドバイズ（Under Advisement[226]）では、民間セクターとの提携による外国の脅威に関する技術情報の共有の拡大が示された。

具体的には、CYBERCOM の活動において発見された新種のマルウェアや IoC（Indicator of Compromise・侵害指標）を民間企業や関係する省庁と迅速に共有し、脅威が米国ネットワークに到達する前に防御の強化につなげること等が挙げられる。関係する省庁には、NSA のサイバーセキュリティコラボレーションセンターや国土安全保障省（DHS：Department of Homeland Security）のサイバー防衛共同体等が含まれる。

(c)対外施策について

本項では、2023年のサイバーセキュリティに関する米国の主な対外施策を二つ取り上げる。

(ア)EU- 米国データプライバシーフレームワークについての動き

2023年7月、欧州委員会（EC：European Commission）は、EU から米国への個人データの移転に関し、「EU- 米国データプライバシーフレームワーク（EU-U.S. Data Privacy Framework）」の十分性を認定した[227]。同フレームワークは、「GDPR（General Data Protection Regulation：EU 一般データ保護規則）[228]」に基づいており、これにより、EU から同フレームワークに参画する米国企業に、追加のデータ保護措置を講じる必要なく、安全に個人データを移転することができるようになった。

それまで、欧州委員会は米国に対し、GDPR 運用についての十分性認定はしておらず、「プライバシー・シールド」と呼ばれる代替措置を導入していた。しかしながら、EU 司法裁判所は2020年7月、米国に移転された個人データの米国国内法による保護が不十分として、「プライバシー・シールド」を無効と判断した。これを受け、EU と米国は、「プライバシー・シールド」に代わる新たな枠組みに関する協議を開始した経緯がある。

(イ)国防権限法

Biden 大統領は2023年12月22日、2024年の米国議会上院・下院で可決された国防権限法（National Defense Authorization Act for Fiscal Year 2024：NDAA 2024[229]）に署名した。同法は、米国国防予算の大枠を決めるものであるが、特筆される内容として、アジアで米国軍の態勢強化を目的とする予算は前年度より3割近く増やしたことが挙げられる。この背景には長期的に最大の競争相手と見なす中国への対処に重点を置いていることがある。

中国から統一の圧力を受け続けてきた上に、2024年1月13日の総統選を控えていた台湾では、同法の可決を受け、外交部は「バイデン米大統領の署名により成立した国防権限法（NDAA2024）では、台湾軍の訓練、指導、組織のキャパシティ・ビルディング構築などを支援する計画や、台湾軍と米軍によるサイバーセキュリティ分野での協力強化など、台湾支援に関する条文が盛り込まれた。これは、安全保障上の台米連携強化を支持するという米国の高いコミットメントと揺るぎない立場を示すものだ。米議会が繰り返し実際の行動をもって、台米安全保障連携の強化と台湾の国防全体の強靭性のために法的根拠や政策のツールを提供していることに外交部は強く感謝する。」とのニュースリリースを発行したという[230]。

また同法では、地政学上の安定を企図し、インド太平洋地域を対象に地上発射型ミサイルの配備戦略の推進やウクライナやイスラエル支援も引き続き、進めていくことも規定されている。

(ウ)Volt Typhoon に関するサイバーセキュリティ勧告

CISA、NSA、米国連邦捜査局（FBI：Federal Bureau of Investigation）を含む各国の政府機関は、中国の支援を受けたサイバー攻撃者「Volt Typhoon」に関する合同のサイバーセキュリティ勧告（CSA：Cybersecurity Advisory）を2023年5月24日と2024年2月7日に発

表した[231]。Volt Typhoon は米国内の重要インフラに侵入することにより、将来の米国との有事の際に重要インフラの機能を妨害することを狙っているという。2月7日に発表された CSA では、Volt Typhoon の活動を軽減するために取るべき行動として、公開されている脆弱性に対する修正プログラムの適用、多要素認証の実装、ログの保管、メーカーのサポート終了への対応計画が挙げられている。

2.2.3 欧州の政策

2023年度の欧州は、ロシア・ウクライナ戦争の長期化、10月のイスラエル・ハマス間の武力衝突の勃発による安全保障の課題、経済停滞の深刻化、欧州各国での右翼勢力の台頭等、政治的に不安定な状況となっている。以下ではこのような状況下において、英国とEU諸国のセキュリティ・データ保護に関する動向について述べる。

(1)主要国の経済的・社会的混迷

英国では、経済の低迷やルワンダへの不法移民者強制移送を骨子とする移民削減政策への反発[232]により、Rishi Sunak 政権の支持が低迷している。2023年8月、英国のシンクタンクは、EU 離脱による欧州大陸市場との隔絶、ロシア・ウクライナ戦争の影響等が同国に5年にわたる「失われた経済成長」をもたらし、富裕層と貧困層の格差を広げていると警告した[233]。Sunak 首相には就任当初、経済手腕が期待され、日本が主導する環太平洋パートナーシップ協定（TPP 協定：Trans-Pacific Partnership Agreement）に2023年7月正式参加[234]する等の独自政策に取り組んでいるが、Brexit による市場分断と地域紛争の影響は長引いている。

フランスでは2023年6〜7月、警官によるアフリカ系の少年射殺事件を契機として各地で暴動が発生、Emmanuel Macron 大統領は訪独の予定を中止した[235]。同事案は、移民労働者を中心とする貧困層の経済格差、差別が背景にあるとされる。更に2024年3月のイスラム過激派勢力「イスラム国（IS：Islamic State）」によるモスクワ銃撃事件[236]以降、欧州で行われる大規模スポーツイベント（UEFA チャンピオンズリーグ、パリ2024オリンピック競技大会等）へのテロ行為に対する不安が大きくなっている[237]。

ドイツでは世界的なインフレ、需要低迷の影響から2023年度 GDP は前年度比でマイナス0.3%となった。また2024年度の成長見通しも大幅に下方修正され、低迷は長期化する懸念がある[238]。こうした中、経済や移民政策に対する Olaf Scholz 政権への不満から、右翼政党 Alternative für Deutschland（AfD）の台頭が懸念されている。「ホロコースト犠牲者を想起する国際デー」にあたる2024年1月27日に Scholz 首相は、台頭する極右過激派による人種主義や反ユダヤ主義再燃への懸念を表明した[239]。ドイツはホロコーストの反省から、イスラエル国民への支援を責務としてきたが、現行の反ユダヤ主義の台頭は過去に例を見ないと懸念されている。

反ユダヤ主義は2023年10月7日のイスラエル・ハマス間の武力衝突勃発以降、欧米各国で高まっている。EC は同年11月6日、「反ユダヤ主義と戦う特使と調整官の共同声明[240]」を公表、各国政府・市民にユダヤ人コミュニティを守るよう呼びかけたが、英国の慈善団体によれば、2023年の反ユダヤヘイト事件は4,103件で2022年の約2.5倍となり、その3分の2が10月7日以降であった[241]。

以上のように欧州は、地域紛争・経済停滞・差別等による国家・民族間の対立が鮮明となり、不安定な状況となりつつある。こうした対立を扇動する偽情報の拡散や、敵対的な国家・組織に支援される勢力によるサイバー攻撃の激化が懸念される。

(2)サイバーセキュリティ政策

欧州のサイバーセキュリティ政策は、欧州ネットワーク・情報セキュリティ機関（ENISA：The European Union Agency for Cybersecurity）が主導し、重要インフラに関する「NIS 指令（Network and Information Systems Directive）[242]」の実装、デジタル要素を備えた製品の開発におけるセキュリティ規格「EU サイバーレジリエンス法案[243]」の実装を中心として進められている。以下では、これらの施策の最新動向について述べる。

(a)NIS 指令の改訂と実装

EU 域内の重要インフラシステムの統一セキュリティ規格である NIS 指令は、改訂作業が2022年中に完了、改訂版は2023年1月16日に NIS2 指令として正式に発効した。NIS2 指令では、重要インフラシステムの多様化、リスク管理の効率化・厳格化等に関して以下のような拡張が行われている。

- 重大エンティティ（essential entity）と呼ぶ基幹サービス分野に行政、下水道、宇宙を追加
- 重要エンティティ（important entity）と呼ぶ分野に郵便、廃棄物処理、化学、食品、製造等を追加

- インシデント等の報告義務の強化
- 違反行為に対する統合的な罰則の強化
- 規則適用対象に関する統一ルールと各国独自拡張ルールの規定
- 金融等の業界規則との整合

　EU加盟国は2024年10月17日までに、国内規定をNIS2指令に準拠させるよう求められる。

　ENISAは、NIS指令の適用対象となる重大サービス運用者（OES：Operators of Essential Services）、デジタルサービスプロバイダー（DSP：Digital Service Providers)のセキュリティ投資や管理体制について調査を継続しており、2023年11月に報告書の最新版を発行した[244]。同報告書ではEU加盟27ヵ国の1,080社のOES/DSP企業（各国40社）のデータを集計しており、2023年のセキュリティへの投資が7.1%であり、前年に比べ0.4%増加したこと、技術分野ではデータプライバシーへの投資が大きいこと（米国、アジア太平洋地域における投資と比較しての特徴）、運輸セクターのOESの55%がNIS指令に基づき投資を強化したこと、OES/DSP経営層の81%がサイバーリスク管理手法の承認に関わったこと等の結果が得られている。NIS2指令による対策拡張の効果については、2024年度の報告が待たれる。

(b) EUサイバーレジリエンス法案の修正

　ECは2022年9月15日、デジタル製品のライフサイクル全般におけるセキュリティ規格「EUサイバーレジリエンス法案（CRA：EU Cyber Resilience Act）」を発表した[243]。IoT機器を含むハードウェア製品、ソフトウェア製品の製造・利用における脆弱性の排除、利用者の製品選定における十分なセキュリティ情報の提供について製造者・配給者の責任を規定するもので、提案は以下の内容を含んでいる。

- デジタル要素を含み、ネットワークに接続されるあらゆる製品が対象であるが、医療・航空・自動車等、既存の法制で要件が規定されている製品は除く。
- デジタル製品のセキュリティリスクレベルを「重要デジタル製品：クラスII（高リスク）」「重要デジタル製品：クラスI（低リスク）」「それ以外の製品」の3レベルに分け、レベルに応じたセキュリティ適合性評価を行う。高リスク製品にはOS、CPU、産業用ファイアウォール等、低リスク製品にはルーター、VPN等、それ以外の製品にはHDD、スマートアシスタント、ゲーム機等、市

場の90%の製品が含まれるとされる[245]。

- 重要デジタル製品のクラスII全製品、クラスIの一部製品には第三者による適合性評価（第三者認証）を必須とする。適合性評価機関（認証機関）の選定と監査は加盟国が行う。
- 設計・製造時のセキュリティリスク評価、顧客への情報提供、脆弱性対応支援を必須とし、サプライチェーン上の関係者とその役割を分担する。
- 製品に、積極的に悪用された脆弱性が発覚した場合は24時間以内にENISAに報告する。
- 法案の運用は、加盟国が指定する市場監視局が監視する。市場監視局は、重大なセキュリティリスクが想定される製品の適合性評価を実施し、要件を満たさない製品の是正、回収措置等を命じる。対応によっては製造者に制裁金が課される[246]。
- 重要デジタル製品リストの更新、法案の実装における詳細項目等の規定はECが代行する。後者の詳細規定には、SBOMの利用等を含む。

　同法案は「あらゆる重要なデジタル製品」が対象であり、IoT関連製品・サービスに関する様々な分野に影響を及ぼし得るため、欧州の消費者団体が賛同の意見を表明[247]した一方、製品・サービス分野ごとの適合性評価の設計とコスト、加盟国の準備体制等に対する懸念も想定された。上流工程のOSS開発者が下流の（他で開発された）OSSの脆弱性対応や製造責任・賠償責任を負うというCRAの要求に対して、特にOSSコミュニティは「手弁当でメンテナンスしている開発者を悪者にする」「OSS開発を制限しかねない」といった懸念や、多くの反対意見を表明した[248]。

　ECもこれに配慮し、CRAの修正を行った。主要な点は「商用のオープンソース開発においてもセキュリティに対し相応の責任を持つ」という責任分担の考え方、体制上はセキュリティ責任を担保するOSS管理者という主体（非営利団体を含む）の導入である。OSS管理者は最終的なデジタル製品製造者ではなく、商用のOSSがセキュアかつ機能的であることを維持管理する役割を負う。その役割にはOSSの脆弱性管理・修正プログラム更新、CRAのセキュリティ要件遵守が含まれる。

　OSS管理者の存在を前提とする修正CRA法案は2023年12月1日、欧州議会（European Parliament）で承認された[249]。またOSSコミュニティ7団体も2024年4月、CRAを支持し、CRAの求めるセキュリティ基準に沿った開発プロセスのベストプラクティスの共通化で

協力すると表明した[250]。欧州議会・EC による最終承認・施行は 2024 年夏、事業者の対応完了（完全実施）は 36 ヵ月後の 2027 年夏と想定される。改正された CRA は OSS コミュニティの反発にかなり配慮した内容となったが、OSS コミュニティやサプライチェーンのセキュリティ対策にどのような影響があるか、未知の部分がある。今後のデジタル製品開発者の対応が注目される。

(c) 欧州におけるサイバー脅威と対策の状況

2023 年 10 月、ENISA はサイバーセキュリティ脅威の概況に関する年報を公開した[251]。2022 年後半から 2023 年前半までの主要な脅威として以下が挙げられている。

- 暗号化、情報窃取等の多重脅迫（multiple extortion）の手法によるランサムウェア攻撃が最大で、ENISA の分析対象事案の 31.3%（約 1,480 件）を占める。
- ランサムウェアの攻撃者としてロシア系の攻撃グループ「LockBit」が突出し、欧州のランサムウェア分析事案の 56.6% を占める。日本国内でも 2023 年 7 月の名古屋港のランサムウェア被害[252] は LockBit によるとされている[253]（「1.2.1 (2)(a) 港湾事務所における被害事例」参照）。
- 他の主要な脅威として DoS 攻撃（分析事案の 21.4%、約 1,010 件）、データ窃取・漏えい（分析事案の 20.1%、約 950 件）が続く。
- 攻撃の巧妙化（正規ツールの悪用等）・複合化、サービス化が進んでいる。初期侵入の手口としてフィッシングが再度用いられている。
- 一方で地政学的理由（ロシア・ウクライナ戦争等）による攻撃が増えている。必ずしも攻撃に巧妙さはなく、虚偽情報を交えた情報戦が多くなっている。
- 生成 AI による虚偽情報拡散が新たな懸念となっている（虚偽情報の脅威については「4.1 虚偽を含む情報拡散の脅威と対策の動向」、AI セキュリティについては「4.2 AI のセキュリティ」参照）。

以上の脅威のうちランサムウェアについて、Europol は国際連携活動（No More Ransom[254]）を主導してきたが、2024 年 2 月、ランサムウェア攻撃グループ「LockBit」に対する一斉摘発を行った[255]。この摘発では約 10 ヵ国が捜査に協力し、サーバー 34 台を差し押さえたほか LockBit のメンバー 2 名を逮捕、200 口座以上、1 万 4,000 以上のアカウントを閉鎖した。LockBit はこれで大きな打撃を受けたかに見えたが、直後に病院を攻撃する等の

したたかさを見せている[256]。ランサムウェアには引き続き警戒と対策が必要である。

(d) データガバナンスに関する規格の運用状況

EC のデジタルデータ戦略では、欧州がデータ駆動型社会をリードし、域内の自由なデータ流通、公平・公正なデータアクセスによる単一デジタルデータ市場を確立するとしている[257]。これに基づき EC は、デジタルデータの保護と公平・公正な流通のための規格として、以下のような法制を整備している。

- 公平なデータへのアクセス及び利用実現のためのデータ法（Data Act）[258]。2024 年 1 月 11 日に施行された。
- 公共団体の保有する一部データの機密性・プライバシーを保護し、研究開発等における安全な再利用を規定するデータガバナンス法（Data Governance Act）[259]。2022 年 6 月 23 日に発効、猶予期間を経た 2023 年 9 月 24 日に施行された。
- 大規模オンラインプラットフォーム事業者（以下、gatekeeper）の商慣行を公平・公正な競争の視点で規制するデジタル市場法（Digital Markets Act、以下 DMA）[260]。2022 年 11 月 1 日に発効、2023 年 5 月 2 日に施行された。
- gatekeeper のコンテンツ配信、情報開示、契約の透明性等に対する責任を規定するデジタルサービス法（DSA：Digital Services Act）[261]。2023 年 8 月末から一部の大規模 gatekeeper に対して施行され、2024 年 2 月 17 日から全面的に施行された。DSA は虚偽情報等の配信に対する規制となるため、サイバーセキュリティ対策との関わりが深い。

これらの法制は、それまで gatekeeper が独占的に決定していたデジタル市場の参入・統制の枠組みを再編するものである。gatekeeper に指定されたプラットフォーム事業者には厳しい要請や罰則が課され、EC がこれらの制度をどこまで厳格に運用するのかが注目される。2024 年 4 月時点で、以下のような制度適用例が公開されている。

- X の違法コンテンツ拡散等に対する調査
2023 年 12 月 18 日、EC はリスク管理、投稿監視、透明性等に関する DSA 違反の疑いで X Corp.（以下、X 社）への正式調査を開始した[262]。EC は、同社の SNS サービス X において、ハマスのイスラエル攻撃に関する違法コンテンツ拡散等への対応、情報操作対抗機能（Community Notes）の有効性、プ

ラットフォームへのアクセスの透明性等が不十分な可能性があるとし、調査対象とした。EC の X 社への事前調査は 2023 年 9 月時点で始まっていたが、ハマスのイスラエル攻撃に関する虚偽情報拡散もこれに重なった。

- TikTok の子供の保護等に関する調査
2024 年 2 月 19 日、EC は子供の保護、透明性、データアクセス等に関する DSA 違反の疑いで TikTok Pte. Ltd.（以下、TikTok 社）への正式調査を開始した[263]。EC は、動画 SNS サービス TikTok において、サービスの推奨アルゴリズムによって過激なコンテンツを子供が視聴し続けてしまうこと（ウサギの穴効果）の負の影響、年少者に対する年齢チェック機能の有効性、子供のプライバシー保護対応、プラットフォームへのアクセスの透明性等が不十分な可能性があるとし、調査対象とした。TikTok はプラットフォームを利用する若者の安全を守るために引き続き専門家や業界と協力するとしている[264]。しかし EC は 2024 年 4 月 22 日、TikTok の視聴者に報酬を与える新サービス TikTok Lite が未成年には「中毒性がある」とし、サービス停止の可能性を含め調査を開始するとし[265]、規制を強めている（子供の個人情報保護については「2.2.3(3)(b) 高額な制裁事案の傾向」参照）。

- gatekeerper の DMA 違反に関する調査
2024 年 3 月 25 日、EC は gatekeeper である Alphabet Inc.、Apple Inc.、Meta Platforms, Inc.（以下、Meta 社）に対して DMA 違反の疑いで調査を開始するとした[266]。調査内容は、Alphabet Inc. については Google 検索の結果が自社サービスに有利に利用される（self-preference）点、Apple Inc. については iOS 利用者がアプリ選択や設定変更を容易に行えない点、Meta 社については、サービス間で個人情報を統合する場合の利用者の同意の取り方に不公平がある点等に関するものである。
域内市場の公平・公正なサービス提供について、EU は DMA に先立ち、gatekeeper の反トラスト行為・不正競争行為を EU 競争法に基づき監視してきた。例えば EC は 2024 年 3 月 4 日、Apple Inc. に対して、iOS 上の音楽ストリーム配信ビジネスにおける優越的な立場を乱用し、公正な競争を妨害したとして 18 億ユーロを超える制裁金を課した[267]。EU 競争法と DMA は一見重複するように感じられるが、EU 競争法は事後対応で IT サービスの変化に合わない、無償というデジタルサービスの特性に合わない[268]等の

問題があり、DMA はいち早くこれに対応したとされる。今後の適用が注目される。

(e) AI 法の成立と実装準備

2021 年以来、EC が提案・修正を重ねてきた AI の安全で遵法的な利用に関する規則（Artificial Intelligence Act、以下 AI 法）[269]は、2024 年 3 月 13 日、欧州議会にて承認された[270]。当初は 2023 年中の承認が想定されたが、2023 年に急速に普及した生成 AI の規制方針、過度の規制は米国に対して不利になるとする民間事業者・団体、加盟国との調整等が難航し、2023 年 12 月に 3 日間の議論を経て暫定合意された[271]後、2024 年 3 月に以下の修正が加えられ、最終承認となった。

- 汎用目的 AI（GPAI：General-purpose artificial intelligence）の規定
- 法執行機関のリアルタイム生体識別利用に関する制限
- 利用禁止 AI のカテゴリ追加（インターネット・監視カメラ映像からの顔認証等）
- AI 利用者の権限の拡張（苦情申し立て、説明を受ける権利等）

このうち GPAI の規定は、実質的に生成 AI の規定である。GPAI のリスクが AI 法の規定する「ハイリスク」（人の安全、人権、経済等の被害をもたらすリスクで、AI サービスベンダーにリスク低減の義務が生じる）であるか、特に影響が広範囲に波及する GPAI モデル（ChatGPT 等）のリスクをどう見るかが焦点となった。その結果としては、一段下の「限定リスク」（AI サービスベンダーに AI を利用していることを開示する義務が生じる）の規定である透明性の要件を課し、リスクが広範囲に及ぶことが想定される GPAI については追加の要件を課すこととなった。この透明性には訓練データのサマリー情報の開示、EU 著作権法の遵守、生成コンテンツが AI によることを示すラベル付与（フェイク利用の抑止）等が含まれる。すべての訓練データのサマリー情報作成の実行可能性、コンテンツラベル付与の方式や有効性（ラベル削除の困難性等）は未知数であり、更なる検討が必要と思われる。なお、AI 法のリスクベースモデル（四つのリスクレベルと対応する規定）の概要は、「情報セキュリティ白書 2023」の「2.2.3(3)(e) AI 法の策定」を参照されたい。

一方、安全性の問題（公平性・人権等の問題を含む）がサービスバリューチェーン全体に広範囲に波及するリスク（systemic risk）のある GPAI モデルについては、当該リスクのアセスメントと低減、GPAI モデルの評価テス

ト実施、インシデント監視等の規定が追加された。また systemic risk の分類については、フランスが厳しい要件を緩和するよう主張した結果、毎年見直されることとなった。

実装の問題に関連して、EC は 2024 年 1 月、AI 法の実施を統括する機関として欧州 AI 事務所（European AI Office）を設置した[272]。同事務所は EU における信頼に足る AI（Trustworthy AI）実装のセンターであり、加盟国における AI 法実践を統括する。GPAI 関連規定の実践については GPAI モデル開発者を監督し、必要な制裁も行うとしている[273]。米国、英国、日本等では、信頼に足る AI 実装のため、AI の安全性を開発者側から統制する AI セーフティ・インスティテュート（AISI：AI Safety Institute）の設置発表が相次いでいる[274]（「4.2 AI のセキュリティ」参照）。EC の欧州 AI 事務所の設置、及び同時期に発表した AI 関連のスタートアップ・中小企業の支援イニシアティブ「GenAI4EU」の設置[275] は、AISI と同様な目的であると見られるが、欧州 AI 事務所は法的強制力を持ち、EU 全体の GDPR の実施状況を監督する欧州データ保護委員会（EDPB：European Data Protection Board）のような位置付けになると想定される。

欧州議会で承認された AI 法は、今後加盟各国及び欧州評議会（European Council）の承認を経て 2024 年中に正式発効、24 ヵ月後（2026 年）に完全運用が見込まれる。なお、禁止される AI（政府による個人の格付け、高齢・障害等による個人の脆弱性の搾取等、リスク分類で「許容できない AI」に区分される AI）の規制は発効の 6 ヵ月後に運用が開始される等、一部の規制の運用は実施が早まるとされている[276]。

(3) GDPR の運用状況

GDPR は 2022 年より厳格な運用が開始され、2023 年もそれが継続している。

(a) GDPR 違反の概況

国際法律事務所 DLA Piper の調査によれば、2023 年 1 月 28 日から 2024 年 1 月 17 日までの GDPR 違反の制裁金総額は約 17.8 億ユーロで、2022 年 1 月 28 日から 2023 年 1 月 25 日の間の制裁金総額の 14% 増であった[277]。2022 年から、EU 各国のデータ保護機関（DPA：Data Protection Authority）が高額制裁に躊躇しなくなり、2021 年から総額は 1.5 倍に跳ね上がった。2023 年は引き続き高止まり傾向にあるといえる。制裁の根拠

は合法性・公平性・透明性等の GDPR の基本原則違反が最も多い。

国別の制裁金額では、2022 年度に引き続きプラットフォーマー（gatekeeper）等の EU 拠点が多いアイルランドが首位、ルクセンブルクが続いている。アイルランドデータ保護機関 Data Protection Commission（DPC）は GDPR の主要な高額制裁を科す主体となっているが、アイルランド、EU 双方で控訴に持ち込まれる未解決事案が増えている。違反届出件数については、2023 年 1 月 28 日 〜 2024 年 1 月 27 日は 1 日平均 335 件で、2022 年 〜 2023 年の同時期の 1 日平均 328 件とほぼ同等である。国別ではドイツ、オランダ、ポーランドの順に多い。

(b) 高額な制裁事案の傾向

2023 年の高額な制裁事案としては以下がある。

- 2023 年 1 月 4 日、アイルランド DPC は、Meta 社に対し、Facebook、Instagram におけるターゲティング広告に関する個人データ利用の同意手続きが不透明である等の不備が GDPR 違反にあたるとして合計 3 億 9,000 万ユーロの制裁金を科し、更に同社の業務プロセスを 3 ヵ月以内に改善するよう命じた[278]。

- 2023 年 4 月 4 日、英国データ保護機関 Information Commissioner's Office（ICO）は、TikTok 社に対し、13 歳以下の 100 万人以上の子供が親の同意を得ずに TikTok を利用し、それらのデータを削除する機能を提供していないこと、また利用者データの収集・利用に関する情報を提供していないことが GDPR 違反にあたるとして、1,450 万ユーロの制裁金を科した[279]。

- 2023 年 5 月 12 日、アイルランド DPC は Meta 社に対し、欧州から米国への個人データ移転に伴う Meta 社独自の追加保護処理が米国国内法の不備を補填できておらず GDPR 違反にあたるとして、12 億ユーロの制裁金を科した[280]。制裁金額はアイルランド DPC の監督機関である EDPB の「被害の深刻さに合わせる」との要請で修正され、GDPR 違反としては過去最高額である。Meta 社は、他の個人データ移転を行う事業者と同等の欧州標準契約条項（SCC：Standard Contractual Clause）に準拠しているのに制裁は不適切・不公平であると反論、提訴するとした[281]。こうした厳しい制裁は、米国諜報機関の移転データに対する監視への不安が背景にあると考えられる。

- 2023 年 6 月 15 日、フランスデータ保護機関

Commission Nationale de l'Informatique et des Libertés（CNIL）は、コマースマーケティング企業Criteo S.A.に対し、同社のクッキーを用いた個人向け追跡広告を利用するパートナーによるインターネット利用者からのデータトラッキング許諾ができていない、Criteo S.A.のプライバシーポリシーや顧客情報利用規定が不十分である、利用者のデータ削除要請に対応できていない等がGDPR違反にあたるとして、4,000万ユーロの制裁金を科した[282]。

- 2023年9月1日、アイルランドDPCは、TikTok社に対し、TikTokの子供の投稿や個人情報の開示制限、開示した情報の利用に関する情報提供に不備がある、プライバシーが保護されない操作への誘導（ダークパターン）がある等がGDPR違反にあたるとして3億4,500万ユーロの制裁金を科した[283]。また、3ヵ月以内にTikTokの処理をGDPRに準拠させるよう命じた。前掲のとおり、TikTokの子供の利用に関してはICOも制裁を課し、ECが中毒性があるとしてTikTok Liteサービス停止の可能性を含めた調査を開始する等、厳しい対応が続いている。

以上のように、高額なGDPR違反制裁は先のデジタルデータガバナンス法制運用とともに、gatekeeperの市場独占による公平性の問題を排除し、EU市民の権利とEU事業者の競争力を確保する手段としての利用が鮮明になりつつある。欧州のサイバーセキュリティ政策、AI法の運用もこの流れの中に位置付けて見ていく必要がある。

2.2.4 アジア太平洋地域でのCSIRTの動向

インシデント対応や脅威情報の伝達・公開等、情報セキュリティ対策活動の向上に取り組む各国のNational CSIRT（以下、CSIRT）は、あらゆるサイバー攻撃の脅威に備えて自国におけるインシデント対応の迅速化や効率化、サイバーセキュリティ人材の能力構築、情報連携の強化等、様々な課題に取り組んでいる。それに加えて、国外のパートナーとの脅威情報の共有や技術交流を行う等、国際連携を通じた地域のサイバーセキュリティ能力の強化に取り組んでいる。本項では、主にアジア太平洋地域におけるCSIRTの機能強化やインシデント対応への取り組み、CSIRT間の相互連携の実態について述べる。

（1）CSIRTの機能強化の動き

アジア太平洋地域における各国・地域のCSIRTの機能強化やインシデント対応への取り組みについて述べる。

（a）オーストラリア

2023年11月22日、オーストラリア連邦政府が「2023～2030年サイバーセキュリティ戦略（2023-2030 Australian Cyber Security Strategy）[284]」と「実施計画（Action Plan）[285]」を発表した。同戦略は、2030年までにサイバーセキュリティ分野において自らが世界のリーダーになるというビジョンを実現するための道筋を、企業及び市民のサイバーセキュリティ能力強化、技術分野のセキュリティ強化、世界水準の脅威情報共有と防御等の六つのテーマごとに示している。企業及び市民のサイバーセキュリティ能力強化の項目では、インシデント対応に関して、企業がインシデント報告を単一のポータルサイトで簡潔に行える仕組みを整えることや、政府へ報告されたインシデント情報の用途を明確にする等、企業の不安を払しょくし、官民の迅速な情報共有と対応支援を促進するための規則作りを検討することを具体的な目標として挙げている。これらのインシデント対応強化の取り組みは、内務省（Home Affairs）が主導し、National CSIRTの機能を担うACSC（Australian Cyber security Centre：オーストラリアサイバーセキュリティセンター）の上位組織であるASD（Australian Signals Directorate：オーストラリア信号局）等多数の政府機関が携わり進めていくとしている。また、目標の一つに企業向けサイバーセキュリティガイダンスの提供を挙げており、ACSC等が連携して、サイバーセキュリティ関連の義務要件を分かりやすくまとめるとしている。そのほか、大規模なインシデント発生後にインシデント対応の評価を行うサイバーインシデント審議委員会を新設し、同委員会での議論により得られた教訓を社会に広く共有することで、国の脅威情報共有やインシデント対応、サイバー意識向上プログラムの改善等につなげていくとしている。

（b）ニュージーランド

2023年8月31日、GCSB（Government Communications Security Bureau：政府通信保安局）が、CERT NZ（Computer Emergency Response Team New Zealand：ニュージーランドコンピュータ緊急対応チーム）をNCSC（National Cyber Security Centre：国家サイバーセキュリティセンター）に統合すると発表した[286]。両組織の統合は、数年かけて段階的

に行われる。CERT NZ はビジネス・イノベーション・雇用省傘下のサイバーセキュリティ機関として 2017 年に設置されて以来、国内の企業や個人等にセキュリティ関連情報を提供し、インシデント対応のサポートを行ってきた。一方、NCSC は情報機関である GCSB 傘下に置かれ、政府最高情報セキュリティ責任者（GCISO：Government Chief Information Security Officer）を擁する組織であり、重要組織への脅威の検出や対応、予防的対策の助言、機密情報の保護等、幅広いサイバーセキュリティ業務を担っている。発表によれば、CERT NZ が NCSC に統合された後も、両組織の現行の機能とサービスは継続されるが、単一のサイバーセキュリティ機関として、今後双方の専門知識を活用し、あらゆる脅威レベルのインシデントに対応するための体制と能力の強化を目指すとしている。

(c) インド

2023 年 6 月 30 日、CERT-In（Indian Computer Emergency Response Team：インドコンピュータ緊急対応チーム）が「政府機関に向けた情報セキュリティの実践に関するガイドライン（Guidelines on Information Security Practices for Government Entities）」を発表した[287]。同ガイドラインは、政府機関及びその関連組織内におけるサイバーセキュリティ対策と管理に必要な基本的要件を実装するための指針を示している。例えば、組織の上級管理者は CISO を任命する必要があること、CISO は IT 運用チームやインフラストラクチャの構築チームとは別に専任のサイバーセキュリティチームを設置する必要があること、また専任チームが担うインシデント対応やセキュリティポリシーの策定等の役割を定めている。サイバーセキュリティ対策の要件については、ネットワークセキュリティ、アプリケーションセキュリティ、データセキュリティ、及び脆弱性とセキュリティ修正プログラムの管理等の項目ごとに要件が整理されている。そのほか、ガイドラインで提示しているセキュリティ要件を満たしているか確認するためのチェックリストが付録に含まれており、内部や外部の監査人を含む監査チームが、組織のセキュリティ体制を評価する際に役立つものとなっている。また、日々変化する脅威状況を踏まえ、CERT-In が内容の見直しと更新を行うとしている。

(d) シンガポール

2023 年 10 月 17 日、SingCERT（Singapore Computer Emergency Response Team：シンガポー

ルコンピュータ緊急対応チーム）を管轄する CSA（Cyber Security Agency of Singapore：シンガポールサイバーセキュリティ庁）が、サイバーセキュリティ人材を育成するプログラム SG Cyber Associates を立ち上げたと発表した[288]。同プログラムを立ち上げた背景には、急速なデジタル化と増大するサイバーセキュリティの脅威に対応するスキルの向上が求められている一方で、スキルや対応体制が不十分な産業セクターや中小企業が依然として存在している現状がある。このギャップを埋めるため、サイバーセキュリティの専門家以外の人々に対し、仕事に関連したサイバーセキュリティスキルを身につけることができる、基礎的かつ特定のテーマに焦点を当てたトレーニングを提供するとしている。基礎的なトレーニングに関しては、入門レベルのサイバーセキュリティ関連認定資格の取得を希望する者を対象としたプログラムを、サイバーセキュリティ専門家のトレーニングと資格認定を専門とする非営利組織 ISC2（International Information System Security Certification Consortium：国際情報システムセキュリティ認定コンソーシアム）と連携して提供し、サイバーセキュリティに携わる人材の幅を広げ、サイバーセキュリティ労働力の全体的な能力を向上させることを目指す。また、対象を絞った特定のテーマに関するトレーニングに関しては、法律の専門家や監査人等に、サイバーリスク及びデータセキュリティ等の問題について理解を深めてもらうプログラムを提供することで、ランサムウェア等のサイバー犯罪に対応する企業のリスク管理支援に携わる専門家の能力を強化したいとしている。また、IT 及びソフトウェア分野のプロジェクトマネージャーや開発者等に、開発の初期段階から安全な製品やサービスをつくるためのサイバーセキュリティスキルを身につけてもらうプログラムを提供するとしている。こうした特定のテーマに関するトレーニングは、CSA が IES（Institution of Engineers Singapore：シンガポール技術者協会）等の専門機関と協力し、特定のニーズを満たすカスタマイズされたプログラムを開発し、提供するとしており、まずは、IES 会員向けに IoT セキュリティ等の技術領域に関するコースを開発することを計画している。CSA は、今後より多くの専門機関やパートナーと協力し、SG Cyber Associates のトレーニングプログラムを拡大していくと述べている。

(e) 台湾

2023 年 1 月 1 日、MODA（Ministry of Digital Affairs：デジタル発展省）傘下に、台湾のサイバーセキュリティ関連業務を担う行政法人 NICS（National

Institute of Cyber Security：国家サイバーセキュリティ研究院）が設立された[289]。台湾のサイバーセキュリティ政策の策定を担うMODAと、政策の推進を担うACS（Administration for Cyber Security：サイバーセキュリティ管理局）とともに、サイバーセキュリティ技術機関としてサイバーセキュリティ対策の強化を目指す。組織を紹介する資料[290]によるとNICSの主な役割として、台湾における情報セキュリティ技術の研究開発及び普及、政府機関や重要インフラにおける重大なセキュリティインシデントの対応支援及び防護、セキュリティ人材の育成、国際的な技術交流・協力の推進等が挙げられている。また、CSIRT組織のインシデント報告の仕組みを統合し、インシデント報告と対応の効率化を図ることが組織の中期発展計画に盛り込まれている。台湾には政府機関のインシデント対応を行うTWNCERT（Taiwan National Computer Emergency Response Team）と民間組織のインシデント対応を行うTWCERT/CC（Taiwan Computer Emergency Response Team/Coordination Center）があり、今後これらの組織は、組織編制や運用の改善を行っていくと見られる。同年1月10日に行われた開所式には、蔡英文総統（当時）やオードリー・タンデジタル発展相（当時）が出席し、蔡総統はその場でNICS

は産業界や学術研究機関から最も優秀な人材を集めたセキュリティ研究機関として、全力で情報セキュリティ技術の研究開発や、重要インフラと情報システムの防護能力の向上に努めることになっていると述べている[291]。

（2）アジア太平洋地域のCSIRT間連携

　アジア太平洋地域全体のCSIRTからなるコミュニティとして、APCERT（Asia Pacific Computer Emergency Response Team：アジア太平洋コンピュータ緊急対応チーム）[292]があり、地域内で発生したインシデント対応における連携の円滑化や、サイバー脅威等に関する情報共有・技術交流の推進を目的に活動している。2003年の設立当初、参加メンバーは12の国・経済地域の15チームだったが、地域内でCSIRTの立ち上げが進んだことや、CSIRTコミュニティへの参加を通じた情報共有等の重要性が高まったことから年々メンバーが増えている。2024年3月末現在、24の国・経済地域の33チームが、オペレーショナルメンバーとなっている（図2-2-1）。

　JPCERT/CCは、2003年のAPCERT設立当初から事務局を務め、運営委員会の一員として組織運営を支えている。APCERTの主な活動は、年次サイバー演習の実施、年次報告書の発行及び年次会合の開催である。

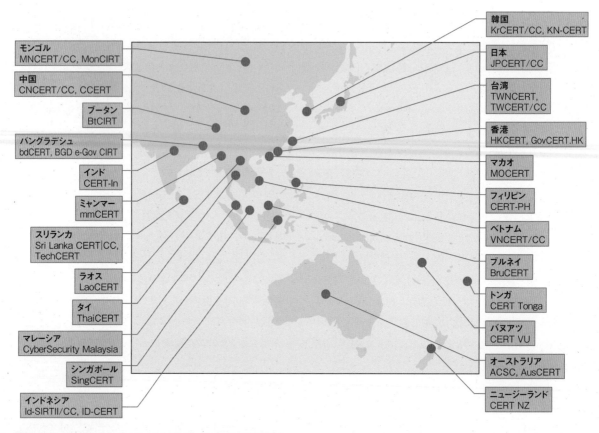

■図 2-2-1　APCERT オペレーショナルメンバー（2024 年 3 月末現在）
（出典）APCERT「Member Teams[293]」を基に IPA が編集

114

2023 年のサイバー演習は、「Digital Supply Chain Redemption（デジタルサプライチェーンの救済）」をテーマに実施された[294]。同演習には、APCERT のオペレーショナルメンバーのうち合計21の国・経済地域から24チームが参加した。年次報告書は、APCERT 全体の活動に加えて各チームの組織概要や、対応したインシデント統計等をまとめた文書で、Web サイトで公開されている[295]。2023 年の APCERT 年次会合は、前回に引き続き 11 月にオンラインで開催された。韓国の KrCERT/CC[296] が議長に、マレーシアの CyberSecurity Malaysia[297] が副議長に、JPCERT/CC が事務局に、CyberSecurity Malaysia、Sri Lanka CERT| CC（Sri Lanka Computer Emergency Readiness Team | Coordination Centre）[298]、JPCERT/CC が運営委員にそれぞれ再選された。

APCERT では能力開発の取り組みとして、電話会議システムを利用して、インシデント対応に関するノウハウを教えるオンライントレーニングを 2014 年以来継続している。こうしたオンラインで連携する取り組みを継続することで、加盟組織間の交流を深めている。更に、脆弱性情報の調整や公表に関して各国 CERT 間のノウハウ共有や能力構築を目的としたワーキンググループ（Coordinated Vulnerability Disclosure WG）が新たに設立され、JPCERT/CC がリード役を務めている。

そのほか、この地域における CSIRT 間連携については、2023 年 12 月 17 日に日本 ASEAN 友好協力 50 周年特別首脳会議[190] で採択された「日本 ASEAN 友好協力に関する共同ビジョン・ステートメント 2023」の実施計画[299] に「ASEAN サイバーセキュリティ協力戦略 2021-2025 に沿ってコンピュータ緊急対応チーム（CERT）の連携促進」を行うとの記載があり、地域のサイバーセキュリティ分野における協力を強化する取り組みの一環として、CSIRT 間連携の促進が盛り込まれている。

このように、アジア太平洋地域の各国における CSIRT の機能強化に加えて、APCERT や ASEAN 等の国際的な団体が、CSIRT の活動を後押しする取り組みを進めている。2023 年は各国で新型コロナウイルス感染症収束によって渡航制限が解除され、国際会合やイベントがリモート開催から現地開催に戻りつつあり、対面での密なコミュニケーションが再び行えるようになった。今後も引き続き、オンラインと対面それぞれのメリットを活かした地域の CSIRT 間の交流と連携が推進されることで、地域全体のサイバーセキュリティ能力の更なる強化や進展につながることが期待される。

第 2 章
情報セキュリティを支える基盤の動向

2.3 情報セキュリティ人材の現状と育成

国内のサイバーセキュリティに関わる人材は質的にも量的にも不足しており、人材育成は各界が協力して解決すべき問題である。教育の充実、高度な人材の育成・確保、セキュリティ人材が将来にわたって活躍できる社会環境の整備等、様々な課題が挙げられている。本節では、産学官における人材育成の取り組みについて述べる。

2.3.1 デジタル人材としての情報セキュリティ人材の状況

DX推進のためにデジタル人材の育成が求められる中、2023年8月、経済産業省より改訂版の「デジタルスキル標準ver.1.1」が公開された[300]。デジタルスキル標準は、働き手一人ひとりがDXに参画する際の学びの指針となる「DXリテラシー標準（DSS-L）」と、DXを推進する人材の役割や習得すべき知識・スキルを示す「DX推進スキル標準（DSS-P）」の二つで構成される。デジタルスキル標準は、様々な企業や教育関連組織において採用されている。また、経済産業省とIPAが運営するデジタル人材育成プラットフォーム「マナビDX[301]」のデジタル実践講座には2024年5月末時点で62のセキュリティに関連する講座が登録される等、情報セキュリティ人材の育成支援が進められている。

しかしながら、セキュリティ人材は依然として不足している。ISC2, Inc.が発行した「ISC2 Cybersecurity Workforce Study 2023[302]」の調査によると、日本国内のサイバーセキュリティ人材は2023年現在約48万人存在し、約11万人が不足しているという。また、2024年3月に公開された株式会社リクルートの調査[303]では、2023年のサイバーセキュリティ関連求人数は2014年比で24.3倍に増加しているが、サイバーセキュリティ関連転職者数は2014年の3.62倍にとどまっている。

このように、人材育成の支援が進められているにも関わらず、人材不足は解消されていない。状況を改善するためには、人材育成を充実させる施策に加えて、セキュリティ人材を効率的に活用していくことも重要である。本節では、人材不足の背景にある状況と対応について述べる。

(1) 人材不足の背景

セキュリティ人材充足の課題には様々なステークホルダーが存在し、社会的な状況も関係するため、考慮すべき点すべてを列挙することは難しい。以下ではいくつかの項目を取り上げる。

(a) 情報セキュリティのカバーする技術領域の広がり

あらゆるビジネスがデジタル世界とつながって展開される状況が広がり、情報セキュリティはビジネスにおいて不可欠な前提となりつつある。それに伴い、情報セキュリティのカバーする範囲がますます広がっている状況にある。

DSS-Pのサイバーセキュリティ人材類型は、サイバーセキュリティ、各種法や規制への遵守に加えて、プライバシー保護を含むものとなっている。2023年には、それらに加え、サプライチェーンセキュリティ、AIシステムとそのセキュリティ対応が求められており、カバーすべき技術領域が広がっている。

求められる技術領域の広がりに合わせ、デジタルスキル標準においても、生成AI利用時に求められるリテラシーを補記する形で2023年8月にDSS-Lの改訂が実施されている。また、DSS-Pについても、現在、生成AI時代の人材育成をテーマに検討が進められている[304]。

生成AIのみならず、新しい技術領域に対応できる人材の育成は必要であり、それに効率良く追従していくための人材育成方法、人材育成システムの整備が望まれる。

(b) セキュリティ人材が求められる社会領域の広がり

民間企業でのセキュリティ人材の需要が拡大していることに加えて、それ以外の分野でのセキュリティ人材需要が大きくなってきていることも、セキュリティ人材不足に影響すると予想される。

民間企業においては、世の中のデジタル化とともにDXを推進する動きが加速する中で、IT・セキュリティベンダー等の専門的なセキュリティ人材、企業情報システム部門等のセキュリティ人材に加えて、DX推進における「プラス・セキュリティ[305]人材」が求められている。2027年までに、サイバーセキュリティ機能の30%をサイバーセキュリティの専門家以外のユーザーが所有、直接利用するようになるとGartner, Inc.は予想している[306]。

政府は2022年12月に、いわゆる「安保3文書」（国家安全保障戦略、国家防衛戦略、防衛力整備計画）を決定した。この中の防衛力整備企画において、2027

年までに自衛隊のサイバー専門部隊の隊員（コア要員）を約 4,000 人に増員し、サイバー関連分野の業務に従事する隊員を含む総サイバー要員を約 2 万人体制にするとしている[307]。また、それに呼応する形で、民間事業者がサイバー安全保障人材育成を支援するために、一般社団法人サイバー安全保障人材基盤協会[308]が設立されている。

警察庁は、サイバー犯罪増加、ランサムウェア感染被害の拡大の状況から、2022 年にサイバー警察局を新設するとともに、警察学校教養体系の運用、検定制度の運用、人材育成基盤装置の整備等を推進し、サイバー捜査官の拡充を進めている[148]。

民間企業のみならず様々な社会領域でセキュリティ人材が求められている状況は、今後の人材不足にも影響するものと予想される。

(c) 需要と供給のミスマッチ

IPA による「デジタル時代のスキル変革等に関する調査（2022 年度）全体報告書[309]」（以下、スキル変革調査）は、IT 人材の適材化を阻む問題として「学びの方向性を定めることが難しい」ことを挙げ、また、適所化については、採用において「IT 人材のスキルを適切に評価できていない」ことを挙げている。スキル変革調査は IT 人材に関する調査であるが、セキュリティ人材にも同様の状況があると推測される。

SC3 産学官連携 WG の調査[310]では、複数企業のセキュリティ関連の職務記述の表現の比較と、求人票の比較をしている。同じ名称の求人票でも会社によって要件がまったく異なり、各項目も一致していないことを確認している。現状、企業ごとでサイバーセキュリティに関する業務やそれを束ねた役割・職務の内容が不統一で、属性の項目名等の記述方法にも共通性がないことが見て取れるとしている。求人においては組織のセキュリティ対応体制やそこで実施する業務が明確でないことや、そのために必要な知識・技術を特定できていないことから、非常に高いレベルの要件や定性的であいまいな表現となり、応募者とのミスマッチが生じ、求人が多いにもかかわらず応募者が少ない結果となっていると考えられる[302, 311]。つまり、企業においては、組織内で必要とする情報セキュリティに関わる人材や職務を正確に表現ができておらず、人材の適材化／適所化がうまくできてないといえる。

(2) 人材不足への対応

前項では、人材不足の背景として、セキュリティ人材がカバーする技術領域の広がり、セキュリティ人材を求める社会領域の拡大、需要と供給のマッチングの問題を取り上げた。本項では、それらへの対応をいくつか紹介する。

(a) セキュリティ業務の整理

スキル変革調査の「調査から導き出される問題のまとめと施策の方向性」では、「組織に必要な人材を定義し、必要なスキルを提示する」ことを施策の方向性としている。スキルを提示するためには、組織としての業務と、その業務を行う役割（ロール）を明確にする必要がある。DSS-P では、業務の違いによって区分したロールごとにスキルを定めている。業務・ロールを各組織で検討し、実際にどのような業務・ロールが必要とされているのかを整理することで、対応するスキルを特定することができる。

一般企業においては、「プラス・セキュリティ人材」が必要であると言われる。しかし、プラス・セキュリティ人材を効率良く育成していく具体的な方法は検討が重ねられている状況である。前述したスキル変革調査を踏まえると、一般企業に共通する職種について業務内容をきめ細かく明らかにし、必要となるセキュリティ関連のスキル・知識を業務内容別に標準化することが、取り組み範囲を限定できるという点で、プラス・セキュリティ人材の育成支援になり得ると期待される。一方で、業種・業態によって求められる技術・知識・経験が異なることから、ここで言う標準化も業種・業態別に検討する必要があると考えられる。

業種別での活動例としては金融業界での取り組みがある。セキュリティに特化したものではないが、2024 年 1 月に特定非営利活動法人金融 IT 協会[312]（以下、金融 IT 協会）が、金融業界横断での IT 利活用、デジタル人材育成を目的に活動を開始している。また、2024 年 4 月 5 日に開催された経済産業省「産業サイバーセキュリティ研究会」では、規模や業種等サプライチェーンの実態に応じて企業の適切なセキュリティ対策レベルを評価し、可視化する仕組みを検討するとの方向性が示された[313]。この仕組みにより組織全体のセキュリティ対策レベルを細目にわたって把握することは、従業員に求められるセキュリティ関連のスキル・知識を見定める上でも参考になると期待される。

第 2 章　情報セキュリティを支える基盤の動向

(b) 人材のスキル評価の共通化

スキル変革調査の「IT人材の活躍を阻む環境のまとめ（適所化の問題）」では「IT人材のスキルを適切に評価できていない」としている。同調査によれば、IT人材の採用や評価において、スキルのアセスメントをするための体系的な基準を設けて行っている企業は少ない。企業、教育機関等それぞれの組織において、必要となるきめ細かさでの人材評価が共通的基準で実施できれば、人材の適材化・適所化は容易になると考えられる。

共通的な基準としてはIPAのITスキル標準（ITSS）の7段階のレベル評価がある。しかし、個々のスキル・知識を確認することのできる細目に及ぶ共通的な基準はない。IPAのITSS+（プラス）「セキュリティ領域[※314]」においても、企業のセキュリティ関連業務を17分野に整理しているが、評価レベルについては規定していない[※315]。

金融IT協会では、「金融IT検定」を立ち上げた。同検定は金融機関におけるIT・デジタル活用に必要な知識を問うもので、業界で必要とされる技術・知識・業務等を共通化し、ベンダー等との意思疎通がスムーズに行える環境を整えることを目的としている。

(c) ビジネス環境へのセキュリティ機能の組み込み

ノーコードやレスコードの普及等により、事業担当部門自身がアプリケーションを実行する環境を維持管理してアジャイルにビジネス展開することが今後当たり前になってく

る。事業実施において、事業実務者がビジネスアプリケーションを開発することや、デジタルなビジネス環境を運用する場面が多くなることが想定される。そのような状況においては、事業実務者が事業環境のセキュリティ対策を確実に構築、運用を行うことができ、セキュリティ対策で時間と工数を取られることなく、スピード感を持ってビジネス展開できることが求められる。更に、企業全体のセキュリティ管理としては、すべての事業環境におけるセキュリティ対策が統一的に管理されていることが求められる。そのためには、作業する人員が意識することなくセキュアに業務が行えるように、全社として業務基盤に対策を統一的に組み込むことが重要である。これにより、一般的なビジネス環境における新たなセキュリティ対応の需要の増大を予防的に抑え込むことが容易となり、セキュリティ人材不足の解消にも効果が期待できる。

(3) 今後の方向性

デジタルセキュリティ人材を生かしていく施策の背景と対応の一部として、セキュリティ業務の整理、人材のスキル評価の共通化、ビジネス環境へのセキュリティ機能の組み込みを取り上げた。これらの対応を扱う一例として、SC3産学官連携WGの「SC3セキュリティ人材育成フレームワーク」を説明する（図2-3-1）。

米国では、企業等のサイバーセキュリティ人材育成向けにNICE（National Initiative for Cybersecurity

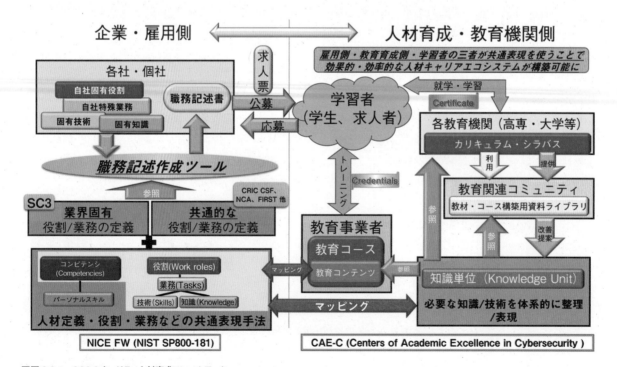

■図2-3-1　SC3セキュリティ人材育成フレームワーク
(出典)SC3事務局「SC3第8回産学官連携WG令和5年度WG活動報告【抜粋】[※310]」の図をSC産学官連携WG丹康雄座長へのインタビューに基づきIPAが編集

118

Education) が「Workforce Framework for Cybersecurity（NICE Framework）[316]」（以下、NICE フレームワーク）を推進し、サイバーセキュリティの業務に関する記述を共通化するための NIST SP800-181[317]を規定して、開発・改善を続けている。「SC3 セキュリティ人材育成フレームワーク」は、NICE フレームワークをベースに人材定義・役割・業務等の共通表現手法として用いている。これに、一般企業での共通的な役割／業務の定義[318]と業界固有の役割／業務の定義[319]を加えてテンプレートとしている。自組織のセキュリティ業務を検討する際には、それらのテンプレートをベースとすることで、一から記述する必要がなくなる。各社固有の役割／業務／技術／知識を検討した後、それらを職務記述作成ツールのインプットとすれば、自組織に特化した職務記述書を生成できる。これにより、セキュリティ業務の整理が容易に行える道具立てを提供している。

スキル評価の共通化について、「SC3 セキュリティ人材育成フレームワーク」では直接支援する形にはなっていない[320]が、学習者（学生、求人者等）に人材育成・教育機関で共通知識単位に基づいた修了証あるいは認定証をデジタルバッジで発行することを想定している。これによりスキル評価の共通化を実現しようとしている。

今後もデジタルセキュリティ人材の需要増加に応えていくために、人材育成環境を充実させていくことに加え、育成された人材を生かしていく環境を整えることが更に重要になってくる。一例として「SC3 セキュリティ人材育成フレームワーク」を取り上げたが、このような検討が今後進むことが望まれる。

2.3.2 情報セキュリティ人材育成のための国家試験、国家資格制度

本項では、情報セキュリティ人材の育成や確保を目的とした国家試験や国家資格制度に関する動向を紹介する。

(1) 情報セキュリティマネジメント試験

企業・組織においては、組織が定めた情報セキュリティポリシーを部門内に周知して遵守を促し、部門の情報管理を実施する等、情報セキュリティ対策を推進する人材（情報セキュリティマネジメント人材）が必須である。こうした人材を育成するために、2016 年度春期より「情報処理技術者試験」の新たな試験区分として「情報セキュリティマネジメント試験」が実施されている。2020 年度からCBT（Computer Based Testing）方式[321]に移行し

た同試験は、2023 年 4 月からは年間を通じて随時[322] CBT 方式により実施され、2023 年度は応募者数 3 万9,824 人（前年比約 1.27 倍）、合格者数 2 万 6,398 人（前年比約 1.64 倍）であった[323]。

(2) 情報処理安全確保支援士制度

最新の知識・技能を備え、サイバーセキュリティ対策を推進する人材の育成と確保を目指し、2016 年 10 月に「情報処理の促進に関する法律」の改正法が施行され、国家資格「情報処理安全確保支援士」制度が創設された。

情報処理安全確保支援士（以下、登録セキスペ）はサイバーセキュリティ分野初の国家資格であり、情報処理安全確保支援士試験合格者等が登録を申請し、登録簿に登録されることにより資格を取得できる。試験は年 2 回実施され、2023 年度は応募者数 3 万 7,697 人（前年比約 1.08 倍）、合格者数 5,678 人（前年比約 1.16 倍）であった[323]。登録セキスペは 2024 年 4 月 1 日時点で2 万 2,692 人[324]となった。

登録セキスペは、3 年ごとの登録更新が義務付けられている。登録セキスペには登録証（カード型）が交付され、初回登録時は帯の色がグリーン、1 回目の更新時はブルー、2 回目の更新時以降はゴールドに変わる。2023 年 10 月 1 日にゴールド登録証が初めて発行された。登録証のカラーパターンを図 2-3-2 に示す。

■図 2-3-2　登録証のカラーパターン

また、登録更新には計 4 回の法定講習の受講が必要である[325]。法定講習の全体像を図 2-3-3 に示す。

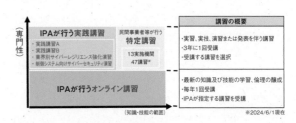

■図 2-3-3　法定講習の全体像

法定講習の「オンライン講習」では、登録セキスペに期待される情報セキュリティの実践に必要な知識・技能・倫理について学習することを目的として、IPA が指定す

る講習を毎年1回受講する。

　また、実習、実技、演習または発表等を通じて具体的な技術や手法を学ぶことを目的として、3年に1回、「IPAが行う実践講習」あるいは「民間事業者等が行う特定講習」から任意の講習を選択して受講する。

　「IPAが行う実践講習」のうち、主に登録後3年目までの登録セキスペを対象とした「実践講習A」は、インシデント対応等の演習を通じて情報セキュリティ対応実践のための具体的な技術や手法を習得するカリキュラムで、2023年度は892名が受講した。また、主に登録後4年目以降の登録セキスペを対象とした「実践講習B」は、想定企業において新規事業を立ち上げる際のセキュリティ上の助言を検討するカリキュラムで、2023年度は3,389名が受講した。このほかに、専門的な知識・技術修得を望む登録セキスペを対象として「業界別サイバーレジリエンス強化演習（CyberREX）[※326]」と「制御システム向けサイバーセキュリティ演習（CyberSTIX）[※327]」の選択も可能となっている（「2.3.3（2）産業システムセキュリティ人材育成のための活動」参照）。

　「民間事業者等が行う特定講習」は、「IPAが行う実践講習」と同等以上の効果を有する講習として経済産業大臣が定める講習[※328]であり、個々の登録セキスペが目指すキャリアパスに応じた講習を幅広い分野から選択できる。2023年度には13実施機関40講習であったものが、2024年度には13実施機関47講習（2024年6月1日時点）と対象が増加した。

　サイバーセキュリティ対策の現場で活躍している登録セキスペからは「オンライン講習ではサイバーセキュリティに関する知識やトレンドのほか、情報収集の仕方や直近の法改正の内容等を学ぶことができる。実践講習・特定講習では実践的なトレーニングを受けることもできる。また、信頼のある資格保有者であることで、開発段階から安心して業務を依頼していただけた」（ITベンダー企業経営者）との声[※329]が聞かれた。今後一層、企業・組織のセキュリティ対策推進に登録セキスペの活躍が期待され、大きな役割を果たしていくと考えられる。

2.3.3 セキュリティ人材育成のための活動

　情報セキュリティ人材を育成するための活動について述べる。

(1) 情報セキュリティ人材育成のための活動

　情報セキュリティの人材育成を行う関係機関の活動について述べる。

(a) セキュリティ・キャンプ

　「セキュリティ・キャンプ」は、若年層の情報セキュリティ意識の向上、並びに将来第一線で活躍できる高度な情報セキュリティ人材を発掘・育成する場として、一般社団法人セキュリティ・キャンプ協議会（以下、セキュリティ・キャンプ協議会）とIPAにより運営されている。セキュリティ・キャンプ協議会とIPAが開催しているプログラム・イベントについて以下で紹介する。

- セキュリティ・キャンプ全国大会
　年1回、主に夏休み期間中に4泊5日の合宿形式の勉強会としてセキュリティ・キャンプのメインイベントである「セキュリティ・キャンプ全国大会」（以下、全国大会）を開催してきた。20回目となる2023年度の「全国大会2023」は8月7日から11日の5日間で開催した。448名の応募があり、選考を通過した79名が参加した[※330]。

- セキュリティ・ネクストキャンプ
　過去の全国大会を修了、または同等以上のスキルを持つ25歳以下の学生等を対象に、更なる育成の場として「セキュリティ・ネクストキャンプ2023」を全国大会と同時に開催した。5回目の開催となる同プログラムでは62名の応募があり、選考を通過した10名が参加した[※331]。

- セキュリティ・ジュニアキャンプ
　15歳以下の生徒を対象に「セキュリティ・ジュニアキャンプ」を全国大会と同時に開催した。2022年度まで全国大会の一部として「ジュニアゼミ」を開催していたが、小中学生でもプログラミングの教育が行われるようになったことを受けて、セキュリティを学ぶ機会を増やすために、2023年度より一つの大会として独立させたものである。同プログラムでは25名の応募があり、選考を通過した5名が参加した[※332]。

- セキュリティ・ミニキャンプ
　25歳以下の学生、生徒、児童を対象に各地域で専門性の高い技術的な教育を提供する専門講座のほか、情報セキュリティのリテラシー向上を企図した参加資格を限定しない一般講座を開催している[※333]。
　セキュリティ・キャンプ協議会等と地域の組織・団体との共催により1日または2日にわたり行われるプログラムで2023年度は全国各11ヵ所の地域で開催した[※334]。東京（2023年5月）、三重（2023年7月）、宮﨑（2023年8月）、沖縄（2023年10月）、北海道（2023年11

月)では専門講座のみ開催した。新潟(2023年9月)、山梨(2023年9月)、徳島(2023年10月)、広島(2023年11月)、石川(2023年12月)、大阪(2024年3月)では一般講座と専門講座が開催された。

- Global Cybersecurity Camp

「Global Cybersecurity Camp (GCC)」は「国籍・人種を超えた専門知識のあるグローバル人材の育成」と「国境を越えた友情とゆるやかなコミュニティの形成」を目的としたイベントである。セキュリティに興味を持つ25歳以下の若者がともに学び、友好を深める場として2018年度より日本を含むアジア太平洋地域4ヵ国で開始し、6回目となる2023年度の「GCC 2024 タイ」は9ヵ国の関連団体・大学により開催された。日本からは選考を通過した5名が参加し、参加者はグループワークをとおして各国の受講生、講師等と交流を行い、最終日にその成果を発表した[335]。

(b)NICT における人材育成

NICT が運営するサイバーセキュリティ研究所には「サイバーセキュリティネクサス(CYNEX)」「ナショナルサイバートレーニングセンター」「サイバーセキュリティ研究室」「セキュリティ基盤研究室」「ナショナルサイバーオブザベーションセンター」という五つの機能・役割があり、研究開発と人材育成に大別される。本項では NICT が実施している各種人材育成の活動について述べる。

(ア)CYNEX

サイバーセキュリティネクサス (CYNEX:Cyber Security NEXUS)は、産学官連携の結節点(ネクサス)となる先端的基盤の構築のため、2021年4月に組織された。ナショナルサイバートレーニングセンターとサイバーセキュリティ研究室の活動から得られるサイバー攻撃の膨大なデータと人材育成ノウハウを活用し、社会全体でサイバーセキュリティ人材を育成するための共通基盤を共有することで、日本のサイバーセキュリティの対応能力向上を目指している。

CYNEX では「Co-Nexus A (Accumulation & Analysis)」「Co-Nexus S (Security Operation & Sharing)」「Co-Nexus E (Evaluation)」「Co-Nexus C (CYROP)」の四つのサブプロジェクトが並行して推進されており、人材育成に関連するのは Co-Nexus S と Co-Nexus C である。

- Co-Nexus S

Co-Nexus S では、高度 SOC (Security Operation

Center) 人材の育成と国産脅威情報の生成・提供・情報発信を行っている。CYNEX の解析チームに参画組織から育成人材を受け入れ、研修と実務を通じて高度 SOC 人材を育成している。2023年度は4期生として16名が参加した。

- Co-Nexus C

Co-Nexus C では、国内のセキュリティ人材育成事業を活性化させることを目的に、サイバーセキュリティ演習基盤や人材育成教材のオープン化を行っている。サイバーセキュリティ演習基盤として教材と実機の演習環境からなる「CYROP (CYber Range Open Platform)」は、Co-Nexus C におけるサイバーセキュリティ演習基盤として、2022年2月にオープン化し、教育機関や民間企業にライセンスの提供を開始した[336]。教材・コンテンツ等については Co-NEXUS A、S、E からのフィードバックによるサイバー演習の継続的な最新化、社会的な需要に応じた開発・拡充を行っている。2023年度は29種類の演習教材を提供し、3組織で商用演習サービスの利用を開始した。

NICT は2023年10月、CYNEX の活動を本格始動させる「CYNEX アライアンス」の発足を発表した[337]。CYNEX アライアンスでは民間企業、政府機関、教育機関が四つの Co-Nexus に参画し、各 Co-Nexus の活動を深化させ、Co-Nexus への参加組織がアクセスできるサイバーセキュリティ情報の拡充を進める。具体的には「セキュリティ情報融合基盤 CURE (Cybersecurity Universal REpository)」を参加組織に開放すると2023年10月に発表した。2024年2月末現在、参加組織は60に達した。

(イ)CYDER

実践的サイバー防御演習(CYber Defense Exercise with Recurrence:CYDER)は、サイバー攻撃を受けた際の一連の対応を、パソコンを操作しながらロールプレイ形式で学ぶことができる演習である。2013年に総務省の実証実験としてスタートし、現在は NICT のナショナルサイバートレーニングセンターによって開発・実施されている。初級(A コース)、中級(B コース)、準上級(C コース)からなる集合演習と、オンライン入門コース、プレ CYDER からなるオンライン演習がある。2023年度の集合演習では、初級(A コース)69回、中級(B コース)34回、準上級(C コース)4回を実施した[338]。また2023年度、オンライン演習のプレ CYDER は国の機関、地方公共団体

のみを受講対象とし[339]、2023年12月5日から2024年1月31日に[340]実施した。

総務省は2024年2月18〜26日にグアムでCYDERを活用し、大洋州島しょ5ヵ国（パラオ、ナウル、マーシャル諸島、ミクロネシア連邦、キリバス）の通信インフラの安全を守るための人材育成を支援する目的で演習を実施した。この演習では、NICTが観測した最新の攻撃情報が活用されている。総務省が島しょ国地域を対象にCYDERを使用し演習を行うのは初めてである[341]。

（ウ）CIDLE

総務省は2023年8月、2025年日本国際博覧会（以下、大阪・関西万博）関連組織のサイバーセキュリティ強化のため、万博向けサイバー防御講習「CIDLE（シードル）」を2023年9月から実施すると発表した[342]。CIDLEでは、NICTのナショナルサイバートレーニングセンターの大規模仮想ネットワーク環境等を活用し、大阪・関西万博関連組織の情報システム担当者等向けにインシデント対応演習等を実施予定である。

（エ）SecHack365

社会を脅かすサイバーセキュリティ上の課題を分析研究し、解消するアイデアの創出と解決策を実装する力を持った人材が強く求められている。こうした問題意識からNICTのナショナルサイバートレーニングセンターでは、25歳以下を対象に、「セキュリティイノベーター」として様々な課題にアイデアを持って切り込める、次の四つの能力を身に付けた人材の育成を目指す「SecHack365」プログラムを2017年度から実施している[343]。

- サイバーセキュリティの課題に関する分析力
- 新たな発想で課題解決に挑むアイデアを多産し研究やシステム等に昇華できる力
- 自ら開発するサービスやプロダクト、システムを安全なものにするスキルや能力
- サイバーセキュリティの課題を解消するストーリーを作りそれを分かりやすく表現できる力

年6回のイベントと通年（365日）のオンライン指導で参加者の研究・開発を支援する仕組みで、「表現駆動」「学習駆動」「開発駆動」「思索駆動」「研究駆動」の5種類のコースが用意されている。2023年度の6回のイベントはオフライン、オンライン各3回ずつが交互に行われ、2024年3月2日にオフラインで成果発表会が行われた。

（c）SECCON

SECCON（SECURITY CONTEST）は、情報セキュリティをテーマにした多様な競技を開催する情報セキュリティコンテストイベントである。特定非営利活動法人日本ネットワークセキュリティ協会（JNSA：Japan Network Security Association）内に設置されたSECCON実行委員会が運営している[344]。SECCONは年間を通じ複数のプログラムを行っており、技術の実践の提供、実践的情報セキュリティ人材の発掘・育成に貢献している。各プログラムの2023年度の実施内容について紹介する。

- SECCON CTF

CTF（Capture the Flag）は攻撃・防御両者の視点を含むセキュリティの総合力を競うハッキングコンテストである。2023年度は本大会として、オンラインで実施される予選大会「SECCON CTF 2023 Quals」が2023年9月16〜17日に、国際決勝と国内決勝の二つの大会で構成される決勝大会「SECCON CTF 2023 Finals」が東京で同年12月23〜24日に開催された。国際決勝の出場条件は予選大会の全体順位が10位以内であること、国内決勝は予選大会の日本国内順位が10位以内であること等が定められている[345]。

- SECCON Beginners

SECCON Beginnersは、CTF未経験者やCTFを目指す人向けの勉強会である。初級向けのCTFの実践だけでなく、問題解説やワークショップが併催されている。2023年度はオンライン、オフライン含め合計5回開催された[346]。

- CTF for GIRLS

CTF for GIRLSでは、情報セキュリティ技術に興味がある女性を対象にコミュニティ形成の一環として、情報セキュリティ技術について学ぶワークショップやCTFイベントを開催している。2023年9月にオンラインでワークショップを行ったほか、CTF for GIRLSの発足10年目を記念したイベントが2023年12月に開催された[347]。

- SECCON Workshop

SECCON Workshopは、セキュリティ技術をハンズオンで学ぶワークショップである。2023年7月には東京で「Moving Target Defense」「IoTセキュリティ」をテーマに、9月には札幌で「IoTセキュリティ」をテーマに開催された。10月には福岡で「XDPで作って学ぶファイアウォールとロードバランサー」と題して開催された[348]。

(d) AJCCBC

日 ASEAN サイバーセキュリティ能力構築センター（Asean Japan Cybersecurity Capacity Building Centre：AJCCBC）は、ASEAN 域内のサイバーセキュリティ能力の底上げを行うため、タイのバンコクに 2018 年 9 月に設立された人材育成プロジェクトである[349]。

2023 年 6 月 19 日、国際協力機構（Japan International Cooperation Agency：JICA）の技術協力プロジェクト「サイバーセキュリティとデジタルトラストサービスに関する日 ASEAN 能力向上プログラム強化プロジェクト」の第 1 回の研修開催を記念し、オープニングセレモニーが AJCCBC で行われた。同プロジェクトは 2023 年 3 月から 4 年間の予定で AJCCBC の運営を支援する[350]。

また、2023 年 6 ～ 12 月に ASEAN 加盟国の政府・重要インフラ企業の役職員向けに各種体験型のサイバーセキュリティ演習を 4 回開催した[351]。

(e) 産学情報セキュリティ人材育成交流会

産学情報セキュリティ人材育成交流会は、JNSA が情報セキュリティ分野の人材不足の状況を踏まえ、JNSA 産学情報セキュリティ人材育成検討会を 2012 年に発足し、「教育機関における産学連携の支援」と「会員企業における採用を支援する取り組み」の実行を宣言したことに始まる[352]。同交流会はインターンシップに興味を持つ学生に対し、受け入れ企業と交流できる場を提供し、長期インターンシップに関わる不安等を解消する目的で実施している。2023 年度の同交流会は 12 月 2 日に定員 60 名で、東京大学本郷キャンパスで開催され、インターンシップの実施を予定する企業と学生が、セキュリティ業界、サイバーセキュリティの仕事、働き方等について情報交換を行った[353]。

(f) サイバーセキュリティ経営戦略コース

サイバーセキュリティ経営戦略コースは、東京工業大学の環境・社会理工学院 技術経営専門職学位課程において社会人アカデミーのプログラムとして行っている、技術経営（Management of Technology：MOT）に関する 14 種類あるプログラム（Career up MOT：CUMOT）のうちの一つである。サイバーセキュリティ経営及び経営立案に求められる知識・能力を備え、企業・組織を先導する人材を育成することが目的である[354]。2023 年度は 11 月から 3 月の毎週木曜日にオンライン講義形式で開催された[355]。

(g) KOSEN Security Educational Community

KOSEN Security Educational Community は、独立行政法人国立高等専門学校機構が実施しているサイバーセキュリティ人材育成事業である。高等専門学校（以下、高専）には、IT の最新ハードウェアやソフトウェアに触れる環境があり、在校生は早い段階から専門教育を受けていることから、サイバーセキュリティ分野において将来、社会に貢献できるポテンシャルがある。当該事業は木更津高専と高知高専が拠点校となり、その他全国の高専のうち 8 校を 5 ブロックに分け、協力校として拠点校と連携して人材育成を推進している[356]。2023 年度には、サマースクール、演習、講習会、コンテスト等のサイバーセキュリティに関する技術を習得するための多様なイベントが開催された[357]。

(2) 産業システムセキュリティ人材育成のための活動

IPA の産業サイバーセキュリティセンター（ICSCoE：Industrial Cyber Security Center of Excellence）では、重要インフラや産業基盤のサイバー攻撃に対する防御力を強化するための人材育成事業に取り組んでいる。具体的にはセキュリティの観点から企業等の経営層と現場担当者を繋ぐ人材（中核人材）を対象とした「中核人材育成プログラム」、セキュリティ対策を統括する経営層や部課長クラス等向けの「責任者向けプログラム」、制御システムのサイバーセキュリティ担当者向けの「実務者向けプログラム」を実施している。

本項では 2023 年度に実施した事業について述べる。

(a) 中核人材育成プログラム

ICSCoE は、2017 年 7 月から制御技術（OT：Operational Technology）と情報技術（IT）、マネジメント、ビジネス分野を総合的に学び、サイバーセキュリティ対策の中核となる人材を育成する「中核人材育成プログラム」を実施している。同プログラムでは、OT 及び IT 知識のレベル合わせからハイレベルな演習までを 1 年間のフルタイムで実施する（次ページ図 2-3-4）。第 1 期から第 6 期までに 370 名の修了者を輩出し、2023 年 7 月に開講した第 7 期では、電力・ガス・鉄鋼・石油・化学・自動車・鉄道・放送・通信・建築・産業用制御システムのベンダー等の幅広い業界から 65 名が参加した。

カリキュラムは以下の 3 領域を基軸とした構成となっている。

- 「IT/OT 分野における検知技術・防衛技術・レジリ

■図2-3-4　第7期中核人材育成プログラムの年間スケジュール

エンス手法等」(模擬プラントを用いた攻撃と防御の両面を学ぶパープルチーム演習、制御システムを含んだセキュリティリスク評価、攻撃に対する防衛技術の理解等)

- 「OT インシデント対応・BCP」(安全性と事業継続性を両立する OT インシデント対応、制御システム BCP 対応の演習等)
- 「IT セキュリティ」(制御システムセキュリティ実現のための IT 設計、IT インシデント対応、体制整備等)

また、専門家によるビジネスマネジメントに関する講義や米国・欧州等の先進事例を学び現地トップレベル機関との人的ネットワークの構築を目的とする海外派遣演習、国内で制御システムの現場を見学するフィールドワーク等を含んでいる。

2024 年 4 月には、第 7 期受講者が海外派遣演習として英国及びフランスを訪問した。英国では、港湾都市に所在するプリマス大学 Cyber-SHIP Lab を訪問し、船舶システムの模擬プラント等を見学したほか、英国科学・イノベーション・技術省にて英国におけるサイバーセキュリティ政策の紹介を受けた後、サイバーセキュリティ分野のスタートアップを支援する Cyber Runway 等を訪問し、意見交換を行った。フランスでは、サイバーセキュリティにおける先進的な技術開発等が行われている研究機関 Institut Mines-Télécom 及び IRT System X を訪れ、技術開発の現場を見学した。

国内においても、発電プラントや化学プラント等制御システムが稼働する現場を見学した。

カリキュラムの総まとめの「卒業プロジェクト」では、受講者自身が課題を設定してグループワークで成果物を作成する。第 6 期では 22 件の成果物が作成され、受講者の取り組みの一端を紹介するため、機密性等の観点から公開可能な 6 件を Web サイトで公開した[358]。

中核人材育成プログラムの修了者コミュニティである「叶会[359]」は、2018 年夏以降、同プログラムを通じて培った人脈の活用、知見やノウハウの共有を目指し、地域活動や技術をテーマにする複数の部会を設置する等、活動している。

2023 年 11 月には修了年次をまたがる縦のつながりの形成、最新情報及びノウハウ共有を目的とした叶会総会の第 6 回を開催した。

叶会には第 1 期から第 6 期までの修了者に加え、2024 年 6 月に修了した第 7 期生も参加しており、今後もコミュニティとしての規模を拡大しながら、お互いの顔が見える縦横の人的つながりを形成し、産業サイバーセキュリティに関する適時、適切な情報共有活動を継続することが期待される。

また、修了者へのフォローアップの一環として、リカレント教育の機会を設けている。2023 年度は 7 月から 8 月の間で 4 コース 4 回のプログラムを提供し、それぞれ希望者が参加した。知識・スキルのアップデートや修了者間のネットワークの維持、構築の場になっている。

(b) 責任者向けプログラム

責任者向けプログラムでは、「サイバー危機対応机上演習(CyberCREST)」「業界別サイバーレジリエンス強化演習(CyberREX)」「サイバーセキュリティ企画演習(CyberSPEX)」の三つのプログラムを実施した。

- サイバー危機対応机上演習(CyberCREST)

「サイバー危機対応机上演習(CyberCREST: Cyber Crisis RESponse Table top exercise)[360]」は、制御システムを有する企業・団体においてサイバーセキュリティ対策を統括する責任者や SOC(Security Operation Center)の責任者、サイバーセキュリティ対策部門の管理職を対象としたプログラムである。

2024 年 1 月に同演習を東京で実施した。同演習では、世界情勢の不確実性を背景に高まるサイバー攻撃の脅威に備え、組織の責任者層に不可欠なサイバーセキュリティの知識やスキルを学ぶため、OT 環境へのサイバー攻撃の脅威やインシデントへの対処についての講義や、イスラエルの有識者による講演及び質疑、更に国家脅威アクターによるサプライチェーン攻撃のシナリオを使った机上演習を行った。

- 業界別サイバーレジリエンス強化演習(CyberREX)

「業界別サイバーレジリエンス強化演習(CyberREX: Cyber Resilience Enhancement eXercise by industry)[326]」は、電力、ガス、ビル、金属、石油、化学、自動車(製造)、ファクトリーオートメーション、情報通信、鉄道、物流、航空、船舶業界において、CISO に相当する役割を担う人材や IT 部門、生産

部門等の責任者・マネージャークラスの人材を対象としたプログラムである。登録セキスペの「実践講習」としても参加可能になっている。

2023年5月と9月に東京、11月に大阪で同演習を実施した。同演習は、部署・部門のサイバーセキュリティに関するインシデント対応力・回復力を強化するため、仮想企業を想定し、業界の最新動向、業界別に考慮すべきセキュリティ要件、安全性要件を織り込んだシナリオ形式による実践演習を中心に進められた。受講者に加え、サイバーセキュリティの専門家や関連省庁の関係者も参加した形式でグループ演習を行った。

- サイバーセキュリティ企画演習(CyberSPEX)

「サイバーセキュリティ企画演習（CyberSPEX：Cyber Security Planning Exercise[361]）」は、組織のサイバーセキュリティを推進する責任者（マネジメント）層として必要な企画立案スキルを習得するためのプログラムである。2023年度より新規開講し、2024年1月から2月にかけて東京で計4日間実施した。同演習では責任者層として知るべきサイバーセキュリティの知識を獲得する講義やワークショップ、経営層を説得する考え方やロジカルシンキングを習得する提言シミュレーション演習を行った。提言シミュレーション演習では、仮想企業を用いてサイバーセキュリティの企画を立案し、模擬的な役員会において経営経験者の講師に対して提言を行い、実践的なフィードバックを得て知見を深めた。参加者からは、「グループワーク形式で他受講者の意見も大変参考になった」「経営向け提案のストーリー作成のイメージがつかめた」といった反応があった。

(c)実務者向けプログラム

実務者向けプログラムでは、「制御システム向けサイバーセキュリティ演習（CyberSTIX：Cyber SecuriTy practIcal eXercise for industrial control system）[327]」を実施している。同演習は、制御システムのサイバーセキュリティを担当する、または今後担当予定の技術者を対象として実施したプログラムである。登録セキスペの「実践講習」としても参加可能になっている。

2023年5月に札幌、9月に東京、2024年2月に福岡で同演習を実施した。同演習は、制御システムのサイバーセキュリティを理解するための導入的な演習に位置付けられている。制御システムへの攻撃手法、及び制御システムのサイバーセキュリティ対策の基礎を、簡易模擬システムを用いた実機演習（ハンズオン演習）で体験し、制御システムのセキュリティについて実践的に理解することを目的としている。

2.4 国際標準化活動

国際標準とは、製品や技術を、国境を越えて利用するために制定される国際的な共通規格であり、国際規格とも呼ばれる。本節では、日本の標準化活動を含む様々な標準化団体の活動及び国際標準化の動向として ISO、IEC、ITU-T のセキュリティ分野の活動を紹介する。

2.4.1 様々な標準化団体の活動

日本の標準化活動への取り組みと、作成プロセスや作成組織の違いから見た標準の分類、及びセキュリティに関連する分野の主な標準化団体の概要を示す。

(1)日本の標準化活動推進の取り組み

主要国では、自国に有利な標準化を目指し、官民を挙げて標準化活動に取り組んでいる。日本でも「市場創出に資する経営戦略上の標準化活動（戦略的活動）」に積極的に取り組むことが、これまでの基盤的活動の維持に加えて重要であるとして、2022 年 4 月より経済産業省日本産業標準調査会基本政策部会にて、日本の標準化活動の在るべき姿や課題・取り組み事項の整理を行い、2023 年 6 月「日本型標準加速化モデル」を公表した[362]。「日本産業標準調査会 基本政策部会 取りまとめ[363]」では「人材の育成・確保」「経営戦略と標準化」「研究開発と標準化」「標準加速化を支える環境整備・各種取組」をポイントに挙げ、上記モデルの実現に向けた課題と施策を述べている。

(2)標準の分類

国際標準には、公的な標準化団体により所定の手続きを経て作成される「デジュール標準（de jure standard）」、いくつかの企業や団体等が協力して自主的に作成する「フォーラム標準（forum standard）」、公的な標準化団体を介さず、市場や業界において広く採用された結果として事実上標準化される「デファクト標準（de facto standard）」がある。

デジュール標準では、幅広くステークホルダーを集めて議論をとおして合意形成を行う。次項で紹介するISO、IEC、ITU-T が作成する国際規格や JIS 等の国家規格が該当し、策定プロセスが規定されており、様々な規制等に用いられることも多い。合意形成のために複数の検討段階が設定されており、正式に発行するまでに時間がかかる（ISO/IEC は約 3 年）。

フォーラム標準は業界団体等、共通の関心を持つ企業等が集まって議論し、業界ルール等限定的な範囲で合意される標準である。作成スピードは速く、業界の特性が反映されていることから該当する業界内では利用が促進されやすい。次項で紹介する IEEE、IETF、TCGが発行する標準が該当する。コンソーシアム標準と呼ばれることもある。業界のフォーラム標準が、その後、国際標準化団体に提案され、時間をかけてデジュール標準となる場合もある。

電気製品や IT 製品等、開発サイクルの短い分野では、その時点の市場で一般的な規格としてデファクト標準が採用される傾向にある。例えば Windows のようなOS や Google のような検索エンジン等、グローバルなIT 企業の製品・サービスが事実上の国際標準となる傾向があり、合意形成プロセスは存在しない。

(3)情報セキュリティ分野に関する標準化団体

情報セキュリティに関連するデジュール標準やフォーラム標準の策定を行っている主な国際標準化団体を以下に示す。

- ISO（International Organization for Standardization：国際標準化機構）/IEC（International Electrotechnical Commission：国際電気標準会議） JTC 1 （Joint Technical Committee 1：第一合同技術委員会）[364]：情報セキュリティを含む情報技術の国際規格を策定している。コンピューターや情報分野を扱う国際標準化団体として ISO、IEC はそれぞれ独立に存在しているが、扱う領域の競合を避けるために双方が連携し、JTC1 が設立された。日本国内の標準化団体としては、日本産業標準調査会 （JISC：Japanese Industrial Standards Committee）が ISO、IEC 双方のメンバーであり、JTC 1 でも活動している[365]。
- ITU-T （International Telecommunication Union Telecommunication Standardization Sector：国際電気通信連合 電気通信標準化部門）：電気通信技術に関わる国際規格を策定している。情報セキュリティに関しては SG（Study Group） 17 が設置され[366]、ISO や後述する IETF とともにネットワークや ID 管理等に関する標準化活動を行っている。策定した標準は ITU-T 勧告として定められる。

また、情報セキュリティ分野に関するフォーラム標準を策定する代表的な組織として、以下がある。

- IEEE（The Institute of Electrical and Electronics Engineers, Inc.）：
電気工学・電子工学技術に関する国際学会である。標準化活動は内部組織であるIEEE-SA（Standards Association）が行っている。情報セキュリティについては、サイバーセキュリティ、ネットワークセキュリティ、IoTセキュリティ等の広範な領域で標準化を行っている。

- IETF（Internet Engineering Task Force）：
インターネット技術の国際標準化を行う任意団体である。非常にオープンな組織であり、作業部会のメーリングリストに登録することで誰でも議論に参加できる。情報セキュリティについては、インターネット上のセキュアなプロトコル、暗号、署名、認証、セキュリティ情報連携（セキュリティオートメーション）等の方式の標準化を行っている[367]。標準化した技術文書はRFC（Request For Comments）として参照できる。

- TCG（Trusted Computing Group）：
信頼できるコンピューティング環境（埋め込み機器、パソコン／サーバー、ネットワーク等）に関するセキュリティ技術の標準化を行う業界団体である。ハードウェア、ソフトウェア等のベンダーやシステムインテグレーターがメンバーとなり、中国、日本にregional forumがある[368]。

2.4.2 情報セキュリティ、サイバーセキュリティ、プライバシー保護関係の規格の標準化（ISO/IEC JTC 1/SC 27）

ISO/IEC JTC 1/SC 27（以下、SC 27）は、ISO及びIECの合同専門委員会（ISO/IEC JTC 1）において、情報セキュリティに関する国際標準化を行う分科委員会（SC：Subcommittee）である。SC 27は、テーマ別に以下の五つの作業グループ（WG）で構成される。

WG 1：情報セキュリティマネジメントシステム
WG 2：暗号とセキュリティメカニズム
WG 3：セキュリティの評価・試験・仕様
WG 4：セキュリティコントロールとサービス
WG 5：アイデンティティ管理とプライバシー技術

ISO/IECにおける標準化作業は、策定する仕様の完成度によって図2-4-1のような作成段階があり、それぞれ各国の投票によって次の段階へ進む。なお、ISOにおいて、技術が未成熟である、またはガイダンス等の標準仕様ではないが重要であるとされたものは、技術報

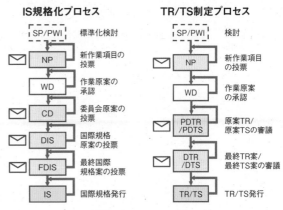

■図2-4-1　ISO/IEC JTC 1/SC 27における文書の作成段階
（出典）JISC「ISO/IEC規格の開発手順[369]」を基にIPAが作成

告書または技術仕様書として発行する。

図2-4-1の各文書の作成段階と略号は以下のとおりである。

SP：研究期間（Study Period）
PWI：予備業務項目（Preliminary Work Item）
※SPとPWIのどちらを実施するかはWGによって異なる。
NP：新作業項目（New work item Proposal）
WD：作業原案（Working Draft）
CD：委員会原案（Committee Draft）
DIS：国際規格原案（Draft International Standard）
FDIS：最終国際規格案（Final Draft International Standard）
IS：国際規格（International Standard）
PDTR：予備技術報告原案（Preliminary Draft Technical Report）
PDTS：予備技術仕様書原案（Preliminary Draft Technical Specification）
DTR：技術報告書原案（Draft Technical Report）
DTS：技術仕様書原案（Draft Technical Specification）
TR：技術報告書（Technical Report）
TS：技術仕様書（Technical Specification）

以下に、各WGの活動概要を述べる。なお本文中では略号を使用する。

（1）WG 1（情報セキュリティマネジメントシステム）

WG 1では、情報セキュリティマネジメントシステム（ISMS：Information Security Management System）に関する国際規格として、ISO/IEC 27001（ISMS要求事項）及びISO/IEC 27002（情報セキュリティ管理策及

び実施の手引き）を中心に、ISO/IEC 27001 が示す ISMS 要求事項に関する手引きや指針を提供する規格、ISO/IEC 27001 及び ISO/IEC 27002 を土台とする分野別規格、及びその他トピックスに関する ISO/IEC 27000 ファミリー規格の国際標準化活動を実施している。

(a)ISO/IEC 27001:2022 及び ISO/IEC 27002:2022 発行に伴う他規格への影響

2022 年には、ISO/IEC 27001 の本文と ISO/IEC 27002 の構成の大きな変更を伴う改訂がされた。この改訂に伴い、これら規格を引用、参照している規格には見直しが発生している。

ISO/IEC 27002 に基づきセクター固有のガイドラインを提供する規格は、改訂への対応が比較的早く、ISO/IEC 27011（ISO/IEC 27002 に基づく電気通信組織のための情報セキュリティマネジメント指針）は、既に改訂を終えて、2024 年 3 月に改訂版が発行された。ISO/IEC 27019（エネルギーユーティリティ工業のための情報セキュリティ制御）は現在 DIS の段階、ISO/IEC 27017（ISO/IEC 27002 に基づくクラウドサービスのための情報セキュリティ管理策の実践の規範）は CD の段階である。

その他のガイドライン規格においても、改訂が開始されている。ISO/IEC 27003（情報セキュリティマネジメントシステム−手引）、ISO/IEC 27004（情報セキュリティマネジメント−測定）、ISO/IEC TS 27008（セキュリティ技術−情報セキュリティ管理策の監査員のための指針）は、いずれも、改訂が開始され、WD の段階である。ISO/IEC 27013（情報セキュリティ, サイバーセキュリティ, プライバシー保護−ISO/IEC 27001 及び ISO/IEC 20000-1 の統合的実施の手引）については、改訂は行われず、追補版を発行予定で作業が行われている。

検討が開始されている新規格としては、ISO/IEC 27028（ISO/IEC 27002:2022 の属性の利用及び作成に関する手引）がある。ISO/IEC 27002:2022 で新たに取り込まれた属性について、その利用や作成に関する手引きを示す規格である。ISO/IEC 27002 では、93 個の管理策が次の 4 箇条に分けて示されている。

- 組織的管理策（37 個）
- 人的管理策（8 個）
- 物理的管理策（14 個）
- 技術的管理策（34 個）

属性は、これらの管理策を、更に分類しやすくするためのものであり、規格では表 2-4-1 の五つの属性が示さ

れているが、組織がこれ以外の新たな属性を作成することもできる。

属性	属性値
管理策のタイプ	予防、検知、是正
情報セキュリティ特性	機密性、完全生、可用性
サイバーセキュリティ概念	識別、防御、検知、対応、復旧
運用機能	ガバナンス、資産管理、情報保護、人的資源のセキュリティ、物理的セキュリティ、システム及びネットワークセキュリティ、アプリケーションのセキュリティ、セキュリティを保った構成、識別情報及びアクセスの管理、脅威及び脆弱性の管理、継続、供給者関係のセキュリティ、法及び順守、情報セキュリティ事象管理、情報セキュリティ保証
セキュリティドメイン	ガバナンス及びエコシステム、保護、防御、対応力

■表 2-4-1　ISO/IEC 27002 の属性
（出典）ISO・IEC「ISO/IEC 27002:2022 - Information security, cybersecurity and privacy protection — Information security controls[*370]」を基に執筆者が作成

(b)その他の ISO/IEC 27000 ファミリー規格の国際標準化活動

ISO/IEC 27001:2022 及び ISO/IEC 27002:2022 の改訂と直接関係のない、その他の規格の動向について述べる。

ISO/IEC 27016（情報セキュリティマネジメント−組織経済学（Organizational Economics））については、改訂検討が開始され、PWI にある。また、サイバーセキュリティに関するガイドラインである ISO/IEC TR 27103（サイバーセキュリティと ISO 及び IEC 規格）は改訂中であり、WD の段階である。

(2) WG 2（暗号とセキュリティメカニズム）

WG 2 では、暗号プリミティブ（暗号アルゴリズム）や、デジタル署名技術、鍵共有のような汎用的かつ基本的な暗号プロトコル等の標準化を行っている。2023 年度は、新しい規格である ISO/IEC 4922-1（秘密マルチパーティ計算 第 1 部：総論）と ISO/IEC 4922-2（秘密マルチパーティ計算 第 2 部：秘密分散に基づくメカニズム）の 2 件、及び既存規格 2 件の改訂版（追補）が発行された。このほかの主な活動内容について以下に示す。

(a)耐量子計算機暗号の規格化作業停滞

ドイツより、耐量子計算機暗号 FrodoKEM の標準化が提案され、1 年半での規格の発行を目指し、ISO/

IEC 18033-2（暗号アルゴリズム 第2部：非対称暗号）の追補として2023年に規格化作業が開始された。この追補に掲載候補として挙げられているアルゴリズムは、FrodoKEM、CRYSTALS-Kyber、Classic McEliceである。

ただ、WG内の議論では、耐量子計算機暗号の規格内容の考え方に様々な見解が出ているため、コンセンサスが得られておらず、進捗は停滞気味である。中間会合を増やして議論を加速する予定である。

(b)完全準同型暗号の規格化作業再開

完全準同型暗号はISO/IEC 18033-8（暗号アルゴリズム 第8部）として2021年に規格化を開始したが、様々なタイプのアルゴリズムがあるため、規格化作業の進捗は芳しくなかった。

2023年に、完全準同型暗号を単独の規格とし、アルゴリズムタイプごとに各部に分けることが提案され、ISO/IEC 28033として規格化作業を開始することが承認された。ISO/IEC 28033-1（完全準同型暗号 第1部：総論）、ISO/IEC 28033-2（完全準同型暗号 第2部：BGV/BFV系）、ISO/IEC 28033-3（完全準同型暗号 第3部：CKKS系）、ISO/IEC 28033-4（完全準同型暗号 第4部：CGGI系）という構成で議論を進めている。

(3)WG3（セキュリティの評価・試験・仕様）

WG3では、セキュリティの評価・試験手法の標準化を行っている。本項においては、WG3において開発され、2023年度に発行された以下の三つの国際標準に関して概説する。

(a)ISO/IEC 23837 "Information security - Security requirements, test and evaluation methods for quantum key distribution"

ISO/IEC 23837は、量子鍵配送（Quantum key distribution）のセキュリティ要件、及び評価・テスト手法を規定した国際標準である。量子鍵配送とは、暗号鍵を含む鍵情報を光子に載せ、量子力学的な性質を活用して鍵情報を守りつつ、送信者と受信者で暗号鍵を共有する仕組みである。もし盗聴者が光子に載せた鍵情報を盗み見ると、光子の量子力学的な状態が変化したことを検知できる。検知されずに鍵情報を盗聴することが不可能であることが理論上証明されている。盗聴されずに交換された暗号鍵のみを用いて暗号通信を行うことで、量子コンピューターを含むいかなる計算機でも暗号解読が不可能な暗号通信を実現できる。

量子鍵配送は理論上の安全性が量子情報理論によって証明されているが、理論と実装との著しい差異や、不適切な仕様、バグ等があればその限りではない。そのため、量子鍵配送システムが正しく設計・実装されていることを確認するためのセキュリティ評価やテストが必要となる。量子鍵配送システムは、その特性を光学測定器によって定量的に評価すること、測定結果と安全性理論とがリンクしていること等の特徴があることから、従来の暗号システムとは大きく異なる評価手法・テスト手法が必要となる。ISO/IEC 23837は、安全な量子鍵配送システムが順守すべきセキュリティ機能要件をPart1に、量子鍵配送システムのセキュリティを検証するためのテスト詳細をPart2に、それぞれ記載している。

(b)ISO/IEC TS 9569 "Information security, cybersecurity and privacy protection - Evaluation criteria for IT security - Patch Management Extension for the ISO/IEC 15408 series and ISO/IEC 18045"

ISO/IEC TS[371] 9569は、開発者がセキュアな更新プログラムを開発するために順守すべきセキュリティ要件等を定めている。

欧州議会においてEUCC Implementation Act[372]が承認され、EUCC[373]と呼ばれるISO/IEC 15408に基づくIT製品のセキュリティ評価・認証制度の設立が欧州において進行している。ISO/IEC 15408に基づくセキュリティ評価・認証制度としては、古くから存在するCCRA[374]と呼ばれるグローバルな枠組みがあったが、EUCCにおいてはCCRAにはなかった新たな評価・認証プロセスが追加されている。その一つが、既に評価・認証されたIT製品に更新プログラムが適用された場合のレビュープロセスである。EUCC Implementation Actは、IT製品開発者に更新プログラムの開発・適用プロセスの手順を明確化し、評価機関にそのプロセスを評価することを求めているが、どのような更新プログラムの開発・適用プロセスを実施すべきかに関する詳細を記述していない。ISO/IEC TS 9569は、もともとEUCCへの適用を念頭に開発され、開発者がセキュアな更新プログラムを開発するために順守すべき更新プログラムに関する要件や、攻撃者により改変された更新プログラムが適用されることを防ぐためIT製品が満たすべきセキュリティ要件等を定めており、今後まず欧州においてISO/IEC TS 9569に基づく更新プログラムの開発・適

用プロセスの評価が開始されるものと思われる。

(c)ISO/IEC 17825 "Information technology - Security techniques - Testing methods for the mitigation of non-invasive attack classes against cryptographic modules"

ISO/IEC 17825 は、暗号モジュールに対する非侵襲攻撃（サイドチャネル攻撃等、暗号モジュールへの物理的侵入を伴わない攻撃）の評価手法に関する国際標準である。ある研究者から技術的な指摘[375]を受けたため、それらの指摘に対応するため 2020 年より改訂が開始され、2024 年 1 月に改訂版が発行された。

(4) WG 4（セキュリティコントロールとサービス）

WG 4 では、WG 1 が対象とする ISMS を実施・運用する際に必要となる具体的なセキュリティ対策、及びセキュリティサービスの標準化を行っている。以下に、WG 4 における 2023 年度の主な成果、活動を紹介する。

(a)IoT のセキュリティとプライバシーのための標準化活動

WG 4 では、IoT のセキュリティとプライバシーに関わる標準化として、以下の四つの活動を進めている。

- ISO/IEC 27400: Cybersecurity – IoT security and privacy – Guidelines
- ISO/IEC 27402: Cybersecurity – IoT security and privacy – Device baseline requirements
- ISO/IEC 27403: Cybersecurity – IoT security and privacy – Guidelines for IoT-domotics
- ISO/IEC 27404: Cybersecurity – IoT security and privacy – Cybersecurity labelling framework for consumer IoT

(ア)ISO/IEC 27400: Cybersecurity – IoT security and privacy – Guidelines

同規格は、IoT 推進コンソーシアムが策定した「IoT セキュリティガイドライン[376]」に基づき、日本から規格案が提案され、2022 年 6 月に発行された。

同規格における IoT システムは、IoT ユーザー、IoT サービス開発者（機器の開発者を含む）、IoT サービスプロバイダーの三つの利害関係者によって構成され、第 5 章では利害関係者と IoT 参照体系との関係を図 2-4-2 で示すように整理している。

第 6 章では、IoT システムにおけるリスク源（リスクソー

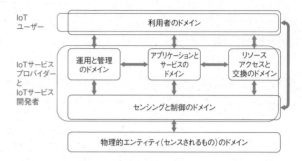

■図 2-4-2　ドメインに基づく参照モデル
（出典）ISO・IEC「ISO/IEC 27400:2022 Cybersecurity – IoT security and privacy – Guidelines[377]」を基に執筆者が翻訳

ス）について言及している。

第 7 章では、セキュリティ対策、及びプライバシー対策が、IoT サービス開発者／ IoT サービスプロバイダー、IoT ユーザーのそれぞれの立場での対策内容、目的、導入ガイドといったガイドライン的表現で記載されている。第 7 章に記載されているセキュリティ対策としては、IoT セキュリティポリシー、IoT を保有する組織のセキュリティ、IoT システムのセキュアな設計原則、安全な開発環境と手順、IoT 機器やシステム設計の検証、IoT システムのための適切なネットワークの利用、安全な IoT 機器の設定と構成管理、IoT ユーザー及び機器の認証、ソフトウェア／ファームウェアのアップデート提供、ライフサイクルに適応したセキュリティ対策、脆弱な機器の管理、IoT ユーザーのためのサポートサービス、IoT ユーザーのための機器やサービスの初期設定、IoT 機器の安全な廃棄または再利用等が含まれており、広範囲な対策群が提供されている。

同規格は、ガイドラインの位置付けであるため、IoT ユーザーや IoT サービス開発者等に対する強制力はないものの、それぞれの IoT システムにおける利害関係者が同規格に基づき、IoT システムの設計、運用、管理を実施することが推奨されており、IoT セキュリティ及びプライバシーの規範となるものと考えられている。更に、同規格は、他の進行中の IoT 関連の規格（ISO/IEC 27402、ISO/IEC 27404 等）からも参照されている。

(イ)ISO/IEC 27402: Cybersecurity – IoT security and privacy – Device baseline requirements

同規格は、NIST 及び ETSI（European Tele-communications Standards Institute：欧州電気通信標準化機構）の既存のガイドラインを下敷きに米国主導で規格案が作成され、2023 年 11 月に発行された。

同規格の位置付けは、図 2-4-3（次ページ）にあるように、同規格の基本要求事項が水平方向の基本ベースラ

インとなり、その上に垂直市場（健康、金融サービス、産業、家電、輸送等）や様々なセクター（民間／工業、公共、防衛、国家安全保障等）のアプリケーションで想定される IoT 機器の使用とリスクに対する追加要件を構築できるというものになっている。

セクターA	セクターB	セクターC	セクターD	垂直市場A	垂直市場B	垂直市場C	垂直市場D
IoT機器のためのICTセキュリティの基本要件							

■図 2-4-3 特定セクターや垂直市場による潜在的な追加要件との関係
（出典）ISO・IEC「ISO/IEC 27402:2023 Cybersecurity – IoT security and privacy – Device baseline requirements [378]」を基に執筆者が翻訳

同規格の枠組み等の詳細については「情報セキュリティ白書 2023」の「2.6.2（4）（a）（イ）ISO/IEC 27402: Cybersecurity – IoT security and privacy – Device baseline requirements」を参照いただきたい。

（ウ）ISO/IEC 27403: Cybersecurity – IoT security and privacy – Guidelines for IoT-domotics

同規格は、2019 年 4 月、テルアビブ会議において、中国から NP として提案され、同年 10 月のパリ会議では、NP の承認がなされ、2022 年 10 月に DIS に進むことが決定し、2024 年 3 月の時点では FDIS の段階にある。「IoT-domotics」とは、娯楽、機器制御、監視等の用途として、居住環境（ホームオートメーション等）で利用する IoT サービスをいう。同規格は、ISO/IEC 27400 との棲み分けが難しい部分が多いものの、IoT-domotics の特性を抽出し、ISO/IEC 27400 の枠組みに沿って IoT-domotics の視点からセキュリティとプライバシーに関するガイドラインを整理している。

同規格は、ISO/IEC 27400 のセキュリティ対策、及びプライバシー対策に基づき、IoT-domotics の視点から追加的なガイダンスを提供しているが、IoT ユーザーのための簡単な IoT 機器の設定、フェイルセーフ、子供への考慮等の IoT-domotics として特徴的な内容が含まれており、IoT-domotics を構成するサブシステムや IoT ゲートウェイのためのセキュリティ、及びプライバシーのガイドラインを提供している。

（エ）ISO/IEC 27404: Cybersecurity – IoT security and privacy – Cybersecurity labelling framework for consumer IoT

同規格案は、2021 年 10 月にシンガポールから提案されたもので、ユーザーが活用する IoT 機器にセキュリティラベルを付与し、機器にどの程度セキュリティ機能が装備されているかを、IoT 機器のユーザーが把握できるようにする目的で検討が開始された。

現在、WD の審議を終え、第 1 版 CD の段階にある。以下に同規格案の概要を示す。

- 規格案のスコープ

  同規格案は、消費者向け IoT 製品のサイバーセキュリティラベリングプログラムを開発・実施するためのサイバーセキュリティラベリングフレームワークを定義し、以下のトピックに関するガイダンスを含む。

  - 消費者向け IoT 製品に関連するリスクと脅威
  - 利害関係者、役割、責任
  - 関連規格とガイダンス文書
  - 適合性評価の選択肢
  - ラベリング発行及び保守要件
  - 相互承認の考慮事項

  同規格の対象範囲は、複数の機器が接続される IoT ゲートウェイ、基地局、ハブ、スマートカメラ、テレビ、スピーカー、ウェアラブル機器、コネクテッド煙探知機、ドアロック、窓センサー、コネクテッドホームオートメーション、アラームシステム、洗濯機や冷蔵庫等のコネクテッド家電、スマートホームアシスタント、コネクテッド子供用玩具及びベビーモニター等の消費者向け IoT 製品に限定される。消費者向けではない製品は、この規格から除外される。除外される機器の例としては、主に製造、ヘルスケア、その他の産業用途を目的としたものがある。

  同規格案は、消費者、開発者、サイバーセキュリティラベル発行機関、独立試験機関に適用される。

- 同規格案策定の背景

  脅威状況、必要性等の背景は以下のとおりである。

  - IoT の脅威状況

    世界的に、IoT 製品の数が加速度的に増加している。消費者向け IoT 製品は、市場投入までの期間が短く、陳腐化も早いことが多い。消費者向け製品は価格帯が低く、利益率も低いため、サイバーセキュリティ対策が十分に施された状態で設計・製造されていないことが多い。このような IoT 製品に

は、根本的なセキュリティ上の弱点や一般的な欠陥がしばしば見受けられる。IoT 製品が普及するにつれて、IoT 製品にサイバーセキュリティのための十分な対策が施されていないことが、広範な攻撃対象領域（アタックサーフェス）を生み出し、サイバーセキュリティのリスクを増大させ、ウイルスや侵入テストツールを悪用したサイバー攻撃の影響を受けやすくなっている。

- ラベリングの枠組みの必要性

消費者向け IoT ラベリング制度は、特定の地域や市場におけるサイバーセキュリティの懸念に対応するために個別に策定されているため、ラベリングされた製品を比較することが難しくなり、国際市場に混乱をもたらす可能性がある。そのため、各消費者向け IoT サイバーセキュリティラベルが示すサイバーセキュリティ要件の整合を図るためのサイバーセキュリティラベリングの枠組みが必要とされている。

- 枠組み（フレームワーク）の意義

サイバーセキュリティのラベリングフレームワークは、既存の広く使用されている規格（例えば、ETSI EN 303 645、TS 103 701、NIST IR 8259、NIST IR 8259A、NIST IR 8425、ISO/IEC 27400、ISO/IEC 27402）からのサイバーセキュリティ要件を整合させる。このフレームワークに基づいて消費者向け IoT サイバーセキュリティラベリングスキームを実装することで、相互認証とそのプロセスを簡素化することができる。更に、追加の特殊性（テストケースや能力等）を提供するサイバーセキュリティラベリングスキームの実装は、このフレームワークを補完するものである。

• 成果達成の側面

サイバーセキュリティラベリングの枠組みは、以下の側面で成果を達成することを目指している。

- 消費者 - 透明性：消費者向け IoT 製品のサイバーセキュリティの提供は、一般消費者には不透明である。サイバーセキュリティのラベリングを利用することで、消費者は消費者向け IoT 製品を購入する際に十分な情報を得た上で選択できる。
- 開発者 - ブランディング：サイバーセキュリティのラベリングは、開発者が製品を差別化し、ブランドの質を高めることで、より積極的で持続可能な産業を育成できる。また、開発者にとっては、より安全な製品を製造し、製品にサイバーセキュリティを提供するために費やした努力を収益化するインセンティブと

なる。

- 経済／エコシステム - 相互承認：デジタル経済の成長に伴い、サイバーセキュリティのラベリングに互換性を持たせることで、国境を越えた重複したテストの必要性を減らし、開発者のコンプライアンスにかかるコストを削減して市場アクセスを向上させ、ラベリングの推進により各国間で相互承認する道を開くことができる。

• 保証の限界

消費者向け IoT 製品のサイバーセキュリティラベリングは、正式なセキュリティ保証を提供するものではない。消費者向け IoT 製品は、そのラベリング状況に関係なく、悪意のある攻撃者によって侵害される可能性がある。より高いセキュリティ保証を求めるユーザー（企業、製造業、産業アプリケーション、ヘルスケア等）は、正式な評価・認証スキーム（ISO/IEC 15408-1: 2022 に記載されているもの等）で認証された製品の導入を検討することを強く推奨している。

同規格案は、2025 年を目途に規格化を完了する予定である。

(b) 人工知能システムのセキュリティ脅威に対処するためのガイダンス（ISO/IEC 27090: Cybersecurity – Artificial Intelligence – Guidance for addressing security threats to artificial intelligence systems）

本項では、AI システムのセキュリティ脅威に対処するためのガイダンスを提供する新しい規格である ISO/IEC 27090 について解説する。

(ア) 規格の背景

AI システムに対するセキュリティ上の脅威にタイムリーに対処することは、AI システムを使用または開発する組織の信頼性を向上させるだけでなく、AI システムに対する信頼性を向上させることにもつながる。テクノロジーが速いペースで進歩・革新し続ける中、AI システムで生まれる新たなセキュリティの脆弱性を加味し、セキュリティ目標を継続的に評価（見直し）する必要がある。

AI システムにおいては、次の「(イ) AI システムに対する攻撃の例」で記載するような AI 固有の攻撃（脅威）が存在するが、脆弱性を用いた悪用・攻撃等、以前からあるサイバー空間における脅威についても、十分な対策を講じることが必要となる。

AI システムは、組織がデジタルトランスフォーメーション

を採用するにつれて普及し、その結果、これらのシステムに対するサイバー攻撃の可能性が高まっており、AIシステムに対する攻撃の事例が既に報告されている（例えば、電子メール保護システムに対する回避攻撃等）。更に、AIシステムが多目的かつ広範囲に使用されている結果、特にセキュリティが重要視される状況では、サイバー攻撃の結果が深刻なものとなり、場合によっては個人の身体的・精神的被害につながることも考えられる。

AIシステムには、その開発方法とデータへの強い依存性により、従来の情報処理システムと比較して、更なる脆弱性が存在する。このような新たな脅威の状況に対する認識と理解は、敵対的攻撃からAIシステムを保護するために不可欠である。この認識と理解により、AIシステムへの特有の攻撃を軽減することに加え、従来のソフトウェアや情報システムを保護するために使用されている既存のセキュリティ対策もAIシステムに適用することができる。

また、AIシステムにおけるセキュリティ上の脅威や脆弱性は、情報セキュリティ上の危害や、安全性への影響を含むAIシステムの意図しない危険性をもたらす可能性がある。様々な攻撃は、個人への危害をもたらすだけでなく、金銭的な面に加え非金銭的な面でもビジネスに望ましくない影響を与える可能性がある。

(イ) AIシステムに対する攻撃の例

本項では、データポイズニング攻撃とモデルインバージョン攻撃を紹介する。

データポイズニング攻撃は、学習データに不要なデータを注入する攻撃のことで、望ましくない学習結果を引き起こす可能性がある。一般に情報セキュリティの確保を行うためには、ISO/IEC 27001で確立されたベストセキュリティプラクティスを順守することが推奨されるが、AI/ML（Machine Learning：機械学習）対応の作業、データ、及び制御フローには、いくつかの追加的な対応が適切な場合がある。具体的には、アクセス制御のような既存の対策は、許可されたユーザーのみがトレーニングデータにアクセスできることを保証するために使用することができるが、使用されるデータが期待される性能を提供することを保証するためには、更なる対策が必要である。データポイズニングの検出は、このような対策に必要なものとしているが、このような脅威の検知を行うことはしばしば困難である。

モデルインバージョン攻撃は、学習データの再構成により情報漏えい等を促す攻撃である。モデルへの正当な

クエリ（query）によって成立するため、従来の効果的な情報セキュリティ対策が実施されている場合でも、モデルや知的財産が盗まれる可能性等があり、従来の情報セキュリティ対策ではリスクが軽減されない。脅威の検知は課題であるが、情報の流出を効果的に軽減するための対策が不可欠になる。

AIの脅威を軽減するために使用される対策には、組織の資産を保護するために複数のセキュリティ対策を活用する多層防御（Defense in depth）の手段を使用することができる。検証されていないデータをトレーニングに使用した場合、データポイズニングやMLのデータや制御フローを調整する攻撃に関連するリスクが高まる可能性がある。

(ウ) 規格のスコープと目次

上記の背景に基づき、同規格案のスコープは「1. Scope」において「本規格は、組織が人工知能（AI）システムに特有のセキュリティ上の脅威及び障害に対処するためのガイダンスを提供するものである。本ガイダンスは、AIシステム特有のセキュリティ脅威が、そのライフサイクル全体を通じてどのような結果をもたらすか、また、そのような脅威を検知し緩和する方法について、組織がよりよく理解できるようにするための情報を提供することを目的としている。

また、本規格は、AIシステムを開発または使用する、公共及び民間の企業、政府機関、非営利団体を含む、あらゆる種類及び規模の組織に適用可能である。」と規定されている。

同規格案の内容は、以下の目次で構成される。

1. Scope
2. Normative References
3. Terms and definitions
4. Abbreviated terms
5. Application of information security
6. Threats to AI systems
6.1 General
6.2 Data poisoning attack
6.3 Evasion attack
6.4 Membership inference
6.5 Model exfiltration
6.6 Model inversion
6.7 Scaling attacks
7. Systemic considerations for multiple concurrent mitigations

第2章
情報セキュリティを支える基盤の動向

7.1 Overview
7.2 Conflicting interactions of mitigations
7.3 Continuity of mitigations across the AI life cycle

　なお、同規格案は現在 CD 1 の段階にあるが、最新の AI 技術の高度化への追随作業等、更なる規格案の改善が必要と考えられている。

(c)サイバーフィジカルシステム(CPS)のためのセキュリティの枠組み

　同プロジェクトは、経済産業省で構築した「サイバー・フィジカル・セキュリティ対策フレームワーク（CPSF）[78]」に基づいて、日本の提案により 2020 年 4 月に PWI 5689 として議論を開始した。規格策定に貢献する国の数が不足していることが理由で 1 度目の投票は否決されたが、タイトルを「Security frameworks and use cases for cyber physical systems（サイバーフィジカルシステムのためのセキュリティの枠組とユースケース）」として、再度 PWI の審議を行い、2023 年 10 月に NP が承認され、現在 WD 1 として審議を進めている段階である。

(d)WG 4 に関連するその他の規格群

　WG 4 では、前述の IoT、AI、CPS に関連する課題以外についても、多数の重要な審議を進めている。
　以下にその審議課題項目、規格の番号、及び審議状況を示す。

- ビジネス継続のための ICT 準備技術（27031）：現在は FDIS の段階
- インターネットセキュリテイガイドライン（27032）：規格化完了
- ネットワークセキュリティ（27033-7）：ネットワーク仮想化セキュリティのガイドライン。規格化完了
- インシデントマネジメント（27035）：パート1、パート2、パート3は規格化完了。また、パート4（Coordination）は、DIS の段階
- サプライヤー関連セキュリティ（27036）：パート3の改版作業は完了
- デジタルエビデンスの識別、収集、確保、保全（27037）：改版作業なし
- リダクション（墨消し技術）（27038）：改版作業なし
- IDPS（侵入検知システム）（27039）：改版作業なし
- ストレージセキュリティ（27040）：規格化完了
- 仮想化サーバーの設計／実装のためのセキュリティガイドライン（21878）：改版作業なし

- 産業用インターネット基盤のためのセキュリティ参照体系（24392）：規格化完了
- 仮想化された信頼のルートのためのセキュリティ要件（27070）：規格化完了
- 機器とサービス間の信頼接続の構築のためのセキュリティ推奨（27071）：規格化完了
- 公開鍵基盤における実践とポリシーの枠組み（27099）：規格化完了
- データの起源─参照モデル（データ追跡のため）（5181）：現在は WD 3 の段階
- ビッグデータセキュリティ・プライバシー、データセキュリティマネジメントの枠組みのためのガイドライン：中国による NP 提案中
- ビッグデータセキュリティ・プライバシー、実施のためのガイドライン：現在は CD 1 の段階

(5)WG 5（アイデンティティ管理とプライバシー技術）

　WG 5 では、アイデンティティ管理、プライバシー、バイオメトリクスの標準化を行っている。2023 年度の主な活動を紹介する。

(a)アイデンティティ管理

　2011 年に初版が発行され、2019 年に改訂された ISO/IEC 24760-1（アイデンティティ管理のフレームワーク パート 1：用語と概念）は、日本が新たに加えるよう提案した「authoritative identifier」を含むいくつかの用語を加えて、2023 年 1 月に追補（Amendment）が発行された。2016 年に発行された ISO/IEC 24760-3（アイデンティティ管理のフレームワーク パート 3：実践）は、パート 1 及び ISO/IEC 24760-2（アイデンティティマネジメントの枠組み パート 2：参照アーキテクチャ及び要求事項）を踏まえて実務プロセスの指針を整理するものであり、これら別パートの更新状況を反映し、不明瞭であるとされている問題を改善するための追補が 2023 年 2 月に発行された。なお、ISO/IEC 24760-4（アイデンティティ管理のフレームワーク パート 4：認証器、クレデンシャル及びユーザー認証）が 2022 年 7 月に NP として承認され、現在、WD の段階にある。

　2016 年に初版が発行された ISO/IEC 29146（アクセス管理のためのフレームワーク）は、近年のアクセス制御技術に合わせるための改訂を日本が提案し、2024 年 1 月に発行された。

(b)プライバシー

ISO/IEC 29100(プライバシーフレームワーク)の初版が発行された 2011 年当時は、「引用規格(Normative references)」は任意要素(引用規格がなければ記載しなくてもよい要素)であったが、「ISO/IEC 専門業務用指針 第 2 部」の改訂(第 7 版(2016 年版))によって引用規格が強制要素となった。引用規格を盛り込むこと、及び間違った記載を修正した追補を本文に反映することにより、無償で取得可能な ISO/IEC 29100 のみで正しいテキストが分かるよう ISO/IEC 29100 改訂の必要性を日本が訴えたため、改訂されることとなった。日本の﨑村夏彦主査がエディターを務め改訂作業を行い、2024 年 2 月、第 2 版が発行された。

ISO/IEC 27701 は、2019 年に初版が発行された。同規格は、SC27 WG 1 が開発した国際規格である ISO/IEC 27001 及び ISO/IEC 27002 に、プライバシー対策に関する要求事項及びプラクティスを加えて拡張することにより、組織によるプライバシー情報マネジメントシステム(PIMS:Privacy Information Management System)の構築を支援することを目的としている。2022 年 2 月に ISO/IEC 27002:2022 が発行されたことに伴い、主に ISO/IEC 27002:2022 に整合させることに特化した改訂のみを行う予定であったが、ISO 中央事務局より、ISO/IEC 27701 はタイプ A(要求事項を提供する)マネジメントシステム規格(MSS)であるため、Annex SL(マネジメントシステム規格を調和させるアプローチ)に則った構成に書き換えるよう指示があり、2024 年 4 月の国際会議で DIS のコメントの処理が行われた。

(c)バイオメトリクス

モバイル機器上でのバイオメトリクスを使った認証に対するセキュリティ要件を定めるプロジェクト ISO/IEC 27553 は、バイオメトリック照合結果に関する情報以外はモバイル機器から外に出ないパート 1(Local modes)が 2022 年 11 月に発行され、モバイル機器間やリモートサービスも含めてバイオメトリック照合する場合を扱うパート 2(Remote modes)が、現在 DIS の段階にある。

2.4.3 情報通信技術、電気通信に関わるセキュリティ規格の標準化(ITU-T SG17)

ITU-T においてセキュリティを担当する SG17 は、以下の五つの作業グループ(WP:Working Party)で構成され、各 WP は 2 ～ 3 の小グループ(課題:Question)を持っている。

- WP1:セキュリティ戦略と連携
  - Q1:セキュリティ標準化戦略と連携
  - Q15:量子技術のセキュリティを含む新興テクノロジーのための、または、新興テクノロジーによるセキュリティ
- WP2:5G、IoT、ITS セキュリティ
  - Q2:セキュリティアーキテクチャとネットワークセキュリティ
  - Q6:電気通信サービスと IoT のためのセキュリティ
  - Q13:ITS セキュリティ
- WP3:サイバーセキュリティとセキュリティ管理
  - Q3:電気通信のための情報セキュリティ管理とセキュリティサービス
  - Q4:サイバーセキュリティとスパム対策
- WP4:サービスとアプリケーションのセキュリティ
  - Q7:安全なアプリケーションサービス
  - Q8:クラウドコンピューティングとビッグデータ基盤のセキュリティ
  - Q14:分散台帳技術(DLT)のセキュリティ
- WP5:基本的なセキュリティ技術
  - Q10:ID 管理とテレバイオメトリクスのアーキテクチャ / メカニズム
  - Q11:アプリケーションの安全性を確保するための一般的な技術(ディレクトリ、PKI、形式記述言語、OID 等)

ITU-T の標準化作業(勧告作成作業)は、新たな勧告作成のための WI(Working Item)立ち上げ提案から開始し、WI で作成されたドラフト文書に対して ITU-T のメンバーが修正・追記提案を寄書として提出し、議論の結果をエディターが編集してドラフト文書が更新される。ドラフト文書の作成が完了した段階で承認手続きに進み、承認されれば勧告として発行される。承認手続きには TAP(Traditional Approval Process:伝統的承認手続)と AAP(Alternative Approval Process:代替承認手続)の 2 種類がある。AAP は 2008 年に制定され、迅速な勧告発行が可能となる主要な承認手続きとなっている。会合で勧告発行が合意された後に各国に照会が行われ、コメントがなければ勧告発行となる。TAP は主に規制や政策に関する事項を含む勧告案の承認に適用され、会合での勧告発行合意後、英語以外の 5 ヵ国語に翻訳され、各国に対して協議を依頼する。次回の会合直前まで投票を受け付け、返答の 70% 以上の賛同が得られて会合で反対がなければ勧告として発行される

ことになる[※379]。

ITU-T では勧告のほかに、勧告文書に対して補助的な情報を提供する「補足文書」、仕様ではないが技術的な情報を含む「テクニカルレポート」等が作成されている。

以下に、活動概要と2023年度に注目された主な活動について述べる。

(1) WP1（セキュリティ戦略と連携）

WP1 は、SG17 内、ITU-T 内、及び外部の団体との連携と SG17 全体の戦略を検討する Q1 と、量子技術を含む新しい技術に対するセキュリティ検討を行う Q15 から構成されている。

(a) 量子鍵配送（QKD）に関する状況（Q15）

ITU-T では量子鍵配送（QKD：Quantum Key Distribution）に関わる標準化活動を積極的に進めており、SG13（Future networks and emerging network technologies）においてフレームワーク技術について、SG17 においてセキュリティ関連の技術について勧告化を進めている。Q15 では日本の研究機関、及び企業が積極的に寄書を提出し、勧告作成をリードしている。2023 年までに、SG17 では以下の勧告を作成した。

- X.1710: Security framework for quantum key distribution networks
- X.1712: Security requirements and measures for quantum key distribution networks – key management
- X.1714: Key combination and confidential key supply for quantum key distribution networks
- X.1715: Security requirements and measures for integration of quantum key distribution network (QKDN) and secure storage network

更に、5 件の新たな勧告作成が進められている。

(b) 新興テクノロジーのための、または、新興テクノロジーによるセキュリティ（Q15）

セキュリティが必要とされる分野は広いため、各課題に属さない新しい技術分野のセキュリティ検討を即座に着手できるようにするため、Q15 ではどの課題（Q）でも研究項目となっていない分野の寄書作成を提案可能となっている。以下は、2023 年に開始した勧告案作成作業の一部である。

- X.so-sap: Guidelines for security orchestration of service access process
- X.gcspcc: Guidelines of developing of cybersecurity simulation platform based on cloud computing
- X.SecaaS: Security threats to be identified in the domain of security as a service
- X.dtns: Guidelines of using digital twin of network for network security
- X.sr-ai: Security requirements for AI systems

対象となる分野は多岐にわたっているが、2023 年度は AI とサプライチェーンのセキュリティに関するワークショップを SG17 として開催したため、これらに関する勧告作成提案が行われた。AI セキュリティに関しては、X.sr-ai の勧告作成が開始されたが、この勧告案では、AI システムのライフサイクルを六つのステージに分け、ライフサイクルに基づいた AI システムモデルを示すとともに、ライフサイクルの各段階に責任を持つ利害関係者を特定し、ライフサイクルの六つの段階を考慮したセキュリティ上の脅威を提示する。そして、関連する利害関係者を支援するために、一連のセキュリティ要件を提供することとしている。

(2) WP2（5G、IoT、ITS セキュリティ）

WP2 は、各種のネットワークに関するセキュリティを取り扱う。

5G への進化により、モバイルとインターネットの融合が進むとともに、ネットワークへの新たな機能の追加、及び仮想化等のネットワークインフラの変化が進み、4G 世代に比べて大きな変化が見られている。このため、セキュリティについても注目され、ITU-T においても 5G ネットワークの全体的な視点からセキュリティの検討を行っている。

「5G セキュリティ（Q2）」では、2023 年においては、総務省が作成した「5G セキュリティガイドライン」をベースに日本が主導的に作成を進めてきた勧告 X.1818（Security controls for operation and maintenance of IMT-2020/5G network systems）の承認手続きが進められている。

(3) WP3（サイバーセキュリティとセキュリティ管理）

WP3 は、ネットワークに対する攻撃の検知・防御を行うためのサイバーセキュリティと、ISMS に基づいたテレコムサービスを対象としたセキュリティ管理を取り扱う。

（a）STIX/TAXII（Q4）

サイバー攻撃活動の情報を交換するための仕組みとして、国際的な標準化団体である OASIS（Organization for the Advancement of Structured Information Standards Group）で規格化されている STIX（Structured Threat Information eXpression）、TAXII（Trusted Automated eXchange of Indicator Information）の ITU-T 勧告化が進められているが、ロシアからのコメント対応のため勧告成立が遅れている。

（b）サプライチェーンセキュリティ（Q4）

2023 年 2 月の会合より、ソフトウェアのサプライチェーンセキュリティに関する勧告作成を開始した。現在、以下の 3 件の勧告作成が進められている。

- X.ssc-sra: Guidelines for software supply chain security audit
- X.st-ssc: Security threats of software supply chain
- X.rm-sup: Risk management on the security of software supply-chain for telecommunication organizations

（4）WP4（サービスとアプリケーションのセキュリティ）

「Distributed Ledger Technology（DLT）（Q14）」では、ブロックチェーンのコア技術として使われている分散台帳技術（DLT）について、DLT 自体のセキュリティ検討、及び DLT を利用したセキュリティ対策の検討が行われている。これまでに、DLT のセキュリティフレームワーク、DLT の脅威分析に関する勧告が発行されるとともに、DLT を利用したオンライン支払い、オンライン投票等、13 件の勧告が作成されている。2023 年においては、異なる DLT システムを相互運用するための DLT ゲートウェイシステム（X.DLT-dgi: Security requirements of DLT gateway for interoperability）の議論を開始した。

（5）WP5（基本的なセキュリティ技術）

「ID 管理に関連するデファクト標準の勧告化（Q10）」では、ID 管理についてデファクト標準で利用されている仕様の勧告化を積極的に行っている。標準化のための業界団体である Fast Identity Online Alliance（FIDO）が作成した UAF（Universal Authentication Framework）、U2F（Universal Second Factor）は X.1277.2、X.1278.2 として勧告化された。また、ID 管理エコシステムの構成要素間のシームレスな接続を可能にするオープンスタンダードなインターフェース（API）セットである OSIA Version 6.1.0 を ITU-T 勧告とし、「X.1281: APIs for interoperability of identity management systems」として 2023 年に発行が承認された。

2.4.4 制御システム関連のセキュリティ規格の標準化（IEC TC 65/WG 10）

近年の制御システムは、情報システム同様にネットワーク化やオープン化（標準プロトコル・汎用製品の利用）が進んだことで、サイバー攻撃の脅威に晒されるようになった。こうした動向に伴い、制御システムにおいてもリスク分析に基づくセキュリティ対策が喫緊の課題となっている。これについて、日米欧各国の政府機関・業界団体が取り組みを進めているが、本項では制御システムのセキュリティの国際標準について述べる。

（1）ISA/IEC 62443 シリーズの概要

制御システムのセキュリティを包括的に網羅した国際標準「工業通信ネットワーク - ネットワーク及びシステムセキュリティ（ISA/IEC 62443）」は、ISA（International Society of Automation：国際自動制御学会）99 Committee[380] と IEC Technical Committee 65 Working Group10（TC 65/WG 10）[381] により作成されているため、ISA/IEC 62443-X-Y と記載される。

ISA/IEC 62443 は大別して五つのグループに分類され、発行済みと策定・準備中のものを合わせて 17 の規格が存在する（次ページ図 2-4-4）。

ISA/IEC 62443 は、産業制御システムをサイバー攻撃から守るために開発された。規格の議論を始めた 2002 年頃は、市販 OS や汎用プロトコルが狙われやすいとして、それらの対策方針について検討された。しかし、2011 年になって各社独自技術を用いた制御システムやコントローラーがサイバー攻撃を受けるようになり[384]、制御システム全般のサイバー脅威への基本的概念から分析と対策の手順、マネジメントや機器機能等、幅広い要求を扱うようになった。同規格を参照して、鉄道や機械等の分野規格の開発も進んでおり、産業システムのサイバーセキュリティの基本規格として位置付けられている。

（2）各グループの概要と状況

ISA/IEC 62443 のグループごとの概要と 2023 年度の検討状況について紹介する。

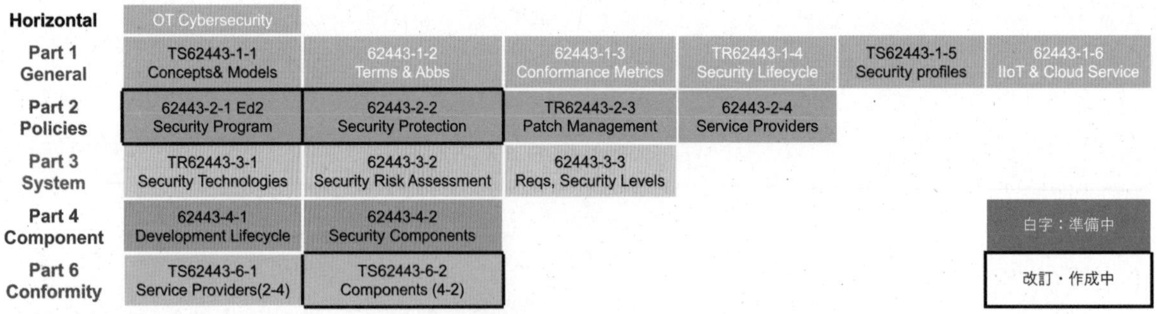

Horizontal	OT Cybersecurity					
Part 1 General	TS62443-1-1 Concepts& Models	62443-1-2 Terms & Abbs	62443-1-3 Conformance Metrics	TR62443-1-4 Security Lifecycle	TS62443-1-5 Security profiles	62443-1-6 IIoT & Cloud Service
Part 2 Policies	62443-2-1 Ed2 Security Program	62443-2-2 Security Protection	TR62443-2-3 Patch Management	62443-2-4 Service Providers		
Part 3 System	TR62443-3-1 Security Technologies	62443-3-2 Security Risk Assessment	62443-3-3 Reqs, Security Levels			
Part 4 Component	62443-4-1 Development Lifecycle	62443-4-2 Security Components				
Part 6 Conformity	TS62443-6-1 Service Providers(2-4)	TS62443-6-2 Components (4-2)				

白字：準備中
改訂・作成中

■図 2-4-4　ISA/IEC 62443 シリーズ文書の発行・改定状況（概要）
(出典)星野浩志、藤田淳也、神余浩夫「IEC 62443 制御システムセキュリティ規格の現状[382]」(「制御システムセキュリティカンファレンス 2023[383]」講演資料)を基に執筆者が編集

(a)ISA/IEC 62443-1 グループ（一般）

ISA/IEC 62443 の中で用いられる用語の解説や、制御システムのセキュリティ動向、地理的に分散したフィールド機器を遠隔から集中監視制御する SCADA[385] モデルの一般論等を規定している。このグループは、事業者やシステムインテグレーター、機器ベンダー等、すべての関係者が共通して参照する規格である。2023 年 9 月に「1-5 分野別プロファイル作成のためのガイド」が発行された。新たに「1-6 IIoT とクラウドシステム」が準備中である。

(b)ISA/IEC 62443-2 グループ（ポリシーと手順）

事業者や運用者等の組織を対象とした、主にマネジメントに関連するセキュリティ要求事項等を規定した規格であり、組織としてのセキュリティマネジメントシステムの確立や、パッチ管理等の運用に関連する事項が記載されている。「2-4 サービスプロバイダーへの要求」が 2023 年 12 月に発行、「2-1 制御システム設備オーナーへの要求」の改訂版が近く発行の見込みである。

(c)ISA/IEC 62443-3 グループ（システム）

複数の機器や製品を組み合わせて運用する制御システムを対象とした規格である。

ISA/IEC 62443-3-3 は、ISA/IEC TS 62443-1-1 で規定される基礎的要求事項（FR：Foundational Requirement）に対応する形で、システムの技術的なセキュリティ要求事項を規定している。要求事項は、システム要件（SR：System Requirement）と強化策（RE：Requirement Enhancement）から構成され、各要求事項にセキュリティレベル（SL：Security Level）が割り当てられている。SL は、それぞれの要求事項を満たした場合に、どのような攻撃からシステムを保護できるかを示すものである。4 段階の SL が規定されており、最も高度な要求事項を満たすものをレベル 4 としている。

(d)ISA/IEC 62443-4 グループ（コンポーネント）

制御システムを構成する個別コンポーネント（機器や装置）を対象とした規格であり、主にコンポーネントのライフサイクルの各フェーズにおけるセキュリティ要求事項や、搭載されるセキュリティ機能等に関する事項が記載されている。

(e)ISA/IEC 62443-6 グループ（コンフォーミティ）

製品等の規格適合性評価の方法を開発する IECEE (IEC System of Conformity Assessment Schemes for Electrotechnical Equipment and Components)[386] のワーキンググループから IEC TC 65/WG 10 へ依頼されたことをきっかけに基準作成を行っている。IEC 62443 要件準拠の基準や基準を満たすことのエビデンスの確認方法について具体化している。

(3)ISA/IEC 62443 の活用

2023 年度は、様々な業界での ISA/IEC 62443 の活用が進展し、電力、化学、石油、ビル、鉄道等におけるセキュリティ標準の開発が進んでいる。また各国での第三者評価・認証（ISASecure[387]、IECEE の ISA/IEC 62443 関係認証）での活用を見据えての評価認証におけるセキュリティ評価手法の開発も進んでいる。重要インフラや産業システムのサイバーセキュリティ対策は、各国の緊急課題であり、法整備や制度開発が急がれる。

☕ C O L U M N

デジタル署名が付いたウイルスの広がり

　デジタル署名は、暗号技術を利用して情報の完全性を電子的に保証するための技術です。この技術は、プログラムやモジュール、ドライバー等が製造時から改変されていないことを製造ベンダーが証明するためにも利用され、このような使われ方をした場合は特に「コード署名」と呼ばれます。そのため、正当なコード署名が付いたプログラムであれば、多くの場合、OS は正しいプログラムとして利用者の確認を求めることなく自動的に実行します。逆に言えば、もしコード署名が悪用され、ウイルスに「正しいと判定される」コード署名が付いていた場合、OS はウイルスを正しいプログラムと誤認して実行してしまいます。実際、2010 年代には、国家が支援している（と思われる）組織により、「正しいと判定される」コード署名付きのウイルス（Stuxnet や Flame 等）が標的型攻撃ツールとして敵対国に送り込まれたことがあります。

　ただ、今までは標的型攻撃ツール以外でコード署名を付けたウイルスはあまり検知されていませんでした。その理由として考えられるのは、コード署名をするときに使った署名鍵の「所有者情報」が、当該署名を検証するために使う「証明書」に記載されていることです。このことは、攻撃者にとって自らの身元を晒すということであり、コード署名を悪用することのハードルになっていたと思われます。そのため、もし攻撃者が身元を隠したままコード署名を悪用しようとすれば、一番考えられる方法は何らかの理由で漏えいした署名鍵を使ってコード署名をすることでした。もっともこのケースでは、漏えいした署名鍵と対応する証明書を失効させればそれ以降は「正しいと判定される」コード署名は作れなくなるし、そもそも署名鍵が漏えいしないようにハードウェア的な対策も進んでいるので、このケースのリスクは今後、更に低減していくものと思われます。

　ところが、トレンドマイクロ株式会社の調査[i] によれば、最近になってコード署名を付けたウイルスが少しずつ広がりを見せています。その要因の一つとして、何らかの理由で攻撃者が施したコード署名が「正しいと判定される」ような「不正な証明書が発行」されたケースの存在が挙げられます。例えば、英語圏で一般人を狙ってサイバー犯罪グループが利用しているウイルス QAKBOT（クアックボット）に、複数の一般企業の証明書によって「正しいと判定される」コード署名を付けて配布していることが確認されています。この事例では、気付かれずに「正当な一般企業」になりすまして、当該企業の証明書を不正取得した形跡がありました。

　クラウドでのリモート署名サービスに「不正アクセスしてリモート署名を行う」ケースも存在します。本来は漏えいしないようにハードウェア的な対策が取られているはずの署名鍵を利用したコード署名を付けたウイルスも断続的に観測されています。こちらは、ハードウェア内にしか存在しないはずの署名鍵に攻撃者がリモートでアクセスできることを意味しています。

　なりすまされた企業は被害者といえますが、対外的には当該企業が作成したウイルスと認識されて、信用に関わる問題となる恐れがあります。また、どのケースも、もとをたどると「なりすまし」に起因すると考えられるので、特に企業では、証明書の管理者やコード署名を作成できる利用者のアカウント管理を強化する必要があります。

i　トレンドマイクロ株式会社：Attack Signals Possible Return of Genesis Market, Abuses Node.js, and EV Code Signing
https://www.trendmicro.com/en_us/research/23/k/attack-signals-possible-return-of-genesis-market.html [2024/5/31 確認]

※1 https://www.nisc.go.jp/pdf/policy/kihon-s/cs-senryaku2021.pdf〔2024/5/2確認〕

※2 サイバーセキュリティ戦略本部：サイバーセキュリティ2023（2022年度年次報告・2023年度年次計画） https://www.nisc.go.jp/pdf/policy/kihon-s/cs2023.pdf〔2024/5/2確認〕

※3 経済産業省：「サイバーセキュリティ経営ガイドライン」を改訂しました https://www.meti.go.jp/press/2022/03/20230324002/20230324002.html〔2024/5/2確認〕

※4 IPA：サイバーセキュリティ経営ガイドライン Ver 3.0 実践のためのプラクティス集 https://www.ipa.go.jp/security/economics/csm-practice.html〔2024/5/2確認〕

※5 https://www.soumu.go.jp/main_content/000630516.pdf〔2024/5/2確認〕

※6 https://www.nisc.go.jp/pdf/policy/infra/shishin202307.pdf〔2024/5/2確認〕

※7 IPA：サイバーセキュリティお助け隊サービス制度 https://www.ipa.go.jp/security/sme/otasuketai/index.html〔2024/5/2確認〕

※8 IPA：サプライチェーン・サイバーセキュリティ・コンソーシアム（SC3）とは https://www.ipa.go.jp/security/sc3/about/〔2024/5/2確認〕

※9 経済産業省：地域SECUNITY（セキュリティ・コミュニティ） https://www.meti.go.jp/policy/netsecurity/security.html〔2024/5/2確認〕

※10 Software Bill of Materials（SBOM）：ソフトウェアコンポーネントやそれらの依存関係の情報も含めた機械処理可能な一覧リスト。

※11 経済産業省：「ソフトウェア管理に向けたSBOM（Software Bill of Materials）の導入に関する手引」を策定しました https://www.meti.go.jp/press/2023/07/20230728004/20230728004.html〔2024/5/2確認〕

※12 KDDI株式会社、株式会社KDDI総合研究所、富士通株式会社、日本電気株式会社、株式会社三菱総合研究所：サイバーセキュリティーの強化を目的に通信分野へのSBOM導入に向けた実証事業に着手 https://news.kddi.com/kddi/corporate/newsrelease/2023/08/01/6897.html〔2024/5/2確認〕

※13 https://www.meti.go.jp/policy/netsecurity/shinsatouroku/touroku.html〔2024/5/2確認〕

※14 https://www.meti.go.jp/policy/netsecurity/shinsatouroku/zyouhoukizyun4.pdf〔2024/5/2確認〕

※15 総務省：無線LAN（Wi-Fi）の安全な利用（セキュリティ確保）について https://www.soumu.go.jp/main_sosiki/cybersecurity/wi-fi/〔2024/5/2確認〕

※16 https://www3.fmmc.or.jp/e-netcaravan/〔2024/5/2確認〕

※17 一般財団法人マルチメディア振興センター：e-ネットキャラバンとは https://www3.fmmc.or.jp/e-netcaravan/about/〔2024/5/2確認〕

※18 警察庁：ランサムウェアLockBitによる暗号化被害データに関する復号ツールの開発について https://www.npa.go.jp/news/release/2024/release2.pdf〔2024/5/2確認〕

※19 https://notice.go.jp〔2024/5/2確認〕

※20 e-gov法令検索：令和六年政令第二十六号 https://elaws.e-gov.go.jp/document?lawid=506CO0000000026_20240401_000000000000000〔2024/5/2確認〕

※21 https://cynex.nict.go.jp〔2024/5/2確認〕

※22 総務省：5Gセキュリティガイドライン第1版 https://www.soumu.go.jp/main_content/000812253.pdf〔2024/5/2確認〕

※23 厚生労働省：医療情報システムの安全管理に関するガイドライン第6.0版（令和5年5月） https://www.mhlw.go.jp/stf/shingi/0000516275_00006.html〔2024/5/2確認〕

※24 国土交通省：水道分野におけるサイバーセキュリティ対策 https://www.mlit.go.jp/mizukokudo/watersupply/stf_seisakunitsuite_bunya_topics_bukyoku_kenkou_suido_kikikanri_sisin.0005.html〔2024/5/2確認〕
厚生労働省：「生活衛生等関係行政の機能強化のための関係法律の整備に関する法律」の公布について（通知） https://www.mhlw.go.jp/content/10900000/001100963.pdf〔2024/5/2確認〕

※25 デジタル庁：マイナポータルAPI仕様公開サイト https://myna.go.jp/html/api/index.html〔2024/5/2確認〕

※26 デジタル庁：マイナポータルのトップページが新しくなりました https://services.digital.go.jp/mynaportal/news/20240324-01/〔2024/5/2確認〕

※27 NISC：「政府機関等のサイバーセキュリティ対策のための統一基準群」 https://www.nisc.go.jp/policy/group/general/kijun.html〔2024/5/2確認〕

※28 総務省：政府端末情報を活用したサイバーセキュリティ情報の収集・分析に係る実証事業（CYXROSS） https://www.soumu.go.jp/johotsusintokei/whitepaper/ja/r05/html/datashu.html#f00381〔2024/5/2確認〕

※29 NISC：重要インフラのサイバーセキュリティに係る行動計画 https://www.nisc.go.jp/pdf/policy/infra/cip_policy_2022.pdf〔2024/5/2確認〕

※30 NISC：重要インフラのサイバーセキュリティ部門におけるリスクマネジメント等手引書 https://www.nisc.go.jp/pdf/policy/infra/rmtebiki202307.pdf〔2024/5/2確認〕

※31 一般社団法人日本シーサート協議会、NISC分野横断的演習実行委員会：2023年NISC/NCA連携分野横断的演習 開催報告 https://www.nca.gr.jp/activity/event/2024/2023_niscnca_1/〔2024/5/2確認〕

※32 NII：ストラテジックサイバーレジリエンス研究開発センター https://www.nii.ac.jp/research/centers/cyberresilience/〔2024/5/2確認〕

※33 NISC：サイバーセキュリティ協議会 https://www.nisc.go.jp/council/cs/kyogikai/index.html〔2024/5/2確認〕

※34 外務省：G7広島サミット2023 https://www.mofa.go.jp/mofaj/gaiko/summit/hiroshima23/〔2024/5/2確認〕

※35 電波新聞デジタル：重要インフラに迫るサイバー攻撃の脅威に備える 官民が大規模な合同演習 https://dempa-digital.com/article/502932〔2024/5/2確認〕

※36 JIJI.COM：サイバー攻撃対処、官民で訓練 インフラ事業者が参加―警視庁 https://www.jiji.com/jc/article?k=2024020500600&g=soc#goog_rewarded〔2024/5/2確認〕

※37 経済産業省：第16回日ASEANサイバーセキュリティ政策会議の結果 https://www.meti.go.jp/press/2023/10/20231006009/20231006009.html〔2024/5/2確認〕

※38 防衛省：国家防衛戦略について https://www.mod.go.jp/j/policy/agenda/guideline/strategy/pdf/strategy.pdf〔2024/5/2確認〕

※39 防衛装備庁：防衛産業サイバーセキュリティ基準の整備について https://www.mod.go.jp/atla/cybersecurity.html〔2024/5/2確認〕

※40 外務省：第30回ASEAN地域フォーラム（ARF）閣僚会合 https://www.mofa.go.jp/mofaj/a_o/rp/page1_001769.html〔2024/5/2確認〕

※41 例えばInternational Watch and Warning Network（IWWN）、Forum of Incident Response and Security Teams（FIRST）。

※42 内閣府：経済安全保障重要技術育成プログラム https://www8.cao.go.jp/cstp/anzen_anshin/kprogram.html〔2024/5/2確認〕

※43 内閣府：経済安全保障重要技術育成プログラムに係る研究開発ビジョン（第一次） https://www8.cao.go.jp/cstp/anzen_anshin/1_vision_gaiyou.pdf〔2024/5/2確認〕

※44 内閣府、文部科学省：「サプライチェーンセキュリティに関する不正機能検証技術の確立（ファームウェア・ソフトウェア）」に関する研究開発構想（個別研究型） https://www8.cao.go.jp/cstp/anzen_anshin/20230310_mext_2.pdf〔2024/5/2確認〕

※45 内閣府、文部科学省：「人工知能（AI）が浸透するデータ駆動型の経済社会に必要なAIセキュリティ技術の確立」に関する研究開発構想（個別研究型） https://www8.cao.go.jp/cstp/anzen_anshin/20221021_mext_3.pdf〔2024/5/2確認〕

※46 内閣府、経済産業省：「先進的サイバー防御機能・分析能力強化」に関する研究開発構想（プロジェクト型） https://www8.cao.go.jp/cstp/anzen_anshin/02-06_20231020_meti_4.pdf〔2024/5/2確認〕

※47 内閣府、経済産業省：「偽情報分析に係る技術の開発」に関する研究開発構想（個別研究型） https://www8.cao.go.jp/cstp/anzen_anshin/02-07_20231020_meti_5.pdf〔2024/5/2確認〕

※48 内閣府、文部科学省：「セキュアなデータ流通を支える暗号関連技術（高機能暗号）」に関する研究開発構想（個別研究型） https://www8.cao.go.jp/cstp/anzen_anshin/4_20231225_mext.pdf〔2024/5/2確認〕

※49 国立研究開発法人量子科学技術研究開発機構：SIP第3期「先進的量子技術基盤の社会課題への応用促進」課題に係る公募について https://www.qst.go.jp/site/collaboration/sip-230512.html〔2024/5/2確認〕

※50 CRYPTREC：CRYPTRECとは https://www.cryptrec.go.jp/about.html〔2024/5/2確認〕

※51 内閣府：経済施策を一体的に講ずることによる安全保障の確保の推進に関する法律（経済安全保障推進法） https://www.cao.go.jp/keizai_anzen_hosho/〔2024/5/2確認〕

※52 内閣府：特許出願の非公開に関する制度 https://www.cao.go.jp/keizai_anzen_hosho/patent.html〔2024/5/2確認〕

※53 日本経済新聞：経済安法、基幹インフラに港湾事業追加 国交省方針 https://www.nikkei.com/article/DGXZQOUA2489C0U4A120C2000000/〔2024/5/2確認〕

※54 NISC：重要インフラのサイバーセキュリティに係る行動計画（改定） https://www.nisc.go.jp/pdf/policy/infra/cip_policy_2024.pdf〔2024/5/2確認〕

※55 内閣官房：経済安全保障分野におけるセキュリティ・クリアランス

制度等に関する有識者会議 https://www.cas.go.jp/jp/seisaku/keizai_anzen_hosyo_sc/index.html〔2024/5/2 確認〕
※ 56 内閣官房：重要経済安保情報の保護及び活用に関する法律案 https://www.cas.go.jp/jp/houdou/pdf/20240227_siryou.pdf〔2024/5/2 確認〕
※ 57 NHK：「セキュリティークリアランス」法案 衆議院本会議で可決 https://www3.nhk.or.jp/news/html/20240409/k10014416721000.html〔2024/5/2 確認〕
※ 58 https://www8.cao.go.jp/cstp/ai/aistratagy2019.pdf〔2024/5/2 確認〕
※ 59 内閣府統合イノベーション戦略推進会議：「AI戦略 2021 ～人・産業・地域・政府全てにAI～（「AI戦略 2019」フォローアップ）」 https://www8.cao.go.jp/cstp/ai/aistrategy2021_honbun.pdf〔2024/5/2 確認〕
※ 60 https://www8.cao.go.jp/cstp/ai/aistrategy2022_honbun.pdf〔2024/5/2 確認〕
※ 61 https://www8.cao.go.jp/cstp/ai/ronten_honbun.pdf〔2024/5/2 確認〕
※ 62 内閣府：AI戦略会議 https://www8.cao.go.jp/cstp/ai/ai_senryaku/ai_senryaku.html〔2024/5/2 確認〕
※ 63 内閣府 科学技術・イノベーション推進事務局、IPA AI セーフティ・インスティテュート：AI セーフティ・インスティテュート（AISI）の今後の活動について https://www8.cao.go.jp/cstp/ai/aisi/siryo2.pdf〔2024/5/2 確認〕
AI セーフティ・インスティテュート：https://aisi.go.jp〔2024/5/2 確認〕
※ 64 デジタル庁：デジタル社会推進標準ガイドライン https://www.digital.go.jp/resources/standard_guidelines/〔2024/5/1 確認〕
※ 65 https://www.nisc.go.jp/pdf/policy/general/kijyunr5.pdf〔2024/5/1 確認〕
※ 66 https://www.digital.go.jp/resources/standard_guidelines/#ds200〔2024/5/1 確認〕
※ 67 https://www.cisa.gov/sites/default/files/2023-10/SecureByDesign_1025_508c.pdf〔2024/5/1 確認〕
※ 68 https://www.digital.go.jp/resources/standard_guidelines/#ds310〔2024/5/1 確認〕
※ 69 https://www.digital.go.jp/resources/standard_guidelines/#ds211〔2024/5/1 確認〕
※ 70 https://www.digital.go.jp/resources/standard_guidelines/#ds221〔2024/5/1 確認〕
※ 71 https://mas.owasp.org/MASVS/〔2024/5/1 確認〕
※ 72 https://www.meti.go.jp/press/2022/03/20230330002/20230330002-1.pdf〔2024/5/1 確認〕
※ 73 https://www.digital.go.jp/resources/standard_guidelines/#ds202〔2024/5/1 確認〕
※ 74 https://www.digital.go.jp/resources/standard_guidelines/#ds910〔2024/5/1 確認〕
※ 75 https://www.meti.go.jp/shingikai/mono_info_service/sangyo_cyber/pdf/001_05_00.pdf〔2024/5/1 確認〕
※ 76 https://www.meti.go.jp/policy/netsecurity/wg1/cpsf.html〔2024/5/1 確認〕
※ 77 https://www.meti.go.jp/shingikai/mono_info_service/sangyo_cyber/pdf/008_03_00.pdf〔2024/5/1 確認〕
※ 78 経済産業省：サイバー・フィジカル・セキュリティ対策フレームワーク（CPSF）とその展開 https://www.meti.go.jp/policy/netsecurity/wg1/wg1.html〔2024/5/1 確認〕
※ 79 https://www.meti.go.jp/shingikai/mono_info_service/sangyo_cyber/wg_seido/pdf/006_05_00.pdf〔2024/5/1 確認〕
※ 80 経済産業省：第 16 回産業サイバーセキュリティ研究会ワーキンググループ 1 ビルサブワーキンググループ https://www.meti.go.jp/shingikai/mono_info_service/sangyo_cyber/wg_seido/wg_building/016.html〔2024/5/1 確認〕
※ 81 経済産業省：第 16 回 産業サイバーセキュリティ研究会ワーキンググループ 1（制度・技術・標準化）電力サブワーキンググループ https://www.meti.go.jp/shingikai/mono_info_service/sangyo_cyber/wg_seido/wg_denryoku/016.html〔2024/5/1 確認〕
※ 82 一般社団法人日本自動車工業会：自動車産業サイバーセキュリティガイドライン https://www.jama.or.jp/operation/it/cyb_sec/cyb_sec_guideline.html〔2024/5/1 確認〕
※ 83 経済産業省：産業サイバーセキュリティ研究会 ワーキンググループ 1（制度・技術・標準化）宇宙産業サブワーキンググループ 民間宇宙システムにおけるサイバーセキュリティ対策ガイドライン Ver 1.1 https://www.meti.go.jp/shingikai/mono_info_service/sangyo_cyber/wg_seido/wg_uchu_sangyo/20230331_report.html〔2024/5/1 確認〕
※ 84 経済産業省：産業サイバーセキュリティ研究会 ワーキンググループ 1（制度・技術・標準化）宇宙産業サブワーキンググループ 民間宇宙システ

ムにおけるサイバーセキュリティ対策ガイドライン Ver 2.0 https://www.meti.go.jp/shingikai/mono_info_service/sangyo_cyber/wg_seido/wg_uchu_sangyo/20240328_report.html〔2024/5/1 確認〕
※ 85 経済産業省：工場システムにおけるサイバー・フィジカル・セキュリティ対策ガイドライン https://www.meti.go.jp/policy/netsecurity/wg1/factorysystems_guideline.html〔2024/5/1 確認〕
※ 86 https://www.meti.go.jp/policy/netsecurity/wg1/factorysystems_guideline_appendix.pdf〔2024/5/1 確認〕
※ 87 経済産業省：第 12 回 サイバー・フィジカル・セキュリティ確保に向けたソフトウェア管理手法等検討タスクフォース https://www.meti.go.jp/shingikai/mono_info_service/sangyo_cyber/wg_seido/wg_bunyaodan/software/012.html〔2024/5/1 確認〕
※ 88 経済産業省：第 10 回 産業サイバーセキュリティ研究会 ワーキンググループ 2（経営・人材・国際） https://www.meti.go.jp/shingikai/mono_info_service/sangyo_cyber/wg_keiei/010.html〔2024/5/1 確認〕
※ 89 https://www.meti.go.jp/policy/netsecurity/mng_guide.html〔2024/5/1 確認〕
※ 90 IPA：サイバーセキュリティ経営可視化ツール https://www.ipa.go.jp/security/economics/checktool.html〔2024/5/1 確認〕
※ 91 IPA：経営者向けインシデント対応机上演習 https://www.ipa.go.jp/security/seminar/sme/ttx-e.html〔2024/5/1 確認〕
※ 92-1 IPA：IT・セキュリティ担当者向けリスク分析ワークショップ https://www.ipa.go.jp/security/seminar/sme/riskassesmentws.html〔2024/5/1 確認〕
※ 92-2 経済産業省：第 10 回 産業サイバーセキュリティ研究会 ワーキンググループ2（経営・人材・国際）事務局説明資料 https://www.meti.go.jp/shingikai/mono_info_service/sangyo_cyber/wg_keiei/pdf/010_03_00.pdf〔2024/06/07 確認〕
※ 93 IPA：サイバーセキュリティお助け隊サービス制度 https://www.ipa.go.jp/security/sme/otasuketai-about.html〔2024/5/1 確認〕
※ 94 IPA：お知らせ：サイバーセキュリティお助け隊サービスに新たな類型（2類）を創設しました https://www.ipa.go.jp/pressrelease/2023/press20240315.html〔2024/5/1 確認〕
※ 95 https://www.ipa.go.jp/security/service_list.html〔2024/5/1 確認〕
※ 96 経済産業省：IoT 製品に対するセキュリティ適合性評価制度構築に向けた検討会の最終とりまとめを公表し、制度構築方針案に対する意見公募を開始しました https://www.meti.go.jp/press/2023/03/20240315005/20240315005.html〔2024/5/1 確認〕
※ 97 IPA：IT セキュリティ評価及び認証制度（JISEC） https://www.ipa.go.jp/security/jisec/index.html〔2024/5/1 確認〕
※ 98 https://www.meti.go.jp/press/2023/03/20240315005/20240315005-3r.pdf〔2024/5/1 確認〕
※ 99 IPA：コラボレーション・プラットフォームについて https://www.ipa.go.jp/security/seminar/collapla.html〔2024/5/1 確認〕
※ 100 経済産業省：「サイバー攻撃被害に係る情報の共有・公表ガイダンス（案）」に対する意見募集の結果及び「サイバー攻撃被害に係る情報の共有・公表ガイダンス」の公表 https://www.meti.go.jp/press/2022/03/20230308006/20230308006.html〔2024/5/1 確認〕
※ 101 経済産業省：産業サイバーセキュリティ研究会 サイバー攻撃による被害に関する情報共有の促進に向けた検討会 報告書 https://www.meti.go.jp/shingikai/mono_info_service/sangyo_cyber/cyber_attack/20231122_report.html〔2024/5/1 確認〕
※ 102 本白書では文献引用上の正確性を期す必要がない場合、表記の統一のため、悪意のあるプログラム、マルウェア等を総称して「ウイルス」と表記する。
※ 103 https://www8.cao.go.jp/cstp/aigensoku.pdf〔2024/5/1 確認〕
※ 104 総務省：国際的な議論のための AI 開発ガイドライン案（AI 開発ガイドライン） https://www.soumu.go.jp/main_content/000499625.pdf〔2024/5/1 確認〕
※ 105 総務省：AI 利活用ガイドライン https://www.soumu.go.jp/main_content/000809595.pdf〔2024/5/1 確認〕
※ 106 経済産業省：AI 原則実践のためのガバナンス・ガイドライン https://www.meti.go.jp/shingikai/mono_info_service/ai_shakai_jisso/pdf/20220128_1.pdf〔2024/5/1 確認〕
※ 107 経済産業省：「AI 事業者ガイドライン（第 1.0 版）」を取りまとめました https://www.meti.go.jp/press/2024/04/20240419004/20240419004.html〔2024/5/1 確認〕
総務省：「AI 事業者ガイドライン」掲載ページ https://www.soumu.go.jp/main_sosiki/kenkyu/ai_network/02ryutsu20_04000019.html〔2024/5/1 確認〕
※ 108 経済産業省：不正競争防止法 直近の改正（令和5年） https://www.meti.go.jp/policy/economy/chizai/chiteki/kaisei_recent.html〔2024/5/1 確認〕

※ 109 経済産業省：不正競争防止法等の一部を改正する法律【知財一括法】の概要 https://www.meti.go.jp/policy/economy/chizai/chiteki/pdf/r5kaisei06.pdf〔2024/5/1 確認〕

※ 110 経済産業省：限定提供データに関する指針 https://www.meti.go.jp/policy/economy/chizai/chiteki/guideline/h31pd.pdf〔2024/5/1 確認〕

※ 111 経済産業省：「ASM（Attack Surface Management）導入ガイダンス～外部から把握出来る情報を用いて自組織の IT 資産を発見し管理する～」を取りまとめました https://www.meti.go.jp/press/2023/05/20230529001/20230529001.html〔2024/5/1 確認〕

※ 112 経済産業省：「クレジットカード・セキュリティガイドライン」が改訂されました https://www.meti.go.jp/press/2023/03/20240315002/20240315002.html〔2024/5/1 確認〕

※ 113 経済産業省：技術情報管理認証制度（トップページ）https://www.meti.go.jp/policy/mono_info_service/mono/technology_management/index.html〔2024/5/1 確認〕

※ 114 経済産業省：技術情報管理認証制度 専門家派遣事業のご案内 https://r4.outreach.go.jp/tics-haken.html〔2024/5/1 確認〕

※ 115 経済産業省：情報セキュリティサービス審査登録制度 https://www.meti.go.jp/policy/netsecurity/shinsatouroku/touroku.html〔2024/5/1 確認〕

※ 116 経済産業省：情報セキュリティサービス基準第 4 版 https://www.meti.go.jp/policy/netsecurity/shinsatouroku/zyouhoukizyun4.pdf〔2024/5/1 確認〕

※ 117 経済産業省：情報セキュリティサービスにおける技術及び品質の確保に資する取組の例示 第 3 版 https://www.meti.go.jp/policy/netsecurity/shinsatouroku/reiji3.pdf〔2024/5/1 確認〕

※ 118 審査登録機関：「情報セキュリティサービスに関する審査登録機関基準」に適合すると IPA が確認した機関。なお、申請事業者が「情報セキュリティサービス基準」に適合するか否かの審査・判定は、各審査登録機関がその責任において実施する。

※ 119 https://www.nisc.go.jp/pdf/policy/general/guider5.pdf〔2024/5/1 確認〕

※ 120 SIG（Special Interest Group）：「特定の分野（各業界におけるサイバー攻撃に関する情報）について、情報を交換するグループ」という意味で、J-CSIP では各業界の参加組織の集合体を SIG と呼んでいる。

※ 121 セプターカウンシル：重要インフラのセキュリティ対策向上を図るために、各重要インフラ分野（セプター）の代表から構成された協議会で、政府機関等からも独立した、分野横断的な情報共有体制。

※ 122 https://www.ipa.go.jp/security/j-csip/ug65p9000000nkvm-att/fy23-q3-report.pdf〔2024/5/31 確認〕

※ 123 IPA：サイバー情報共有イニシアティブ（J-CSIP）運用状況〔2023 年7 月～9 月〕 https://www.ipa.go.jp/security/j-csip/ug65p9000000nkvm-att/fy23-q2-report.pdf〔2024/5/1 確認〕

※ 124 IPA：サイバー情報共有イニシアティブ（J-CSIP）運用状況〔2023 年4 月～6 月〕 https://www.ipa.go.jp/security/j-csip/ug65p9000000nkvm-att/fy23-q1-report.pdf〔2024/5/1 確認〕

※ 125 警察庁：令和5年上半期におけるサイバー空間をめぐる脅威の情勢等について https://www.npa.go.jp/publications/statistics/cybersecurity/data/R05_kami_cyber_jousei.pdf〔2024/5/1 確認〕

※ 126 IPA：J-CRAT 標的型サイバー攻撃特別相談窓口 https://www.ipa.go.jp/security/todokede/tokubetsu.html〔2024/5/1 確認〕

※ 127 IPA：サイバーレスキュー隊 J-CRAT（ジェイ・クラート）について https://www.ipa.go.jp/security/j-crat/about.html〔2024/5/1 確認〕

※ 128 経済産業省：「高圧ガス保安法等の一部を改正する法律案」が閣議決定されました https://www.meti.go.jp/press/2021/03/20220304004/20220304004.html〔2024/5/1 確認〕
経済産業省：認定高度保安実施事業者制度の運用を開始し、燃料電池自動車等の規制の一元化を実施しました https://www.meti.go.jp/press/2023/12/20231221003/20231221003.html〔2024/5/1 確認〕

※ 129 IPA：調査分析部サイバーインシデント調査室 https://www.ipa.go.jp/jinzai/ics/ciil/index.html〔2024/5/1 確認〕

※ 130 https://www.soumu.go.jp/main_content/000895981.pdf〔2024/5/1 確認〕

※ 131 https://www.soumu.go.jp/main_content/000829941.pdf〔2024/5/1 確認〕

※ 132 総務省：「情報通信ネットワークにおけるサイバーセキュリティ対策分科会」の開催 https://www.soumu.go.jp/menu_news/s-news/01cyber01_02000001_00155.html〔2024/5/1 確認〕

※ 133 総務省：サイバーセキュリティタスクフォース https://www.soumu.go.jp/main_sosiki/kenkyu/cybersecurity_taskforce/index.html〔2024/5/1 確認〕

※ 134 総務省：国立研究開発法人情報通信研究機構法の一部改正について https://www.soumu.go.jp/main_content/000920260.pdf〔2024/5/1 確認〕

※ 135 NICT：より安全な IoT 環境の実現に向けて － NOTICE 事業 5 年間の総括と今後の取り組み － https://www2.nict.go.jp/csri/nict_cyber2024/pdf/ 講演 2_ より安全な IoT 環境の実現に向けて_NOTICE 事業 5 年間の総括と今後の取り組み .pdf〔2024/5/1 確認〕

※ 136 一般社団法人 ICT-ISAC：組織概要 https://www.ict-isac.jp/outline/〔2024/5/1 確認〕

※ 137 総務省により「電気通信事業におけるサイバー攻撃への適正な対処の在り方に関する研究会 第四次とりまとめ」が 2021 年 11 月に策定されたことを受け実施された。
一般社団法人 ICT-ISAC：電気通信事業者におけるフロー情報分析によるC&C サーバ検知に関する調査について（C&C サーバリスト共有トライアルの実施）https://www.ict-isac.jp/news/news20230825.html〔2024/5/1 確認〕

※ 138 フロー情報：通信トラフィックデータのうち、IP アドレス、ポート番号等ヘッダー情報、ルーターでヘッダー情報を抽出する際に付与されるタイムスタンプ等の情報であり、通信の内容は含まれない。

※ 139 一般社団法人 ICT-ISAC：電気通信事業者におけるフロー情報分析によるC&C サーバ検知に関する調査について（C&C サーバリスト共有トライアルの実施）（更新）https://www.ict-isac.jp/news/news20231113.html〔2024/5/1 確認〕

※ 140 https://www.ict-isac.jp/news/news20230825/ 別紙1. 本調査の概要 .pdf〔2024/5/1 確認〕

※ 141 日本経済新聞：サイバー攻撃、官民連携の分析センター設置 総務省検討 https://www.nikkei.com/article/DGXZQOUA268080W3A620C2000000/〔2024/5/1 確認〕

※ 142 RPKI（Resource Public-Key Infrastructure）：自立ネットワークの IP アドレスや AS（Autonomous System）番号を電子証明書で検証し、通信経路の乗っ取り等を防止する技術。

※ 143 DNSSEC（DNS Security Extensions）：ドメインネームと IP アドレスの紐付けを電子証明書で検証し、サーバーのなりすまし等を防止する技術。

※ 144 DMARC（Domain-based Message Authentication Reporting and Conformance）：電子メールの送信元ドメインの正しさを検証し、なりすまし等の場合、自動的に処理する技術。

※ 145 総務省：「ICT サイバーセキュリティ政策分科会」の開催 https://www.soumu.go.jp/menu_news/s-news/02cyber01_04000001_00269.html〔2024/5/1 確認〕

※ 146 日本経済新聞：自治体にサイバー対策公表義務付け 週内にも法案決定 https://www.nikkei.com/article/DGXZQOUA276RN0X20C24A2000000/〔2024/5/1 確認〕
総務省：国会提出法案 https://www.soumu.go.jp/menu_hourei/k_houan.html〔2024/5/1 確認〕

※ 147 総務省：地方自治法の一部を改正する法律案の概要 https://www.soumu.go.jp/main_content/000931798.pdf〔2024/5/1 確認〕

※ 148 警察庁：警察におけるサイバー戦略について（依命通達）https://www.npa.go.jp/bureau/cyber/pdf/202204_senryaku.pdf〔2024/5/1 確認〕

※ 149 警察庁：サイバー重点施策について（通達）https://www.npa.go.jp/bureau/cyber/pdf/202204_jyuten.pdf〔2024/5/1 確認〕

※ 150 警察庁：令和 5 年におけるサイバー空間をめぐる脅威の情勢等について https://www.npa.go.jp/publications/statistics/cybersecurity/data/R5/R05_cyber_jousei.pdf〔2024/5/1 確認〕

※ 151 警察庁：令和 5 年版 警察白書 https://www.npa.go.jp/hakusyo/r05/index.html〔2024/5/1 確認〕

※ 152 https://www.ipa.go.jp/publish/wp-security/2023.html〔2024/5/1 確認〕

※ 153 警察庁：サイバー警察局 https://www.npa.go.jp/bureau/cyber/index.html〔2024/5/1 確認〕

※ 154 関東管区警察局：サイバー特別捜査隊 https://www.kanto.npa.go.jp/about/syoukai10.html〔2024/5/1 確認〕

※ 155 警察庁：令和 6 年度予算 概算要求の概要 https://www.npa.go.jp/policies/budget/r6/gaisanyokyu/r6tousyoyosan.pdf〔2024/5/1 確認〕

※ 156 警察庁：ASEAN＋3国際犯罪閣僚会議及び日・ASEAN国際犯罪閣僚会議の開催について https://www.npa.go.jp/bureau/soumu/kokusai/ammtc2023.html〔2024/5/1 確認〕

※ 157 警察庁、あいおいニッセイ同和損害保険株式会社：サイバー事案に係る被害の未然防止や拡大防止等に向け、警察庁サイバー警察局とあいおいニッセイ同和損保が連携協定を締結 https://www.aioinissaydowa.co.jp/corporate/about/news/pdf/2023/news_2023111001245.pdf〔2024/5/1 確認〕

※ 158 警察庁：サイバー事案の対処に関する協定書 https://www.ipa.go.jp/news/2023/announce/nq6ept0000001aua-att/keisatsucho_20231222.pdf〔2024/5/1 確認〕

※ 159 警察庁：サイバー警察局注意喚起 https://www.npa.go.jp/

bureau/cyber/koho/caution.html〔2024/5/1 確認〕

※160 警察庁：有識者会議 https://www.npa.go.jp/bureau/cyber/what-we-do/csmeeting.html〔2024/5/1 確認〕

※161 公益社団法人日本医師会：日本医師会及び警察庁サイバー警察局の連携に関する覚書締結等について https://www.med.or.jp/nichiionline/article/011146.html〔2024/5/1 確認〕

※162 警察庁：ランサムウェア被疑者の検挙及び関連犯罪インフラのテイクダウンに関するユーロポールのプレスリリースについて https://www.npa.go.jp/news/release/2024/release1.pdf〔2024/5/1 確認〕

※163 警察庁：中国を背景とするサイバー攻撃グループ BlackTech によるサイバー攻撃について（注意喚起）https://www.npa.go.jp/bureau/cyber/pdf/20230927press.pdf〔2024/5/1 確認〕

※164-1 警察庁：フィッシングによるものとみられるインターネットバンキングに係る不正送金被害の急増について（注意喚起）https://www.npa.go.jp/bureau/cyber/pdf/20230808_press.pdf〔2024/5/1 確認〕
警察庁：フィッシングによるものとみられるインターネットバンキングに係る不正送金被害の急増について（注意喚起）https://www.npa.go.jp/bureau/cyber/pdf/20231225_press.pdf〔2024/5/1 確認〕

※164-2 警察庁：家庭用ルーターの不正利用に関する注意喚起について https://www.npa.go.jp/bureau/cyber/pdf/20230328_press.pdf〔2024/5/1 確認〕

※164-3 警察庁、NISC：DDoS 攻撃への対策について https://www.npa.go.jp/bureau/cyber/pdf/20230501.pdf〔2024/5/1 確認〕

※165 厚生労働省：新型コロナウイルス感染症の5類感染症移行後の対応について https://www.mhlw.go.jp/stf/corona5rui.html〔2024/5/1 確認〕

※166 外務省：ウクライナ情勢に関する対応 https://www.mofa.go.jp/mofaj/erp/c_see/ua/page3_003225.html〔2024/5/1 確認〕

※167 外務省：ガザ情勢 https://www.mofa.go.jp/mofaj/me_a/me1/palestine/page22_001217.html〔2024/5/1 確認〕

※168 外務省：ガザ地区に対する人道支援の拡大と監視に関する国連安保理決議の採択について（外務報道官談話）https://www.mofa.go.jp/mofaj/press/danwa/pageit_000001_00144.html〔2024/5/1 確認〕

※169 NHK：アメリカが拒否権行使し否決 ガザ停戦決議案 国連安保理 https://www3.nhk.or.jp/news/html/20240221/k10014365741000.html〔2024/5/1 確認〕

※170 Reuters：国連安保理、ガザ即時停戦決議案を採択 米は棄権 https://jp.reuters.com/world/us/GRUZHHQYPJJ3DOOKRMLIRMYCGY-2024-03-25/〔2024/5/1 確認〕

※171 NHK：イスラエルとハマスの衝突 100 万回以上見られた偽動画など 33 に https://www3.nhk.or.jp/news/html/20231107/k10014250371000.html〔2024/5/1 確認〕

※172 Reuters：アングル：イスラエル・ハマス紛争、氾濫する偽情報で世論歪む恐れ https://jp.reuters.com/economy/JWD5O7OHIJKTTKBNLFGDGENHUM-2023-10-18/〔2024/5/1 確認〕

※173 外務省：軍事領域における責任ある AI 利用（REAIM）イニシアチブ https://www.mofa.go.jp/mofaj/gaiko/arms/page23_004201.html〔2024/5/1 確認〕

※174 外務省：「AI と自律性の責任ある軍事利用に関する政治宣言」への我が国の参加 https://www.mofa.go.jp/mofaj/press/release/press5_000156.html〔2024/5/1 確認〕

※175 外務省：自律型致死兵器システム（LAWS）について https://www.mofa.go.jp/mofaj/dns/ca/page24_001191.html〔2024/5/1 確認〕

※176 NHK："AI 兵器 対応急がれる" 国連総会で決議を採択 https://www3.nhk.or.jp/news/html/20231224/k10014298431000.html〔2024/5/1 確認〕

※177 外務省：特定通常兵器使用禁止制限条約自律型致死兵器システムに関する政府専門家会合の開催（2024 年 3 月）https://www.mofa.go.jp/mofaj/dns/ca/pagew_000001_00431.html〔2024/5/1 確認〕
NHK：AI 使った「自律型兵器システム」の規制を目指す国際会議始まる https://www3.nhk.or.jp/news/html/20240305/k1001437916100.html〔2024/5/1 確認〕

※178 GOV.UK：AI SAFETY SUMMIT https://www.aisafetysummit.gov.uk/〔2024/5/1 確認〕

※179 外務省：岸田総理大臣の英主催 AI 安全性サミットへの参加について（結果概要）https://www.mofa.go.jp/mofaj/ecm/ec/page5_000484.html〔2024/5/1 確認〕

※180 NHK："AI 技術に安全性や信頼性確保を" 初の決議案が採択 国連総会 https://www3.nhk.or.jp/news/html/20240322/k10014398891000.html〔2024/5/1 確認〕

※181 外務省：協力及び電子的証拠の開示の強化に関するサイバー犯罪に関する条約の第二追加議定書 https://www.mofaj/

ila/st/page24_002143.html〔2024/5/1 確認〕

※182 外務省：G7 広島サミット（令和 5 年 5 月 19 日～ 21 日）https://www.mofa.go.jp/mofaj/ms/g7hs_s/page1_001673.html〔2024/5/1 確認〕

※183 外務省：G7 広島サミット（ゼレンスキー・ウクライナ大統領の訪日）https://www.mofa.go.jp/mofaj/ecm/ec/page4_005892.html〔2024/5/1 確認〕

※184 外務省：G 7 広島首脳コミュニケ（2023年5月20日）https://www.mofa.go.jp/mofaj/files/100507034.pdf〔2024/5/1 確認〕

※185 OECD：The Global Partnership on AI (GPAI) https://oecd.ai/en/gpai〔2024/5/1 確認〕

※186 総務省：広島 AI プロセス G7 デジタル・技術閣僚声明（2023年12月1日）https://www.soumu.go.jp/hiroshimaaiprocess/pdf/document02.pdf〔2024/5/1 確認〕
総務省：広島AIプロセスについて https://www8.cao.go.jp/cstp/ai/ai_senryaku/7kai/11hiroshimaaipurosesu.pdf〔2024/5/1 確認〕

※187 外務省：日本 ASEAN 友好協力 50 周年事業 https://www.mofa.go.jp/mofaj/a_o/rp/page23_003946.html〔2024/5/1 確認〕

※188 外務省：石月英雄サイバー政策担当大使の「日・ASEAN サイバーセキュリティ能力構築センター（AJCCBC）」研修オープニングセレモニー出席 https://www.mofa.go.jp/mofaj/press/release/press5_000050.html〔2024/5/1 確認〕

※189 ASEAN-CBP：日 ASEAN サイバーセキュリティ官民共同フォーラム (IC-AJCC) https://asean-cbp.org/ic-ajcc-jp/〔2024/5/1 確認〕

※190 外務省：日本 ASEAN 友好協力 50 周年特別首脳会議（概要）https://www.mofa.go.jp/mofaj/a_o/rp/pageit_000001_00111.html〔2024/5/1 確認〕

※191 日本 ASEAN 友好協力に関する共同ビジョン・ステートメントー信頼のパートナー https://www.mofa.go.jp/mofaj/files/100601311.pdf〔2024/5/1 確認〕

※192 https://www.mofa.go.jp/mofaj/files/100347891.pdf〔2024/5/1 確認〕

※193 https://www.mofa.go.jp/mofaj/fp/es/pageit_000001_00084.html〔2024/5/1 確認〕

※194 外務省：第 3 回日米豪印上級サイバーグループ対面会合の開催（結果）https://www.mofa.go.jp/mofaj/press/release/pressit_000001_00062.html〔2024/5/1 確認〕

※195 外務省：第 8 回日米サイバー対話の開催 https://www.mofa.go.jp/mofaj/press/release/press4_009685.html〔2024/5/1 確認〕

※196 外務省：第 1 回日・NATO サイバー対話の開催（結果）https://www.mofa.go.jp/mofaj/press/release/press4_009859.html〔2024/5/1 確認〕

※197 外務省：第 5 回日・EU サイバー対話の開催（結果）https://www.mofa.go.jp/mofaj/press/release/press4_009860.html〔2024/5/1 確認〕

※198 IPA：2023 年度「インド太平洋地域向け日米 EU 産業制御システムサイバーセキュリティウィーク」を実施 https://www.ipa.go.jp/jinzai/ics/global/ics20231016.html〔2024/5/1 確認〕

※199 総務省：大洋州島しょ国向けサイバーセキュリティ能力構築演習を実施 https://www.soumu.go.jp/menu_news/s-news/01cyber01_02000001_00190.html〔2024/5/1 確認〕

※200 外務省：第 1 回日・ヨルダン・サイバーセキュリティ協議の開催 https://www.mofa.go.jp/mofaj/me_a/me1/jo/page7_000032.html〔2024/5/1 確認〕

※201 外務省：第 5 回日・インド・サイバー協議の開催 https://www.mofa.go.jp/mofaj/press/release/press4_009785.html〔2024/5/1 確認〕

※202 外務省：第 7 回日仏サイバー協議の開催（結果）https://www.mofa.go.jp/mofaj/press/release/press5_000160.html〔2024/5/1 確認〕

※203 外務省：第 5 回日豪サイバー政策協議の開催（結果）https://www.mofa.go.jp/mofaj/press/release/pressit_000001_00040.html〔2024/5/1 確認〕

※204 Reuters：Deepfaking it: America's 2024 election collides with AI boom https://www.reuters.com/world/us/deepfaking-it-americas-2024-election-collides-with-ai-boom-2023-05-30/〔2024/5/1 確認〕

※205 NHK：台湾総統選挙 AI 悪用とみられる不審アカウントや偽動画広がる https://www3.nhk.or.jp/news/html/20231223/k10014297431000.html〔2024/5/1 確認〕

※206 NHK：米 IT 大手など 20 社が協定 選挙での AI 偽動画や音声対策へ連携 https://www3.nhk.or.jp/news/html/20240217/k10014361881000.html〔2024/5/1 確認〕

※207 The White House：Executive Order on the Safe, Secure, and Trustworthy Development and Use of Artificial Intelligence https://www.whitehouse.gov/briefing-room/presidential-actions/2023/10/30/executive-order-on-the-safe-secure-and-trustworthy-development-and-use-of-artificial-intelligence/〔2024/5/1 確認〕

※208 Federal Register：Maintaining American Leadership in Artificial Intelligence https://www.federalregister.gov/documents/2019/02/14/2019-02544/maintaining-american-leadership-in-artificial-intelligence〔2024/5/1 確認〕

※209 Federal Register：Promoting the Use of Trustworthy Artificial Intelligence in the Federal Government https://www.federalregister.gov/documents/2020/12/08/2020-27065/promoting-the-use-of-trustworthy-artificial-intelligence-in-the-federal-government〔2024/5/1 確認〕

※210 NIST：AI Risk Management Framework https://www.nist.gov/itl/ai-risk-management-framework〔2024/5/1 確認〕

※211 The White House：FACT SHEET: Vice President Harris Announces New U.S. Initiatives to Advance the Safe and Responsible Use of Artificial Intelligence https://www.whitehouse.gov/briefing-room/statements-releases/2023/11/01/fact-sheet-vice-president-harris-announces-new-u-s-initiatives-to-advance-the-safe-and-responsible-use-of-artificial-intelligence/〔2024/5/1 確認〕

※212 NIST：U.S. Artificial Intelligence Safety Institute https://www.nist.gov/artificial-intelligence/artificial-intelligence-safety-institute〔2024/5/1 確認〕

※213 The White House：Proposed Memorandum for the Heads of Executive Departments and Agencies https://www.whitehouse.gov/wp-content/uploads/2023/11/AI-in-Government-Memo-draft-for-public-review.pdf〔2024/5/1 確認〕

※214 CIO.GOV：The Top 10 Things Federal Technology Leaders Should Know About OMB's Draft AI Policy https://www.cio.gov/ai-policy/〔2024/5/1 確認〕

※215 https://www.state.gov/political-declaration-on-responsible-military-use-of-artificial-intelligence-and-autonomy/〔2024/5/1 確認〕

※216 https://www.whitehouse.gov/wp-content/uploads/2023/03/National-Cybersecurity-Strategy-2023.pdf〔2024/5/1 確認〕

※217 Federal Register：Request for Information (RFI) Related to NIST's Assignments Under Sections 4.1, 4.5 and 11 of the Executive Order Concerning Artificial Intelligence (Sections 4.1, 4.5, and 11) https://www.federalregister.gov/documents/2023/12/21/2023-28232/request-for-information-rfi-related-to-nists-assignments-under-sections-41-45-and-11-of-the〔2024/5/1 確認〕

※218 NIST：The NIST Cybersecurity Framework (CSF) 2.0 https://nvlpubs.nist.gov/nistpubs/CSWP/NIST.CSWP.29.pdf〔2024/5/1 確認〕

※219 紐付けられたフレームワーク、ガイドラインには以下が含まれる。
・NIST プライバシーフレームワーク
・NIST AI 100-1：AI リスクマネジメントフレームワーク（AI-RMF）
・NIST SP800-218 v1.1：NIST セキュアソフトウェア開発フレームワーク（SSDH）
・CIS Critical Security Controls

※220 CISA：CISA Roadmap for Artificial Intelligence https://www.cisa.gov/sites/default/files/2023-11/2023-2024_CISA-Roadmap-for-AI_508c.pdf〔2024/5/1 確認〕

※221 https://www.cisa.gov/sites/default/files/2023-04/principles_approaches_for_security-by-design-default_508_0.pdf〔2024/5/1 確認〕

※222 Council of the European Union：Regulation of the European Parliament and of the Council on horizontal cybersecurity requirements for products with digital elements and amending Regulation (EU) 2019/1020 - Letter sent to the European Parliament https://eur-lex.europa.eu/legal-content/EN/TXT/PDF/?uri=CONSIL:ST_17000_2023_INIT〔2024/5/1 確認〕

※223 The White House：Biden-Harris Administration Announces Cybersecurity Labeling Program for Smart Devices to Protect American Consumers https://www.whitehouse.gov/briefing-room/statements-releases/2023/07/18/biden-harris-administration-announces-cybersecurity-labeling-program-for-smart-devices-to-protect-american-consumers/?_ga=2.173443239.506610032.1709268239-234130803.1702622199&_fsi=0DwKYWiz〔2024/5/1 確認〕

※224 https://media.defense.gov/2023/Dec/14/2003359097/-1/-1/0/CSI-SCRM-SBOM-Management-v1.1.PDF〔2024/5/1 確認〕

※225 DoD：2023 DOD Cyber Strategy Summary https://media.defense.gov/2023/Sep/12/2003299076/-1/-1/1/2023_DOD_Cyber_Strategy_Summary.PDF〔2024/5/1 確認〕

※226 CYBERCOM：CYBERCOM's "Under Advisement" to increase private sector partnerships, industry data-sharing in 2023 https://www.cybercom.mil/Media/News/Article/3444464/cybercoms-under-advisement-to-increase-private-sector-partnerships-industry-dat/〔2024/5/1 確認〕

※227 EC：Data Protection: European Commission adopts new adequacy decision for safe and trusted EU-US data flows https://ec.europa.eu/commission/presscorner/detail/en/ip_23_3721〔2024/5/1 確認〕

※228 EUR-Lex：Regulation - 2016/679 - EN - gdpr - EUR-Lex https://eur-lex.europa.eu/legal-content/EN/TXT/?uri=CELEX%3A32016R0679〔2024/5/1 確認〕

※229 Library of Congress：Text - H.R.2670 - 118th Congress (2023-2024): National Defense Authorization Act for Fiscal Year 2024 https://www.congress.gov/bill/118th-congress/house-bill/2670/text〔2024/5/1 確認〕

※230 Taiwan Today：バイデン米大統領が国防権限法に署名、外交部は台湾支援強化に感謝 https://jp.taiwantoday.tw/news.php?unit=148,149,150,151,152&post=246482〔2024/5/1 確認〕

※231 CISA、NSA、FBI 等：People's Republic of China State-Sponsored Cyber Actor Living off the Land to Evade Detection https://media.defense.gov/2023/May/24/2003229517/-1/-1/0/CSA_Living_off_the_Land.PDF〔2024/5/1 確認〕
CISA、NSA、FBI 等：PRC State-Sponsored Actors Compromise and Maintain Persistent Access to U.S. Critical Infrastructure https://www.cisa.gov/news-events/cybersecurity-advisories/aa24-038a〔2024/5/1 確認〕

※232 Reuters：英政府が移民受け入れ削減計画、人手不足に拍車と反発も https://jp.reuters.com/world/europe/DMKXXX2VNBIXTEEID4ZRA3ARZM-2023-12-05/〔2024/5/1 確認〕

※233 BBC：Spending power to surge in London but plunge in other regions https://www.bbc.com/news/business-66436792〔2024/5/1 確認〕

※234 日本経済新聞：TPP 初の新規加入、英国加盟を正式承認 計 12 カ国体制に https://www.nikkei.com/article/DGXZQOUA13CVN0T10C23A7000000/〔2024/5/1 確認〕

※235 Reuters：Sporadic violence, but calmer night in France after family buries teenager https://www.reuters.com/world/europe/france-deploys-45000-police-armored-vehicles-amid-riots-2023-07-01/〔2024/5/1 確認〕

※236 Reuters：Moscow concert hall attack: what we know about shooting in Russia https://www.reuters.com/world/europe/what-we-know-about-shooting-concert-venue-near-moscow-2024-03-22/〔2024/5/1 確認〕

※237 BBC：France beefs up security as Paris Olympics approach https://www.bbc.com/news/world-europe-68772589〔2024/5/1 確認〕

※238 Reuters：German economy dodges recession despite shrinking 0.3% in 2023 https://www.reuters.com/markets/europe/german-economy-contracted-03-2023-stats-office-2024-01-15/〔2024/5/1 確認〕

※239 BBC：Germany: Scholz warns against rise of neo-Nazi networks https://www.bbc.com/news/world-europe-68117813〔2024/5/1 確認〕

※240 EC：Joint Statement of Special Envoys and Coordinators Combating Antisemitism https://ec.europa.eu/newsroom/just/newsletter-archives/48763〔2024/5/1 確認〕

※241 BBC：UK antisemitic hate incidents hit new high in 2023, says charity https://www.bbc.com/news/uk-68288727〔2024/5/1 確認〕

※242 ENISA：NIS Directive https://www.enisa.europa.eu/topics/cybersecurity-policy/nis-directive-new〔2024/5/1 確認〕

※243 EC：Cyber Resilience Act https://digital-strategy.ec.europa.eu/en/library/cyber-resilience-act〔2024/5/1 確認〕

※244 ENISA：NIS Investments Report 2023 https://www.enisa.europa.eu/publications/nis-investments-2023〔2024/5/1 確認〕

※245 Cyber Risk GmbH：The European Cyber Resilience Act (CRA) https://www.european-cyber-resilience-act.com/?_fsi=6wxbpuJp〔2024/5/1 確認〕

※246 JETRO：欧州委、デジタル製品のサイバーセキュリティー対応を義務付ける法案発表 https://www.jetro.go.jp/biznews/2022/09/27fcc2dec113fddc.html〔2024/5/1 確認〕

※247 BEUC：Position papers Cyber Resilience Act proposal https://www.beuc.eu/position-papers/cyber-resilience-act-proposal

〔2024/5/1 確認〕

※ 248 クラウド Watch：オープンソース業界に広がる懸念　欧州で導入予定のサイバーレジリエンス法　https://cloud.watch.impress.co.jp/docs/column/infostand/1497776.html〔2024/5/1 確認〕

※ 249 EC：Commission welcomes political agreement on Cyber Resilience Act　https://ec.europa.eu/commission/presscorner/detail/en/ip_23_6168〔2024/5/1 確認〕

※ 250 TechCrunch：Open source foundations unite on common standards for EU's Cyber Resilience Act　https://techcrunch.com/2024/04/02/open-source-foundations-unite-on-common-standards-for-eus-cybersecurity-resilience-act/〔2024/5/1 確認〕

※ 251 ENISA：ENISA Threat Landscape 2023　https://www.enisa.europa.eu/publications/enisa-threat-landscape-2023〔2024/5/1 確認〕

※ 252 名古屋港運協会、名古屋コンテナ委員会、ターミナル部会：NUTS システム障害の経緯報告　https://meikoukyo.com/wp-content/uploads/2023/07/0bb9d9907568e832da8f400e529efc99.pdf〔2024/5/1 確認〕

※ 253 トレンドマイクロ株式会社：ランサムウェア「LockBit」の概要と対策～名古屋港の活動停止を引き起こした犯罪集団　https://www.trendmicro.com/ja_jp/jp-security/23/h/securitytrend-20230823-01.html〔2024/5/1 確認〕

※ 254 https://www.nomoreransom.org〔2024/5/1 確認〕

※ 255 Europol：Law enforcement disrupt world's biggest ransomware operation　https://www.europol.europa.eu/media-press/newsroom/news/law-enforcement-disrupt-worlds-biggest-ransomware-operation〔2024/5/1 確認〕
Reuters：ハッカー集団ロックビットを摘発、米英など 10 カ国の共同捜査で　https://jp.reuters.com/world/security/DN37JXQJZRKTPJCJ2TR2TRXGIY-2024-02-21/〔2024/5/1 確認〕

※ 256 The Asahi Shimbun：Expert: LockBit ransomware group to keep hitting hospitals　https://www.asahi.com/ajw/articles/15205662〔2024/5/1 確認〕

※ 257 EC：European data strategy　https://commission.europa.eu/strategy-and-policy/priorities-2019-2024/europe-fit-digital-age/european-data-strategy_en〔2024/5/1 確認〕

※ 258 EC：Data Act　https://digital-strategy.ec.europa.eu/en/policies/data-act〔2024/5/1 確認〕

※ 259 EC：European Data Governance Act　https://digital-strategy.ec.europa.eu/en/policies/data-governance-act〔2024/5/1 確認〕

※ 260 EC：Digital Markets Act　https://digital-markets-act.ec.europa.eu/index_en〔2024/5/1 確認〕

※ 261 EC：The Digital Services Act　https://commission.europa.eu/strategy-and-policy/priorities-2019-2024/europe-fit-digital-age/digital-services-act_en〔2024/5/1 確認〕

※ 262 EC：Commission opens formal proceedings against X under the Digital Services Act　https://ec.europa.eu/commission/presscorner/detail/en/ip_23_6709〔2024/5/1 確認〕

※ 263 EC：Commission opens formal proceedings against TikTok under the Digital Services Act　https://ec.europa.eu/commission/presscorner/detail/en/ip_24_926〔2024/5/1 確認〕

※ 264 Reuters：EU, TikTok の正式調査開始　デジタルサービス法違反の恐れ　https://jp.reuters.com/business/technology/BBBCLC6RCRLS3LO2YALRT4OGFI-2024-02-20/〔2024/5/1 確認〕

※ 265 The Guardian：EU threatens TikTok Lite with ban over reward-to-watch feature　https://www.theguardian.com/technology/2024/apr/22/eu-threatens-to-ban-tiktok-lite-over-reward-to-watch-feature〔2024/5/1 確認〕

※ 266 EC：Commission opens non-compliance investigations against Alphabet, Apple and Meta under the Digital Markets Act　https://ec.europa.eu/commission/presscorner/detail/en/ip_24_1689〔2024/5/1 確認〕

※ 267 EC：Commission fines Apple over €1.8 billion over abusive App store rules for music streaming providers　https://ec.europa.eu/commission/presscorner/detail/en/ip_24_1161〔2024/5/1 確認〕

※ 268 日本経済新聞：EU、巨大 IT に新規制　デジタル寡占抑止へ「超独禁法」　https://www.nikkei.com/article/DGXZQOGN060E40W4A300C2000000/〔2024/5/1 確認〕

※ 269 EC：REGULATION OF THE EUROPEAN PARLIAMENT AND OF THE COUNCIL LAYING DOWN HARMONISED RULES ON ARTIFICIAL INTELLIGENCE (ARTIFICIAL INTELLIGENCE ACT) AND AMENDING CERTAIN UNION LEGISLATIVE ACTS　https://eur-lex.europa.eu/legal-content/EN/TXT/HTML/?uri=CELEX:52021PC0206&from=EN〔2024/5/1 確認〕

※ 270 European Parliament：Artificial Intelligence Act: MEPs adopt landmark law　https://www.europarl.europa.eu/news/en/press-room/20240308IPR19015/artificial-intelligence-act-meps-adopt-landmark-law〔2024/5/1 確認〕
Reuters：Europe one step away from landmark AI rules after lawmakers' vote　https://www.reuters.com/technology/eu-lawmakers-endorse-political-deal-artificial-intelligence-rules-2024-03-13/〔2024/5/1 確認〕

※ 271 Reuters：Europe agrees landmark AI regulation deal　https://www.reuters.com/technology/stalled-eu-ai-act-talks-set-resume-2023-12-08/〔2024/5/1 確認〕
JETRO：EU、AI を包括的に規制する法案で政治合意、生成型 AI も規制対象に　https://www.jetro.go.jp/biznews/2023/12/8a6cd52f78d376b1.html〔2024/5/1 確認〕

※ 272 EC：Commission Decision Establishing the European AI Office　https://digital-strategy.ec.europa.eu/en/library/commission-decision-establishing-european-ai-office〔2024/5/1 確認〕

※ 273 EC：European AI Office　https://digital-strategy.ec.europa.eu/en/policies/ai-office〔2024/5/1 確認〕

※ 274 NIST：U.S. Artificial Intelligence Safety Institute　https://www.nist.gov/artificial-intelligence-safety-institute〔2024/5/1 確認〕
GOV.UK：AI SAFETY INSTITUTE　https://www.gov.uk/government/organisations/ai-safety-institute〔2024/5/1 確認〕
AISI Japan:AI Safety Institute　https://aisi.go.jp/〔2024/5/1 確認〕

※ 275 EC：Commission launches AI innovation package to support Artificial Intelligence startups and SMEs　https://ec.europa.eu/commission/presscorner/detail/en/ip_24_383〔2024/5/1 確認〕

※ 276 European Parliament：Artificial Intelligence Act: MEPs adopt landmark law　https://www.europarl.europa.eu/news/en/press-room/20240308IPR19015/artificial-intelligence-act-meps-adopt-landmark-law〔2024/5/1 確認〕
One Asia Lawyers：EU・AI 法の成立 – 来るべき AI 規制への備え –　https://oneasia.legal/12675〔2024/5/1 確認〕

※ 277 DLA Piper：DLA Piper GDPR Fines and Data Breach Survey: January 2024　https://www.dlapiper.com/en/insights/publications/2024/01/dla-piper-gdpr-fines-and-data-breach-survey-january-2024〔2024/5/1 確認〕

※ 278 CMS：GDPR Enforcement Tracker ETid1543　https://www.enforcementtracker.com/ETid-1543〔2024/5/1 確認〕

※ 279 CMS：GDPR Enforcement Tracker ETid1730　https://www.enforcementtracker.com/ETid-1730〔2024/5/1 確認〕

※ 280 CMS：GDPR Enforcement Tracker ETid1844　https://www.enforcementtracker.com/ETid-1844〔2024/5/1 確認〕

※ 281 BBC：Meta: Facebook owner fined €1.2bn for mishandling data　https://www.bbc.com/news/technology-65669839〔2024/5/1 確認〕

※ 282 CMS：GDPR enforcement Tracker ETid1912　https://www.enforcementtracker.com/ETid-1912〔2024/5/1 確認〕

※ 283 CMS：GDPR Enforcement Tracker ETid2032　https://www.enforcementtracker.com/ETid-2032〔2024/5/1 確認〕

※ 284 Australian Government：2023-2030 Australian Cyber Security Strategy　https://www.homeaffairs.gov.au/about-us/our-portfolios/cyber-security/strategy/2023-2030-australian-cyber-security-strategy〔2024/5/1 確認〕

※ 285 Australian Government：2023-2030 Australian Cyber Security Strategy Action Plan　https://www.homeaffairs.gov.au/cyber-security-subsite/files/2023-cyber-security-strategy-action-plan.pdf〔2024/5/1 確認〕

※ 286 GCSB：New Zealand takes the first step in creating a lead operational cyber security agency　https://www.gcsb.govt.nz/news/new-zealand-takes-the-first-step-in-creating-a-lead-operational-cyber-security-agency/〔2024/5/1 確認〕

※ 287 Ministry of Electoronics & IT：CERT-In issues "Guidelines on Information Security Practices" for Government Entities for Safe & Trusted Internet　https://www.pib.gov.in/PressReleasePage.aspx?PRID=1936470〔2024/5/1 確認〕

※ 288 CSA:New Cyber Talent Programme to Provide Foundational and Targeted Cybersecurity Training For Non-Cybersecurity Professionals　https://www.csa.gov.sg/News-Events/Press-Releases/2023/new-cyber-talent-programme-to-provide-foundational-and-targeted-cybersecurity-training-for-non-cybersecurity-professionals〔2024/5/1 確認〕

※ 289 NICS：About Us　https://www.nics.nat.gov.tw/en/about/introduction/〔2024/5/1 確認〕

第2章　情報セキュリティを支える基盤の動向

※ 290 NICS：National Institute of Cyber Security https://download.nics.nat.gov.tw/UploadFile/attachfilenew/1_NICS Intro（核定版）_1120626.pdf〔2024/5/1 確認〕
※ 291 中華民國總統府：國家資通安全研究院揭牌　總統：全力推動前瞻資安科技　為全民打造一個安全、安心及安穩的數位環境 https://www.president.gov.tw/News/27301〔2024/5/1 確認〕
※ 292 https://www.apcert.org/〔2024/5/1 確認〕
※ 293 APCERT: Member Teams https://www.apcert.org/about/structure/members.html〔2024/5/1 確認〕
※ 294 APCERT：APCERT CYBER DRILL 2023 "DIGITAL SUPPLY CHAIN REDEMPTION" https://www.apcert.org/documents/pdf/APCERTDrill2023PressRelease.pdf〔2024/5/1 確認〕
※ 295 APCERT：Documents https://www.apcert.org/documents/index.html〔2024/5/1 確認〕
※ 296 https://krcert.or.kr〔2024/5/1 確認〕
※ 297 https://www.cybersecurity.my/en/index.html〔2024/5/1 確認〕
※ 298 https://www.cert.gov.lk〔2024/5/1 確認〕
※ 299 外務省：日ASEAN 友好協力に関する共同ビジョン・ステートメント 2023 信頼のパートナー 実施計画（仮訳） https://www.mofa.go.jp/files/100601230.pdf〔2024/5/1 確認〕
※ 300 経済産業省：デジタルスキル標準 https://www.meti.go.jp/policy/it_policy/jinzai/skill_standard/main.html〔2024/5/1 確認〕
※ 301 https://manabi-dx.ipa.go.jp〔2024/5/1 確認〕
※ 302 ISC2, Inc.：ISC2 Cybersecurity Workforce Study 2023 https://media.isc2.org/-/media/Project/ISC2/Main/Media/documents/research/ISC2_Cybersecurity_Workforce_Study_2023.pdf?rev=28b46de71ce24e6ab7705f6e3da8637e〔2024/5/1 確認〕
※ 303 株式会社リクルート：サイバーセキュリティー関連求人、2014 年比で 24.3 倍に増加 https://www.recruit.co.jp/newsroom/pressrelease/assets/20240315_work_01.pdf〔2024/5/1 確認〕
※ 304 IPA：生成 AI 時代の人材育成に関する座談会 https://www.ipa.go.jp/jinzai/dss/zadankai.html〔2024/5/1 確認〕
※ 305 「プラス・セキュリティ」とは、自らの業務遂行にあたってセキュリティを意識し、必要かつ十分なセキュリティ対策を実現できる能力を身に付けること、あるいは身に付けている状態のこと。
経済産業省：「サイバーセキュリティ体制構築・人材確保の手引き」（第 2.0 版）をとりまとめました https://www.meti.go.jp/policy/netsecurity/tebiki_taisei_jinzai.html〔2024/5/1 確認〕
※ 306 Gartner, Inc.：Gartner Unveils Top Eight Cybersecurity Predictions for 2024 https://www.gartner.com/en/newsroom/press-releases/2024-03-18-gartner-unveils-top-eight-cybersecurity-predictions-for-2024〔2024/5/1 確認〕
※ 307 防衛省：防衛力整備計画 https://www.mod.go.jp/j/policy/agenda/guideline/plan/pdf/plan.pdf〔2024/5/1 確認〕
※ 308 https://cstia.or.jp〔2024/5/1 確認〕
※ 309 https://www.ipa.go.jp/jinzai/chousa/ps6vr7000000z6cc-att/skill-henkaku2022-zentai.pdf〔2024/5/1 確認〕
※ 310 SC3 事務局：SC3 第 8 回産学官連携WG 令和 5 年度 WG 活動報告【抜粋】 https://www.ipa.go.jp/security/sc3/activities/sangakukanWG/images/8th_siryou_abs.pdf〔2024/5/1 確認〕
※ 311 米国では 10 年ほど前から、採用条件を見直し「スキルファースト」で人材採用するアプローチを取る企業も出てきている。
DIAMOND ハーバード・ビジネス・レビュー：リーダーはどのように企業のテクノロジー活用を牽引すべきか https://dhbr.diamond.jp/articles/-/10211?page=2〔2024/5/1 確認〕
※ 312 https://fita.or.jp〔2024/5/1 確認〕
※ 313 経済産業省：第 8 回「産業サイバーセキュリティ研究会」を開催しました https://www.meti.go.jp/press/2024/04/20240405003/20240405003.html〔2024/5/1 確認〕
※ 314 https://www.ipa.go.jp/jinzai/skill-standard/plus-it-ui/itssplus/security.html〔2024/5/1 確認〕
※ 315 セキュリティ関連知識・スキルの内容は、「情報処理安全確保支援士試験（レベル4）シラバス」（https://www.ipa.go.jp/shiken/syllabus/ps6vr7000000i97q-att/syllabus_sc_ver2_0.pdf〔2024/5/1 確認〕）を参照することになっている。17 分野の各々には主導できるレベル(情報処理安全確保支援士試験レベル)と、コミュニケーションが取れるレベル(情報セキュリティマネジメント試験レベル)が示されているが、企業等によって、レベルの付し方の変更や、知識・スキル項目の追加・削除・詳細化が必要とされている。
※ 316 https://nvlpubs.nist.gov/nistpubs/SpecialPublications/NIST.SP.800-181r1.pdf〔2024/5/1 確認〕
※ 317 Workforce Framework for Cybersecurity (NICE Framework) https://csrc.nist.gov/publications/detail/sp/800-181/rev-1/final

〔2024/5/1 確認〕
※ 318 一般企業における共通的な役割／業務は CRIC CSF の人材定義リファレンスの改訂版、また、インシデント対応の役割／業務は NCA、FIRST 等のガイドラインを活用することが検討されている。
※ 319 SC3 業界連携 WG で検討することが考えられている。
※ 320 NICE FW ではコンピタンシーには評価基準を項目として設定するように定められているが、評価基準自身は各組織で設定することになっている。
※ 321 CBT（Computer Based Testing）方式：試験会場に設置されたコンピューターを利用して実施する試験方式のこと。受験者はコンピューターに表示された試験問題に対して、マウスやキーボードを用いて解答する。
※ 322 このほかに、身体の不自由等により CBT 方式の受験ができない方を対象とした筆記試験を、春期 4 月 16 日及び秋期 10 月 8 日に実施した。
※ 323 IPA：情報処理技術者試験 情報処理安全確保支援士試験 統計資料 令和 5 年度試験 全試験区分版 https://www.ipa.go.jp/shiken/reports/hjuojm000000liyb-att/toukei_r05.pdf〔2024/5/1 確認〕
※ 324 IPA：国家資格「情報処理安全確保支援士」2024 年 4 月 1 日付新規登録者 1,345 名の内訳 https://www.ipa.go.jp/jinzai/riss/reports/data/20240401newriss.html〔2024/5/1 確認〕
※ 325 IPA：講習の目的と概要 https://www.ipa.go.jp/jinzai/riss/forriss/koushu/overview.html〔2024/5/1 確認〕
※ 326 IPA：責任者向けプログラム 業界別サイバーレジリエンス強化演習（CyberREX） https://www.ipa.go.jp/jinzai/ics/short-pgm/cyberrex/index.html〔2024/5/1 確認〕
※ 327 IPA：実務者向けプログラム 制御システム向けサイバーセキュリティ演習（CyberSTIX） https://www.ipa.go.jp/jinzai/ics/short-pgm/cyberstix/index.html〔2024/5/1 確認〕
※ 328 経済産業省：情報処理安全確保支援士特定講習 https://www.meti.go.jp/policy/it_policy/jinzai/tokutei.html〔2024/5/1 確認〕
※ 329 IPA：登録セキスペインタビュー https://www.ipa.go.jp/jinzai/riss/interview/riss.html#section13〔2024/5/1 確認〕
※ 330 IPA：セキュリティ・キャンプ全国大会 2023 ホーム https://www.ipa.go.jp/jinzai/security-camp/2023/zenkoku/index.html〔2024/5/1 確認〕
※ 331 IPA：セキュリティ・ネクストキャンプ 2023 ホーム https://www.ipa.go.jp/jinzai/security-camp/2023/next/index.html〔2024/5/1 確認〕
※ 332 IPA：セキュリティ・ジュニアキャンプ 2023 ホーム https://www.ipa.go.jp/jinzai/security-camp/2023/junior/index.html〔2024/5/1 確認〕
※ 333 セキュリティ・キャンプ協議会：地方大会 https://www.security-camp.or.jp/minicamp/〔2024/5/1 確認〕
※ 334 セキュリティ・キャンプ協議会：セキュリティ・ミニキャンプ in 東京 2023 https://www.security-camp.or.jp/minicamp/tokyo2023.html〔2024/5/1 確認〕
セキュリティ・キャンプ協議会：セキュリティ・ミニキャンプ in 三重 2023 https://www.security-camp.or.jp/minicamp/mie2023.html〔2024/5/1 確認〕
セキュリティ・キャンプ協議会：セキュリティ・ミニキャンプ in 宮崎 2023 https://www.security-camp.or.jp/minicamp/miyazaki2023.html〔2024/5/1 確認〕
セキュリティ・キャンプ協議会：セキュリティ・ミニキャンプ in 新潟 2023 https://www.security-camp.or.jp/minicamp/niigata2023.html〔2024/5/1 確認〕
セキュリティ・キャンプ協議会：セキュリティ・ミニキャンプ in 山梨 2023 https://www.security-camp.or.jp/minicamp/yamanashi2023.html〔2024/5/1 確認〕
セキュリティ・キャンプ協議会：セキュリティ・ミニキャンプ in 徳島 2023 https://www.security-camp.or.jp/minicamp/tokushima2023.html〔2024/5/1 確認〕
セキュリティ・キャンプ協議会：セキュリティ・ミニキャンプ in 沖縄 2023 https://www.security-camp.or.jp/minicamp/okinawa2023.html〔2024/5/1 確認〕
セキュリティ・キャンプ協議会：セキュリティ・ミニキャンプ in 北海道 2023 https://www.security-camp.or.jp/minicamp/hokkaido2023.html〔2024/5/1 確認〕
セキュリティ・キャンプ協議会：セキュリティ・ミニキャンプ in 広島 2023 https://www.security-camp.or.jp/minicamp/hiroshima2023.html〔2024/5/1 確認〕
セキュリティ・キャンプ協議会：セキュリティ・ミニキャンプ in 石川 2023 https://www.security-camp.or.jp/minicamp/ishikawa2023.html〔2024/5/1 確認〕
セキュリティ・キャンプ協議会：セキュリティ・ミニキャンプ in 大阪 2024 https://www.security-camp.or.jp/minicamp/osaka2024.html〔2024/5/1 確認〕
※ 335 セキュリティ・キャンプ協議会：GCC 2024 Thailand - Global

Cybersecurity Camp 2024 Thailand　https://www.security-camp.or.jp/event/gcc_Thailand2024.html〔2024/5/1 確認〕
※ 336 NICT：サイバーセキュリティ演習基盤 CYROP のオープン化トライアルを開始　https://www.nict.go.jp/press/2022/02/03-1.html〔2024/5/1 確認〕
※ 337 NICT:日本のサイバーセキュリティの結節点"CYNEX アライアンス"を発足　https://www.nict.go.jp/press/2023/10/02-1.html〔2024/5/1 確認〕
※ 338 NICT：CYDER 開催スケジュール　https://cyder.nict.go.jp/course/schedule/index.html〔2024/5/1 確認〕
※ 339 NICT：プレ CYDER の募集を開始しました　https://cyder.nict.go.jp/news/2023/post_36.html〔2024/5/1 確認〕
※ 340 NICT：開催スケジュール オンラインコース　https://cyder.nict.go.jp/course/schedule/index.html#cource_c〔2024/5/1 確認〕
※ 341 日本経済新聞：太平洋地域でサイバー防御の初演習 総務省、実施を発表　https://www.nikkei.com/article/DGXZQOUA27A080X20C24A2000000/〔2024/5/1 確認〕
総務省：大洋州島しょ国向けサイバーセキュリティ能力構築演習を実施　https://www.soumu.go.jp/menu_news/s-news/01cyber01_02000001_00190.html〔2024/5/1 確認〕
※ 342 総務省：2025 年日本国際博覧会に向けたサイバー防御講習「CIDLE（シードル）」の実施　https://www.soumu.go.jp/menu_news/s-news/01cyber01_02000001_00175.html〔2024/5/1 確認〕
※ 343 NICT：SecHack365 の目的　https://sechack365.nict.go.jp/document/#p01〔2024/5/1 確認〕
※ 344 SECCON：SECCON 実行委員会 ／ WG メンバー　https://www.seccon.jp/2023/seccon/executivecommittee.html〔2024/5/1 確認〕
※ 345 SECCON：SECCON CTF 2023 ルール　https://ctf.seccon.jp/rules-ja/〔2024/5/1 確認〕
※ 346 SECCON：SECCON Beginners とは　https://www.seccon.jp/2023/beginners/about-seccon-beginners.html〔2024/5/1 確認〕
※ 347 CTF for GIRLS:CTF for GIRLS 10 年目記念イベント開催レポート　http://girls.seccon.jp/news31.html〔2024/5/1 確認〕
※ 348 SECCON：SECCON Workshop　https://www.seccon.jp/2023/seccon-workshop/〔2024/5/1 確認〕
※ 349 総務省：日 ASEAN サイバーセキュリティ能力構築センター（AJCCBC）における新プロジェクトの開始　https://www.soumu.go.jp/menu_news/s-news/01cyber01_02000001_00166.html〔2024/5/1 確認〕
※ 350 JICA：日 ASEAN サイバーセキュリティ能力構築センター（AJCCBC）における第 1 回研修オープニングセレモニー：ASEAN 各国のサイバーセキュリティ専門人材の育成に貢献　https://www.jica.go.jp/information/press/2023/20230619_42.html〔2024/5/1 確認〕
※ 351 日本電気株式会社:NEC、ASEAN 加盟国向けのサイバーセキュリティ人材を育成する演習業務を受託　https://jpn.nec.com/cybersecurity/topics/2023/PR003_AJCCBC.html〔2024/5/1 確認〕
※ 352 JNSA：JNSA 産学情報セキュリティ人材育成検討会とは？　https://www.jnsa.org/internship/jinzai.html〔2024/5/1 確認〕
※ 353 JNSA：交流会に参加しよう！ー「産学情報セキュリティ人材育成交流会」　https://www.jnsa.org/internship/event.html〔2024/5/1 確認〕
※ 354 東京工業大学：環境・社会理工学院 技術経営専門職学位課程実施 キャリアアップ MOT プログラム CUMOT　https://www.academy.titech.ac.jp/cumot/data/cumot_2023.pdf〔2024/5/1 確認〕
※ 355 東京工業大学：キャリアアップ MOT（CUMOT）サイバーセキュリティ経営戦略コース 受講生募集のご案内　https://www.academy.titech.ac.jp/cumot/cy/data/cumot_CY_2023.pdf〔2024/5/1 確認〕
※ 356 独立行政法人国立高等専門学校機構：サイバーセキュリティ人材育成事業　https://k-sec.kochi-ct.ac.jp/promotion-system/index.html〔2024/5/1 確認〕
※ 357 独立行政法人国立高等専門学校機構：Topics & News 一覧　https://k-sec.kochi-ct.ac.jp/topics-news/〔2024/5/1 確認〕
※ 358 IPA：中核人材育成プログラム 卒業プロジェクト　https://www.ipa.go.jp/jinzai/ics/core_human_resource/final_project/index.html〔2024/5/1 確認〕
※ 359 IPA：中核人材育成プログラム修了者コミュニティ「叶会（かなえかい）」　https://www.ipa.go.jp/jinzai/ics/core_human_resource/kanaekai.html〔2024/5/1 確認〕

※ 360 IPA：責任者向けプログラム サイバー危機対応机上演習（CyberCREST）　https://www.ipa.go.jp/jinzai/ics/short-pgm/cybercrest/index.html〔2024/5/1 確認〕
※ 361 IPA：責任者向けプログラム サイバーセキュリティ企画演習（CyberSPEX）　https://www.ipa.go.jp/jinzai/ics/short-pgm/cyberspex/index.html〔2024/5/1 確認〕
※ 362 経済産業省：日本産業標準調査会基本政策部会「取りまとめ」（日本型標準加速化モデル）を公表しました。　https://www.meti.go.jp/policy/economy/hyojun-kijun/jisho/seisaku.html〔2024/5/1 確認〕
※ 363 https://www.meti.go.jp/policy/economy/hyojun-kijun/jisho/pdf/20230620tori.pdf〔2024/5/1 確認〕
※ 364 ISO：ISO/IEC JTC 1　https://www.iso.org/committee/45020.html〔2024/5/1 確認〕
※ 365 JISC：JISC について　https://www.jisc.go.jp/jisc/index.html〔2024/5/1 確認〕
※ 366 ITU：SG17：Security　https://www.itu.int/en/ITU-T/studygroups/2017-2020/17/Pages/default.aspx〔2024/5/1 確認〕
※ 367 IETF：Security Area　https://trac.ietf.org/trac/sec/wiki〔2024/5/1 確認〕
※ 368 TCG：Welcome to Trusted Computing Group　https://trustedcomputinggroup.org/work-groups/regional-forums/japan〔2024/5/1 確認〕
※ 369 https://www.jisc.go.jp/international/iso-prcs.html〔2024/5/1 確認〕
※ 370 https://www.iso.org/standard/75652.html〔2024/5/2 確認〕
※ 371 Technical Specification（TS）：現時点では技術的に未成熟等の理由により、国際標準として発行するのは妥当ではない文書。
※ 372 EC：Cybersecurity – security requirements for ICT product certification　https://ec.europa.eu/info/law/better-regulation/have-your-say/initiatives/13382-Cybersecurity-security-requirements-for-ICT-product-certification_en〔2024/5/1 確認〕
※ 373 European cybersecurity certification scheme（EUCC）：欧州で創立が進められている、ISO/IEC 15408 に基づく IT 製品のセキュリティ評価・認証制度。
※ 374 Common Criteria Recognition Arrangement（CCRA）：日本、米国のほか、欧州各国を含む計 31 ヵ国が加盟している、ISO/IEC 15408 に基づく IT 製品のセキュリティ認証の国際相互承認の枠組み。「3.2.1 IT セキュリティ評価及び認証制度」参照。
※ 375 A Critical Analysis of ISO 17825（'Testing methods for the mitigation of non-invasive attack classes against cryptographic modules'）, Carolyn Whitnall & Elisabeth Oswald, at ASIACRYPT 2019, LNCS, vol 11923.
※ 376 IoT 推進コンソーシアム、総務省、経済産業省：IoT セキュリティガイドライン ver 1.0　https://www.soumu.go.jp/main_content/000428393.pdf〔2024/5/7 確認〕
※ 377 https://www.iso.org/standard/44373.html〔2024/5/7 確認〕
※ 378 https://www.iso.org/standard/80136.html〔2024/5/7 確認〕
※ 379 ITU-T の標準化プロセスについては、一般社団法人情報通信技術委員会が「標準化教育コンテンツ」（https://www.ttc.or.jp/activities/sdt_text〔2024/5/1 確認〕）として公開している「標準化教育テキスト（入門編）第 9 版（2023 年 3 月）」の「2-1 デジュール標準化機関」（https://www.ttc.or.jp/application/files/1816/8360/6916/Standard_text_chapter2-1_v9.0.pdf〔2024/5/1 確認〕）の「2-1-1 ITU」が参考となる。
※ 380 https://www.isa.org/standards-and-publications/isa-standards/isa-standards-committees/isa99〔2024/5/1 確認〕
※ 381 IEC：TC 65 Scope　https://www.iec.ch/dyn/www/f?p=103:14:613850989665891::::FSP_ORG_ID,FSP_LANG_ID:2612,25〔2024/5/1 確認〕
※ 382 https://www.jpcert.or.jp/present/2023/ICSR2023_02_YOKOGAWAElectric.pdf〔2024/5/1 確認〕
※ 383 https://www.jpcert.or.jp/event/ics-conference2023.html〔2024/5/1 確認〕
※ 384 IPA：制御システムのセキュリティリスク分析ガイド補足資料：「制御システム関連のサイバーインシデント事例」シリーズ　https://www.ipa.go.jp/security/controlsystem/incident.html〔2024/5/1 確認〕
※ 385 SCADA（Supervisory Control and Data Acquisition）：産業制御システムの一種であり、コンピューターによるシステム監視とプロセス制御を行う。
※ 386 https://www.iecee.org〔2024/5/1 確認〕
※ 387 https://isasecure.org〔2024/5/1 確認〕

第2章 情報セキュリティを支える基盤の動向

第3章
情報セキュリティ対策強化や取り組みの動向

2023 年度は企業の内部不正事案が多く報道され、抑止の難しさが再認識された。本章では、組織・個人向けの情報セキュリティの対策強化策や取り組み、対策状況の実態、各種認証制度、及び暗号技術の動向について解説する。そのほか各国で検討が進んでいる一定のセキュリティ基準を満たす IoT 製品への認証制度、IoT、制御システム、クラウドのセキュリティ動向、国内外のインシデントの発生状況、対策等についても解説する。

3.1 組織・個人に向けた情報セキュリティ対策の普及活動

組織や個人に向けた情報セキュリティ対策の普及活動について述べる。

3.1.1 組織における情報セキュリティの取り組みと支援策

組織における情報セキュリティの実態と対策状況、及び組織に向けた情報セキュリティ支援策と支援ツールについて述べる。

(1) 組織の情報セキュリティの実態と対策状況

企業のセキュリティ対策・統制状況について、企業やIPA が行った実態調査に基づいて述べる。

(a) セキュリティ管理体制の構築状況

最高情報セキュリティ責任者(CISO：Chief Information Security Officer）は、経営層とセキュリティ担当者をつなぎ、有効なセキュリティ対策の立案から実践に至るまでの責任を負う存在である。NRI セキュアテクノロジーズ株式会社（以下、NRI セキュア社）の「NRI Secure Insight 2023[※1]」(日本 1,657 社、米国 540 社、オーストラリア 586 社の企業を対象に調査。以下、NRI セキュア社調査)によると、CISO を設置している企業の割合(図3-1-1 において「経営層が専任で就任」「経営層が兼務で就任」「非経営層が専任で就任」「非経営層が兼務で就任」「社外有識者が就任」のいずれか)は、米国・オーストラリアともに 95％ 以上であるのに対し、日本は 41.1％にとどまっている。

また、CISO が専任で就任している企業の割合（図3-1-1 の「経営層が専任で就任」と「非経営層が専任で就任」の合計）は、米国・オーストラリアともに 50％ 以上

であるのに対し、日本は 6.0％ である。「社外有識者が就任」の割合についても米国が 4.3％ であるのに対して、オーストラリアが 1.5％、日本が 0.4％ と差がついている。

NRI セキュア社調査では、CISO はセキュリティ対策の実施に不可欠であるため、CISO の役割を果たすチームを編成し対応することも考えられるとしている。

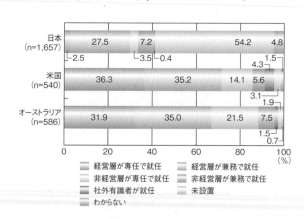

■図 3-1-1　CISO を設置している企業の割合
(出典) NRI セキュア社「NRI Secure Insight 2023」を基に IPA が編集

(b) セキュリティ人材の充足状況

NRI セキュア社調査によると、セキュリティ人材が不足している企業の割合は、米国の 8.5％、オーストラリアの 8.2％ に対し、日本は 91.7％ である（次ページ図 3-1-2）。また、日本企業を従業員数別に見ると、セキュリティ人材が不足している割合は、どの従業員規模でも 90％ を超えている(次ページ図 3-1-3)。このことから、日本企業におけるセキュリティ人材不足は、企業規模によらない共通の課題となっているという。

IPA が SECURITY ACTION 宣言事業者（主に中小企業である事業者）を対象に実施した調査[※2] においても、情報セキュリティ対策を進める上での問題点をた

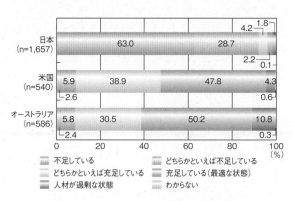

■図 3-1-2 セキュリティ対策に従事する人材の充足状況
（出典）NRI セキュア社「NRI Secure Insight 2023」を基に IPA が編集

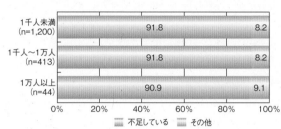

※不足している：図3-1-2で「不足している」「どちらかといえば不足している」のいずれかを回答

■図 3-1-3 日本企業の従業員数別セキュリティ人材充足状況
（出典）NRI セキュア社「NRI Secure Insight 2023」を基に IPA が編集

ずねたところ、「情報セキュリティ対策を行うための人員が不足している」と回答した割合が 38.6% と最も高く、次いで「情報セキュリティ対策の知識をもった従業員がいない」が 33.3% であった（図 3-1-4）。

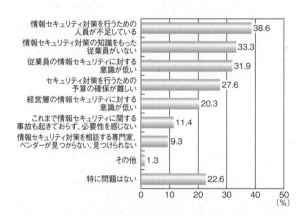

■図 3-1-4 情報セキュリティ対策を進める上での問題点（複数回答、n=5,577）
（出典）IPA「2023 年度 SECURITY ACTION 宣言事業者における情報セキュリティ対策の実施調査」を基に編集

セキュリティ人材の確保・育成については、「サイバーセキュリティ経営ガイドライン[3]」（以下、経営ガイドライン）の付録である「サイバーセキュリティ体制構築・人材確保の手引き 第 2.0 版[4]」を参照していただきたい。

（c）サプライチェーンのセキュリティ対策把握状況

NRI セキュア社調査による、日本企業のサプライチェーン統制状況を図 3-1-5 に示す。国内関係会社／グループ会社に対するセキュリティ対策状況の把握率（図 3-1-5 の赤色の点線部分）は 47.1%、未把握率（「セキュリティ対策状況を把握していない」と回答した割合）は 15.0% となっている。一方、国内パートナー／委託先のセキュリティ対策状況の未把握率は 37.7% であり、これは国内関係会社／グループ会社の未把握率と比較して 22.7% 高い値である。この要因としては、委託先管理においての対象数の多さや、対策状況を把握するための手続きが複雑であり、手間がかかるため実施しにくい等が考えられるという。また、委託先は外部組織であるため、国内関係会社／グループ会社と比較して統制が容易ではない点や、委託元としてセキュリティ対策状況を把握した後の改善活動の促進が難しい点等も、要因として考えられるという。

把握率について、グループ会社数別に見ると、グループ会社数が多い程、把握率が高くなっている（図 3-1-6）。海外等を含めて多くのグループ会社を持つ企業は、攻撃対象領域（アタックサーフェス）が広がっていることから、サプライチェーンリスクへの意識が高いことがうかが

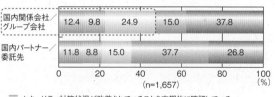

■図 3-1-5 日本企業のサプライチェーンの統制状況（n=1,657）
（出典）NRI セキュア社「NRI Secure Insight 2023」を基に IPA が編集

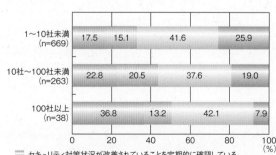

■図 3-1-6 グループ会社数別の国内関係会社／グループ会社の統制状況
（出典）NRI セキュア社「NRI Secure Insight 2023」を基に IPA が編集

第 3 章

情報セキュリティ対策強化や取り組みの動向

えるという。

　日本のサプライチェーンセキュリティ対策の強化については、官民連携で取り組みの検討や推進を行っている（「3.1.1（2）組織に向けた情報セキュリティ支援策と支援ツール」参照）。これらの取り組みにより、日本のサプライチェーン全体のセキュリティ対策強化が期待される。

(d)情報セキュリティの技術的対策状況

　NRIセキュア社調査によると、日本企業がEDR（Endpoint Detection and Response）を導入済みである割合は27.8%であり、2022年の18.9%[※5]から大きく上昇した。背景としては、サイバー攻撃の増加や新しい働き方の浸透等に要因があるという。

　社内ネットワークのトラフィックを可視化するNDR（Network Detection and Response）を導入済みである割合は、11.9%とEDRに次いで高い割合となった。また、NDRの導入について検討中・関心があると回答した割合は32.0%と最も高かった。これは、リモートデスクトップやVPN機器を経由した攻撃への対応が要因として考えられるという。

　日本企業がEDRやNDRを包括するサービスであるXDR（Extended Detection and Response）を導入済みである割合は6.5%にとどまったが、EDRの運用負荷の高まりに対応するため、XDRを導入する企業も今後増加していくと考えられるという。

(e)中小企業等の内部不正防止対策状況

　IPAが2023年度に実施した「内部不正防止対策・体制整備等に関する中小企業等の状況調査[※6]」（国内企業に所属し、情報セキュリティ・リスク管理・経営等に関与する1,248名へのアンケート調査、国内企業8社と有識者4名へのインタビュー調査等）に基づき、中小企業等における内部不正防止対策や体制についての状況を述べる。IPAでは2013年に「組織における内部不正防止ガイドライン[※7]」を公開し、以後継続的に改訂を行い内部不正防止に関する啓発を行っている。しかしながら、報道されているだけでも内部不正に起因する情報セキュリティインシデントは継続的に発生している。同調査で収集した事例情報から、2020年4月以降に国内で発生し、報道された情報漏えいに関する事例を抽出したところ257件が観測され、そのうち故意による内部不正を原因とした情報漏えいが69件、不注意・ミスに起因する情報漏えいが62件であった。

　同調査に先行して2022年度にIPAで実施した「企業の内部不正防止体制に関する実態調査[※8]」でも中小企業等の体制整備が進んでいないことが懸念点として明らかになっていた。2023年度の同調査においては、現状を改善するための対策の方向性を提示することを目的とし、企業経営者の問題意識や基本方針の策定状況、教育・リテラシーの構築の進捗状況と、対策が進んでいると目される中小企業の好事例等の調査を実施した。以降では、中小企業の現状に関して着目すべきアンケート結果を2点挙げる。

　個人情報以外の秘密情報について、格付け表示等によってほぼ漏れなく秘密情報であることを認知できるかどうか尋ねたところ、「ほぼ漏れなく認知できる」と回答した割合は、中小企業では22%前後にとどまっていた（図3-1-7の赤色の点線部分）。中小企業では秘密情報の格付け表示が実効性を持って実施されている割合が全体平均と比べて低く、従業員が秘密情報か否かを認識できる状況とは言い難いことが見て取れる。まずは個人情報以外の秘密情報の特定を行い、格付けの全社基準に基づくシステム上の分離保管（フォルダで仕分けし、アクセス権限を格付けに合わせて設定）の導入等が現実的な対応であると考えられる。

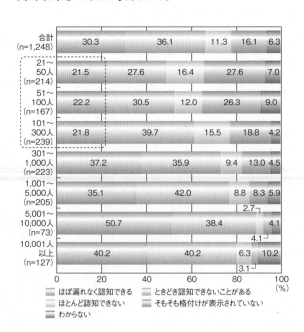

■図3-1-7　格付け表示等による秘密情報の周知状況
（出典）IPA「内部不正防止対策・体制整備等に関する中小企業等の状況調査」を基に編集

　個人情報保護だけでなく、それ以外の秘密情報（営業秘密、重要なデータ等）を保護する対策を重視しているか尋ねた結果を図3-1-8（次ページ）に示す。営業秘密等の秘密情報を保護する対策を個人情報と同等以上に重視している割合（「個人情報を保護する対策以上に

重視している」と「個人情報を保護する対策と同じくらい重視している」の合計）は従業員数が小さくなる程、下がる傾向が見て取れた。特に、従業員数が100人以下の中小企業では格段に低く、同等以上に重視している中小企業は約半数にとどまっている（図3-1-8の赤色の点線部分）。製造業のサプライヤーのように、中小企業であっても技術情報等の営業秘密の重要性が高い企業も多くあると考えられるため、更に全体的な底上げが図られることが望ましい。

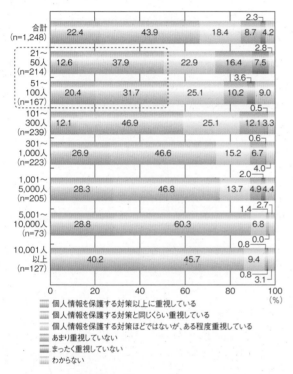

■図3-1-8　秘密情報（営業秘密、重要なデータ等）を保護する対策の重視状況
(出典)IPA「内部不正防止対策・体制整備等に関する中小企業等の状況調査」を基に編集

調査の結果得られた知見を、特に中小企業について改善すべき観点ごとにまとめる。

- 経営課題の改善
  - 経営意識改革途上の企業では、まず内部関係者が主な脅威となる内部不正の防止を経営課題としてとらえ、技術と組織の両面から総合的な対策を行うサイバーセキュリティとの違いを理解した上で、内部不正の防止策を実施すべきである。
  - ISMS適合性評価制度[9]、技術情報管理認証制度[10]等の認証取得、業界全体での取り組み等をきっかけとして、経営者自身が率先して秘密情報管理や内部不正防止の重要性を学ぶことが望ましい。
  - 経営層の意識やリーダーシップが持つ影響力が中

小企業では特に大きいことを、経営者自身が強く認識すべきである。
- 重要な秘密の特定と取り扱いの改善
  中小企業の場合は経営者が自ら機動的に重要な秘密を特定し、格付けすることが可能である。ただし、経営層が過負荷にならないように留意が必要である。
- 組織体制・連携に関する課題の改善
  内部不正を所掌するリスク管理の体制を整える必要がある。内部不正を所掌するリスク管理の専門部門がない場合でも、情報システム部門やセキュリティ部門が内部不正対策のIT技術面をカバーし、総務・人事部門が内部不正対策の組織・人員面をカバーすることで、内部不正防止に特化した体制を作る必要がなくなる。また、5人程度の幹部で構成する情報管理委員会等を設けている事例があり、小規模で機動的な組織体制の参考にすることができる。
- 社員教育とリテラシー構築に関する課題の改善
  中小規模ならではの実施可能な全社集会等を活用して、経営者が自分の言葉で全従業員に自分の経営方針や、学習し蓄積した知見を直接伝えることが望ましい。
- 対策に関する課題の改善
  サイバーセキュリティ対策でカバーできない内部不正に特化した対策等を既存のサイバーセキュリティ対策に上乗せして措置することが効率的かつ効果的である。これを進めるためには、まず秘密情報漏えいや内部不正の防止には組織に何が必要とされるか、サイバーセキュリティとは分けて認識することが必要である。

以上に留意し、各組織で必要性の高い内部不正対策を把握し、推進することが望まれる。IPAでは、こうした内部不正対策に役立つ教育用の動画を2024年3月に公開している[11]。併せて参考にされたい。

(2)組織に向けた情報セキュリティ支援策と支援ツール

組織に向けた情報セキュリティ支援策と支援ツールについて紹介する。

(a)サプライチェーン・サイバーセキュリティ・コンソーシアム

IPAが公開している「情報セキュリティ10大脅威[12]」の組織編において「サプライチェーンの弱点を悪用した攻撃」は6年連続上位に位置しており、サプライチェー

第3章　情報セキュリティ対策強化や取り組みの動向

ン全体で堅固なサイバーセキュリティ対策を実施し、協力体制を築くことが不可欠になっている。そのような取り組みが進む中で、2020年に産業界が一体となって中小企業を含むサプライチェーン全体でのサイバーセキュリティ対策の推進運動を進めていくことを目的として、「サプライチェーン・サイバーセキュリティ・コンソーシアム（SC3: Supply-Chain Cybersecurity Consortium）※13」が設立され、2023年度もIPAが事務局となり、サプライチェーン全体のサイバーセキュリティ対策強化に向けた取り組みの検討や推進を行った。

SC3においては、総会、運営委員会のもとWG（Working Group）が運営されており、2023年10月の運営委員会では国をまたがるサプライチェーンセキュリティに関する課題や注力すべき分野について議論するために新たに国際WGの設置が決定された。

- 総会
  2023年11月にSC3総会が開かれ、中溝和孝内閣審議官による「最近のサイバー空間の動向を踏まえた取組状況について」と題した基調講演や、一般社団法人日本自動車工業会による取り組み事例の紹介が行われた。当日の決議として、会長・副会長の再任と、2022年に設置されたSC3運営検討準備会の継続が成立した。

- 運営委員会
  新規WG設置の検討や2024年度以降のSC3の在り方や運営方針について議論するための企画・調整室の設置を行った。

- 中小企業対策強化WG
  2022年度の業界ガイドライン共通項抽出事業を踏まえ、2023年度はセキュリティガイドラインが未整備の業界団体に対して、業界ガイドラインの策定支援及び導入の手引き等の作成支援事業を行った。同事業では、セキュリティ専門家が策定支援を行い、この支援をモデルケースになるよう実証し、この実証の結果を業界セキュリティガイドラインの導入手引き等としてまとめた。この導入手引き等は、セキュリティガイドラインが未整備の業界団体で活用されることが期待される。
  2022年度、攻撃動向分析・対策WGでは、少人数の懇談会形式で、経営者のサイバーセキュリティに関する悩み事やニーズを尋ねる取り組みを行ってきた。2023年度は、この取り組みを継承し、商工会議所協力のもと、サイバーセキュリティ懇談会を各地で8回開催し、地域のセキュリティ専門家が「お悩み相談」を行うとともに、その相談の中から中小企業のサイバー

攻撃被害事例を収集した。収集した被害事例の中から中小企業のセキュリティ対策の啓発に資する事例を選定し、個別取材を行い、被害事例のコンテンツを作成した。広く経営者に対してサイバーセキュリティ対策の重要性を訴えるため、被害事例のコンテンツをSC3ホームページに掲載している※14。
また、2024年2月には「やるなら今!業界・地域におけるサイバーセキュリティの取組み」と題して中小企業の経営者及び管理者に対してウェビナーを開催した※15。

- 攻撃動向分析・対策WG
  2023年度は活動を停止しており、中小企業対策強化WGが活動を引き継ぐ形になった。

- 産学官連携WG
  2022年度には産業側と人材育成・教育側の要件にあった別々の基準を組み合わせ、雇用側と教育機関が連携する仕組みを議論し、セキュリティ人材に求められる知識・スキル・能力の定義において参照・活用可能な共通語彙集の試案を作成した。2023年度には共通語彙集の試案を基に、民間企業・教育機関にて評価・検証を行うことでセキュリティ人材に必要なスキル・知識の見える化を試みた。この取り組みを基に、今後、共通語彙集の改良や実務活用を見据えた検討を行い、産学への普及・展開等を図っていく。

- 地域SECUNITY形成促進WG
  2023年度も地域に根付いたセキュリティ・コミュニティの形成促進のため地域SECUNITY形成促進WGを通じて活動を行った。全国に向けたワークショップの開催と中部経済産業局、近畿経済産業局、九州経済産業局と連携した特定地域でのワークショップを開催し、地域間の情報共有を促進するとともに、共通課題の解決に向けた取り組みを検討・推進した。

- 国際WG
  サプライチェーンが日本国内にとどまらず国際的に展開していることから、海外企業も含めたサプライチェーンセキュリティの向上を図るための議論の場として2023年10月に新たに設置された。
  国をまたがるサプライチェーンセキュリティに関する課題や注力すべき分野をSC3会員からのインプットも踏まえて整理し、成果についてはSC3会員に対して情報発信を行い、問題意識や共通課題、対処法等を共有していく。

(b)サイバーセキュリティお助け隊サービス制度

IPA では中小企業等を狙ったサイバー攻撃への対処として不可欠なサービスを効果的かつ安価に、確実に提供することをコンセプトとして 2021 年度より「サイバーセキュリティお助け隊サービス制度[16]」を運営している。サービス要件として相談窓口、異常の監視、緊急時の対応支援、簡易サイバー保険等の各種サービスをワンパッケージで安価に提供する「サイバーセキュリティお助け隊サービス基準」を満たした民間のセキュリティ事業者のサービスを「サイバーセキュリティお助け隊サービス」として登録しており、2024 年 4 月 1 日時点で 40 事業者、57 サービスが登録されている。セキュリティ対策推進枠等の IT 導入補助金を申請することが可能なため、中小企業・小規模事業者にとって利用しやすいサービスとなっている。

2023 年度はお助け隊サービスの提供にあたり、サービス内容の拡充をした「お助け隊サービス 2 類」（以下、2 類サービス）の基準[17]を公開した。2 類サービスは価格が制約条件となり十分にサービスを提供できないという提供事業者からの意見を基に価格要件を緩和したものであり、現行のお助け隊サービスのコンセプトは維持しながら、現行サービスをベースに監視機能の強化や定期的なコンサルティングの実施等の拡充、及び重大サイバー攻撃に関する情報の IPA への共有等を要件として、サービス基準の改定を実施した。個々のお助け隊サービス提供事業者から共有された重大サイバー攻撃に関する情報は、IPA 内で集約・分析等を行い、他のお助け隊サービス提供事業者へ情報共有することで、中小企業における効果的な被害拡大防止等が期待される。改定された基準に沿った 2 類サービスの適合性審査の受付を 2024 年度中に開始予定である。

(c)SECURITY ACTION

「SECURITY ACTION[18]」は IPA が運用している中小企業が自発的に情報セキュリティ対策に取り組むことを自己宣言する制度であり、2024 年 3 月末時点では宣言数が 33 万件を超えている。「中小企業の情報セキュリティ対策ガイドライン[19]」の実践をベースとして 2 段階の取り組み目標を用意しており、同制度で宣言を行うと、取り組み目標に応じて「★」（一つ星）と「★★」（二つ星）のロゴマークを利用できるようになる（図 3-1-9）。

自己宣言をすることが、経済産業省が実施する IT 導入補助金や事業再構築補助金（サプライチェーン強靭化枠）等の申請要件となっているほか、省庁のみなら

セキュリティ対策自己宣言 　　　セキュリティ対策自己宣言

■図 3-1-9 「SECURITY ACTION」ロゴマーク

ず都道府県等においても補助金や助成金の申請要件として活用されている。

IPA は、SECURITY ACTION 宣言事業者に対する施策の優先度を判断し、より有効性の高い活動につなげるために 2018 年度以来 5 年ぶりとなる「SECURITY ACTION 宣言事業者における情報セキュリティ対策の実態調査」を実施し、2024 年 4 月に調査報告書[20]を公開した。同調査では、SECURITY ACTION を宣言した事業者の継続的な情報セキュリティ対策に対する意識の向上やセキュリティ対策を進める上での問題点や制度上の課題を取りまとめており、SECURITY ACTION 制度を運用していく上で、実効性の向上に資することが期待される。

(d)経営者向けインシデント対応机上演習・リスク分析ワークショップ

近年のサイバー攻撃によって、企業は事業規模や業種を問わず脅威に晒されている。IPA では地域のセキュリティ・コミュニティや中小企業に対してセキュリティに関するセミナー開催支援を行っているが、2023 年度は中小企業の経営者層や IT 担当者、セキュリティ担当者を対象にセキュリティの意識向上、対策の促進を図るための机上演習及びワークショップを開催した。

「経営者向けインシデント対応机上演習[21]」は中小企業の経営層を対象に、セキュリティインシデントが発生した場合を想定し、「中小企業の情報セキュリティ対策ガイドライン第 3.1 版」の付録 8「中小企業のためのセキュリティインシデント対応の手引き[22]」（次ページ図 3-1-10）を参考に、インシデント対応の基本ステップ（検知・初動対応、報告・公表、復旧・再発防止）の一連の流れを体験するものであり、2023 年度は全国で 10 回開催した。経営者は自社でセキュリティインシデントが発生した場合、被害とその影響を最小限に抑えて事業継続を確保する必要がある。同演習を通じて、サイバー攻撃によるセキュリティインシデントについて経営者が適切に対応するため

■図 3-1-10　中小企業のためのセキュリティインシデント対応の手引き

のポイントや事前の備えを学ぶことにより、平時の具体的な対応手順の整備と、インシデント発生時の的確な対応を行うことが期待できる。

「IT・セキュリティ担当者向けリスク分析ワークショップ[23]」では、中小企業の IT・セキュリティ担当者を対象に、自社の情報資産の洗い出し、リスク値の算定、対策の検討といった詳細リスク分析について「中小企業の情報セキュリティ対策ガイドライン第 3.1 版」の付録 7「リスク分析シート[24]」や「制御システムのセキュリティリスク分析ガイド 第 2 版[25]」（図 3-1-11）を用いて演習を行った。2023 年度には全国で 12 回、同ワークショップを開催した。中小企業では、事業内容や取り扱う情報、職場環境、IT 利用状況等によってリスクが異なる。同ワークショップを受講した IT・セキュリティ担当者が、自社に対する詳細なリスク分析を行い、リスクの高い項目を特定し、優先順位付けしたリスク対策計画を立てることで、セキュリティ対策の効率的な実施とセキュリティ水準の向上が見込まれる。

今後、経営者層・IT・セキュリティ担当者向けにセキュ

■図 3-1-11　制御システムのセキュリティリスク分析ガイド

リティ対策に資するツールとして、演習で使用した資料を公開予定である。

(e) サイバーセキュリティ経営可視化ツール・プラクティス集

IPA は、経営ガイドラインに基づくサイバーセキュリティ対策の実践状況を可視化する「サイバーセキュリティ経営可視化ツール[26]」（以下、可視化ツール）と、経営ガイドラインを事例集として補完する「サイバーセキュリティ経営ガイドライン Ver3.0 実践のためのプラクティス集[27]」（以下、プラクティス集）を提供している。

可視化ツールは、経営ガイドラインに掲載されている、経営者が CISO 等に対し指示すべきサイバーセキュリティ経営の「重要 10 項目」（指示 1 ～ 10）の実践状況を自己評価し、その結果をレーダーチャートで表示する（図 3-1-12）。評価は、成熟度モデルに基づく 5 段階（最高レベル 5 に 5 ポイント、最低レベル 1 に 1 ポイント）によって行う（表 3-1-1）。また同業種の平均値との比較等も可

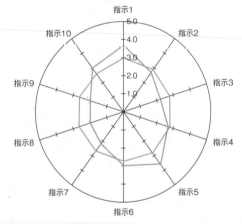

指示1:サイバーセキュリティリスクの認識、組織全体での対応方針の策定
指示2:サイバーセキュリティリスク管理体制の構築
指示3:サイバーセキュリティ対策のための資源（予算、人材等）確保
指示4:サイバーセキュリティリスクの把握とリスク対応に関する計画の策定
指示5:サイバーセキュリティリスクに効果的に対応する仕組みの構築
指示6:PDCAサイクルによるサイバーセキュリティ対策の継続的改善
指示7:インシデント発生時の緊急対応体制の整備
指示8:インシデントによる被害に備えた事業継続・復旧体制の整備
指示9:ビジネスパートナーや委託先等を含めたサプライチェーン全体の状況把握及び対策
指示10:サイバーセキュリティに関する情報の収集、共有及び開示の促進

■図 3-1-12　重要 10 項目の実践状況のレーダーチャート表示例

成熟度	定義
レベル 1	実施していない又は部分的である
レベル 2	一部で実施されている
レベル 3	全体で実施されている
レベル 4	定期的に実施内容が評価されている
レベル 5	継続的に実施内容が改善されている

■表 3-1-1　成熟度モデルによるレベル定義

能であり、サイバーセキュリティ体制の更なる強化につなげることが期待できる。

プラクティス集には、経営ガイドラインの「重要 10 項目」実践時に参考となる考え方やヒント、実施手順や実施事例が記載されている（表 3-1-2）。プラクティス集におけるリスクマネジメントの実践事例は、企業が自社のセキュリティ課題について対策を行う上で、有用な情報である。

2023 年 12 月 22 日に開催された「第 26 回コラボレーション・プラットフォーム」では、サイバーセキュリティ経営の普及啓発を目的に、可視化ツールを体験してもらう対面形式のワークショップを開催した（「2.1.3（1）（c）WG3（サイバーセキュリティビジネス化）」参照）。

受講者は個人ワークにて実際に可視化ツールを用い、自社の現状の問題点の把握と解決策の策定を行った。その後グループに分かれて、ツールの使い方や自社の課題・解決策の策定等について意見交換し、その成果について班ごとに発表することで可視化ツールへの理解を深めた。

(f) セキュリティ対応組織の教科書

日本セキュリティオペレーション事業者協議会（ISOG-J：Information Security Operation providers Group Japan）では、企業において一般的にセキュリティ対応を行う SOC（Security Operation Center）や CSIRT（Computer Security Incident Response Team）等の組織において求められる共通的なカテゴリーやサービスを包括的に記載し、効果的な組み合わせや幅広い知見をまとめることにより、経営者から現場担当者まで、幅広く活用可能な「セキュリティ対応組織（SOC/CSIRT）の教科書[28]」を作成している。

同教科書ではセキュリティ対応組織の構築、運用について持つべきセキュリティ機能が分類されているほか、行うべき対応の優先度が記載されており、2023 年 10 月に第 3.1 版が公開された。

第 3.1 版ではより理解しやすいよう表現の変更や図や補足説明を追加し、付録として「サービスポートフォリオシート」が追加された。同付録を活用することにより不足しているサービスや既存サービスのレベルを体系的に把握し、現状評価を行い、その結果を基に、セキュリティ対応における運用の改善を効果的に実施することができるようになる。

(g) セキュリティ対策ソリューションガイド

特定非営利活動法人日本ネットワークセキュリティ協会

	実践のプラクティス
1	1-1. 経営者がサイバーセキュリティリスクを認識するための、他社被害事例の報告 1-2. 最新の脅威によるリスクに対応するための、セキュリティポリシーの改訂・共同管理 1-3. 海外拠点における情報保護に関するコンプライアンスを拠点別チェックリストで担保
2	2-1. サイバーセキュリティリスクに対応するための、兼任のサイバーセキュリティ管理体制の構築
3	3-1. サイバーセキュリティ対策のための、予算の確保 3-2. 経営層やスタッフ部門等の役割に応じた、リテラシーにとどまらないセキュリティ教育実践 NEW 3-3. サイバーセキュリティ対策のための、必要なサイバーセキュリティ人材の定義・育成
4	4-1. 経営への重要度や脅威の可能性を踏まえたサイバーセキュリティリスクの把握と対応 4-2. 『サイバーセキュリティ経営可視化ツール』を用いたリスク対策状況の把握と報告 NEW
5	5-1. 多層防御の実施 5-2. サイバーセキュリティ対策において委託すべき範囲の明確化とその管理 NEW 5-3. IT サービスの委託におけるセキュリティ対策を契約と第三者検証で担保 NEW 5-4. セキュリティバイデザインを標準とする、クラウドベースの開発プロセスの励行 5-5. 事業部門による DX 推進をセキュリティ確保の観点から支える仕組みづくり NEW 5-6. アクセスログの取得
6	6-1. PDCA サイクルの検証と、演習・訓練を通じた評価・改善プロセスの強化 6-2. 一律のルール適用が困難なビジネスにおけるセキュリティ KPI を用いたリスク管理 6-3. ステークホルダーの信頼を高めるための、サイバーセキュリティ関連情報発信の工夫
7	7-1. 司令塔としての CSIRT の設置 7-2. 従業員の初動対応の規定 7-3. 想定されるインシデントについてのセキュリティ分析計画の事前策定 7-4. CSIRT 業務の属人化回避も兼ねたインシデントや脅威に関する情報の共有・蓄積 NEW 7-5. 無理なく実践するインシデント対応演習 NEW 7-6. インシデント発生時の優先度に応じた顧客への通知・連絡・公表手順
8	8-1. インシデント対応時の危機対策本部との連携 8-2. 組織内外の連絡先の定期メンテナンス
9	9-1. サイバーセキュリティリスクのある委託先の特定と対策状況の確認 9-2. サプライチェーンで連携する各社が『自社ですべきこと』を実施する体制の構築 NEW
10	10-1. 情報共有活動への参加による信頼獲得と、収集した知見の社内への還元 10-2. 『情報の共有・公表ガイダンス』を参考に CSIRT と社内外関係者との連携推進 NEW 10-3. 業界団体を活用したセキュリティ対策に関する情報共有活動

※ NEW は、第 4 版で追加されたプラクティス

■表 3-1-2 経営ガイドライン実践のプラクティス
（出典）IPA のプラクティス集

（JNSA：Japan Network Security Association）[29] は、2024 年 2 月に、「インシデント損害額調査レポート 第 2 版[30]」を公表した。同レポートでは、2017 年 1 月から

2022年6月までにサイバー攻撃の被害を受けた国内の約1,300組織を対象として、インシデントが発生した際の具体的な対応、アウトソーシング先、実際に生じるコスト（損害額・損失額）をまとめた。同レポートによれば、セキュリティ被害を受けたのは大企業が30%、団体等が23%、中小企業が47%であった。また、サイバー攻撃が行われた際の被害金額の平均が、ランサムウェア感染については2,386万円、Emotet感染については1,030万円、Webサイトからの情報漏えいについてはクレジットカードの情報漏えいが含まれる場合は3,843万円（個人情報のみの漏えいについては2,955万円）となっており、金銭的な影響も非常に大きいことが分かった。

そのような中、JNSAは、同法人の会員企業が取り扱うネットワークセキュリティ等に関するサービス、イベント、セミナーを検索できるサービス「JNSAソリューションガイド[31]」を2023年10月に更新した。同サービスの更新により、導入事例や、課題解決、対応したいトピックから、セキュリティ製品やサービスを調べることができるようになった。特に、トピックについては、IPAが公表している「情報セキュリティ10大脅威」の各脅威や「5分でできる!情報セキュリティ自社診断[32]」の診断項目に加えて、中小企業が抱えるサイバーセキュリティ対策の課題解決といった観点から検索することができる等、利用者のニーズや関心に沿って調べることができるようになっている。

3.1.2 情報セキュリティの普及啓発活動

本項では、インターネット利用にまつわる不適切な事例の紹介と、その解決に向けたネットリテラシー向上のための啓発活動について述べる。

(1)生成AIに関する啓発活動と注意点

近年、高精度な文章や画像等を生成するAI（生成AI：Generative Artificial Intelligence）が、急速に発展しており、個人でも生成AIを簡単に利用できるようになってきている。その反面、生成AIを利用した虚偽情報が拡散される危険性や、インターネット上に公開された情報を生成AIが学習することで、新たに生成された画像やイラスト等が、著作権を侵害する恐れも指摘されている。

また、生成AIに入力した情報がその生成AIの学習に使われる可能性もあり、その情報が他の利用者への回答内容に使われる情報漏えい等のセキュリティ面でのリスクも考えられる[33]。

(a)生成AIに関する啓発活動

2023年11月ごろ、岸田文雄首相の偽動画がインターネット上で拡散し話題となった[34]。この偽動画も生成AIを使用して作成されていた。

個人情報保護委員会では、2023年6月に「生成AIサービスの利用に関する注意喚起等について[35]」を発出し、一般の利用者が生成AIを利用する際の留意点として、①入力した個人情報等が他の情報と結び付けられ、正確または不正確な内容で出力されるリスクの認識、②出力される応答結果に不正確な内容の個人情報が含まれるリスクの認識、③サービスの利用規約やプライバシーポリシーについて十分な確認を行うことが挙げられている。

文部科学省は、教育場面での生成AI活用の適否を判断する際のガイドライン[36]を公開し、生成AIが生成する回答を鵜呑みにせず、「あくまでも参考の一つ」として、「自分で判断する」ことが必要だとしている。

なお、生成AIについては「4.2 AIのセキュリティ」も参照いただきたい。

(b)今後の生成AI利用上の注意点

生成AIが個人でも容易に利用できるようになり、様々な情報を収集、整理したり、文章や画像等のコンテンツをより効率的に制作したりすることができるようになっている一方で、生成AIによって利用者の個人情報が本人の意図に関係なく学習されたり、生成された情報の正確性を利用者が確かめることなく発信したりするリスクが高まってきている。利用者としては、自分自身のプライバシーが漏えいしたり、他人のプライバシーを侵害しないよう配慮してデータを入力し、出力された回答も正確であるかどうか確認する等して、生成AIを適切に利用していくことが重要である。

また、生成AIから出力された情報を正しい方法で活用していくことも重要になる。本項でもインターネット上の真偽不明な情報について言及しているが、真偽不明な情報には、生成AIから出力された画像・動画が組み合わされた、真偽を判断することが難しい虚偽情報が含まれる可能性がある。世間にあふれる情報について、真実性があるのか、事実に基づいたものかを注意して判断した上で、受容する必要性がますます高まってきている。そして、真偽不明な情報を不用意に転載・転送したり、アップロードすることがないように注意しなければならない。

生成AIサービスを始めとして、IT技術は日々高度

化が進み、処理できる情報量も増加を続け、それに応じて IT の利便性はますます高まってきている。そのような中で、私達は、情報にまどわされて適正な判断ができなくなることのないよう、AI 等の新しい技術にも対応したネットリテラシーを身に付けていくことが重要である。

(2) インターネット上の真偽不明な情報に関する啓発活動

インターネット上には真偽が不確かな情報も少なからず存在する。2024 年 1 月に能登半島地震が発生した際、SNS 上で実在しない地名を挙げて救助を求める投稿や、東日本大震災の津波の動画を加工したと見られる映像を、今回の地震による津波のように紹介する投稿が相次いだ。これらの虚偽情報の投稿が第三者によって拡散されたことにより、救助活動が妨げられる事態も発生した[37]。

2022 年にロシアがウクライナに軍事侵攻を開始した際にも、「ウクライナのゼレンスキー大統領は国外に逃亡した」という虚偽情報が発信・拡散された。首都キーウが陥落寸前だと印象付け、ウクライナの兵士や国民におけるロシアへの抵抗の意志をくじく狙いであったと見られる[38]。

日本ファクトチェックセンターでは2023年に公開したフェイクニュース（誤情報・虚偽情報）の検証記事や動画のうち、社会に対する影響が大きく、注目を集めたものを「2023 年 10 大フェイクニュース」として 2023 年 12 月に公表している[39]。

総務省は、メディア情報リテラシー向上施策の現状と課題等に関する調査を実施するとともに、偽・誤情報に関する啓発教育教材等を公開し、その中で「情報の真偽が分からない場合は拡散しないことが重要」としている[40]。

なお、虚偽情報の拡散については「4.1 虚偽を含む情報拡散の脅威と対策の動向」も参照いただきたい。

(3) 闇バイト防止のための啓発活動

近年、SNS 上でいわゆる闇バイトの募集が行われていることが問題となっている。2023 年 6 月に、広域強盗事件で「ルフィ」と名乗っていた指示役が逮捕され話題となった。この事件では、強盗の実行役を募集する際にSNS を使用していたとされている[41]。

警察庁では、2023 年 1 月から 7 月末までに特殊詐欺で検挙した被疑者を対象に受け子等になった経緯を集計したところ「SNS から応募」が 46.9% と最も高い割合を

占めていることが分かった[42]。

闇バイトに応募し、一度個人情報を提供してしまうと、途中で辞めたくなっても個人情報をもとに脅迫されるため、逮捕されるまで辞められない。このように実行役をSNS 上で集め、捨て駒として利用していたとされている。

警視庁は、このような状況を背景に、闇バイト防止啓発動画を公開し、「闇バイトに応募してしまうと、詐欺の受け子や出し子、強盗の実行犯等、犯罪組織の手先として利用され、犯罪者となってしまう」と注意を呼びかけている（図 3-1-13）。動画は「警視庁公式チャンネル[43]」で視聴できる。

■図 3-1-13　闇バイト防止啓発動画
（出典）警視庁公式チャンネル「闇バイトは犯罪です[44]」

また、富山県警察は、「富山県警察公式チャンネル[45]」で、闇バイトの危険性をドラマ形式で説明した「注意喚起動画『STOP 闇バイト・裏バイト』[46]」を公開した。ほかに、福岡県警察[47] や奈良県警察[48] 等でも動画を公開し、注意を喚起している。

(4) 迷惑動画に関する啓発活動

迷惑行為を撮影した動画が SNS で拡散され、問題となっている。回転寿司店内でしょうゆさしに直接、口をつけたように見える動画を撮影し、SNS 上に投稿した者は、威力業務妨害等の罪に問われ、執行猶予付きの有罪判決を言い渡された[49]。

情報をインターネットで一度公開してしまうと、消すことは困難になり、その結果、「デジタルタトゥー」としてネット上に残り続けることとなる。迷惑動画を見て転載したり、投稿者の身元を特定したりする行為も、その内容しだいでは罪に問われる可能性があるため、注意が必要である[50]。

文部科学省は、不適切な写真を SNS に投稿することの問題点と、そのことにより社会や自分の将来へ及ぼす影響について考えさせることをとおして、インターネット上に情報を発信する際の責任を理解させ、インターネットを

適切に利用しようとする態度を身に付けさせることを目的とした動画教材[51]を「文部科学省/mextchannel[52]」で公開している。

IPAが公開している映像コンテンツ「あなたの書き込みは世界中から見られてる −適切なSNS利用の心得−[53]」では、インターネットは誰もが広く世界中に情報発信できる反面、いたずら写真や悪口の書き込み等で他人や自分を傷つける道具にもなりかねないことを理解した上でSNSを利用するよう呼びかけている。動画は「IPA Channel[54]」で視聴できる。

(5)その他の啓発活動

内閣サイバーセキュリティセンター（NISC：National center of Incident readiness and Strategy for Cybersecurity）は毎年2月1日から3月18日を「サイバーセキュリティ月間」と定め、「#サイバーセキュリティは全員参加」というキャッチフレーズのもと、中央省庁のほか、民間企業でも様々な啓発イベントを実施している。2023年度はサイバーセキュリティの最新の事例を基に、経営層が知っておくべきサイバーセキュリティのリスクを紹介する経営層向けセミナーを開催した[55]。

また、内閣府大臣官房政府広報室は、「巧妙化するフィッシングから身を守るには[56]」を公開し、電子メールやSMS内のリンクは安易にタップせず、携帯電話会社等が提供するセキュリティ設定を活用する等の対策を徹底するよう呼びかけている（手口や対処の詳細については「1.2.6 個人を狙うSMS・メールを悪用した手口」参照）。このほか、「サポート詐欺」に巻き込まれる前に手口を知り、警告画面が出てきた場合の対策を紹介した動画「PCやスマホに警告画面が出ても慌てないで！『サポート詐欺』にご注意[57]」も公開している（手口や対処の詳細については「1.2.7（1）偽のセキュリティ警告（サポート詐欺)」参照）。

総務省も、Webサイト「上手にネットと付き合おう！安心・安全なインターネット利用ガイド[58]」を運営しており、2023年度は、子供達がデジタル技術の利用を通じて、社会に積極的に参加できることを目指して「家庭で学ぶデジタル・シティズンシップ[59]」を公開した。また、「インターネットトラブル事例集 2023年版[60]」（図3-1-14)をまとめ、インターネット利用上の様々なトラブルと回避策について解説している。

■図3-1-14　インターネットトラブル事例集 2023年版
（出典）総務省「悪ふざけなどの不適切な投稿[61]」

警視庁は、シニア層を対象とする「スマホ防犯教室[62]」を2023年に開催し、スマホを狙った様々な詐欺被害の疑似体験情報の提供や、個別相談会を実施した。「スマホ防犯教室」オンライン講座では、スマホの防犯について、再現ドラマを交え解説した動画で被害に遭わないための対策を紹介している（図3-1-15）。動画は「警視庁公式チャンネル」で視聴できる。

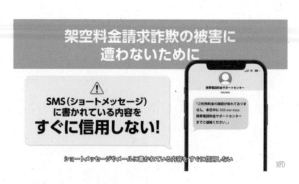

■図3-1-15　スマホ防犯教室
（出典）警視庁公式チャンネル「スマホ防犯教室　オンライン型講座　架空料金請求詐欺編[63]」

3.2 製品・サービス認証制度の動向

IPA では情報セキュリティ対策の実現に向けて、国民に向けた情報提供や啓発活動、企業・組織に対するセキュリティ施策の促進とともに、政府機関や独立行政法人等が IT 製品やクラウドサービス等を安全に調達及び利用するために活用できる制度の運営を行っている。

本節では、政府機関等で使用される IT 製品のセキュリティ機能を評価する「IT セキュリティ評価及び認証制度（JISEC）」、政府機関等のシステムに組み込まれる暗号アルゴリズム実装の確認及び暗号モジュールの安全性を試験する「暗号モジュール試験及び認証制度（JCMVP）」、及び政府が求めるセキュリティ要求を満たしているクラウドサービスを評価・登録する「政府情報システムのためのセキュリティ評価制度（ISMAP）」の動向について報告する。

3.2.1 IT セキュリティ評価及び認証制度

サイバーセキュリティ戦略本部が発行している「政府機関等のサイバーセキュリティ対策のための統一基準（令和 5 年度版）[64]」（以下、政府統一基準）では府省庁及び独立行政法人等が遵守すべき情報セキュリティ対策を定めている。この中では、システムを構成する市販の IT 製品の調達及び運用についてもセキュリティ要件を策定し、確認することを調達者に求めている。

IT 製品がセキュリティ要件を満たすことを確認する仕組みとして、セキュリティ評価制度が欧米諸国を中心に発展し、セキュリティ評価基準が国際規格として策定された。日本でも、このセキュリティ評価基準を用いて IT 製品を評価する「IT セキュリティ評価及び認証制度（JISEC：Japan Information Technology Security Evaluation and Certification Scheme）」を IPA が運営し、政府機関等の IT 製品調達に活用されている。

(1) 政府の IT 製品調達セキュリティ要件

政府統一基準では、府省庁及び独立行政法人等の情報システムセキュリティ責任者に対し、情報システムを構成する IT 製品を調達する場合、経済産業省が発行している「IT 製品の調達におけるセキュリティ要件リスト[65]」（以下、調達要件リスト）を参照し、想定されるセキュリティ上の脅威に対抗するためのセキュリティ要件を策定することを遵守事項として定めている。調達要件リストに

は、利用者情報を扱うシステムの基盤となり、攻撃の対象となり得る以下の 11 の製品分野が指定されている。今後も対象製品分野は、拡大される予定である。

- デジタル複合機（MFP）
- ファイアウォール
- 不正侵入検知／防止システム（IDS/IPS）
- OS（サーバ OS に限る）
- データベース管理システム（DBMS）
- スマートカード（IC カード）
- 暗号化 USB メモリ
- ルータ／レイヤ 3 スイッチ
- ドライブ全体暗号化システム
- モバイル端末管理システム
- 仮想プライベートネットワーク（VPN）ゲートウェイ

調達要件リストでは、これらの製品分野の IT 製品がセキュリティ要件を満たすことを確認する方法として、国際標準に基づく第三者認証製品を活用する方法と、各組織で個別に確認する方法があることを示している。JISEC は、IT 製品のセキュリティ評価の国際標準である ISO/IEC 15408 に基づく第三者認証制度であり、JISEC で認証されたセキュリティ要件を満たす IT 製品を調達することで、政府統一基準の要求を満たすことができる。

調達要件リストの中でも特に、構築時に受け入れ検査を行う情報システムとは独立して調達されることの多いデジタル複合機の調達、国策としてセキュリティ対策が重要となる旅券やマイナンバーカード等のスマートカードの調達で JISEC の認証制度は活用されている。

(2) 認証制度の国際連携

JISEC でも採用しているセキュリティ評価基準である ISO/IEC 15408 は、欧米 6 ヵ国によるコモンクライテリア（共通基準）プロジェクトの成果をベースに開発された。また、同一製品に対し調達国ごとに重複する評価を行うコストを低減するため、これらの国々を代表する公的機関が運営する制度でコモンクライテリアを用いて評価された結果については相互に認め合うという相互承認協定が締結された。その後、相互承認協定には多くの国が加盟して CCRA（Common Criteria Recognition Arrangement）と呼ばれるようになり、JISEC を運営す

る日本も2003年にCCRAに加盟している。これにより日本のベンダーは、製品をCCRA加盟国の調達対象とするために、JISECを活用することで、日本語の開発資料をそのまま使用して認証を取得することができるようになった。CCRAでは、自国で認証制度を運営している「認証国」と、認証制度を有しないが政府調達要件として認証結果を受け入れる「受入国」があり、2024年3月末現在、CCRA加盟国は認証国18ヵ国、受入国13ヵ国の計31ヵ国に上る（図3-2-1）。近年は東ヨーロッパやアフリカの国が受入国として加盟、2023年にはポーランドとカタールが受入国から認証国へ移行している一方、2019年には英国、2022年にはニュージーランドが認証国から受入国に移行している。

(3) セキュリティ要件の共通化

コモンクライテリアでは、IT製品が具備すべきセキュリティ要件を、規定された形式に従って記述する。例えば、アクセス制御機能の要件では、対象となるオブジェクトやサブジェクトのリスト、セキュリティ属性、それらを用いたアクセス方針をコモンクライテリアで規定された形式で記述する。これにより、調達者が必要としているIT製品のセキュリティ要件仕様を、あいまいさを排除して製品

開発者に伝えることを可能とする。このコモンクライテリア形式で表された調達要件仕様書を「プロテクションプロファイル（PP：Protection Profile）」と呼び、CCRA加盟国でのIT製品の政府調達に利用されている。加盟国の調達部門は、調達するIT製品のセキュリティ要件をプロテクションプロファイルとして作成し、調達要件として公開している。これらのプロテクションプロファイルのうち汎用的なものは、CCRAのポータルサイト[66]にも掲載され、他の機関も同様の分野の製品を調達する際に調達要件として指定することができる。日本においても、調達要件リストでは製品分野ごとにこれらのプロテクションプロファイルを指定しており、また、独自の製品を調達する機関は、プロテクションプロファイルを自ら作成し[67]、調達を実施している。

同じ製品分野のIT製品調達で、似たような調達仕様が調達者ごとに提示されることは、開発者にとっては負荷となる。そこでCCRAでは、加盟国の認証機関が中心となり、いくつかの製品分野で共通的に用いるプロテクションプロファイルの策定を行っている。このプロテクションプロファイルは、「cPP（collaborative Protection Profile）」と呼ばれ、CCRA加盟国は、該当する製品分野の調達には、このcPPを用いてセキュリティ要件を

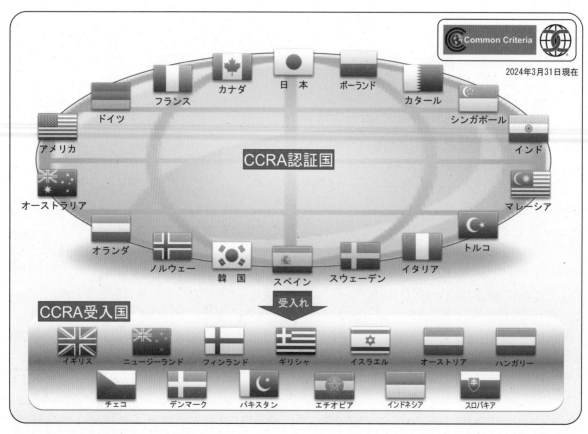

■図3-2-1　CCRA加盟国

指定することもある。既にファイアウォール、ドライブ全体暗号化システム、ネットワークデバイス、バイオメトリクス認証、データベース管理システムやデジタル複合機等の製品分野について cPP が策定され、CCRA ポータルサイトで公開されている。

(4) 認証の状況

2023 年度までの JISEC における認証発行件数の推移を図 3-2-2 に示す。認証発行件数は、リーマンショックの影響による 2009 年度の減少と 2011 年度のリバウンド後、毎年 25 〜 45 件前後で推移している。

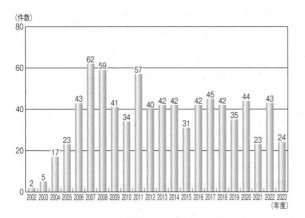

■図 3-2-2　JISEC の認証発行件数の推移

JISEC が認証発行した製品の分野の内訳を図 3-2-3 に示す。認証製品分野としては、デジタル複合機が圧倒的に多い。これは日本のデジタル複合機ベンダーが国際的にも高いシェアを有し、CCRA 加盟国においても政

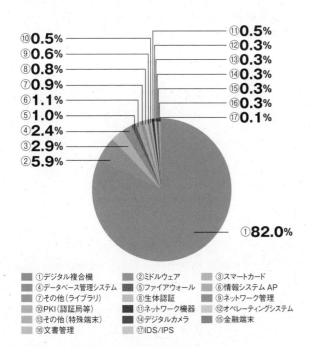

■図 3-2-3　JISEC の認証発行の製品分野内訳

府調達の対象となっているからである。また、それ以外の製品分野の認証が JISEC で少ないのは、セキュリティ製品全般において日本のベンダーの国際的な競争力が弱いこと、ファイアウォールやネットワーク管理製品等はシステム構築の中で組み込まれてテストされ納入されることが多いため、製品単品での調達要件の対象とならないこと等が理由である。JISEC が毎年発行している認証のほとんどはデジタル複合機の新機種リリースによるものである。

CCRA 加盟各国の認証機関が公開している認証発行件数の 2023 年度における累計を図 3-2-4 に示す。日本の認証発行件数は、米国、フランス、ドイツに次いで 4 番目に多い。これら 4 ヵ国は、政府調達に認証製品を活用しているのに加えて、国内に IT 製品の製造ベンダーを多く持つ国々である。英国のように、セキュリティ評価の歴史が長い国でも、国内の製造ベンダーの減少による制度維持コストの削減を理由に認証国から受入国に移行している国もある。韓国では、国際的に大きな市場を持つ製造ベンダーが、製品仕向地によりモバイル製品は米国で、スマートカード関連製品はヨーロッパで認証を取得しているため、国内制度での認証発行件数は少ない。

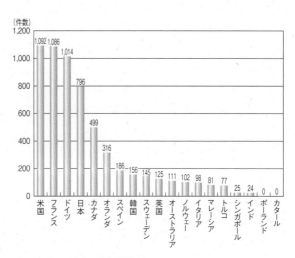

■図 3-2-4　CCRA 各国の認証件数

(5) 2023 年度のトピック

トピックとして、2023 年度に実施された制度変更や制度運営の検討について紹介する。

(a) CC:2022/CEM:2022 への移行

JISEC でも採用しているセキュリティ評価基準であるコモンクライテリア（ISO/IEC 15408）について、全面的に改訂した新規格（CC:2022/CEM:2022）が 2022 年に発行された。JISEC でも新規格の採用のため、日本語規

格の整備を進め、2023年11月1日にCC:2022/CEM:2022日本語翻訳版を公開[68]し、同日に、CC:2022/CEM:2022を使用した認証申請の受付も開始された。

旧規格を使用した認証申請については、CCRAの移行ポリシー及びJISECの規程に従い、新旧規格の並立期間を設定した上で、一部例外を除き、2024年5月に受付を終了している。ただし、JISECで認証発行の多いデジタル複合機分野のプロテクションプロファイルを含む、厳格な適合を求めるプロテクションプロファイルに適合する製品については、例外的に2025年11月末まで旧規格での認証申請を受け付ける予定である。

(b) 手続きの電子化推進

JISECにおける手続きの電子化を推進するため、以下のとおり関連する規程類の一部を改正し、2023年11月1日に施行した[69]。

- IPAが発行する認証書及び認証報告書は、電子署名した電子データによる発行とした。申請者がこれまでどおりの書面による発行を希望する場合は、別途申請に応じて対応する。
- IPAと申請者との間で締結する秘密保持契約は、IPAにて導入している電子契約による契約とした。申請者の電子契約による対応が困難な場合は、これまでどおり書面による契約にも対応する。
- 申請者及び評価機関からIPAへ提出する申請書類の提出において、電子署名した電子データによる提出を認め、書面による提出を必須としないことにした。

(c) 認証有効期限の設定及び延長

JISECにおいてCCRA文書に準拠することを目的に、認証有効期限の設定及び延長の仕組の導入をするため、以下のとおり関連する規程類の一部を改正し、2023年12月15日に施行した[70]。

- 2021年9月30日に、認証書の有効期限に関する要求事項が定められているCCRA文書「認証書の有効性：運用手順v1.0[71]」が発行された。当該CCRA文書に基づき、IPAが発行する認証書に有効期限（認証日より5年間）の記載を追加した。認証有効期限が満了した認証書は、有効であるとはみなされない。
- 2023年3月9日に、保証継続の枠組みを定めたCCRA文書が更新され、「保証継続：CCRA要求事項v3.0[72]」が発行された。保証継続とは、「認証済みIT製品やその環境が変更された場合、適用可能な過去の評価結果を再利用するために、認証維持

及び再評定を定義し、以前の評価を承認する枠組み」であり、「認証維持」と「再評定」がある。具体的には、認証維持とは主にアップデートした製品（後継製品）に対して認証を継続するため、「認証済みIT製品に対する変更があったものの、その変更が初回認証時に評価されたセキュリティ事項への影響が小さいと判断された場合、変更されたIT製品に対して認証を維持する仕組み」である。認証維持の申請期限について、以前は認証日から2年後までであったが、認証有効期限の3ヵ月前までに変更した。更に、認証書の有効期限の導入に伴い、その有効期限を延長できるようにするため、当該CCRA文書に基づき、再評定の仕組みを新たに導入した。再評定とは、「認証済みIT製品は変更されていないが、当該IT製品に対する攻撃に関わる各種状況の変化を評価して、当該IT製品が初回に認証されたときと同じレベルの耐性に達しているかを確認すること」である。再評定の仕組みを用いて問題がないと確認されると、認証有効期限を更に5年間延長することができる。

(d) JISECの制度運営の検討

JISECの制度運営の継続性を高めるため、認証制度の活性化に向けた検討を行った。

その結果、認証取得の目的を以下の四つに整理し、各々の目的に応じた水準での認証を可能とすべく制度改善を図ることとした。

①国の安全保障に資するIT製品の高度な信頼性確保
②政府調達に必須とされるIT製品の信頼性確保
③IT製品の国際競争力強化を視野に入れた認証
④ISO/IEC 15408による認証よりも低コスト・短期間での取得可能な軽量認証

このうち、①～③については、昨今の国内外の情勢を踏まえ、IT製品のセキュリティの信頼性確保が重要課題となる中で、認証済みIT製品の政府調達を推進すべく、政府レベルの関与を強めた認証としても活用できる体制への整備を検討していくこととなった。併せて、認証作業の効率化の検討も行っている。④については、経済産業省が検討していた「IoT製品に対するセキュリティ適合性評価制度」との統合に向けた検討を進め[73]、2024年3月に最終的に取りまとめられた制度構築方針案のパブリックコメントが実施された[74]。JISECと並立した形で、同パブリックコメントの結果を反映した新たな制度が2024年度中にスタートする計画である。

3.2.2 暗号モジュール試験及び認証制度

「暗号モジュール試験及び認証制度（JCMVP：Japan Cryptographic Module Validation Program）」とは、利用者が暗号モジュールの信頼性を客観的に把握できるように設けられた第三者認証制度である。

同制度に基づく認証を取得することにより、暗号アルゴリズムが適切に実装され、暗号鍵等の重要情報を適切に保護している暗号モジュールであることをアピールできる。

同制度は、米国国立標準技術研究所（NIST：National Institute of Standards and Technology）とカナダのCCCS（Canadian Centre for Cyber Security）により運営されているCMVP（Cryptographic Module Validation Program）[※75]と同等の制度であり、IPAが認証機関として運営している[※76]。本項では、JCMVPの最新動向について述べる。

（1）政府機関等における JCMVP の活用

「政府機関等のサイバーセキュリティ対策のための統一基準（令和5年度版）」における暗号・電子署名の遵守事項（7.1.5節）に対する基本対策事項として、「政府機関等の対策基準策定のためのガイドライン（令和5年度版）[※77]」（2023年7月4日一部改定版）では「情報システムセキュリティ責任者は、暗号化又は電子署名を行う情報システムにおいて、以下を例とする措置を講ずること。」として、五つの例が挙げられている。その中の一つに、「暗号モジュール試験及び認証制度」に基づく認証を取得している製品を選択することが挙げられている。また、2019年2月に公開された「行政手続におけるオンラインによる本人確認の手法に関するガイドライン[※78]」において、JCMVPにより認証されたハードウェアトークンに対して当人認証保証の最高レベル3を与えるとされている。

（2）発行・申請書類の電子化対応

同制度において、従来は紙で発行していた暗号モジュール認証書及び暗号アルゴリズム確認書を電子署名付きの電子データとして発行する運用を2024年4月に試行的に開始している。2024年中に以下を含む電子化対応の本格運用を始める予定である。

従来どおり紙の暗号モジュール認証書及び暗号アルゴリズム確認書を希望する申請者には、有償で対応することで利用者のニーズに柔軟に対応する。

更に、申請者からの書類についても、申請者の組織名義を用いた電子署名が付与された電子データであれば受け付けることで、双方向での電子化を推進している。

これによりペーパーレス化が進み、暗号アルゴリズム確認書に関する発行コスト及び保管コストが削減され、社会のデジタル化に寄与することが期待される。

（3）IT セキュリティ評価及び認証制度（JISEC）との連携

IPAが運営する評価認証制度には、JISECとJCMVPの二つがある。JISECが2016年に発行、2024年3月に改定したガイドライン[※79]によって、JCMVPの活用方針が示されている（JISECの活動については「3.2.1 ITセキュリティ評価及び認証制度」参照）。

例えば、この活用方針に関連するデジタル複合機のプロテクションプロファイル「Protection Profile for Hardcopy Devices 1.0 dated September 10, 2015[※80]」では、信頼できるツールを用いた暗号アルゴリズム実装のテストを求めている。JISECでは、このテストにJCMVPの暗号アルゴリズム実装試験ツール（JCATT：Japan Cryptographic Algorithm implementation Testing Tool）を活用して認証を行っている。2023年度は、このプロテクションプロファイルに基づく認証が14件完了している。このような連携を通じて、図3-2-5に示すように、JCATTを使って確認された暗号アルゴリズム実装の実績は順調に伸びている。

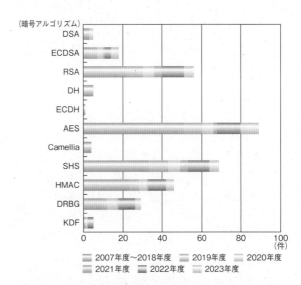

■図3-2-5 JCATT により確認された暗号アルゴリズム実装の実績
（出典）IPA の公開情報を基に作成

3.2.3 政府情報システムのためのセキュリティ評価制度（ISMAP）

2020年6月3日、内閣官房、総務省、経済産業省

第3章 情報セキュリティ対策強化や取り組みの動向

は「政府情報システムのためのセキュリティ評価制度（Information system Security Management and Assessment Program：通称、ISMAP（イスマップ））」の開始をアナウンスした[81]。本項では、ISMAPの概要や運用等について紹介する。

(1) ISMAPの概要

ISMAPは、政府が求めるセキュリティ要件を満たしているクラウドサービスをあらかじめ評価・登録することにより、政府のクラウドサービス調達におけるセキュリティ水準の確保を図り、クラウドサービスの円滑な導入に資することを目的とした制度である。

従来、政府調達にあたっては、個々のクラウドサービスが実施していると表明する情報セキュリティ対策の実施状況を、調達者が直接確認することが必要であったが、同制度により、この確認を省略でき負担を軽減できる。

(2) ISMAP制度制定と制度改善の経緯

2018年6月に公開された「政府情報システムにおけるクラウドサービスの利用に係る基本方針[82]」（2021年3月30日付けでISMAPに関する記述が追記されている）では、「クラウド・バイ・デフォルト原則」が掲げられた。

これを踏まえ、経済産業省と総務省は、2018年8月から「クラウドサービスの安全性評価に関する検討会[83]」を発足させ、適切なセキュリティ要件を満たすクラウドサービスを導入するために必要な評価方法等を検討し、2020年1月に「クラウドサービスの安全性評価に関する検討会とりまとめ[84]」が公開された。また、同月のサイバーセキュリティ戦略本部会合において「政府情報システムにおけるクラウドサービスのセキュリティ評価制度の基本的枠組みについて[85]」が決定された。

上記検討会において、2019年6月から、政府情報システム調達に応募するクラウド事業者が遵守すべきセキュリティ管理基準（ISMAP管理基準）の検討が行われた。ISMAP管理基準は、国際規格をベースに「政府機関等の情報セキュリティ対策のための統一基準群（平成30年度版）[86]」「NIST SP800-53 rev.4」を参照して作成された。国際規格としては、情報セキュリティに関してはJIS Q 27001（ISO/IEC 27001）、JIS Q 27002（ISO/IEC 27002）とクラウドサービスの情報セキュリティに関するJIS Q 27017（ISO/IEC 27017）が参考にされた。また、ISMAP管理基準の検討には、これらの国際規格に準拠して編成された「クラウド情報セキュリティ管理基準（平成28年度版）」が参考にされ、そこに含まれる

ガバナンス基準についてJIS Q 27014（ISO/IEC27014）が参考にされた。

一方、ISMAP制定後も、ISMAPの対象となっている主に「機密性2情報[87]」を扱う情報システムのうち、SaaSについては、提供されるサービスが多様であり、用途や機能が極めて限定的なサービスや、「機密性2情報」の中でも比較的重要度が低い情報のみを取り扱うサービス等もある。

このため、ISMAPの枠組みをベースとして、リスクの小さな業務・情報の処理に用いるSaaSを対象にした仕組みである「ISMAP-LIU（ISMAP for Low-Impact Use：イスマップ・エルアイユー）」を新たに設け、2022年11月1日から運用を開始した。これにより、クラウド・バイ・デフォルトの更なる推進と拡大が期待される。

更にISMAP-LIU登録促進のため、2023年5月19日より「ISMAP-LIU登録促進のための特別措置」を開始した（2025年3月末までの約2年間を予定）[88]。同措置では、ISMAP-LIUクラウドサービスリストに登録申請を予定し、かつ一定の基準を満たすSaaSサービスは、各政府機関におけるSaaSサービスの調達時に参照される特別措置サービスリスト（一般には非公開）に登録される。特別措置サービスリストに登録されたサービスは、特別措置期間中、ISMAP-LIUクラウドサービスリストへの登録に係る提出物の一部等を免除することが可能になるほか、特別措置期間中の外部監査の対象を一部免除することが可能になる。これによって、ISMAP-LIUの登録を促進するとともに、政府機関等における安全なSaaSサービスの利用拡大を目指す。

また、ISMAPは2020年6月の運用開始から4年が経過し、政府機関等がクラウドサービスを調達する際のセキュリティ・信頼性を評価する制度として定着する一方で、運用を通じた課題も明らかになってきた。これを受けて、ISMAPの信頼性・安定性の保持を前提としつつ、制度運用を合理化・明確化するため、2022年10月より「ISMAP制度改善の取組み」を継続して実施している。2023年10月からは、「外部監査の負担軽減」や「審査の迅速化・効率化」等の諸課題について改善した枠組みによる本格運用が開始された[89]。

(3) ISMAPのフロー

同制度においては、政府機関等が調達するクラウドサービスに要求される基本的な情報セキュリティ管理・運用の基準を満たすセキュリティ対策を実施していることが確認されたクラウドサービスが、ISMAPクラウドサービ

スリスト(以下、サービスリスト)に登録される。

また、同制度における監査を実施できる監査機関は、当該監査に求められる要求事項を満たすことが確認された後、同制度が公表する ISMAP 監査機関リスト(以下、監査機関リスト)に登録される。

同制度のフローを図 3-2-6 に示す。クラウドサービス事業者は、監査機関リストに登録された機関による監査を受け、ISMAP 運用支援機関である IPA を通じて ISMAP 運営委員会にサービス登録申請を行う。申請を受けた ISMAP 運営委員会は審査を行い、承認されたサービスがサービスリストに掲載される。府省庁の調達者はサービスリストを使って調達先候補を選ぶ。

なお、同制度の運用に係る実務及び評価に係る技術的な支援は IPA が行い、そのうち、監査機関の評価及び管理に関する業務については、IPA から特定非営利活動法人日本セキュリティ監査協会 (JASA:Japan Information Security Audit Association) に委託している。

(4)ISMAP の運用

同制度は、2020 年 6 月に内閣官房(NISC、情報通信技術(IT)総合戦略室)、総務省、経済産業省の所管で運用が開始され、2024 年 3 月時現在の所管は、NISC、デジタル庁、総務省、経済産業省である。最高意思決定機関として ISMAP 運営委員会を設置し、事務局を NISC に置き、運用支援は IPA が担当している。

制度の概要、基準規程類、監査機関リスト、及びサービスリストは、2021 年 5 月に開設された ISMAP ポータルサイト[※ 91] で公開されており、2022 年 1 月には同制度の登録について、ポータルサイトでの電子申請の受付を開始している。2024 年 5 月 1 日現在、登録されている監査機関は 5 機関、クラウドサービスは 69 サービスである。

(5)セキュアなクラウド利用に向けて

IPA は、クラウドサービス事業者がサービスリストへの登録を行うにあたり、セキュリティ対策の進め方及び管理基準の理解の一助となることを目的として、「ISMAP 管理基準マニュアル」を作成している[※ 92]。

また、2023 年 7 月 4 日に発行された NISC の「重要インフラのサイバーセキュリティに係る安全基準等策定指針[※ 93]」は、「事業環境の変化を捉え、インターネットを介したサービス(クラウドサービス等)を活用するなど新しい技術を利用する際には、国内外の法令や評価制度等の存在について留意する。」としており、国内の評価制度としては ISMAP が該当すると考えられる。ISMAP で公開されるクラウドサービスリスト等が、重要インフラ分野を始めとする民間においても参照されることで、クラウドサービスの適切な活用の推進が期待される。

「クラウドサービスの安全性評価に関する検討会とりまとめ」にも記載されたように、情報システムのセキュリティ確保の責任は、一義的に当該システムの調達者または利用者が負うものである。同制度に登録されたクラウド

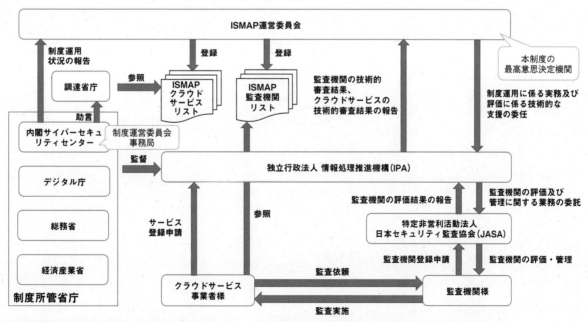

(注)制度運用に係る実務及び評価に係る技術的な支援を IPA が行い、うち、監査機関の評価及び管理に関する業務について JASA に再委託する。

■図 3-2-6 クラウドサービスの安全性評価の制度のフロー
(出典)ISMAP「ISMAP 概要[※ 90]」

第 3 章　情報セキュリティ対策強化や取り組みの動向

サービスを利用したとしても、それだけでは情報システム全体のセキュリティが十分に確保されることにはならない。調達者は、利用するクラウドサービスについて適切な設定を行うことに加えて、情報システム全体のセキュリティリスクを分析し、適切な対策を行うことが求められる。

☕ **C O L U M N**

「情報セキュリティ監査制度」創設20周年を迎えて

　経済産業省により「情報セキュリティ監査制度」が作られたのは2003年のことで、2023年には制度創設20周年を迎えました。もちろん、それ以前から情報セキュリティ監査は行われていましたが、何を基準に監査するのかが監査を行う企業・組織によってまちまちだったため、監査結果が適切かどうかの判断が難しいという問題がありました。しかし、情報セキュリティ監査制度によって「情報セキュリティ監査基準」と「情報セキュリティ管理基準」が示され、あいまいだった監査の基準が明確になりました。制度がスタートしてしばらくは、情報セキュリティ監査が世の中に普及したとは言い難い状況でしたが、ここ5年程の間に、地方自治体、中央官庁、独立行政法人等の公的機関や、電力等の重要インフラ事業者、クラウド事業者等が、各セグメントにおけるセキュリティ対策の基準を明確化したことから、情報セキュリティ監査が再び注目されています。

　情報セキュリティ監査とは、組織の重要な情報資産に対する情報セキュリティ対策が適切に整備・運用されているか否かを、独立かつ専門的な立場から検証・評価を行い、保証あるいは助言を与えることとされています。監査結果に対して、何らかの保証を与えるのは「保証型監査」、助言を与えるのは「助言型監査」と呼ばれます。現在実施されているほとんどは助言型監査ですが、情報セキュリティ監査制度の黎明期において、監査人・被監査主体双方にとって比較的ハードルの低い助言型監査が普及してきたことは自然な流れといえます。しかし、制度創設20周年を迎えた中、この助言型監査についていくつか疑問が湧いてきているのも事実です。

　まず、監査人には被監査主体との独立性が求められていますが、監査結果に対する「助言」はコンサルティングと何が違うのかという疑問です。助言はあくまで助言であって、発見事項に対してどのように対処すべきかの選択や判断は被監査主体にある、というのが建前となっていますが、監査を受けた側からしてみたら、実際にどう対処したらよいかを知りたいわけで、限りなくコンサルティングと同様の助言が監査人に期待されるでしょう。監査における助言の位置付けをより明確にする必要があるのではないでしょうか。次に、助言型監査にありがちなのが、監査が予定調和的になっているのではないかということです。助言型監査においては限られた工数でできるだけ効率の良い監査を実施するために、監査人はあらかじめ予備調査等によって、何ができていて何ができていないかという監査結果を想定して監査を実施することがよいとされています。しかしこれが行き過ぎると被監査主体が自分で「できていない」と分かっていることが監査人によって「できていない」と追認されるだけの監査になってしまう可能性があります。もちろん第三者に「できていない」と指摘されることで、組織内で対策の重要性が認識されるという効果はありますが、本来の監査の目的はそれだけではないでしょう。

　制度創設20周年を過ぎた今こそ、助言型監査の在り方について見直すとともに、ある程度セキュリティマネジメントの成熟度が高い企業や組織に対しては、監査の本来の目的である「保証型監査」を普及させるためにはどうしたらよいかを考える時期に来ているのではないでしょうか。

3.3 暗号技術の動向

電子政府推奨暗号の安全性の評価・監視等を行っている CRYPTREC の動向と、暗号技術に関する研究動向について述べる。

3.3.1 CRYPTRECの動向

政府等が利用するシステム（電子政府システム）におけるセキュリティを確保するため、デジタル庁、総務省、経済産業省、国立研究開発法人情報通信研究機構（NICT：National Institute of Information and Communications Technology）、及び IPA は安全性と実用性に優れた暗号技術を選び出すことを目的に、CRYPTREC（Cryptography Research and Evaluation Committees)を組織している。CRYPTRECでは、電子政府システムでの利用を推奨する暗号アルゴリズム（「CRYPTREC 暗号リスト[94]」）の安全性を評価、監視し、暗号技術の適切な実装法や運用法を調査、検討している。また、電子政府システムの調達・開発にあたって、調達要件や開発要件として採用すべき「暗号強度要件（アルゴリズム及び鍵長選択）に関する設定基準[95]」（以下、強度要件設定基準）も提供している。

(1) 2023 年度の体制

CRYPTREC は、デジタル庁と総務省、経済産業省が運営し、政策的な判断を含む総合的な観点から電子政府の安全性及び信頼性を確保する活動を推進する「暗号技術検討会」、及び NICT と IPA が運営し、主に技術的な評価を実施する委員会とで構成されている。

委員会には、暗号技術の安全性評価を中心とした技術課題を主に担当する「暗号技術評価委員会」と、セキュリティ対策の推進、暗号技術の利用促進に向けた環境整備を主に担当する「暗号技術活用委員会」が設置されている（図 3-3-1）。

暗号技術検討会と両委員会の主な役割は以下のとおりである。

- 暗号技術検討会
  CRYPTREC 活動計画の承認、委員会が作成する各種成果物の承認等、政策的な判断を含む総合的な観点から電子政府の安全性及び信頼性を確保する活動を推進する。
- 暗号技術評価委員会
  暗号技術に対する攻撃技術動向の調査や安全性評価等、暗号技術の技術的信頼性に関する検討を担当する。傘下には、量子コンピューターが実用化されても安全性が保てると期待される「耐量子計算機暗号（PQC：Post-Quantum Cryptography）」に関するガイドラインを作成する「暗号技術調査ワーキンググループ（耐量子計算機暗号）」が設置されている。
- 暗号技術活用委員会
  セキュリティ対策の推進、暗号技術の利用促進等に寄与する運用ガイドラインの整備を中心とした、暗号利用に関する課題の検討を担当する。傘下には、2020 年度に公開した「暗号鍵管理システム設計指針（基本編）[96]」のガイダンスを作成する「暗号鍵管理ガイダンスワーキンググループ」が設置されている。

(2) 2023 年度の主な活動

2023 年度の暗号技術検討会及び各委員会の主な活動内容・成果について以下に述べる。

(a) 暗号技術検討会

2023 年度には、各委員会の 2023 年度活動計画、及び活動報告の審議が行われ、承認された。更に、各委員会で作成していた以下のガイドラインについて審議が行われ、承認された。
- CRYPTREC 暗号技術ガイドライン（軽量暗号）
- TLS 暗号設定ガイドライン

(b) 暗号技術評価委員会

CRYPTREC 暗号リストに掲載されている暗号技術の安全性と実装性に関わる監視活動のほか、2023 年度の主な活動内容・成果は以下のとおりである。
- CRYPTREC 暗号技術ガイドライン（軽量暗号）の更新
  2023 年度は NIST Lightweight コンペティション[97]

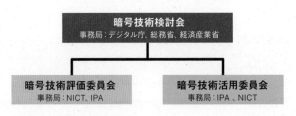

■図 3-3-1　CRYPTREC の体制

にて最終選考された Ascon について、実装性能及び標準化動向について外部評価を実施した。また、2021 年度から 2023 年度にかけて実施した外部評価結果に基づき、2016 年度版「CRYPTREC 暗号技術ガイドライン（軽量暗号）」に新規情報の追加・更新を行い、2023 年度版ガイドライン[※98] として公開した。

- 暗号技術調査ワーキンググループの活動
PQC に関するガイドライン[※99] 及び研究動向調査報告書[※100] を 2022 年度に公開したが、NIST の PQC 標準化において第 4 ラウンドが進行中であることや、PQC の技術開発や標準化活動が引き続き世界的に活発であるため、「暗号技術調査ワーキンググループ（耐量子計算機暗号）」を引き続き設置し、各種動向を今後 2 年間かけて調査・把握し、同ガイドラインの改定及び研究動向調査報告書の新規作成を行うこととした。2023 年度は、PQC がベースとする数学的な問題ごとに、主要な暗号国際会議を中心に、研究動向や開発・標準化動向について調査した。
このほか、主要な公開鍵暗号（RSA 暗号、楕円曲線暗号）の安全性の根拠となる「素因数分解問題」と「離散対数問題」の困難性に関して、CRYPTREC が公開している「予測図[※101]」の改訂も行った。

（c）暗号技術活用委員会

2023 年度の主な活動内容・成果は以下のとおりである。
- TLS 暗号設定ガイドライン改訂の検討
「TLS 暗号設定ガイドライン[※102]」は、主に Web サーバーの構築者・管理者向けにサーバーでの適切な TLS（Transport Layer Security）暗号設定方法を解説したものである。2020 年 7 月に同ガイドラインを公開して以降、CRYPTREC 暗号リストの改定、強度要件設定基準の策定が行われた。また、最近の TLS に関する RFC（Request For Comments）規格や技術環境の変化への対応も必要になったことから、公開後の 3 年間の動向を踏まえて、同ガイドラインの改訂を行った。
具体的には、安全性の基準としての「鍵長」による推奨要件を、強度要件設定基準にて導入された「ビットセキュリティ」による推奨要件へと変更した。これにより、取り扱い方法があいまいであった、「X25519 の楕円曲線」が明確に許容されることとなった。また、「セキュリティ例外型」では「推奨セキュリティ型」への速やかな移行を明確に促す観点から、移行期限を明記した表現が取り入れられた。現在のセキュリティ例外型の設

定内容は、2029 年度を目途とした改訂時に終了する予定である。
- 暗号鍵管理ガイダンスワーキンググループの活動
情報を安全に取り扱うためには、通信データや保管情報の暗号化に使う暗号アルゴリズムに注意を払うだけでは不十分であり、暗号アルゴリズムに用いられる暗号鍵の管理が適切に行われる必要がある。このため、暗号鍵管理システムにおいて検討すべき要求項目を網羅し、それらを解説したガイダンスの作成を進めており、「暗号鍵管理システム設計指針（基本編）」を 2020 年に、「暗号鍵管理ガイダンス 第 1 版[※103]」を 2023 年 5 月にそれぞれ公開した。
2023 年度は、同ガイダンスの第 1 版では記載を見送った解説部分の拡充を行うため、暗号鍵管理ガイダンスワーキンググループを引き続き設置し、「システムの設計原理と運用ポリシー」及び「デバイスへのセキュリティ対策」の要求項目に対する解説・考慮点を整理した。2024 年度には、残る「システムのオペレーション対策」の要求項目に対する解説・考慮点を整理した上で、これらを取りまとめて拡充部分の解説内容を執筆し、同ガイダンスの追補を完成させる計画である。

（d）CRYPTREC シンポジウム 2023 の開催

CRYPTREC の活動成果を広く知らしめ、暗号技術に関する最新動向を紹介することで、社会全体のセキュリティ向上に役立てるため、2023 年 7 月 26 日に「CRYPTREC シンポジウム 2023[※104]」を開催した。同シンポジウムは、現地会場とオンライン会場のハイブリッド形式で開催された。

3.3.2 暗号関連の技術動向

本項では 2023 年度における、共通鍵暗号、公開鍵暗号、軽量暗号及び実装攻撃に関する研究動向についてそれぞれ解説する。

（1）共通鍵暗号に関する研究動向

2023 年度は、共通鍵暗号の解読について大きな進展はなかったものの、既存の暗号アルゴリズムへの攻撃について、攻撃に必要な計算量の削減等の進展があった。ここでは主な発表を紹介する。
AES[※105] について、Eurocrypt 2023[※106] にて、特定の差分を持つように選択した二つの平文 (A, B) を暗号化して暗号文 (C, D) を作り、それらに特定の差分を

加えた別の暗号文 (E, F) にしてから平文 (G, H) に復号して得られる平文・暗号文の組 [(A, B, G, H), (C, D, E, F)] を大量に使って秘密鍵を推定するブーメラン攻撃の新手法が報告された。切詰差分解析と呼ばれる中間データの一部のビットの差分のみに着目する解析法をブーメラン攻撃に適用することによって、256 ビット鍵の場合の AES の仕様である 14 段中、6 段に対する解読計算量が従来の約千分の一である 2^{61} に削減された。また、Crypto 2023[107] にて、攻撃者が平文に加えて秘密鍵を自由に操作することができる前提で秘密鍵を求める新たな関連鍵攻撃手法が報告された。具体的には、平文側と暗号文側の両方からそれぞれ求めたデータが中間段において一致するような鍵候補を絞り込む中間一致攻撃と差分攻撃を組み合わせた差分中間一致攻撃という解読手法により、解読可能段数が 10 段から 12 段に更新された。更に、128 ビット鍵の場合の AES に対しては、FSE 2023[108] にて、特定の差分を持つように選択した平文・暗号文のペアを大量に使って秘密鍵を求める差分攻撃の中でも、より現実に近い汎用的な攻撃モデルでの新手法が提案され、従来と同じ 7 段に対する解読が可能(解読計算量 $2^{110.2}$)であると報告された。

また、ストリーム暗号 ChaCha[109] についての攻撃論文がいくつか報告されている。特に FSE 2023 では、複数の入出力差分を組み合わせる攻撃手法により、仕様である 20 段中、6 段に対する解読計算量を従来の $1/2^{40}$ となる $2^{99.48}$ に削減した結果が示された。また、Crypto 2023 では、加算、ローテーション、XOR(排他的論理和)の基本構造に対して大きな相関特性を持つ「良い PNB (probabilistic neutrality bit)」と呼ばれるビットの集合を見つける効率的な手法が提案された。この手法を適用して、最後の XOR とローテーションを行わない 7.5 段に対する攻撃(解読計算量 $2^{242.9}$)が初めて報告された。上記のように、2023 年度も AES、ChaCha に対する暗号解析の進展が見られたが、セキュリティマージンはまだ十分にあり、安全性に直ちに影響を与えるものではない。

(2) 公開鍵暗号に関する研究動向

公開鍵暗号に関する暗号解析では、NIST による耐量子計算機暗号(PQC)の標準化プロセス[110] に関連して、重要な攻撃報告がなされている。

2022 年度に行われた NIST 4th PQC Standardization Conference[111] において候補であった、同種写像を用いた鍵カプセル化メカニズムである SIKE(Supersingular Isogeny Key Encapsulation)はもはや安全ではないこ

とが、SIKE の開発者チームから発表された。これは Wouter Castryck 氏と Thomas Decru 氏によって、SIKE の提案パラメータのすべてにおいて秘密鍵を求めることができる攻撃が査読前論文(Eurocrypt 2023 にて採録)として報告されたことによる。また Eurocrypt 2023 にて、Castryck-Decru の手法とは独立に考案された Luciano Maino 氏らによる手法を組み合わせて、開始曲線の自己同型環が分かっている場合の攻撃の一般化や、開始曲線を変更した場合への攻撃の一般化がなされている。このように、SIKE のパラメータを変更した場合に対する攻撃や、その亜種に対する攻撃も盛んに研究されている状況であり、SIKE と同じ分類となる同種写像に基づく公開鍵暗号の安全性評価に与える影響が注目される。

2022 年 7 月に、NIST は、PQC の公開鍵暗号及び鍵確立アルゴリズムとして CRYSTALS-Kyber を、署名アルゴリズムに関しては CRYSTALS-Dilithium、FALCON、SPHINCS+ を最終選考アルゴリズムとして発表していた[112]。2023 年度は、これに続いて、ドラフト規格を作成中である。また、2023 年度より、格子ベースではない追加の署名アルゴリズムを募る新たなラウンドを開始している。

(3) 軽量暗号の標準化に関する動向

NIST Lightweight コンペティション[97] において、2023 年 2 月に Ascon が最終選考アルゴリズムとして発表されていた[113]。2023 年度はこれに続いて、2023 年 6 月に NIST IR(Internal Report)の発行、及びワークショップが開催された。2024 年 3 月末時点でドラフト規格を NIST が作成中である。

(4) 実装攻撃に関する動向

デジタル署名アルゴリズムである DSA(Digital Signature Algorithm)及び ECDSA[114] では、署名生成時に nonce と呼ばれるランダムな値を使用する。nonce の扱いには注意が必要で、サイドチャネル攻撃等の手段によって nonce の情報が部分的に漏えいしている場合に適用できる攻撃が知られており、Lattice Attack と呼ばれている。CHES 2023[115] において、従来の限界を超える Lattice Attack の改良が発表された[116]。2022 年度にも Lattice Attack の改良が報告されていたが、そのときと比較して攻撃成功率が向上している。また、従来は攻撃不可能と考えられていた、nonce の漏えいが 1 ビットであるケースについても、112 ビッ

トのECDSAに対する攻撃に成功したことが報告された。現状では112ビット以下の楕円曲線は使用されていないので、この攻撃による現実的な脅威は生じないが、今後もこの攻撃の研究とその進展に注意する必要があり、DSA、ECDSA の実装におけるサイドチャネル情報からの nonce の漏えい対策の重要性が増している。

また、サイドチャネル攻撃に関して、算術加算処理中の繰り上がりに注目した手法の提案があり、鍵付きハッシュ関数によるメッセージ認証アルゴリズムの一つであるHMAC-SHA-2 の純粋なハードウェア実装に対する攻撃に成功したことが発表された[※117]。HMAC-SHA-2 へのサイドチャネル攻撃に関しては、従来はソフトウェア実装にのみ適用可能であるものや、部分的な分析にとどまるものしか知られておらず、HMAC-SHA-2 の純粋なハードウェア実装はサイドチャネル攻撃に対しては対策を特に施さなくても十分安全と考えられることもあった。しかし、この新しい攻撃手法により、もはやそうとは言えず、純粋なハードウェア実装にあたっても適切な攻撃対策が必要になったと言える。

3.4 制御システムのセキュリティ

制御システム（ICS：Industrial Control System）は、電力、ガス、水道、輸送・物流、製造ライン等、我々の生活を支える重要インフラ[118]を管理し、制御するシステムである。従って、制御システムのセキュリティインシデントは、社会経済活動に大きな影響を与える。従来、制御システムの多くは、独立したネットワーク、固有のプロトコル、事業者ごとに異なる仕様で構築・運用されており、外部からサイバー攻撃を行うことは困難と考えられていた。しかし、近年、ネットワーク化やオープン化（標準プロトコル・汎用製品の利用）が進んだこと、10～20年に及ぶライフサイクルの長さ故に、外部との接続やサイバー攻撃を想定していない制御システムが今なお多数稼働していること、攻撃者にとって価値の高い標的であること、地政学的緊張の高まり等から、制御システムに対するサイバー脅威は年々高まっている。

本節では、制御システムのセキュリティの動向とセキュリティ強化の主な取り組みについて述べる。

3.4.1 インシデントの発生状況と動向

調査会社による制御システムユーザー等へのアンケート調査において、2022年同様、2023年も制御システムへの侵入や運用障害が発生したという回答が一定数以上あった。

例えば、世界の制御・運用技術（OT：Operational Technology）の専門家570名を対象とした調査結果では、回答者の組織の74%が過去1年間に少なくとも1回の侵入を経験し、32%がランサムウェアによる攻撃の被害を受けていた[119]。米国、ドイツ、アラブ首長国連邦、日本のIT及びOTセキュリティの意思決定者405名を対象にした調査結果では、回答者の97%が過去1年間にOTに影響を与えたITセキュリティインシデントを経験したと回答し、47%がランサムウェアによる攻撃のインシデントを経験したと回答している[120]。

以下では、2023年に公になった重要インフラ分野のインシデントのうち、水道の制御システムが侵害された事例、生産や重要サービスに影響を与えたサイバー攻撃の事例、エネルギーインフラへの大規模サイバー攻撃の事例、港湾施設が標的となった事例、GPSスプーフィング攻撃の事例、政府や自治体が標的となった事例、医療機関が標的となった事例について述べる。

（1）水道の制御システムが侵害された事例

2023年も引き続き、重要インフラの制御システムが侵害されるインシデントが世界各地で発生した。

2023年11月24日、米国ペンシルベニア州アリキッパの水道局の、水圧を維持し水流を調整するポンプがある郊外の施設が、親イラン派の攻撃グループ「Cyber Av3ngers」による攻撃を受けた[121]。この施設で使用されている、イスラエルのUnitronics (1989) (RG) Ltd. 製のPLC（Programmable Logic Controller）が標的となり、作業員はPLCをオフラインにし、バックアップツールを使用して水圧を維持した。このPLCは主ネットワークから切り離された独自のコンピューターネットワーク上にあったため、水処理施設そのものには影響はなく、飲料水には影響はなかった。同グループはイラン政府のイスラム革命防衛隊の傘下で、政治的動機によってイスラエル製品やイスラエルと関係のある組織を攻撃することを公言しており、11月22日以降、米国内の上下水道施設を含む複数の施設の同PLCに、デフォルトのパスワードでアクセスしていた可能性がある[122]。米国サイバーセキュリティ・インフラストラクチャセキュリティ庁（CISA：Cybersecurity and Infrastructure Security Agency）は、同PLCを使用している上下水道分野の組織に対して、デフォルトのパスワード「1111」が使用されていないことを確認して変更すること、OTネットワークへのすべてのリモートアクセスに多要素認証を要求すること等のアラートを公表した[123]。更に、機器メーカーに対して、デフォルトのパスワードの廃止を勧告するアラートを公表した[124]。

また、2023年12月初旬には、アイルランド西海岸メイヨー県エリスの民間の水道事業者のシステムも、イスラエルのUnitronics (1989) (RG) Ltd. 製のツールを使用していることを理由に、同一の攻撃グループによる攻撃を受けた。この攻撃によって、2日間にわたって約160世帯が断水した[125]。

（2）生産や重要サービスに影響を与えたサイバー攻撃の事例

制御システムにおいて最も重要視される「可用性（Availability）」に影響を与えたインシデントも、世界中で相次いだ。表3-4-1（次ページ）に、2023年に公にされた、生産や重要サービスに影響を与えたサイバー攻撃のインシデント事例を示す。

被害企業・組織	発生国	発生年月	内容・影響・被害
工具・部品メーカー	カナダ	2023年1月	サイバー攻撃を受け、インシデント調査のために一部のコンピューターシステムをオフラインにしたため、三つの生産施設が影響を受けた[126]。
郵便配達サービス企業	英国	2023年1月	サイバーインシデントが発生し、国外への郵便サービスを停止した[127]。
半導体装置メーカー	米国	2023年2月	ランサムウェアによる攻撃を受け、生産関連システムを含む特定のビジネスシステムが影響を受け、封じ込めの一環として、生産施設の一部で一時的に操業を停止した[128]。
農業・食品企業	米国	2023年2月	ランサムウェアによる攻撃を受け、北米全域のシステムを停止したため、生産工場の操業及び出荷が停止した[129]。
国営郵便企業	イスラエル	2023年4月	サイバー攻撃を受け、予防措置としてコンピューターシステムの一部を停止したため、荷物の配送、宅配便の受付等のサービスが停止した[130]。
電子機器メーカー	フランス	2023年5月	ランサムウェアによるものと考えられるサイバー攻撃を受け、フランス、ドイツ、チュニジアの三つの施設の生産を停止した[131]。
製薬会社	日本	2023年6月	ランサムウェアによる攻撃を受け、複数のサーバーが暗号化された。物流に関連するシステムを含む国内外の一部の社内システムをサーバーから切り離した[132]。
鉄道会社	ポーランド	2023年8月	ハッカーが、列車を停止させる信号を発信したため、少なくとも20の列車が停止し、数時間運行が麻痺した[133]。
通信事業者	チリ	2023年10月	ランサムウェアによる攻撃を受け、データセンター、インターネットアクセス、VoIP（Voice-over-IP）等多数のサービスに影響が出た[134]。
通信事業者	ウクライナ	2023年12月	サイバー攻撃を受け、携帯電話サービス及びインターネットが利用できなくなった[135]。

■表3-4-1　2023年に公にされた、生産や重要サービスに影響を与えたサイバー攻撃のインシデント事例

(3) エネルギーインフラへの大規模サイバー攻撃の事例

　2023年5月、デンマークで、重要インフラを標的とした、同国史上最大規模のサイバー攻撃が発生した。2023年5月11日から30日間の二波にわたる攻撃で、同国の多くの重要インフラ事業者が使用している台湾のZyxel Networks製ファイアウォールのゼロデイ脆弱性を悪用して、デンマークのエネルギーインフラを運営する22社のネットワークが侵害された。この攻撃について2023年11月、デンマークの重要インフラ分野のCSIRTであるSektorCERTは、詳細なレポートを公表した。

　攻撃の第一波は5月11日に開始され、その後しばらく休止した後、5月22日に第二波が始まった[136]。SektorCERTのセンサーネットワークがすぐに攻撃を検知し、インシデント対応チームを編成して対応したが、攻撃者は複数の企業の産業用制御システムにアクセスし、いくつかの企業がインターネットへの接続を切断したアイランドモードに追い込まれたと報告されている。これらの攻撃は、ロシア連邦軍参謀本部情報総局が関与しているとされるAPT攻撃グループ「Sandworm」によるものとされていたが、ForeScout Technologies, Inc.は、第二波は単に修正プログラムが適用されていないファイアウォールに対する大規模な攻撃キャンペーンの一部であり、「Sandworm」や他の国家支援の攻撃者による標的型攻撃の一部ではないことを示唆している[137]。

(4) 港湾施設が標的となった事例

　港湾施設がサイバー攻撃を受け、物流に直接大きな影響を与えたインシデントが日本とオーストラリアで発生した。

　2023年7月4日、総取扱貨物量日本一の名古屋港の、コンテナターミナルを管理する中央システム「名古屋港統一ターミナルシステム（NUTS：Nagoya United Terminal System）」がランサムウェア攻撃を受けて停止し、トレーラーを使用するターミナルでのコンテナ搬出入作業がすべて中止された。同システムは7月6日に復旧した[138]（詳細については「1.2.1(2)(a)港湾事務所における被害事例」参照）。

　2023年11月には、オーストラリアの港湾運営会社DP World Australiaがサイバー攻撃を受けた。11月10日、四つの港（シドニー、メルボルン、ブリスベン、フリーマントル）のコンテナターミナルの陸上業務及びトラックの移動を管理するシステムで不正な活動を検知し、すぐにシステムへのアクセスを遮断し、インターネットへの接続を切断した。そのため、これら四つの港のコンテナターミナルの操業がすべて停止した。同社は、システムの完全性を確実にするためのテストを11月12日に実施し、11月13日朝に操業を再開した。これら四つのコンテナターミナルは、オーストラリアの貿易の約40%を取り扱っており、操業停止となったことで、約3万個ものコンテナが立往生する事態となった[139]。

(5) GPSスプーフィング攻撃の事例

パイロットと航空技術者の国際的なグループOPSGROUPによると、スプーフィング（なりすまし）攻撃によって民間航空機のナビゲーション（航行）システムが機能しなくなるインシデントが、2023年9月以降、中東上空で何十件も発生した[140]。9月下旬、イラン近郊で複数の民間航空機のナビゲーションシステムが機能しなくなり、航路を誤った。これらの航空機は、システムを欺き、実際の位置から何マイルも離れた場所を飛行していると思わせるスプーフィングされたGPS信号を受信した。そのうちの1機は、許可なくイラン領空に侵入するところだった。この攻撃活動はバグダッド、カイロ、テルアビブの三つの地域に集中していた。OPSGROUPは11月に、過去5週間で50件以上のインシデントを追跡し、三つの異なる種類のナビゲーションスプーフィングのインシデントを識別したと公表した。原因がはっきりしないこの問題に対する解決策は今のところないという[141]。

(6) 政府や自治体が標的となった事例

政府や自治体を標的としたサイバー攻撃も、2022年同様、世界中で発生した。

2023年2月8日、米国カリフォルニア州オークランド市の自治体が、ランサムウェア攻撃グループ「Play」による攻撃を受けた[142]。影響を受けたシステムをインターネットから切り離したため、市民にサービスを提供しているシステムが使用できなくなった[143]。復旧できない状態が1週間続き、2月14日、同市は非常事態宣言を発令した[144]。この宣言により、同市はインフラとサービスの復旧のために、機器や資材の調達を迅速化し、必要に応じて緊急作業員を派遣することができるようになった。攻撃グループは、身代金が支払われなかったため、3月1日に同市から窃取したとするデータのリストを公開し、3月4日には10GBのデータを公開した[142]。このデータには、個人情報、金融情報、身分証明文書、パスポート情報、及び2010年7月から2022年1月の間に市に在職していた職員の情報等が含まれていた。同市は、侵害の影響を受けた約1万3千人に通知した。4月末に、ようやくほとんどのシステムが復旧した[145]。また、5月末時点で、同インシデントによって被害を受けたとして、同市に対して4件の法的訴訟と1件の集団訴訟が起こされている[146]。

2023年12月8日、イタリアのクラウドサービスプロバイダーWestpole SPAが、ランサムウェア攻撃グループ「LockBit 3.0」による攻撃を受けた。この攻撃は、同社の顧客であり、540の地方自治体を含む1,300の行政機関に行政向けデジタルサービスを提供するイタリア政府の子会社 PA Digitale社が主要な標的であった。影響を受けた行政機関・自治体は、サービスの提供を手作業に頼らざるを得なくなった。イタリアの国家サイバーセキュリティ庁が、影響を受けた行政機関・自治体のデータ復旧に取り組んだ[147]。

(7) 医療機関が標的となった事例

医療機関を標的としたサイバー攻撃も、世界中で相次いだ。

2023年11月23日、米国の6州で30の病院と200以上の介護施設を運営する医療サービスプロバイダーArdent Health Servicesが、ランサムウェアによる攻撃を受けた。同事業者は、すぐにネットワークをオフラインにし、サーバー、臨床プログラムを含むITアプリケーションへのすべてのユーザーアクセスを停止した[148]。影響を受けた病院は、緊急でない処置の一部を一時的に停止し、緊急治療を必要とするすべての患者を、その地域の他の病院に移送した。移送先となった病院は、増大した患者に対応するために、スタッフを増員しなければならなかった。また、予約や手術の再スケジュールが必要な患者には、病院が直接連絡した。電子カルテプラットフォームや、その他の臨床及びビジネスの中核システムが12月6日に復旧し、患者ポータルの一部機能は12月21日に、全機能は2024年1月9日に復旧した[149]。

医療分野で働く14ヵ国のIT及びサイバーセキュリティ専門家233人を対象に実施した調査レポートによると、ランサムウェア攻撃を受けたと回答した割合は2022年の66%から60%に減少しているが、ランサムウェア攻撃によってデータが暗号化された割合は73%で、過去3年間で最も高かった。データが暗号化された攻撃の37%では、データも窃取されており、「二重の脅迫」が一般化していることを示唆している。また、医療分野におけるランサムウェア攻撃の根本原因は、認証情報の侵害（32%）が最も多く、次いで脆弱性の悪用（29%）であった[150]。

3.4.2 脆弱性及び脅威の動向

本項では、2023年に見られた、制御システムの脆弱性及び脅威の動向について述べる。

(1) 脆弱性の動向

2023年も、制御システムの脆弱性が多く公開された。制御システムの脆弱性を収集・公開している代表的な

組織である米国国土安全保障省（DHS：Department of Homeland Security）のCISAが、2023年に公開した制御システムの脆弱性に関するアドバイザリー（ICS Advisory）は371件で、2022年の370件から横ばいであった（図3-4-1）。

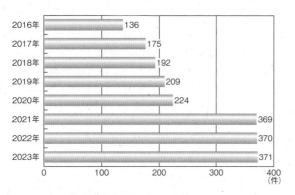

■図3-4-1　CISAが公開した制御システムの脆弱性に関するアドバイザリーの件数（2016～2023年）
（出典）CISAの公開情報[151]を基にIPAが作成

2023年は、悪用する際に認証を必要とする脆弱性の数が大幅に増加した。アドバイザリーで特定された共通脆弱性識別子CVE（Common Vulnerabilities and Exposures）のうち、悪用する際に認証を必要とする脆弱性の割合が2022年は22%だったが、2023年は34%だった。これには、研究開発中のデバイスやプロトコルに認証を取り入れるものが増えていること、認証が必要なルートキットの悪用の増加等、いくつかの要因が考えられる[152]。

影響の大きな脆弱性も発見されている。以下では、それらについて解説する。

(a)Crit.IX

米国のセキュリティベンダーArmis Inc.が、米国Honeywell International Inc.（以下、Honeywell社）の発電所、化学プラント、自動車製造、農業生産等の工場で稼働する自動制御システムであるDCS（Distributed Control System）プラットフォーム製品Experionに9件の脆弱性を発見し、これらの脆弱性を「Crit.IX」と名付けた[153]。Crit.IXは、無認可のリモートコード実行（RCE：Remote Code Execution）を可能にする脆弱性で、攻撃者はデバイスを乗っ取り、DCSコントローラーの動作を変更する権限を持ちながら、コントローラーを管理するエンジニアリングワークステーションからはその変更を隠すことができる。Armis Inc.とHoneywell社は協力して修正プログラムを作成し、顧客に通知した。また、CISAは、この問題に関する独自のアドバイザリーを2023年7月13日に公表し、Honeywell社が発行した修正プログラムを適用するよう顧客に促した[154]。

(b)TETRA:BURST

世界中の緊急（救急）サービスで使用されている無線通信プロトコルTerrestrial Trunked Radio（TETRA）に、攻撃者が通信を盗聴したり操作したりすることを可能にする深刻なゼロデイ脆弱性が研究者らによって発見された。1995年に欧州電気通信標準化機構（ETSI：European Telecommunications Standards Institute）が発表したTETRAは、特に法執行機関向けに最も広く使われている業務用移動無線規格の一つで、警察、消防隊、軍隊等の緊急（救急）サービスや一部の産業環境で、約30年にわたって継続的に使用されている。研究者らはTETRAに五つの脆弱性を発見し、「TETRA:BURST」と総称している。攻撃者がこれらの脆弱性を悪用すると、警察や軍の通信を盗聴したり、彼らの動きを追跡したり、TETRAで伝送される重要インフラのネットワーク通信を操作したりすることが可能になる[155]。

(c)CODESYS V3ソフトウェア開発キットの15の脆弱性

Microsoft Corporation（以下、Microsoft社）が、CODESYS V3ソフトウェア開発キット（SDK：Software Development Kit）の15の脆弱性を発見し、世界中の産業環境で使用されている数百万台のPLCが、リモートコード実行やサービス拒否（DoS：Denial of Services）攻撃を受けるリスクに晒されている、と警告した。500社以上のデバイスメーカーが、IEC 61131-3規格に準拠している1,000種類以上のPLCのプログラミングに同SDKを使用しており、ユーザーはカスタムオートメーションシーケンスを開発することができる。Microsoft社は2022年9月に、開発元であるドイツのCODESYS GmbHに報告し、同社はセキュリティ更新プログラムを2023年4月にリリースした。Microsoft社は、リスク認識を高め、修正プログラム適用のペースが上がるよう、8月10日に詳細についてのブログ記事を投稿した[156]。

(2)脅威の動向

2023年の脅威の動向としては、2022年に引き続き、ランサムウェアによる攻撃の増加が挙げられる。

Dragos, Inc.によると、2023年に産業組織に影響を与えたランサムウェア攻撃グループは50グループで、2022年から28%増加している。また、同社に報告された、産業組織に影響を与えたランサムウェア・インシデン

トは 905 件で、2022 年から 49.5% 増加している[152]。

世界の重要インフラのコンポーネントを所有、運用、またはサポートする企業に勤務する IT 及び OT のセキュリティ専門家 1,100 人を対象とした調査結果では、過去 1 年間に 75% の組織がランサムウェア攻撃を経験しており、過去 2 年間で 10% 増加している。そのうち 37% が IT/OT 両環境が影響を受けており、17% が OT 環境のみ影響を受けていた[157]。

ランサムウェアの脅威への対策として、基本的なウイルス[158]対策、通信制御による対策、重要なデータのバックアップが適切に実施されているかの確認等、感染や脅迫に備えたリスク管理対策を徹底することが推奨される。

また、2023 年には、制御システムを標的とする新たなウイルスが確認された。その概要を以下に示す。

米国のサイバーセキュリティ企業 Mandiant, Inc. が、送電・配電設備を停止させるために設計された新たなウイルス「CosmicEnergy」を発見した[159]。このウイルスは、ヨーロッパ、中東、アジアの送電・配電業務で一般的に使用されている IEC 60870-5-104（以下、IEC-104）規格準拠のリモートターミナルユニット（RTU：Remote Terminal Unit）を特に標的としていた。分析の結果、CosmicEnergy は 2016 年 12 月と 2022 年 4 月にウクライナのエネルギープロバイダーを標的とした攻撃に使われた「Industroyer」や「Industroyer.V2」といった過去の OT ウイルスに類似していることが明らかになった。更に、「IronGate」「Triton」「Incontroller」等の制御システムを標的とした他のウイルスと同様に、Python ベースで、OT プロトコル実装にオープンソースライブラリを使用している。Industroyer 同様、破壊ツール「PIEHOP」を使用して侵害した Microsoft SQL サーバーを介して標的の OT システムにアクセスする可能性が高い。被害者のネットワークに侵入すると、攻撃者は悪意のあるツール Lightwork を介して IEC-104 の「ON」または「OFF」コマンドを発行することにより、RTU をリモートで管理することができる。Mandiant, Inc. は、今回発見されたウイルスは、ロシアのサイバーセキュリティ企業 Rostelecom-Solar（旧 Solar Security）が主催する模擬停電攻撃演習におけるレッドチーム用ツールとして、請負業者が開発したものである可能性があると見ている。

3.4.3 海外の制御システムのセキュリティ強化の取り組み

本項では、海外における制御システムを含む、重要インフラサービスのセキュリティ強化に関する取り組みについて述べる。

(1) 米国 CISA の取り組み

2023 年 2 月 24 日、米国コンピューター緊急事態対策チーム（US-CERT：United States Computer Emergency Readiness Team）と産業制御システムサイバー緊急事態対応チーム（ICS-CERT：Industrial Control Systems Cyber Emergency Response Team）が廃止され、CISA に統合された[160]。

CISA は、情報システムがランサムウェア攻撃者に悪用される可能性のある脆弱性を露出していることを、重要インフラ事業者に警告する新たな取り組み「Ransomware Vulnerability Warning Pilot（RVWP）」を 2023 年 1 月 30 日に開始した[161]。RVWP では、CISA が重要インフラ事業者のネットワークをスキャンし、インターネットに接続されたシステムの脆弱性を発見して、組織がハッキングされる前に脆弱性を修正できるよう支援する。

2023 年 3 月、CISA は 2022 年 11 月に発表した「Cross-Sector Cybersecurity Performance Goals（CPGs）」を、重要インフラコミュニティから寄せられたフィードバックに応えて更新した[162]。この更新では、NIST のサイバーセキュリティフレームワーク（CSF：Cyber Security Framework）の機能と密接に連携し、組織が CPGs を使用して、CSF を中心に構築された幅広いサイバーセキュリティプログラムの一部として投資の優先順位を決定できるように、整理、順序変更、番号付けが行われている。

2023 年 7 月、CISA は重要インフラパートナー（以下、パートナー）の IT と OT の両方を分野横断的にリアルタイム監視することを目的としたプログラム「CyberSentry」を発表した[163]。このプログラムは、IT/OT ネットワークに影響を及ぼす既知・未知の悪意ある活動を監視することで、電力・水道、銀行・金融機関、医療等の国家の重要な機能を支える米国の重要インフラネットワークの運用者を防衛する国家的取り組みを支援することを目的としている。

2023 年 11 月、CISA と連邦緊急事態管理庁（FEMA：Federal Emergency Management Agency）は、米国の重要インフラのセキュリティとレジリエンス力を高めるための持続的な全国キャンペーン「Shields Ready」を開始した[164]。同キャンペーンは、重要インフラが潜在的な脅威に備えてどのように準備するか、また、危機やインシデントが発生する前に行動を起こすことで、システム、施設、プロセスのレジリエンス力をどのように強化するか

について、より広範かつ戦略的に焦点を当てている。「Shields Ready」は重要インフラ事業者に対し、インフラのレジリエンス力を高めるための四つのステップ（①重要な資産を識別し、依存関係をマッピングする、②リスクのアセスメントをする、③計画を立て、演習を実施する、④演習の結果やアセスメントに基づいて、対応・復旧計画を定期的に評価し、更新する）に集中することを奨励している。

(2) 米国 Biden 政権の取り組み

米国の Biden 政権は、2023 年 3 月 2 日に国家サイバーセキュリティ戦略「National Cybersecurity Strategy」を発表した[165]。同戦略には、米国が直面する課題や脅威、それらに対処するための優先順位が詳細に記されている。また、五つの柱である①重要インフラを守る、②脅威アクターを妨害し、解体する、③セキュリティとレジリエンスを向上させるために市場の力を形成する、④レジリエンスの未来に投資する、⑤共通の目標を追求するための国際的なパートナーシップを構築する、を掲げている。2018 年の国家サイバーセキュリティ戦略からの大きな変更点として、重要インフラ分野の組織は、一定の基本的なサイバーセキュリティ要件を満たすことが求められている。更に政府はソフトウェアやハードウェアの商業的な販売者や開発者が、セキュアな開発手法を通じて、自社の製品をセキュアに保つ責任を負うことを望んでいる。

2023 年 7 月 13 日には、国家サイバーセキュリティ戦略の実施計画「National Cybersecurity Strategy Implementation Plan (NCSIP)」を発表した[166-1]。この計画には、連邦政府機関の 65 以上の取り組みが定められており、それぞれの期限内に達成する必要がある。官民パートナーシップの拡大が、同戦略が求めているサイバースペースにおける責任の「根本的な転換」における中心的な焦点で、「ランサムウェアのエコシステム」のプレイヤーに対する積極的な破壊及び解体作戦に、民間セクターのパートナーを参加させるよう求めている。また、サプライチェーンリスクを軽減するために、サードパーティーベンダーに適用されるソフトウェア部品表（SBOM：Software Bill of Materials）標準の策定に、政府が更に関与することを求めている。NCSIP は、新たなサイバー脅威に対応していつでも更新できるように設計されており、2024 年 5 月に第 2 版が公開された[166-2]。

Joseph Biden 大統領は、2023 年 11 月を「重要インフラのセキュリティとレジリエンス月間」とし、「本月間において、重要インフラを強化し、我々の集団的セキュリティと経済的繁栄を損なう脅威に対して警戒を怠らないことを再確認しよう」と宣言した[167]。CISA は、「この月間は、重要インフラが国家の健全性に果たす重要な役割と、重要インフラのセキュリティとレジリエンスを強化することがなぜ重要なのかについて、政府のあらゆるレベル、インフラの所有者と運用者、そして米国民を教育し、関与させることに重点を置いている」と声明で述べている。

NIST は、CSF 2.0 を 2024 年 2 月 26 日に公開した[168]。フレームワークの対象範囲が、あらゆる分野、あらゆる規模の組織に拡大された。正式名称も、「重要インフラのサイバーセキュリティを改善するためのフレームワーク」から「サイバーセキュリティフレームワーク」に変更されている。CSF は、組織がサイバーセキュリティ態勢を改善し、安全に活動するための組織意識を向上させるための、一連のベストプラクティス及び推奨事項である。CSF 2.0 では、コアの五つの機能（識別 (Identify)、防御 (Protect)、検知 (Detect)、対応 (Respond)、復旧 (Recover)）に、六つ目の機能として、組織のミッションと利害関係者の期待に照らして、他の五つの機能の成果を達成し、優先順位をつけるために組織が何をすべきかを示すアウトプットを提供する「統治 (Govern)」が追加された。

NIST の National Cybersecurity Center of Excellence (NCCoE) は、LNG（液化天然ガス）業界と、LNG の包括的な液化プロセス、輸送、流通をサポートする補助的な機能向けの CSF プロファイルのガイダンス NIST IR 8406「Cybersecurity Framework Profile for Liquefied Natural Gas」を 2023 年 6 月 8 日に発表した[169]。同ガイダンスは、サイバーセキュリティ活動を管理し、LNG プロセス全体にわたるサイバーリスクを低減するための、自主的でリスクベースのアプローチを提供している。LNG CSF プロファイルは、既存のサイバーセキュリティガイダンスや方針に取って代わるものではなく、LNG 業界が既に使用している現行のサイバーセキュリティ基準、規制、業界ガイドラインを補足するものであり、LNG 組織が提供する推奨事項の優先順位付けを利害関係者が支援することで、既存のベストプラクティスを補完することを意図している。

NCCoE は、ハイブリッド衛星ネットワーク（HSN：Hybrid Satellite Network）のための CSF プロファイル「NIST IR 8441, Cybersecurity Framework Profile for Hybrid Satellite Networks (HSN)」の最終版を 2023 年 9 月に公開した[170]。HSN CSF プロファイルを

使用することで、組織は HSN に関連するシステム、資産、データ、リスクを識別でき、自己アセスメントを実施し、サイバーセキュリティ原則を遵守することにより HSN サービスを保護することができる。また HSN サービスやデータのサイバーセキュリティに関連した妨害や破損を検出することができ、タイムリーで有効かつレジリエンス力のある方法で HSN サービスやデータの異常に対応することができる。更に、サイバーセキュリティインシデント後に HSN を適切な動作状態に回復することができる。

(3) EU の取り組み

欧州連合（EU：European Union）の欧州委員会（European Commission）は、2022 年 9 月に同委員会が提案した「EU サイバーレジリエンス法案（EU Cyber Resilience Act）」について、欧州議会（European Parliament）及び欧州理事会（European Council）との間で政治的合意に達した、と 2023 年 12 月 1 日に発表した[171]。同法律は既存の法律、特に 2022 年に採択された「ネットワークと情報システムのセキュリティに関する指令（NIS2 指令）」を補完するもので、オープンソースソフトウェアや、医療機器、航空機器、自動車等、既存の規則で既に対象になっているサービス等、特定の除外項目以外の、他のデバイスやネットワークに直接または間接的に接続されるすべての製品に適用される。同法案の重要な要素は、製品のライフサイクル全体をカバーすることであり、特に、製造業者と開発者に対して、製品が使用されると予想される期間を反映したサポート期間を定め、その期間中にセキュリティアップデートを提供する義務を規定している。今回の合意は、欧州議会と欧州理事会の正式な承認が必要となり、承認されれば、同法律は官報に掲載されてから 20 日目に発効する（2024 年初頭発効予定）（欧州の政策については「2.2.3 (2) サイバーセキュリティ政策」参照）。

(4) オーストラリア政府の取り組み

オーストラリアの Cyber and Infrastructure Security Centre（CISC）は、重要インフラの責任主体及び直接の利害関係者の義務を簡素化し、運用のレジリエンスを向上させ、複雑さを軽減することを目的とした「重要インフラ資産クラス定義ガイダンス」を 2023 年 5 月に公開した[172]。同ガイダンスでは、2018 年の「重要インフラ安全保障法（Security of Critical Infrastructure Act：SOCI Act）[173]」及び SOCI 定義規則（LIN 21/039）[174] で重要インフラ資産が定義されているので、自らの資産が重要インフラ資産かどうかを判断する際に、これらを参照するよう資産所有者及び運用者に呼びかけている。

3.4.4 国内の制御システムのセキュリティ強化の取り組み

本項では、制御システムを含む、重要インフラサービスのセキュリティ強化に関する国内の主な取り組みについて述べる。

(1) 日本政府の取り組み

包括的な重要インフラのセキュリティ政策については、「2.1.1 政府全体の政策動向」及び「2.1.3 経済産業省の政策」で取り上げているので、そちらを参照されたい。ここでは特に、制御システムのセキュリティ強化に関連する取り組みについて触れる。

NISC が、2022 年度における我が国を取り巻くサイバーセキュリティに関する情勢、及び自由、公正かつ安全なサイバー空間実現のために取り組む施策の実施状況をまとめた「サイバーセキュリティ 2023（2022 年度年次報告・2023 年度年次計画）」を 2023 年 7 月に発表した[175]。また同月、NISC の重要インフラグループは、2022 年 6 月に策定した「重要インフラのサイバーセキュリティに係る行動計画」に基づき、各重要インフラの安全基準等の策定・改定を支援するために策定された「重要インフラのサイバーセキュリティに係る安全基準等策定指針」を発表した[176]。

NISC、総務省、経済産業省は、2023 年 8 月にベトナム・ハノイにて「重要インフラ防護ワークショップ」を開催し、「重要インフラ防護」をテーマとした研究開発の動向や、クラウド環境におけるセキュリティリスク、セキュリティ成熟度に関する知見や官民の取り組み等に関する情報交換を行った[177]。

経済産業省及び IPA 産業サイバーセキュリティセンター（ICSCoE：Industrial Cyber Security Center of Excellence）は、米国政府（CISA、国務省）及び EU 政府（通信ネットワーク・コンテンツ・技術総局）と連携し、2023 年 10 月 9 日から 13 日まで、日米 EU の専門家による制御システムのサイバーセキュリティに関するイベントを東京にて 4 年ぶりに対面開催した[178]。インド太平洋地域（ASEAN 加盟国、インド、バングラデシュ、スリランカ、モンゴル、台湾）から招聘した 35 名の政府機関・産業界の実務者が、ハンズオン演習及び専門家によるサイバーセキュリティセミナーに参加した（「2.2.1 (3) (e) インド太平洋地域向け日米 EU 産業制御システムサイバー

セキュリティウィーク」参照)。

(2)IPA の取り組み

　2023 年度、IPA では制御システムのセキュリティに関して、大きく三つの取り組みを行った。

(a)制御システムのセキュリティリスク分析普及活動

　制御システムのセキュリティリスク分析は、制御システム分野や重要インフラに関わる多くの事業者にとって、セキュリティレベルの抜本的な向上と継続的な維持見直しの達成に必要不可欠である。IPA は、制御システムのセキュリティリスク分析の普及を目的として、「制御システムのセキュリティリスク分析ガイド」(以下、リスク分析ガイド) を用いてリスク分析手法を解説するオンラインセミナーを、2023 年 6 ～ 9 月と、2023 年 12 月～ 2024 年 3 月の 2 回開催した。同セミナーでは、約 420 の企業・団体が参加した。

(b)調査報告書等の公開

　制御システムのネットワークのオープン化、制御機器のOS のオープン化に伴い、産業用制御システムにおいてもセキュリティ対策強化のために侵入検知製品の導入が検討されるようになった。IPA は、制御システムを保有する事業者のセキュリティ対策支援を目的に、「産業用制御システム向け侵入検知製品等の導入手引書」を2023 年 6 月に公開した[179]。同手引書は、侵入検知製品等の基礎知識から導入にあたって検討すべきこと、

そして具体的な導入の進め方について、実際に侵入検知製品を利用している事業者への聞き取り調査を基に紹介している。

　2023 年 7 月には、工場における具体的な対策への指針を提供するため、先進的なスマート工場の事例を調査して対策項目を整理した「スマート工場化でのシステムセキュリティ対策事例 調査報告書」を公開した[180]。同報告書は、工場設備のセキュリティ管理責任者等が、スマート工場の生産システムにおけるセキュリティ対策を実施する際の参考書として利用されることを想定している。別紙には「セキュリティ対策内容の一覧と各種ガイドラインとの対応」を掲載しており、経済産業省による「サイバー・フィジカル・セキュリティ対策フレームワーク[181]」や「工場システムにおけるサイバー・フィジカル・セキュリティ対策ガイドライン 付録 E[182]」の実践を検討する際に利用できる。

　また、「3.4.3 (1) 米国 CISA の取り組み」で前述した、米国 CISA が 2023 年 3 月に発行した「Cross-Sector Cybersecurity Performance Goals Ver.1.0.1 (2023-03)」を翻訳し、2023 年 8 月に公開した[183]。

(c)制御システムのサイバーセキュリティ人材の育成

　ICSCoE では、模擬プラントを用いた演習や、攻撃防御の実践経験、最新のサイバー攻撃情報の調査・分析等を通じて、社会インフラ・産業基盤のサイバーセキュリティに対応する人材の育成を支援している(「2.3.3 (2) 産業システムセキュリティ人材育成のための活動」参照)。

3.5 IoTのセキュリティ

IoT（Internet of Things）技術の普及とともに、セキュリティ設定が不十分なまま、あるいは脆弱性を有したままインターネットに接続されたコンピューター以外の機器（IoT機器）へのサイバー攻撃が後を絶たない。ウイルス感染したIoT機器のボットネットによるDDoS（Distributed Denial of Service）攻撃に、日本国内のウイルス感染したIoT機器も悪用されており、国内のIoT機器への感染拡大攻撃が観測されている。

本節では、「IoTに対するセキュリティ脅威の動向」「進化を続けるIoTウイルスの動向」「IoTセキュリティのサプライチェーンとEOL（End-of-Life）のリスク」「脆弱なIoT機器のウイルス感染と感染機器悪用の実態」「各国のセキュリティ対策強化の取り組み」について述べる。

なお、本節では脆弱性情報の詳細を省略しているが、脆弱性データベースの登録IDを記載しているものについては、表3-5-1に記載の各データベースで検索することによって、概要、詳細情報、関連情報へのリンク等を確認できる。

登録IDの表記例	登録先データベース
CVE-20xx-xxxxx	NVD [184]
JVNDB-20xx-xxxxxx	JVN iPedia [185]
EDB-ID: xxxxx	Exploit Database [186]

■表3-5-1　脆弱性の登録IDの表記例と登録先データベース

3.5.1 IoTに対するセキュリティ脅威の動向

本項では、サイバー攻撃対象のIoT機器及びそれらにより構成されるシステムの観点から、2023年に観測されたセキュリティ脅威の動向を紹介する。

（1）ルーターに対する脅威

ウイルス感染させて機器を乗っ取り、第三者への攻撃に悪用する目的に合致するルーターに対して、その脆弱性を狙う脅威が継続している。

（a）Synology社製ルーターに対する脅威

2022年12月22日、Synology Inc.（群暉科技股份有限公司。以下、Synology社）は、同社製ルーター用オペレーティングシステム Synology Router Manager において、任意のコマンド実行やDoS（Denial of Service）状態、任意のファイル読み取りに至る恐れがある、以下に示す脆弱性に関するアドバイザリーを公開し、2023年1月6日及び5月16日に更新して脆弱性の詳細を追加した[187]。

- CVE-2023-32956
- CVE-2022-43932（JVNDB-2022-004427）
- CVE-2023-32955
- CVE-2023-0077（JVNDB-2023-001518）

（b）TP-Link社製ルーターに対する脅威

2023年1月17日、TP-Link Technologies Co., Ltd.（普联技术有限公司。以下、TP-Link社）製ルーター TL-WR710N V1（ファームウェアバージョン151022）及び Archer C5 V2（ファームウェアバージョン160201）において、リモートコード実行等を引き起こす可能性がある、以下に示す脆弱性が報告された[188]。

- CVE-2022-4498（JVNDB-2023-001959）
- CVE-2022-4499（JVNDB-2023-001965）

2023年4月24日、TP-Link社製Wi-Fiルーター Archer AX21において、管理者権限で任意のコード実行を可能とする脆弱性（CVE-2023-1389（JVNDB-2023-005522））のアドバイザリーが公開された[189]。TP-Link社は、3月17日の時点で更新ファームウェアを公開していた[190]。4月11日以降、Miraiの亜種による同脆弱性の悪用が観測されている[191]。

2023年5月16日、欧州の外交機関を狙った中国の国家支援型[192]APT（Advanced Persistent Threat）グループ「Camaro Dragon」によるサイバー攻撃において、悪意のあるコード（リモートシェル機能、ファイル転送機能、SOCKSトンネリング機能等）を追加されたファームウェアに書き換えられたTP-Link社製ルーター WR940N 等が用いられていることが報告された[193]。ファームウェアの改変方法やその悪用方法は不明である。

（c）NetComm製ルーターに対する脅威

2023年1月17日、NetComm Wireless Limited（現在はCasa Systems, Inc.の一部門）製ルーター NF20MESH／NF20／NL1902において、未認証のリモート攻撃者による任意のコード実行に至る可能性がある、以下に示す脆弱性が報告された[194]。

- CVE-2022-4873
- CVE-2022-4874

(d) Cisco 社製ルーター等に対する脅威

2023 年 2 月 1 日、Cisco Systems, Inc.（以下、Cisco 社）製の産業用アプライアンス（ルーターやゲートウェイ、ワイヤレスアクセスポイント等）において、認証済みリモート攻撃者によるコマンドインジェクションを可能とする、以下に示すゼロデイ脆弱性の情報が公開された[195]。また、Cisco 社の緩和策を回避し、再起動やファームウェア更新後も悪意のあるコードが残留し続けることが指摘された。

- CVE-2023-20076（JVNDB-2023-004067）
- Cisco バグ ID：CSCwc67015

同日、Cisco 社は更新ファームウェアを含むアドバイザリーを公開した[196]。

2023 年 10 月 16 日、Cisco 社は、同社製ルーターやスイッチで採用されている Linux ベースのオペレーティングシステム IOS XE の Web インターフェースにおけるゼロデイ脆弱性（CVE-2023-20198（JVNDB-2023-004217））を公開した[197]。翌 17 日、インターネット上で同インターフェースを使用している 6 万 7,445 台の機器が特定されて、うち 3 万 4,140 台が侵害を受けてバックドアを設置されていた[198]。同月 20 日、Cisco 社は、もう一つのゼロデイ脆弱性（CVE-2023-20273）を追加公開した。二つの脆弱性を組み合わせた悪用が大規模侵害の要因と考えられており、同月 22 日に Cisco 社は更新ファームウェアを公開した。

(e) NETGEAR 社製ルーターに対する脅威

2023 年 5 月 11 日、NETGEAR, Inc.（以下、NETGEAR 社）製ルーター Nighthawk RAX30 において、非認証のリモートコード実行、コマンドインジェクション、認証バイパスに至る恐れがある、以下に示す脆弱性の情報が公開された[199]。

- CVE-2023-27357
- CVE-2023-27367
- CVE-2023-27368
- CVE-2023-27369
- CVE-2023-27370

(f) ASUS 社製ルーターに対する脅威

2023 年 6 月 19 日、ASUSTeK Computer Inc.（華

碩電腦股份有限公司。以下、ASUS 社）製ルーター 18 機種において、以下に示す脆弱性を含むセキュリティ修正の更新ファームウェアが公開された[200]。

- CVE-2023-28702（JVNDB-2023-007784）
- CVE-2023-28703（JVNDB-2023-007783）
- CVE-2023-31195（JVNDB-2023-000048）
- CVE-2022-46871（JVNDB-2022-003994）
- CVE-2022-38105（JVNDB-2022-004975）
- CVE-2022-35401（JVNDB-2022-005048）
- CVE-2018-1160（JVNDB-2018-014397）
- CVE-2022-38393（JVNDB-2022-004974）
- CVE-2022-26376（JVNDB-2022-014335）

2023 年 9 月 5 日、ASUS 社ルーター RT-AX55、RT-AX56U_V2、RT-AC86U における、以下に示す脆弱性が公開された[201]。

- CVE-2023-39238（JVNDB-2023-011977）
- CVE-2023-39239（JVNDB-2023-011976）
- CVE-2023-39240（JVNDB-2023-011975）

これらの脆弱性を悪用されると、リモートコード実行、サービス中断、機器上での任意の操作に至る恐れがある[202]。

(g) MikroTik RouterOS の脆弱性

2023 年 7 月 25 日、SIA Mikrotīkls 製ルーターの MikroTik RouterOS において、管理者から特権管理者への権限昇格を可能とする脆弱性（CVE-2023-30799（JVNDB-2023-023345））が報告された[203]。2022 年 10 月に更新ファームウェアが提供されているが、インストールされていないルーターが数多く存在し、Shodan[204] を用いた検索によって、Web ベースの管理インターフェース経由でアクセス可能な約 50 万台、MikroTik 管理ツール Winbox 経由で接続可能な約 90 万台の存在が確認されている。また、サンプルとして調査された 5,500 台のうちの 60% 近くが、同脆弱性を悪用したブルートフォース攻撃の標的となり得る初期設定の管理者アカウント「admin」を使用していることが報告された。

(h) Sierra Wireless 社製ルーターに対する脅威

2023 年 12 月 6 日、Sierra Wireless, Inc.（現在は Semtech Corporation の一部門）製 OT/IoT 向けセルラールーター[205]AirLink シリーズにおける 21 種類の脆弱性が発見され、「Sierra:21」と名付けられた[206]。イ

ンターネット上に8万6,000台以上の接続が検出され、2019年以降に発見された脆弱性に対応する修正プログラムが適用されていたのは10%未満であった。

(i) バッファロー社製VPNルーターに対する脅威

2023年12月25日、株式会社バッファローは、同社製VPNルーター VR-S1000において、任意のコマンド実行や機密情報の窃取に至る恐れがある、以下に示す脆弱性の情報と更新ファームウェアを公開した[207]。

- CVE-2023-45741[208]（JVNDB-2023-000125）
- CVE-2023-46681[208]（同上）
- CVE-2023-46711[208]（同上）
- CVE-2023-51363[209]（同上）

(2) NASに対する脅威

2022年に続いて、NAS（Network Attached Storage）の脆弱性を狙う脅威の増加傾向が続いている。

(a) QNAP社製NASに対する脅威

2023年1月30日、QNAP Systems, Inc.（威聯通科技股份有限公司。以下、QNAP社）は、同社製NASにおいて、リモート攻撃者による悪意のコード挿入を可能とする脆弱性（CVE-2022-27596（JVNDB-2023-002361））と更新ファームウェアの情報を含むアドバイザリーを公開した[210]。同月31日、影響を受けるバージョンのファームウェアを搭載した2万9,968台のNASがインターネット上に接続されていることが報告された[211]。

2023年3月30日、QNAP社は、同社製NASで用いられているオペレーティングシステム QTS、QuTS hero、QuTScloud、QVPにおいて、機密データへのアクセスを可能として、最終的に任意のコード実行に至る恐れがある、以下に示す脆弱性と更新ファームウェアの情報を含むアドバイザリーを公開した[212]。

- CVE-2022-27597（JVNDB-2022-022069）
- CVE-2022-27598（JVNDB-2022-022070）

2023年11月4日、QNAP社は、同社製NASで用いられているオペレーティングシステム QTS、QuTS hero、QuTScloudにおいて、リモートコード実行に至る恐れがある、以下に示す脆弱性と更新ファームウェアの情報を含むアドバイザリーを公開した[213]。

- CVE-2023-23368（JVNDB-2023-016900）
- CVE-2023-23369（JVNDB-2023-016901）

(b) Western Digital社製NASに対する脅威

2023年6月13日、Western Digital Corporation（以下、Western Digital社）は、同社製NASにおける以下に示す脆弱性に対応する更新用ファームウェアを公開するとともに、ファームウェアを更新していないNASによる同社のクラウドサービス MyCloud への接続を拒否すると表明した[214]。

- CVE-2022-36326（JVNDB-2022-024385）
- CVE-2022-36327（JVNDB-2022-024376）
- CVE-2022-36328（JVNDB-2022-024384）
- CVE-2022-29840（JVNDB-2022-024334）
- CVE-2023-22814（JVNDB-2023-017273）

2023年8月9日、Western Digital社製 MyCloud PR4100 NASにおける以下に示す脆弱性を悪用し、同社製NASになりすましてクラウドサービス MyCloud に接続することによって、同サービスに接続されたすべてのNASへのアクセスやリモートコード実行が可能であることが報告された[215]。

- CVE-2022-36331（JVNDB-2022-024074）
- CVE-2022-36328（JVNDB-2022-024384）
- CVE-2022-29841（JVNDB-2022-024333）
- CVE-2022-36327（JVNDB-2022-024376）

Western Digital社は、2022年12月21日、2023年1月10日、同年5月15日に更新ファームウェアを含むアドバイザリーを公開済みであった[216]。

(c) Zyxel社製NASに対する脅威

2023年6月20日、Zyxel Networks Corporation（合勤科技股份有限公司。以下、Zyxel社）製は、同社製NAS326、NAS540、NAS542における、リモートコマンド実行に至る恐れがある、コマンドインジェクション脆弱性（CVE-2023-27992（JVNDB-2023-010595））と更新ファームウェアの情報を含むアドバイザリーを公開した[217]。

2023年11月30日、Zyxel社は、同社製NAS326、NAS542における、OSコマンド実行に至る恐れがある、以下に示す脆弱性と更新ファームウェアの情報を含むアドバイザリーを公開した[218]。

- CVE-2023-35137
- CVE-2023-35138
- CVE-2023-37927
- CVE-2023-37928
- CVE-2023-4473

第3章 情報セキュリティ対策強化や取り組みの動向

- CVE-2023-4474

(d)Synology 社製 NAS に対する脅威

2023 年 8 月 9 日、Synology 社製 NAS DS920+ における以下に示す脆弱性を悪用し、同社製 NAS になりすましてクラウドサービス QuickConnect に接続しておき、クラウドサービス利用者を攻撃者の管理下にある NAS にリダイレクトすることによって、認証情報の窃取を行い、最終的に利用者データへのアクセス、リモートコード実行が可能であることが報告された[219]。

- CVE-2024-0860
- CVE-2024-27769
- CVE-2024-27770
- CVE-2024-27771
- CVE-2024-27768

2023 年 10 月 17 日、Synology 社製 NAS に搭載されている Linux ベースのオペレーティングシステム DiskStation Manager(DSM)において、管理者パスワード生成時、Web ブラウザー上のセキュアでない疑似乱数生成（PRNG：Pseudo Random Number Generator）関数を用いており、実際の悪用は困難であるものの、パスワードを推定される恐れがある脆弱性（CVE-2023-2729）が報告された[220]。

(3)DVR/NVR に対する脅威

同一機種や同等機種が世界中に散在する傾向のある DVR/NVR (Digital Video Recorder/Network Video Recorder)の脆弱性を狙う脅威が継続している。

(a)TBK Vision 社製 DVR に対する脅威

2023 年 5 月 1 日、TBK Vision 社製 DVR である TBK-DVR4104 及び TBK-DVR4216 において、5 年前に発見された認証バイパス／管理者権限取得の脆弱性（CVE-2018-9995（JVNDB-2018-004376））を悪用する攻撃の試みが観測され、最大 5 万以上の侵入防止システム（IPS：Intrusion Prevention System）において検出された[221]。TBK Vision 社の製品は、世界各国の銀行・小売業・政府機関等において 60 万台以上のカメラ、5 万台以上のレコーダーが設置されている上、様々なブランドの OEM (Original Equipment Manufacturer)製品としても販売されており、公開済みの PoC (Proof of Concept)[222] コードと組み合わせて容易に攻撃可能なため、攻撃者の格好の標的となっている。

(b)QNAP 社製 NVR に対する脅威

2023 年 12 月 9 日、QNAP 社は、同社製 VioStor NVR の脆弱性情報と更新ファームウェアの適用方法を含むアドバイザリーを公開した（「3.5.2（1）（g）InfectedSlurs」参照）[223]。

(4)コネクテッドカーに対する脅威

自動車をインターネットと接続して付加価値を提供するコネクテッドカー技術に対する脅威が引き続き発生している。

(a)コネクテッドカーにおける API の脆弱性

2024 年 1 月 3 日、約 20 社の自動車メーカー及び自動車サービスのテレマティクスシステム、オートモーティブ API、それらをサポートするインフラストラクチャを調査した結果、リモートからのロック／ロック解除、エンジン始動／停止、ヘッドライトの点滅、正確な位置の特定等を可能とする脆弱性を発見したことが公開された[224]。

(b)テスラ社製電気自動車のインフォテインメントシステムの脆弱性

2023 年 8 月 9 日、BlackHat USA 2023 において、Tesla, Inc.(以下、テスラ社)製自動車で採用されているインフォテインメントシステムを制御する MCU（Media Control Unit）上の AMD(Advanced Micro Devices, Inc.)製プロセッサ(MCU-Z)の脆弱性を悪用し、管理者権限で任意のソフトウェアを実行可能とする「Tesla Jailbreak」の有効化や、テスラ社の内部サービスネットワークで車両の認証・認可に用いられる車両固有の RSA 暗号鍵の抽出が可能であることが発表された[225]。

(c)Syrus 4G IoT ゲートウェイの脆弱性

2023 年 12 月 8 日、Digital Communications Technologies LLC(以下、DCT 社)製の車載用テレマティクスゲートウェイ Syrus 4G IoT Gateway において、搭載車両の遠隔操作に加えて、サーバー経由で他の搭載車両への攻撃に悪用可能な脆弱性（CVE-2023-6248（JVNDB-2023-018248））が報告された[226]。49 ヵ国以上で 11 万 9,000 台以上の自動車に搭載されており、米国及びラテンアメリカ全土で 4,000 台以上の車両がリアルタイムでサーバーに接続されていることが確認された。同脆弱性は、2023 年 4 月、発見者によって DCT 社に報告されたが、同社の対応は遅く、更新ファームウェアは未提供のため、情報が開示された。

(5) IP 電話機に対する脅威

インターネットを介して電話機能を提供する IP 電話機に対する脅威が発生している。

(a) Cisco 社製 IP 電話機に対する脅威

2023 年 3 月 1 日、Cisco 社は、同社製 IP 電話機 6800/7800/8800 シリーズの Web ベース管理インターフェースにおける、非認証のリモート攻撃者による任意のコード実行や DoS 攻撃に至る恐れがある、以下に示す脆弱性と更新ファームウェアの情報を含むアドバイザリーを公開した[227]。
- CVE-2023-20078(JVNDB-2023-003782)
- CVE-2023-20079(JVNDB-2023-003789)

(b) AudioCodes 社製 IP 電話機に対する脅威

2023 年 8 月 10 日、BlackHat USA 2023 において、Zoom の ZTP(Zero Touch Provisioning)機能[228]及び同機能を実装した AudioCodes Ltd.(以下、AudioCodes 社)製 IP 電話機 C450HD における脆弱性を悪用し、盗聴や電話機の遠隔制御、企業内ネットワークへの侵入拠点としての使用が可能であることが報告された[229]。

(6) その他の IoT 機器に対する脅威

様々な IoT 機器に対する脆弱性、及びそれらの脆弱性を狙う脅威が報告されている。

(a) シュナイダー社製 UPS に対する脅威

2024 年 4 月 11 日、Schneider Electric SE(以下、シュナイダー社)は、同社製 APC UPS 用の設定・管理用ツール(APC Easy UPS Online Monitoring Software)において、悪意の Web コードの実行や機器の機能停止に至る恐れがある、以下に示す脆弱性に関するセキュリティ通知を公開し、ソフトウェアの更新を呼びかけた[230]。
- CVE-2023-29411(JVNDB-2023-008892)
- CVE-2023-29412(JVNDB-2023-008891)
- CVE-2023-29413(JVNDB-2023-008890)

(b) キヤノン製ネットワークプリンターに対する脅威

2023 年 7 月 31 日、キヤノン株式会社は、同社製インクジェットプリンターの Wi-Fi 接続設定に関する機密情報が通常の初期化処理では削除できない場合があるため、修理・貸与・廃棄等、プリンターが第三者に渡る可能性がある場合の脆弱性軽減策及び修復策を公開

した[231]。

(c) D-Link 社製 Wi-Fi 中継器に対する脅威

2023 年 10 月 9 日、D-Link Corporation(以下、D-Link 社)製 Wi-Fi 中継器(Mesh Range Extender)DAP-X1860 における、リモートコマンドインジェクションの脆弱性(CVE-2023-45208(JVNDB-2023-014619))の情報が報告された[232]。2024 年 1 月 3 日、D-Link 社は更新ファームウェアを公開した。

(d) Zyxel 社ファイアウォール／アクセスポイントに対する脅威

2023 年 11 月 28 日、Zyxel 社は、同社製ファイアウォール及びアクセスポイントにおける、以下に示す脆弱性と更新ファームウェアの情報を含むアドバイザリーを公開した[233]。
- CVE-2023-35136(JVNDB-2023-018208)
- CVE-2023-35139(JVNDB-2023-018209)
- CVE-2023-37925(JVNDB-2023-018206)
- CVE-2023-37926(JVNDB-2023-018207)
- CVE-2023-4397(JVNDB-2023-018204)
- CVE-2023-4398(JVNDB-2023-018205)
- CVE-2023-5650(JVNDB-2023-018516)
- CVE-2023-5797(JVNDB-2023-018515)
- CVE-2023-5960(JVNDB-2023-018118)

3.5.2 進化を続ける IoT ウイルスの動向

前項で述べたように、IoT 機器やシステムにおいて、次々と新たな脆弱性が発見されており、IoT ウイルスによる攻撃手段としての悪用例が後を絶たない。本項では、ウイルスの進化の観点から、2023 年に観測された脅威の動向を紹介する。

(1) Mirai とその亜種

2016 年 9 月に出現し、同月末にソースコードが公開された「Mirai」は、2023 年も既存の亜種が進化するとともに新たな亜種が発生し、感染活動を継続している。

(a) Medusa

2023 年 2 月 3 日、2015 年から存在するボットネット「Medusa」に関して、Mirai のソースコードをベースとした新しいバージョンの発見が報告された[234]。従来版が持っていた DDoS 攻撃機能に加えて、暗号資産マイニ

ング MaaS（Malware as a Service）機能[235] やランサムウェア機能を備えている。

(b) V3G4

2023 年 2 月 15 日、Mirai の新たな亜種「V3G4」の観測結果が報告された[236]。2022 年 7 ～ 12 月の活動において、以下に示す様々な脆弱性を感染拡大に悪用していたことが観測されている。

- CVE-2012-4869（JVNDB-2012-004164）
- EDB-ID: 18393
- CVE-2014-9727
- EDB-ID: 15807
- CVE-2017-5173（JVNDB-2017-004263）
- CVE-2019-15107（JVNDB-2019-008300）
- Spree Commerce の任意のコマンド実行の脆弱性
- EDB-ID: 42788
- CVE-2020-8515（JVNDB-2020-001735）
- CVE-2020-15415（JVNDB-2020-007241）
- CVE-2022-36267（JVNDB-2022-014384）
- CVE-2022-26134（JVNDB-2022-011115）
- CVE-2022-4257（JVNDB-2022-022187）

(c) Moobot

2023 年 3 月 29 日、Mirai の亜種「Moobot」[237] の活動が継続しており、以下に示す脆弱性を悪用して感染拡大を試みていることが報告された[238]。

- Realtek 社製無線機器向け Jungle SDK の脆弱性[239]（CVE-2021-35394（JVNDB-2021-010965））
- CVE-2022-46169（JVNDB-2022-022114）

(d) Zyxel 社製ファイアウォールへの攻撃

2023 年 5 月 19 日、Zyxel 社製ファイアウォールにおけるコマンドインジェクションの脆弱性（CVE-2023-28771（JVNDB-2023-009227））は、同年 4 月 25 日に Zyxel 社から修正プログラムの適用を促すアドバイザリー[240] が公開されたが、インターネット上に約 4 万 2,000 のインスタンスが存在することが警告された[241]。同年 5 月 28 日、Mirai の亜種による同脆弱性の積極的な悪用が観測されている[242]。同年 7 月 19 日、Mirai の亜種 Dark.IoT を含む複数のボットネットでこの脆弱性が悪用されていることが観測されている[243]。

(e) IZ1H9

2023 年 4 月 10 日、Mirai の亜種「IZ1H9[244]」の活

動が観測された[245]。以下に示す脆弱性を悪用し、インターネット上のサーバーやネットワーク機器を感染対象としている。

- CVE-2023-27076（JVNDB-2023-006940）
- CVE-2023-26801（JVNDB-2023-006313）
- CVE-2023-26802（JVNDB-2023-006314）
- Zyxel 社製 DSL（Digital Subscriber Line）製品 CPE シリーズのリモートコード実行及び DoS の脆弱性[246]

2023 年 10 月 9 日、IZ1H9 が新たに複数の IoT 機器等の脆弱性（表 3-5-2）を感染拡大に悪用していることが報告された[247]。

影響を受ける機器等	脆弱性ID
D-Link 社製ルーター等	CVE-2015-1187 （JVNDB-2015-007962） CVE-2016-20017 （JVNDB-2022-019711） CVE-2020-25506 （JVNDB-2020-015749） CVE-2021-45382 （JVNDB-2021-018599）
Netis Technology Co., Ltd.（网是科技股份有限公司）製ルーター Netis WF2419	CVE-2019-19356 （JVNDB-2019-014562）
Sunhillo SureLine	CVE-2021-36380 （JVNDB-2021-011031）
Geutebrück GmbH 製 IP カメラ G-Cam E2、G-Code	CVE-2021-33544 等、合計 8 種類の脆弱性 （JVNDB-2021-002023）
Yealink Network Technology Co., Ltd.（廈門億聯網絡技術股分有限公司）製 デバイス管理（DM）	CVE-2021-27561 （JVNDB-2021-013849） CVE-2021-27562 （JVNDB-2021-007536）
TP-Link 社製ルーター Archer AX21	CVE-2023-1389 （JVNDB-2023-005522）
Korenix Technology（現 Beijer Electronics, Inc.）製 JetWave Wi-Fi AP	CVE-2023-23295 （JVNDB-2023-004598）
TOTOLINK（台灣吉翁電子股份有限公司）製ルーター	CVE-2022-40475 （JVNDB-2022-018076） CVE-2022-25080 （JVNDB-2022-006253） 等、合計 12 種類の脆弱性
Prolink（Fida International (S) Pte Ltd.）製ルーター PRC2402M	CVE-2021-35401 ただし、攻撃コードが不完全

■表 3-5-2　IZ1H9 が新たに悪用する脆弱性と影響を受ける機器等
（出典）Fortinet, Inc.「IZ1H9 Campaign Enhances Its Arsenal with Scores of Exploits[247]」を基に IPA が作成

(f) 亜種名のない Mirai の亜種

2023 年 6 月 22 日、D-Link 社、Zyxel 社、NETGEAR 社等の IoT 機器における 22 種類の脆弱性を用いて、感染拡大と DDoS 攻撃への悪用を試みる Mirai の亜種の活動が報告された[248]。2023 年 3 月から活動が活発化したこの亜種は、特定を回避するためなのか、亜種名を示す文字列が含まれていない。

(g) InfectedSlurs

2023 年 11 月 21 日、2 種類のリモートコード実行に至るゼロデイ脆弱性を悪用してルーターや NVR に感染し、DDoS 攻撃用ボットネットを構築するウイルスの発見が報告され、C&C サーバー[249] の名前や内部の文字列から「InfectedSlurs」と名付けられた[250]。Mirai の亜種の一つである JenX[251] から派生したと考えられている。

同年 12 月 6 日、ベンダーが更新ファームウェアとアドバイザリーを公開したことから、影響を受けるルーターが FXC 株式会社の情報コンセント対応型無線 LAN ルーター AE1021/AE1021PE であること、脆弱性が OS コマンドインジェクション脆弱性 (CVE-2023-49897 (JVNDB-2023-009966)) であることが明らかになった[252]。

同年 12 月 14 日、更新ファームウェアは 2014 年 6 月 21 日に公開済みであり、ベンダーがアドバイザリーを公開したことを受けて、影響を受ける NVR が QNAP 社の VioStor (ファームウェアバージョン 5.0.0 以前) であること、脆弱性が OS コマンドインジェクション脆弱性 (CVE-2023-47565 (JVNDB-2023-014789)) であることが公開された[253]。

(2) その他の IoT ウイルス

Mirai 等の既存ウイルスの技術 (ソースコードの一部や脆弱性の悪用方法等) を流用しつつ、新たなウイルスを開発する試みが継続している。

(a) Hinata

2023 年 3 月 16 日、Go 言語で記述されており、DDoS 攻撃に焦点を当てた新たなウイルス「Hinata」の発見が報告された[254]。最盛期の Mirai と比較して非常に攻撃能力が高く、理論上 1 万ノード (ピーク時の Mirai ボットネットの約 6.9% の規模) で 3.3Tbps 以上 (UDP フラッド攻撃)、約 27Gbps ／約 20.4Mrps (HTTP フラッド攻撃) を実現可能と推測されている。これは、1% 未満のリソースで Mirai の最大級の攻撃に匹敵するトラフィックを生成可能であることを意味する[255]。

(b) ShellBot

2023 年 3 月 29 日、Perl で開発された「ShellBot」(別名、PerlBot) の活動が継続しており、Moobot 同様、(「3.5.2 (1) (c) Moobot」参照) の脆弱性を悪用して感染拡大を試みていることが報告された[238]。ShellBot については 3 種類の異なる亜種が観測されている。

(c) AndoryuBot

2023 年 5 月 8 日、Ruckus Wireless, Inc. (現在は CommScope Holding Company, Inc. の一部門) 製 Wi-Fi アクセスポイントの脆弱性 (CVE-2023-25717 (JVNDB-2023-004133)) を悪用して感染拡大を試みる新たなボットネット「AndoryuBot」の発見が報告された[256]。「Project Andoryu」と称して、DDoS 代行サービスを販売する Telegram 上のチャンネルも発見されている。

(d) GobRAT

2023 年 5 月 29 日、一般社団法人 JPCERT コーディネーションセンター (JPCERT/CC：Japan Computer Emergency Response Team Coordination Center) は、同年 2 月に実行された Go 言語で記述されたウイルス「GobRAT」による日本国内の Linux ベースのルーターに対する感染活動を報告した[257]。

(e) AVrecon

2023 年 7 月 12 日、SOHO (Small Office/Home Office) ルーターを感染対象とし、7 万台以上に感染して 20 ヵ国以上にまたがって 4 万以上の IP アドレスを永続的に保持するボットネット「AVrecon」の活動が報告された[258] (図 3-5-1)。

同月 25 日、AVrecon に感染した機器の悪用目的が residential proxy[259] であり、ウイルス感染機器を用いてプロキシーサービス (Proxy as a Service) を提供し

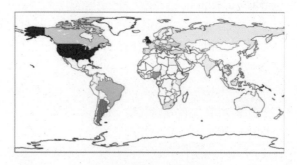

■図 3-5-1　AVrecon 感染機器 (ボット) の世界的分布
(出典) Lumen Black Lotus Labs「Routers From The Underground: Exposing AVrecon[258]」(2023 年 7 月 12 日公開)

ているとの疑いがある SocksEscort に結び付いている、との調査結果が報告された[260]。

3.5.3 IoTセキュリティのサプライチェーンとEOLのリスク

IoT 機器の開発に用いられる共通コンポーネントや標準プロトコルに起因する脆弱性（IoT 機器のサプライチェーンリスク）、サポートが終了した EOL（End-of-life）ステータスにある IoT 機器における脆弱性の発見（EOLのリスク）が引き続き発生している。また、IoT 機器の廃棄時のリスクに関する調査結果が報告されている。本項では、これらのリスク事例を紹介する。

（1）共通コンポーネントの脆弱性
複数の IoT 機器の開発に用いられている共通のソフトウェアコンポーネントにおける脆弱性の発見は、広範囲にわたる影響やセキュリティ対策の困難性を生じている。

（a）Looney Tunables
2023 年 10 月 3 日、Fedora、Ubuntu、Debian 等の Linux の主要なディストリビューションで用いられているGNU C ライブラリの ld.so ダイナミックローダーにおける、ローカル攻撃者の管理者権限昇格に至る恐れがある脆弱性（CVE-2023-4911（JVNDB-2023-013913））が報告された[261]。実行時のライブラリ動作を変更するための環境変数 GLIBC_TUNABLES の処理にバッファオーバーフローの脆弱性が存在することに起因することから、「Looney Tunables」と名付けられた。

（b）pfSense
2023 年 12 月 11 日、Rubicon Communications, LLC（Netgate）が開発したオープンソースのファイアウォール／ルーター用ソフトウェア pfSense において、任意のリモートコード実行に至る恐れがある、以下に示す脆弱性と修正プログラム適用バージョンの情報が公開された[262]。

- CVE-2023-42325（JVNDB-2023-016897）
- CVE-2023-42327（JVNDB-2023-016898）
- CVE-2023-42326（JVNDB-2023-017429）

（2）標準プロトコルの脆弱性
2023 年 4 月 25 日、LAN 内のアプリケーションに動的構成メカニズムを提供するためのインターネット標準プロトコル SLP（Service Location Protocol）において、最大2,200 倍の増幅率の大規模 DoS 増幅攻撃を可能とする恐れがある脆弱性（CVE-2023-29552（JVNDB-2023-001760））が報告された[263]。同年 2 月の時点において、2,000 以上の世界中の組織で 670 種類以上の製品、5万 4,000 以上の実装の存在が確認されている（図 3-5-2）。
同 4 月 25 日、CISA は警告を公開した[264]。

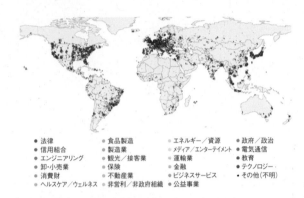

■図 3-5-2　確認された SLP の実装の国・地域・事業分野別分布
（出典）BitSight Technologies, Inc.「New high-severity vulnerability (CVE-2023-29552) discovered in the Service Location Protocol (SLP)[263]」を基に IPA が編集

（3）EOL のリスク
サポートが終了して更新ソフトウェアが提供されないIoT 機器において、新たな脆弱性が発見されている。

（a）Cisco 社製 EOL ルーターの脆弱性
2023 年 1 月 11 日、Cisco 社は、2016 年 5 月 5 日及び2021 年 1 月 29 日にソフトウェアメンテナンスサポートを終了した同社製 VPN ルーター RV016、RV042、RV042G、RV082、RV320、RV325 において、任意のコマンド実行に至る恐れのある以下の脆弱性を公開し、更新ファームウェアを提供しないことを表明した[265]。

- CVE-2023-20025（JVNDB-2023-002344）
- CVE-2023-20026（JVNDB-2023-002358）
- CVE-2023-20118（JVNDB-2023-008395）

同月 20 日には、インターネット上に約 2 万台の当該ルーターが残されていることが報告された[266]。

（b）Cisco 社製電話アダプターの脆弱性
2023 年 5 月 3 日、Cisco 社は、2020 年 6 月 1 日に脆弱性対策及びセキュリティのサポートを終了した電話アダプター（アナログ電話機を VoIP ネットワークに接続するためのアダプター）SPA112 の Web ベース管理インターフェースにおいて、非認証のリモート攻撃者による任意のコード実行に至る恐れのある脆弱性（CVE-2023-20126（JVNDB-2023-009752））を公開し、更新ファームウェア

を提供しないことを表明した[267]。

(c)Socomec 社製 UPS に対する脅威

2023 年 9 月 7 日、CISA は、SOCOMEC Group S.A.（以下、Socomec 社）製 UPS MODULYS GP（MOD3GP-SY-120K）における、以下の脆弱性に関するアドバイザリーを公表した[268]。

- CVE-2023-38582（JVNDB-2023-012762）
- CVE-2023-39446（JVNDB-2023-012760）
- CVE-2023-41965（JVNDB-2023-012905）
- CVE-2023-41084（JVNDB-2023-012894）
- CVE-2023-40221（JVNDB-2023-012895）
- CVE-2023-39452（JVNDB-2023-012759）
- CVE-2023-38255（JVNDB-2023-012892）

Socomec 社は、同製品が 2014 年に生産終了した EOL であることから、現行製品への移行を推奨している。

(4)IoT 機器の廃棄時のリスク

2023 年 4 月 18 日、スロバキアのサイバーセキュリティ企業 ESET, spol. s r.o. が廃棄されて二次市場で流通している企業向けルーター 16 台を入手して調査した結果、56% 以上（9 台）に企業の機密データが残存していたことが報告された[269]。顧客データ、第三者によるネットワーク接続を可能とする情報、他のネットワークに接続するための資格情報、ルーター間の認証用暗号鍵、IPsec または VPN の認証情報、ハッシュ化された管理者パスワード、以前の所有者・使用者を特定するための情報等が含まれており、IoT 機器のライフサイクルの最終段階（廃棄フェーズ）のセキュリティ対策が十分に実施されていないことが露呈した。

3.5.4 脆弱なIoT機器のウイルス感染と感染機器悪用の実態

IoT 機器／システムに対する脅威が継続・拡大傾向にある中、脆弱な IoT 機器とウイルス感染の実態はどうなっているのか。サイバー攻撃によって感染機器はどのように悪用されているのか。本項では、セキュリティ対策強化の取り組みやセキュリティベンダーによる公開情報から、これらの実態について考察する。

(1)国内における実態調査と注意喚起

総務省及び NICT は、2019 年 2 月 20 日以降、インターネット接続事業者と連携し、サイバー攻撃に悪用される恐れのある IoT 機器の調査及び当該機器の利用者への注意喚起を行う取り組み「NOTICE（National Operation Towards IoT Clean Environment）[270]」を継続中である。2024 年 3 月の時点で、NOTICE 参加インターネットサービスプロバイダー（ISP：Internet Service Provider）は 83 社、調査対象 IP アドレスは約 1.12 億アドレスである。2023 年 1 月以降の取り組み結果を表 3-5-3 に示す。

年月	NOTICE 注意喚起（ログイン可能機器）	NICTER 注意喚起（ウイルス感染機器）
2023 年 1 月	4,254 件	1 日平均 772 件
2023 年 2 月	4,136 件	1 日平均 650 件
2023 年 3 月	4,176 件	1 日平均 516 件
2023 年 4 月	4,685 件	1 日平均 388 件
2023 年 5 月	4,888 件	1 日平均 533 件
2023 年 6 月	5,063 件	1 日平均 571 件
2023 年 7 月	5,122 件	1 日平均 702 件
2023 年 8 月	5,055 件	1 日平均 1,088 件
2023 年 9 月	5,162 件	1 日平均 808 件
2023 年 10 月	5,162 件	1 日平均 817 件
2023 年 11 月	5,181 件	1 日平均 1,438 件
2023 年 12 月	5,190 件	1 日平均 672 件
2024 年 1 月	5,443 件	1 日平均 939 件
2024 年 2 月	5,492 件	1 日平均 964 件
2024 年 3 月	5,402 件	1 日平均 1,111 件

■表 3-5-3　国内における注意喚起の取り組みの実施結果
（出典）NOTICE サポートセンター「最近の観測状況[271]」を基に IPA が作成

- 「NOTICE 注意喚起」（ログイン可能機器利用者への注意喚起）は、2022 年 6 月の調査対象プロトコル（HTTP(S)）の追加によって大幅に増加した後、参加 ISP の増加（2022 年 12 月時点の 74 社から、2024 年 3 月時点では 83 社に増加）に伴う微増が見られるものの、実態として 1 年間をとおして大きな変化はないと考えられる。
- 「NICTER 注意喚起」（ウイルス感染機器利用者への注意喚起）は、2022 年 4 月下旬以降の国内の脆弱な機器（主に DVR/NVR）の感染拡大による増加が継続しており、更に 2023 年 10 月中旬以降、Mirai の亜種の活動活発化の影響による増加（2023 年 10 月 23 日に過去最大値 6,300 件／日を記録）が見られる。

(2)国内における攻撃の観測

株式会社インターネットイニシアティブが国内における攻撃の観測情報及び分析結果による月次観測レポートを公開している[272]。2023 年 1 ～ 12 月の報告内容から

IoT 関連で観測された攻撃を抽出した結果を表 3-5-4 に示す。

年月	観測された主な攻撃
2023 年 1 月	MVPower DVR[273]、NETGEAR ルーター[274]、Realtek Jungle SDK（「3.5.2 (1) (c) Moobot」参照）の脆弱性を狙った感染拡大攻撃[275]
2 月	Realtek Jungle SDK、MVPower DVR、NETGEAR ルーターの脆弱性を狙った感染拡大攻撃[276]
3 月	Realtek Jungle SDK、MVPower DVR、NETGEAR ルーター、組み込み Linux ZeroShell の脆弱性を狙った感染拡大攻撃[277]
5 月	Realtek Jungle SDK の脆弱性を狙った感染拡大攻撃[278]
6 月	同上[279]
7 月	MVPower DVR、NETGEAR ルーターの脆弱性を狙った感染拡大攻撃[280]
10 月	Cisco IOS XE の脆弱性を狙った侵害攻撃[281]（「3.5.1 (1) (d) Cisco 社製ルーター等に対する脅威」参照）

■表 3-5-4　国内において観測された主な攻撃
(出典) 株式会社インターネットイニシアティブ「wizSafe Security Signal 観測レポート[272]」を基に IPA が作成

(3) 感染機器のサイバー攻撃への悪用の実態

ウイルス感染させた IoT 機器に関する攻撃者による悪用方法の傾向を紹介する。

(a) DDoS 攻撃への悪用

DDoS 攻撃対策サービス（保護・軽減）を提供するネットワークセキュリティ事業者がウイルス感染した IoT 機器を悪用した DDoS 攻撃の実態を報告している。

- 2023 年第一四半期（1 ～ 3 月）には、南米の通信事業者を狙い、約 2 万台規模の Mirai 亜種のボットネットを含む攻撃において、DNS（Domain Name System）と UDP（User Datagram Protocol）の攻撃トラフィックを含むマルチベクトル攻撃が実行され、わずか 1 分程度であったが 1.3Tbps が観測された[282]。
- 第二四半期（4 ～ 6 月）には、米国の ISP を狙い、約 1 万 1,000 台規模の Mirai 亜種ボットネットからの ACK フラッド攻撃が実行され、ピーク時に 1.4Tbps が観測された[283]。
- 第三四半期（7 ～ 9 月）には、Mirai 亜種のボットネットによる UDP フラッド攻撃によって、ピーク時に 2.6Tbps が観測された[284]。
- 第四四半期（10 ～ 12 月）には、欧州のクラウドサービス提供者を狙い、約 1 万 8,000 台規模の Mirai 亜種ボットネットからの五種類以上のマルチベクトル攻撃が

実行され、ピーク時に 1.9Tbps が観測された[285]。

2023 年 9 月 21 日に公開されたセキュリティベンダーの報告書によると、2023 年上半期にダークウェブ上で 700 以上の DDoS 攻撃サービスの広告が配信されているという[286]。サービス価格は、攻撃対象の防御力等、攻撃の複雑さを決定する多数の要因によって左右され、1 日あたり 20 ドルから 1 ヵ月あたり 1 万ドルの間で設定されている。

(b) 暗号資産のマイニングへの悪用

2023 年 6 月 22 日、インターネットに接続された Linux ベースのシステム及び IoT 機器を標的とする攻撃の観測が報告された[287]。最終的に、Hiveon OS（Lunix ベースのオープンソース OS）用にカスタマイズされたウイルスをダウンロードして、暗号資産（仮想通貨）のマイニング、すなわちクリプト・ジャッキングに悪用することを目的としている。

2023 年 7 月 26 日、Mirai の亜種のボットネットによる、DDoS 攻撃及び暗号資産マイニングへの悪用を目的とした Apache Tomcat サーバーへの攻撃の観測が報告された[288]。

(c) 国家支援型 APT への悪用

2023 年 12 月 13 日、APT 攻撃者による秘密データ転送を目的としたボットネット KV-botnet の追跡結果が報告された[289]。KV-botnet は、Cisco RV320 シリーズ、DrayTek Vigor、NETGEAR ProSAFE 等の SOHO ルーターで構成されていたが、同年 11 月 29 ～ 30 日以降は Axis Communications AB. 製の IP カメラ M1045-LW、M1065-LW、p1367-E 等の悪用開始が観測された。

KV-botnet の活動は、2022 年 7 月から 2023 年 2 月にかけて中国の国家支援型 APT グループ「Volt Typhoon」によって侵害されたネットワークの中継ノードとして機能する NETGEAR ProSAFE と共通点があり、「将来の有事の際に米国とアジア地域間の重要な通信インフラを混乱させる能力の開発を追求している」と評価されている同グループの関与が疑われている[290]。

3.5.5　各国のセキュリティ対策強化の取り組み

これまで述べたように、脆弱性を有したままインターネットに接続された IoT 機器はサイバー攻撃の対象となり、

機器の利用者や第三者に被害を及ぼすこととなる。場合によっては、国家支援型 APT 攻撃に悪用される恐れもあり、IoT 機器のセキュリティ対策強化は必須となっている。本項では、対策を検討・推進する上で参考となるセキュリティガイドラインや手引き等の発行状況や国内外の取り組みについて紹介する。

(1)法規制の強化
IoT 製品のセキュリティを規制する法律の制定・発効が各国で進められている。

(a)英国 PSTI レジーム
2023 年 4 月 29 日、英国政府は、2022 年 12 月 7 日に成立した「製品セキュリティ及び通信インフラストラクチャ法規制（Product Security and Telecommunication Infrastructure Bill）」（通称 PSTI 法）に基づいて実施される、インターネットに接続するすべての消費者向け製品に適用される最低セキュリティ基準制度「Product Security and Telecommunications Infrastructure (Product Security) Regime」の 1 年後の発効を告知した。2024 年 4 月 29 日、同制度は発効された[291]。

2024 年 1 月 26 日、英国政府は同制度に関するガイダンスを更新した[292]。制度へ準拠するための、考慮すべき主要条項が紹介されている。

(b)EU サイバーレジリエンス法案
2022 年 9 月 15 日に草案が発表された「EU サイバーレジリエンス法案（EU Cyber Resilience Act）」に関して、2023 年 12 月 1 日、欧州委員会は、欧州議会と欧州理事会が政治的合意に達したと発表した[293]。同月 20 日、同法案（欧州議会案）が欧州理事会から欧州議会へ提出された[294]（「3.4.3(3)EU の取り組み」参照）。

(2)IoT 製品のセキュリティラベリング
一定のセキュリティ基準を満たす IoT 製品に対して、各国政府及びその傘下の認証機関が認証を与えるセキュリティラベリングの検討・導入が進んでいる。

(a)国内における適合性評価制度構築
経済産業省が主催する産業サイバーセキュリティ研究会ワーキンググループ 3（サイバーセキュリティビジネス化）傘下の「IoT 製品に対するセキュリティ適合性評価制度構築に向けた検討会[73]」において、現状の課題、適合性評価制度構築の目的、構築すべき適合性評価制度等について、議論を行ってきた。2023 年 5 月 15 日に中間取りまとめを公開した。同年 8 月 9 日から「IoT 製品のセキュリティ適合性評価制度における基準等の策定に向けたプレ検討委員会」を開催し、構築する適合性評価制度において求めるべきセキュリティ要件案、適合基準案、評価手順案を議論・策定し、これらに基づき実際の製品に対する適合性評価の検証を行った。2024 年 3 月 15 日に最終取りまとめを公開して、構築すべき IoT 製品に対するセキュリティ適合性評価制度の方向性について示した。

(b)米国政府の U.S. Cyber Trust Mark 発表
2023 年 7 月 18 日、米国政府は、消費者向けスマートデバイスのセキュリティラベリングとして、U.S. Cyber Trust Mark プログラムを発表した[295]。NIST が発行する特定のサイバーセキュリティ基準に基づき、連邦通信委員会（FCC：Federal Communications Commission）は 2024 年にプログラムを開始予定である（「2.2.2(2)(a)(ア) U.S. Cyber Trust Mark プログラムについて」参照）。

(c)シンガポールの CLS 更新
2023 年 9 月 26 日、シンガポール首相官邸傘下の CSA（Cyber Security Agency of Singapore）は、消費者向けスマートデバイスの Cybersecurity Labelling Scheme（CLS）を更新した[296]。各セキュリティ規定の要件を明確化するために、新規ドキュメント「Assessment Methodology」が追加されており、同月 22 日から有効とされている。

(3)日米の共同勧告
2023 年 9 月 27 日、日米のサイバーセキュリティ機関及び法執行機関である、NISC と警察庁、米国国家安全保障局（NSA：National Security Agency）、米国連邦捜査局（FBI：Federal Bureau of Investigation）、CISA は、共同で中国の国家支援型 APT グループ「BlackTech」の活動に関してサイバーセキュリティアドバイザリーを公開した[297]。BlackTech は、ルーターのファームウェアを改ざんし、ルーターのドメイン信頼関係を悪用して、海外子会社から標的である日本や米国の本社に侵入する能力を有しており、この活動を検知して BlackTech のバックドアから機器を保護するための緩和策の実施を推奨している。

(4)IoT 機器向け軽量暗号の選定

2023 年 2 月 7 日、NIST は、IoT 機器等で利用可能な軽量暗号として、ASCON ファミリーを標準化することを決定した[298]。同年 6 月 16 日、NIST は標準化プロセスの最終ラウンドに関する報告書を公開した[299]。

(5)IoT 関連のガイドラインや手引き等の改訂・新規発行

これまでに公開された IoT セキュリティに関するガイドラインや手引き等の改訂版、新たなガイドライン等が引き続き公開されている。2023 年以降に国内及び海外で公開されたガイドラインや手引き等を、表 3-5-5 と表 3-5-6（次ページ）に示す。

公開機関・団体	公開資料名	対象読者	主な内容	公開年月
経済産業省	IoT 機器を開発する中小企業向け製品セキュリティ対策ガイド[300]	IoT 機器を開発する中小企業の経営者、セキュリティ担当者・開発担当者・品質管理者	IoT 機器開発の各ライフサイクルフェーズにおけるセキュリティ対策、最初に検討すべき技術的対策	2023 年 6 月
総務省	ICT サイバーセキュリティ総合対策 2023[301]	IoT セキュリティ関係者	情報通信ネットワークの安全性・信頼性の確保、サイバー攻撃への自律的な対処能力の向上、国際連携の推進、普及啓発の推進を目的として推進すべき施策	2023 年 8 月
IPA	ETSI EN 303 645 V2.1.1（2020-06）サイバーセキュリティ技術委員会（CYBER）；民生用 IoT 機器のサイバーセキュリティ：ベースライン要件 [翻訳版][302]	コンシューマー向け IoT 機器の開発者・製造者	ETSI EN 303 645 の日本語訳	2023 年 3 月
	IoT 開発におけるセキュリティ設計の手引き（2024 年 3 月版）[303]	IoT 開発におけるセキュリティ設計担当者	具体的な設計手法（脅威分析、対策検討、脆弱性対策）	2024 年 3 月
一般社団法人セキュア IoT プラットフォーム協議会（SIOTP：Secure IoT Platform Consortium）	IoT セキュリティ手引書 Ver3.0[304]	カメラ付き小型 IoT 機器の製造・販売・運用・採用・廃棄に関わる各事業者	カメラ付き小型 IoT 機器に想定されるセキュリティ対策、製品ライフサイクルの各フェーズで注意すべきポイント	2023 年 9 月

■表 3-5-5　2023 年以降に国内で新規公開・改訂された IoT 関連のガイドラインや手引き等
（出典）各団体の公開情報を基に IPA が作成

公開機関・団体	公開資料名	対象読者	主な内容	公開年月
NIST （National Institute of Standards and Technology：米国国立標準技術研究所）	NIST SP 800-216: Recommendations for Federal Vulnerability Disclosure Guidelines [305]	連邦政府機関のセキュリティ担当者、情報システムを機関に提供する請負業者とその下請け業者	連邦政府内の情報システム（IoT 機器を含む）の脆弱性開示を管理するためのガイドライン	2023 年 5 月
	NIST SP 1800-36A (2nd Preliminary Draft): Trusted Internet of Things (IoT) Device Network-Layer Onboarding and Lifecycle Management - Enhancing Internet Protocol-Based IoT Device and Network Security - Volume A: Executive Summary [306]	IoT 機器の利用者	IP ベースの IoT 機器とネットワークのセキュリティ強化の方法（エグゼクティブサマリー）	2023 年 9 月
	同上 - Volume D: Functional Demonstrations [306]		同上（機能デモンストレーション）	
	同上 - Volume B: Approach, Architecture, and Security Characteristics [306]		同上（アプローチ、アーキテクチャ、セキュリティの特徴）	2023 年 10 月
	同上 - Volume C: How-To Guides [306]		同上（利用ガイド）	
	同上 - Volume E: Risk and Compliance Management [306]		同上（リスクとコンプライアンスの管理）	
	NIST Cybersecurity Framework 2.0 [307]	サイバーセキュリティ・プログラムの策定と指導の責任者	産業界、政府機関、その他の組織がサイバーセキュリティ・リスクを管理するためのガイダンス	2024 年 2 月

■表 3-5-6　2023 年以降に海外で新規公開・改訂された IoT 関連のガイドラインや手引き等
（出典）各団体の公開情報を基に IPA が作成

第3章　情報セキュリティ対策強化や取り組みの動向

3.6 クラウドのセキュリティ

2010年ごろを境に、もっぱらインターネットを経由してサービスを利用できる形態のソフトウェアや、ハードウェアに代わるプラットフォームが普及するようになり、今や主流となっている。これがクラウドサービス（SaaS：Software as a Service、PaaS：Platform as a Service、IaaS：Infrastructure as a Service 等）である。本節ではクラウドサービスの利用状況を俯瞰しつつ、各種のインシデントを取り上げ、クラウドサービスに関し特に注意を払うべきセキュリティ上の課題と対策を述べる。

3.6.1 クラウドサービスの利用状況

JUASの過去5年間の「企業IT動向調査報告書[308]」によれば、各種のクラウドサービスを「導入済み」と回答した企業の比率は図3-6-1のように推移している。

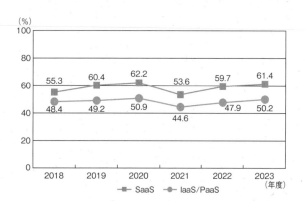

■図3-6-1 クラウドサービスの導入状況の推移（2018～2023年度）
（出典）JUAS「企業IT動向調査報告書」を基にIPAが作成

調査結果の変動はあるが、SaaSの導入企業は一貫して過半数を占め、クラウドサービスの利用はもはや特別な選択肢ではなく、定着しつつあると思われる。このことは、総務省の「令和4年 通信利用動向調査報告書（企業編）[309]」において、利用している・利用予定がある企業が7割を超え（図3-6-2）、実際に導入した企業では8割以上が効果を実感していることからもうかがえる（図3-6-3）。

実際にどのような用途でSaaSが利用されているかは、同じく「令和4年 通信利用動向調査報告書（企業編）」によって概観できる（次ページ図3-6-4）。

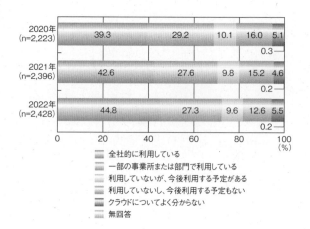

■図3-6-2 クラウドサービスの利用状況の推移（2020～2022年）
（出典）総務省「令和4年 通信利用動向調査報告書（企業編）」を基にIPAが編集

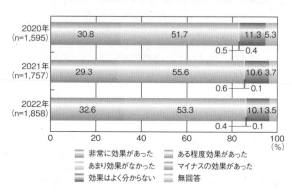

■図3-6-3 クラウドサービスの効果の推移（2020～2022年）
（出典）総務省「令和4年 通信利用動向調査報告書（企業編）」を基にIPAが編集

各種データの保管、共有、コミュニケーション支援を中心に活用されていることが読み取れる。これらは組織的活動をデジタルツールによって支援する際の土台であることから、SaaSが様々な組織のIT基盤として重要な役割を果たしていると言える。

SaaSの積極的な導入は一部大企業だけに見られる動きではなく、様々な規模の企業において積極的に実施・検討される選択肢でもある。JUASの「企業IT動向調査報告書2024[310]」では、売上高別のSaaS活用状況を図3-6-5（次ページ）のとおりにまとめている。

既に導入済みであるか検討中である企業（「従来から実施」「新たに実施」「検討中・今後実施予定」の合計）の割合は売上規模によらず6割を超えている。

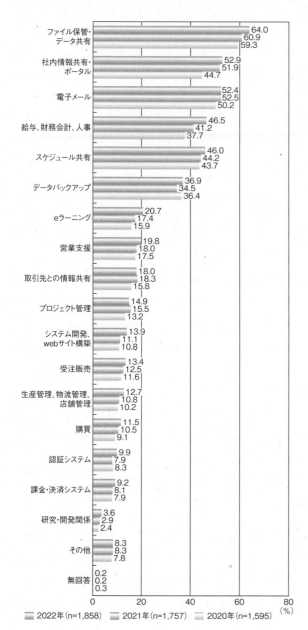

■図 3-6-4　具体的に利用しているクラウドサービスの推移（複数回答、2020～2022 年）
（出典）総務省「令和 4 年 通信利用動向調査報告書（企業編）」を基にIPA が編集

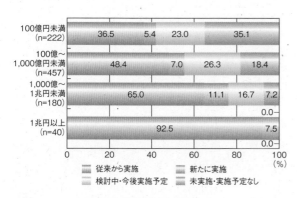

■図 3-6-5　売上高別 SaaS 活用状況（2023 年）
（出典）JUAS「企業 IT 動向調査報告書 2024」を基に IPA が編集

3.6.2 クラウドサービスのインシデント事例

　クラウドサービスの利用には何らかのネットワーク経由でのアクセスが欠かせない。このことはネットワークに関連するセキュリティ上の配慮が必要になるという性質を示唆し、実際にそのようなインシデントが発生している。以下では 2023 年度中に発生した事例を振り返りつつ、クラウドサービスの注目すべきセキュリティ上の特性を示す。

（1）設定ミスによるインシデント事例

　導入が容易であっても、クラウドサービスを安全に使えるかどうかは別問題である。2023 年度にも、設定ミスによる情報漏えいが発生している。

（a）SaaS 利用時の設定ミス

　2023 年 12 月 7 日、インターネット関連の多様な事業を手掛ける株式会社エイチームは、クラウドサービスの設定ミスにより一部の個人情報が公開状態となっていたことを公表した[311]。対象となったクラウドサービスは Google LLC（以下、Google 社）の提供する Google ドライブであり、ドライブ上のデータの公開範囲を「このリンクを知っているインターネット上の全員が閲覧できます」と設定していた。調査結果[312] によれば、同社サービスの利用者、取引先企業、新卒・中途採用の候補者、インターンシップに参加した一部の学生、退職者を含む従業員ら約 94 万人分の、氏名、住所、電話番号、メールアドレス等が 2017 年 3 月から 2023 年 11 月にかけて公開状態となっていた。

　上記事例の背後には、社内のセキュリティ担当の目の届かないところでも容易に導入できてしまう SaaS の手軽さがあると推察される。また、クラウドサービスの性質上、サービスの機能やデータには一般にインターネットを経由したアクセスが可能であるため、これが漏えいの可能性とも結び付く。加えて、SaaS ではサービスを実行するソフトウェア本体がサービス事業者の管理するインフラ上で動くため、公開されてしまったデータに第三者からどのようなアクセスがあったのかをサービス利用者が直接に調べることが困難である。結果として、設定ミスによる情報漏えいは、その可能性が強く推認されるにとどまり、被害範囲を具体的に特定できないことが多い。

（b）IaaS/PaaS 利用時の設定ミス

　2023 年 5 月 12 日、トヨタ自動車株式会社の委託を受け、トヨタコネクティッド株式会社が管理していたデータの

第3章 情報セキュリティ対策強化や取り組みの動向

一部（車載端末ID、車台番号、車両の位置情報、時刻）が、クラウド環境の設定ミスにより公開状態となっていたことが公表された[313]。また、その後の同社が管理するすべてのクラウド環境を含めた調査[314]によって、国内向けサービスにおける車載端末ID、更新用地図データ、更新用地図データ作成年月の一部、及び海外（日本を除くアジア、オセアニア）向けサービスにおける顧客の住所、氏名、電話番号、メールアドレス、顧客ID、車両登録ナンバー、車台番号の一部が、外部の第三者によりアクセス可能となっていたことが追加で判明した。該当期間は2013年11月ごろから問題公表の直前である2023年5月ごろまでに及び、実際にどの程度の不正アクセスがあったのかは定かでない。本件はその後、個人情報保護委員会による行政指導の対象となっており、漏えいの恐れのあった個人データの件数は約230万人分に上ることが明らかにされている[315]。

2023年10月21日、スマートフォン用の位置共有アプリ「NauNau」において230万人以上の位置情報と会話が外部から参照可能な状態にあったと報道された[316]。その2日後には同アプリの開発・運営企業Suishow株式会社の親会社である株式会社モバイルファクトリーが報道を認め[317]、同年12月7日には調査結果が公表された[318]。その内容によれば、2022年9月の終わりごろから2023年にかけて、同アプリ上で利用される最大380万人分の多種多様なデータが、クラウド環境の設定ミスによって外部から参照可能な状態にあった。その中には、サービス利用者の位置情報、生年月日、アプリ上での会話内容等が含まれていた。ただし、当該モバイルアプリを解析し背後のクラウドサービスを呼び出すデータを組み立てなければ不正アクセスを行うことはできず、第三者機関による調査では情報流出の事実を確認できなかったとしている。

NauNauの事例について注意すべきは、多くのモバイルアプリがクラウドサービスの一種だということである。モバイルアプリはインターネットからアクセス可能なサーバーが提供する機能やデータを基に動作することがほとんどであり、IaaS/PaaSがシステム基盤となっていることが多い。本件もそれに該当する。

（2）サイバー攻撃によるインシデント事例

クラウドサービスはインターネット越しに利用できるという性質上、インターネット経由でのサイバー攻撃を受ける対象ともなる。以下では2023年度に発生したクラウドサービス向けのサイバー攻撃事例をいくつか紹介する。

（a）パスワードリスト攻撃

情報漏えいは様々なサービスにおいて発生しており、FacebookやX（旧Twitter）といった、世界的なSNSも例外ではない。そして、漏えいした情報にサービス利用者のIDやパスワードといったアカウント情報が含まれる場合、当該のサービス利用者が同じIDとパスワードで利用している他のサービスにも漏えいしたアカウントでアクセスできることになる。この点を突いて、不正に入手したアカウント情報を、他のサービスへのログインに用いるのがパスワードリスト攻撃である。

2023年3月20日から27日にかけて、エン・ジャパン株式会社が運営する転職支援サービスに対し大量の不正ログインが発生した[319]。不正ログインの対象となったのは、同サービスに登録されたWeb履歴書のうち、25万5,765名分である。不正ログインが特定のアクセス元（IPアドレス群）から行われていたことから、同社は当該通信をブロックした。

2023年5月14日には、株式会社セシール（以下、セシール社）の運営するオンラインショップにおいてパスワードリスト攻撃と見られる不正アクセスが発生した[320]。発生した不正アクセスは10回であり、結果として3件の不正ログインが成功し、顧客情報2名分が漏えいしたと見られる。しかし、その時点で直ちにアクセス元からの通信をブロックし、被害は限定された。

なお、特定のアクセス元からの通信ブロックだけでパスワードリスト攻撃に対処することは難しい。セシール社の事例では同サービスが2018年にも同様の攻撃を経験していた[321]ことが迅速な対応と被害の限定につながった可能性があるが、その際のアクセス元は200ヵ所以上に分散しており、容易には遮断できなかったことも報告されている。

（b）ランサムウェア攻撃の事例

2023年6月5日、株式会社エムケイシステムがランサムウェア攻撃を受け、同社の提供する社会保険労務士向けの業務支援ITサービスが利用できなくなった[322]。被害範囲は同社の展開する主力サービスを含む広範囲に及んだ。この攻撃では、システム基盤の管理者アカウントがパスワードリスト攻撃によって乗っ取られ、サービスを提供しているサーバー群の管理者権限を奪われたと推測される。一部のサービスを再開できたのは6月30日となり、同社のサービスが大きな市場シェアを持っていることから、国内の多数の社労士事務所に多大な影響を及ぼす事例となった（詳細については「1.2.1（2）（b）クラウ

ドサービス事業者における被害事例」参照）。一般に、高度な攻撃のすべてを予防することは困難である一方で、パスワード管理やバックアップの徹底により、こうした被害の発生を防ぐ余地がある。

(c) 業務委託先経由のサイバー攻撃の事例

2023 年 11 月 27 日、LINE ヤフー株式会社は、同社サービス利用者の個人データ、取引先等に関する個人データ、従業者等に関する個人データが不正アクセスにより漏えいしたことを公表した[323]。2024 年 2 月 14 日の調査完了時点では、同社サービス利用者の個人データ約 30 万 3,000 件、取引先等に関する個人データ約 8 万 6,000 件、従業者等に関する個人データ約 13 万件が漏えいした可能性があると公表した[324]。これらの個人データに対する不正アクセスは、同社の関係会社である韓国 NAVER Cloud Corp. のウイルス感染が起点となっている。ウイルス対策の不備もさることながら、関係先とは言え委託先企業からのアクセスを許容するセキュリティ設定となっていたことが致命傷となった。更に本件の調査過程では更に別件の同社システムへの不正アクセスが発覚し、従業者等の約 5 万 8,000 件の個人データが、委託先企業のアカウントの不正利用により漏えいしたことが判明した[325]。同社の前身となる LINE 株式会社は、かねてより国境を越えての個人データ管理に問題のあることを個人情報保護委員会から指摘されており、その対応[326]を進めている最中での立て続けの問題発生となった。

クラウドサービスを提供するサービス事業者のシステムは膨大な量の個人データ等を含み、サイバー犯罪者にとっては高い経済価値を伴う格好の的である。他方で、サイバー攻撃への有効性の高い対策は、ネットワークの分離やウイルス対策ソリューションの導入、多要素認証の導入等複数存在する。しかし、あらゆる技術的対策を適用することは現実的ではなく、優先順位を踏まえて適切な組み合わせを検討し、かつ、組織全体で取り組むことが必要である。

(3) 広域インフラ障害のインシデント事例

クラウドサービスはいくつもの機材がつながった広域ネットワークを基盤とする。この巨大なシステムの維持・管理は困難であり、過年度中にも大きな障害が複数発生した。

(a) グローバル IaaS/PaaS の大規模障害

2023 年 1 月 25 日の午後 4 時から最大約 5 時間半に

わたり、Microsoft 社の提供する各種のクラウドサービスがほぼ全世界で利用できなくなる大規模障害が発生した。Microsoft 社では自社の提供するクラウドサービスの障害情報を開示するサイトを設けており、そこでの説明によると、クラウドサービス基盤となっているネットワークに対して行われた設定変更が失敗し、全世界に影響を及ぼしたという[327]。複数のネットワーク機器が混在する環境下での設定変更に対し、ネットワーク機器によって異なる挙動を示すことを事前に把握できていなかったことと、そのような状況も想定した入念なチェックプロセスが適切に運用されなかったことが原因であるとしている。

2023 年 6 月 14 日午前 4 時過ぎから午前 7 時過ぎにかけて、Amazon Web Services, Inc. のクラウドサービスである AWS（Amazon Web Services）クラウドが提供する複数のサービスが動作障害を起こした[328]。AWS クラウドは世界最大手のグローバルクラウドサービスであり、ニューヨーク州都市交通局では列車やバスの運行情報を Web サイトやアプリ上で表示できなくなり、サウスウエスト航空でも Web サイトへのアクセスに問題を生じたほか[329]、海を隔てた日本でも、一部のスマート家電が動かなくなるといった影響があった[330]。この障害の原因は、アクセス負荷の増大に伴いインフラ構成の自動調整機能が作動した際に、それまでは実際に作動したことのなかった未検証のプログラムが動作し、不具合が顕在化したものであった[331]。

上記の AWS クラウドの障害について注目すべきは、AWS の米国バージニアのリージョン（クラウドの分割区域）の障害により、日本のスマート家電にも影響が発生したことである。米国内の障害で日本にも影響が出た理由としては、AWS のリージョンは東京、大阪にも存在する一方で、リージョンごとに利用価格や機能が異なり、必ずしも地理的に近いリージョンだけを利用するとは限らないというクラウド利用の特性が関わっていると考えられる。

2023 年 4 月 26 日、フランス・パリにある Google 社のデータセンターで冷却システムの水道管から水漏れが発生し、これが原因となった火災が発生した。この浸水と火災により、欧州向けの Google サービスが一部利用できなくなる広域大規模障害に発展した[332]。本件障害は一時的に全世界に波及したが、問題を起こしたリージョンを切り離す等することで数時間以内に影響範囲は限定された。欧州におけるクラウドサービスの復旧にはおよそ 27 時間を要した。

第3章 情報セキュリティ対策強化や取り組みの動向

(b)通信障害

インターネット等の通信障害もまた、クラウドサービスの利用に影響を与える。2023年4月3日の朝には、西日本電信電話株式会社（以下、NTT西日本）の提供する通信サービス「フレッツ光」等が1時間39分にわたって利用できない、または利用しづらくなるという大規模障害が西日本の広い範囲で発生した[333]。この障害は、東日本電信電話株式会社の通信サービスでもほぼ同時に発生しており、最大35.9万回線の光アクセスサービス等が利用できない、または利用しづらくなるという同様の問題が発生した[334]。報道によれば、これらの障害の原因は、ネットワーク機器が想定外の挙動を示したことであった。ただし、当該機器は2018年から利用していた機器の後継機であり、まったく利用ノウハウのない機種を不用意に導入したものではないという[335]。後に、この挙動は通信機器メーカーでも把握していなかった不具合であることが特定されている。

2023年2月上旬には、台湾本島と馬祖列島をつなぐ海底ケーブル2本が切断されるインシデントが発生した。これが攻撃によるものか、事故かは不明だが、馬祖列島におけるクラウドサービス等の利用に問題を生じた。台湾当局では安全保障上の懸念も踏まえた上で、海底ケーブル以外に利用できる衛星通信路の確保等にも取り組んでいる[336]。国境を越えたインターネット回線網の構築において海底ケーブルは主役の立場にあり、通信インフラが持つ安全保障上の重要性も指摘されている[337]。

2024年1月1日に能登半島を襲った地震は多大な被害を地域にもたらした。NTT西日本の2024年1月のニュースリリース一覧[338]には、地震発生直後から設備が非常用電源に切り替わった様子や、電源が枯渇して後に長い復旧作業に着実に取り組んできた様子が生々しく残る。更にこの一覧を2023年にさかのぼれば、沖縄を台風が襲った際の通信への影響も垣間見える。これらの事例は、自然災害の影響がクラウドサービスの利用において無視できない要素であることを示している。

3.6.3 クラウドサービスのセキュリティの課題と対策

クラウドサービス利用にあたっては、サービス利用者とサービス事業者の間でそれぞれにどこまでを責任範囲とするかを整理する必要があり、これを「責任共有モデル[339]」と呼ぶ。責任共有モデルについては「情報セキュリティ白書2022[340]」の「3.3.3(2)(a)責任共有モデルの実践」を参照されたい。その上で、利用形態に応じて個別の対策を導入することになる。例えば、ネットワークに対するファイアウォールの導入、関連機器・ソフトウェアの脆弱性へのパッチ適用、アクセス権限の適正な設定・管理等がこれに該当する。また、それらに関する近年の新しいアプローチ、例えばゼロトラストセキュリティ、SSVC[341]、EPSS[342]、KEV[343]等も参照・活用の検討対象となる。クラウドサービスを念頭においたセキュリティの考え方については、NISCが2021年11月末に「クラウドを利用したシステム運用に関するガイダンス[344]」を公表しており、その他の参考資料も含め全体を俯瞰する起点として利用できる。以下では、クラウドのサービス利用者とサービス事業者という切り口から、クラウドセキュリティに関連する、上記以外の論点に目を向ける。

(1)サービス利用者側での対策

「3.6.2 クラウドサービスのインシデント事例」では、設定ミス、サイバー攻撃と、広域インフラ障害を取り上げた。近年発展してきているクラウドサービス利用者向けの技術的対策に目を向けると、設定ミスについてはクラウド環境設定の検証・是正を支援するCSPM（Cloud Security Posture Management）が、不正アクセスについてはサービスアクセス全般を監視・制御するCASB（Cloud Access Security Broker）等がある。これらに加え、重要性が高く、導入の技術的な敷居が比較的低い対策には、以下の二つがある。

(a)パスキー認証の利用

大多数のクラウドサービスは、IDとパスワードの組によってサービス利用者を識別する。パスワードは長くて複雑なものをサービスごとに使い分ける方が安全であるが、実際には覚えやすいものを使いまわすことも多いと考えられ、これがパスワードリスト攻撃の被害を助長する一因にもなっていると見られる。

パスワード認証の欠点を克服する技術として急速に導入が進むのがパスキー認証[345]である。技術的な詳細は後述するが、スマートフォンで読み取れる指紋や顔等の情報も活用し、IDとパスワードに代えて、容易には盗用できない情報でサービス利用者の識別・アクセス許可を行う。IDとパスワードの盗用はパスワードリスト攻撃だけでなくフィッシングでも発生し、時にはその他のサイバー攻撃にも転用されるが、パスキー認証であればサーバーから盗み出した情報だけでは認証ができないため、これらの攻撃に対して極めて有効性の高い対策になると期待されている。

サービス利用者の観点からは、パスキー認証に対応しているクラウドサービスを選定し、認証手段としてパスキー認証を選ぶだけでよい。通常はスマートフォンがあれば簡単な手順で利用を開始できるため、導入の敷居は低く、それでいてセキュリティの着実な向上が望める。既に世界中のクラウドサービスが着々と対応を進めており[346]、クラウドサービスにおける認証手段の主流になると見込まれる。

(b)インフラ障害への備え

クラウドサービスの利用に当たっては、アクセス手段であるネットワーク環境の多重化も検討すべきである。例えばインターネット接続回線については複数の回線事業者との契約が想定し得る。

クラウドサービスを利用する場合でもデータの管理責任は利用者にある。サービス利用者側で定期的なバックアップを取ることは、ランサムウェアによる被害発生時の復旧にも役立ち、強く推奨される。なお、バックアップデータを同一のクラウドサービス上に保存すると耐障害性の点で問題があるため、別のクラウドサービスを利用したり、手元のハードディスクドライブを利用したりするといった別の場所へのバックアップ保管が望ましい。

どれだけ手を尽くしたとしても、クラウドサービスが利用できなくなり、通常業務の遂行に著しく支障をきたす恐れはある。事実、社労士向け事務支援ITサービスがランサムウェア被害を受けた事例では、サービス復旧までに1ヵ月近い時間がかかっている。中途段階にある様々な業務・処理を緊急時に迅速かつ安全に停止する方策や、バックアップ等から速やかに最低限の業務進行状態を回復する手順の整理を行っておくと、被害を限定できる。事業継続計画（BCP：Business Continuity Plan）の策定がこれにあたる。

上記の対策を網羅的に導入することは容易ではなく、特に中小規模の企業では、コストや人材の面で課題となることも考えられる。リスクアセスメントの実施によって、優先的に対処すべき課題を明らかにし、取り組みの効果を見積もることができる。具体的な手引きとしては、IPAの「中小企業の情報セキュリティ対策ガイドライン」がある。また、情報セキュリティに限らない一般のリスクアセスメント手法については、JIS Q 31010「リスクマネジメント―リスクアセスメント技法」が代表的なもののカタログとなっている。JIS Q 31010については、日本産業標準調査会（JISC：Japanese Industrial Standards Committee）のWebサイト[347]で利用者登録をすると、無償で参照

できる。

(2)サービス事業者側での対策

クラウドサービス利用者が導入すべき対策はサービス事業者にもそのまま当てはまる。以下では、サービス利用者とは異なるサービス事業者ならではの課題と対策に目を向ける。

(a)パスキー認証の導入

技術的には、パスキー認証は公開鍵暗号とチャレンジ・レスポンス認証の組み合わせを中核とする。スマートフォン等の端末内でアクセス先サービスごとに生成・保存した公開鍵を使い、サービス側サーバーとの間でチャレンジ・レスポンス認証を行う。端末のセンサーを用いた指紋認証や顔認証は秘密鍵へのアクセス許可の過程で行われ、サービスへのアクセス認証そのものには直接は関係しない。

サービス側でパスキー認証に対応するには、上記のチャレンジ・レスポンス認証のプロトコル処理をサーバー側に実装するのに加え、端末側で動作するクライアントアプリケーションにも対応実装を導入する必要がある。スマートフォンアプリであればAndroid OSやiOSといった代表的なプラットフォームが提供するAPIを用いればよく、Webブラウザーからのアクセスについては、WebAuthn[348]が該当仕様として策定されている。より簡便な方法としては、パスキー認証に対応している他のサービスとのID連携（OpenID Connect）で対応することもできる。準拠すべき規格はFIDO Allianceによって管理されている[349]。

2023年12月8日、パスキーに関する規格策定と導入推進を担うFIDO AllianceとFIDOジャパンワーキンググループは報道陣向けの説明会を実施し、パスキー認証の概要と現状を示した。報道によれば、名だたるサービスが既にパスキー認証に対応しているという[350]。パスキーを利用可能なアカウント数は既に70億以上となっている上に、実際に導入した企業でサービス向上という成果が見られるという。例えば、ニュージーランド航空ではWebサイトへの初訪問から24時間以内のユーザー登録率が30%に向上し、ユーザー登録完了までにかかる時間が約5分の1になり、離脱率も半減した。更に、Google社ではGoogleアカウントへのログイン成功率が14%から64%に大幅向上し、国内の大手サービスであるメルカリでも認証時間を20.5秒削減でき、82.5%の高い認証成功率につながった。これらは、セキュリティ対策としてだけでなく、サービス向上策としても、パスキー

認証の導入効果が大きいことを示唆している。

(b)クラウドセキュリティ標準への準拠

　クラウドサービス事業の多くは、AWS や Google Cloud Platform（GCP）、Microsoft Azure といったグローバルクラウドの IaaS/PaaS を土台として、その上に自社製の SaaS を構築・運用していると推測される。これらのサービス事業者はクラウドサービスの担い手であると同時にサービス利用者でもある。このため、サービス利用者としては設定ミス等のないよう IaaS/PaaS を適切に運用する必要があるとともに、自社のサービスに SaaS としての十分な品質を確保することが求められる。その際の道標として役立つのが、各種のクラウドセキュリティ標準である。これらの標準は認証制度と一体に規定されており、認証の取得過程を通じてクラウドセキュリティの課題と対策を把握・実践できるとともに、自社のサービスが一定の品質を確立していることを外部に示す手段となる。代表的なものを以下に例示する。

　ISMS クラウドセキュリティ認証[351] は ISMS（ISO/IEC 27000 ファミリー）認証を基礎とするアドオン認証制度であり、よく知られた国際標準である ISMS 認証を取得済みの組織が追加で審査を受けられる。ISMS 規格との差分は ISO/IEC 27017（JIS Q 27017）[352] にまとめられている。同認証制度ではクラウドサービスのサービス利用者（クラウドサービスカスタマー）またはサービス事業者（クラウドサービスプロバイダー）のどちらであるかを表明して審査を受ける。他社の提供する IaaS/PaaS の上に自社の SaaS を構築・運用する場合には、カスタマーかつプロバイダーであるものとして扱う。

　SOC（Service Organization Control）2 は米国公認会計士協会（AICPA：American Institute of Certified Public Accountants）の策定したクラウドセキュリティ標準であり、監査報告書の一種としてクラウドサービスの構築・運用状況を開示する文書である。なお、SOC 1 は財務統制の報告書で、SOC 3 は SOC 2 の内容を一般の人々に向けて分かりやすく翻案したものを指す。SOC 2 における評価事項は「Trust Services Criteria for Security, Availability, Processing Integrity, Confidentiality, and Privacy」（通称、トラストサービス規準）という名称で整理されており、これを日本語に訳したものが日本公認会計士協会によって公開されている[353]。SOC 2 のレポートについては Google 社等世界中の大手クラウドサービスプロバイダーによるものが公表されており容易に参照できる。このため、トラストサービス規準が実際の取り組みや SOC 2 報告書にどのように反映されるのかということを具体的に確認できる。なお、SOC 2 はある時点での監査報告をまとめた Type 1 と、一定期間にわたっての持続的な管理策の運用を示す Type 2 の2種類に分かれている。

　CSA STAR（Security, Trust & Assurance Registry）認証は非営利の民間団体である米国 CSA（Cloud Security Alliance）の策定した認証制度であり、レベル1から3に認証の水準が分かれている[354]。レベル1は自己評価に基づき、レベル2はある時点での第三者評価、レベル3は認証取得後の継続的モニタリングの実施に対応する。いずれの場合も CSA の Web サイト上で情報が公開され、クラウドサービスのサービス利用者による参照が容易となっている。審査基準にあたる情報は CCM（Cloud Control Matrix）としてまとめられており、更に、表形式となっている CCM の内容をチェックリスト形式に簡素化した CAIQ（Consensus Assessment Initiative Questionnaire）がある。レベル1では CAIQ に基づいて自己評価を行う。これらの資料は原文との対応関係が確認できる形で日本語版が用意されている[355]。

　前述の三つの認証制度以外にも類似するものは多数あり、一般財団法人日本情報経済社会推進協会（JIPDEC）がそれらを広く紹介するレポートをまとめている[356]。

※ 1 https://www.nri-secure.co.jp/download/insight2023-report〔2024/4/23 確認〕
※ 2 IPA:「2023 年度 SECURITY ACTION 宣言事業者における情報セキュリティ対策の実態調査」報告書について https://www.ipa.go.jp/security/reports/sme/sa-survey2023.html〔2024/4/23 確認〕
※ 3 経済産業省:サイバーセキュリティ経営ガイドラインと支援ツール https://www.meti.go.jp/policy/netsecurity/mng_guide.html〔2024/4/23 確認〕
※ 4 https://www.meti.go.jp/policy/netsecurity/tebikihontai2.pdf〔2024/4/23 確認〕
※ 5 NRI セキュア社:NRI Secure Insight 2022 https://www.nri-secure.co.jp/download/insight2022-report〔2024/4/23 確認〕
※ 6 IPA:2023 年度「内部不正防止対策・体制整備等に関する中小企業等の状況調査」報告書 https://www.ipa.go.jp/security/reports/economics/ts-kanri/20240530.html〔2024/6/3 確認〕
※ 7 https://www.ipa.go.jp/security/guide/insider.html〔2024/4/19 確認〕
※ 8 IPA:「企業の内部不正防止体制に関する実態調査」報告書 https://www.ipa.go.jp/security/reports/economics/ts-kanri/20230406.html〔2024/4/19 確認〕
※ 9 一般社団法人情報マネジメントシステム認定センター:ISMS 適合性評価制度 https://isms.jp/isms.html〔2024/4/19 確認〕
※ 10 経済産業省:「技術情報管理認証制度（トップページ）」 https://www.meti.go.jp/policy/mono_info_service/mono/technology_management/index.html〔2024/4/19 確認〕
※ 11 IPA:今、そこにある脅威〜内部不正による情報流出のリスク〜 https://www.youtube.com/watch?v=YVBHBlf23gA〔2024/4/19 確認〕
※ 12 https://www.ipa.go.jp/security/10threats/index.html〔2024/4/19 確認〕
※ 13 https://www.ipa.go.jp/security/sc3/〔2024/4/19 確認〕
※ 14 IPA:サイバーセキュリティ対策に関する個別インタビュー集 https://www.ipa.go.jp/security/sc3/activities/chushoWG/content/〔2024/4/19 確認〕
※ 15 IPA:SC3 中小企業対策強化ワーキンググループ主催ウェビナー（オンラインセミナー）「やるなら今!業界・地域におけるサイバーセキュリティの取組み」 https://www.ipa.go.jp/security/sc3/activities/chushoWG/11_seminar.html〔2024/4/19 確認〕
※ 16 https://www.ipa.go.jp/security/sme/otasuketai-about.html〔2024/4/19 確認〕
※ 17 IPA:サイバーセキュリティお助け隊サービス基準（2.0版） https://www.ipa.go.jp/security/sme/otasuketai/nq6ept000000faii-att/000092713.pdf〔2024/4/19 確認〕
※ 18 https://www.ipa.go.jp/security/security-action/index.html〔2024/4/19 確認〕
※ 19 https://www.ipa.go.jp/security/guide/sme/ug65p90000019cbk-att/000055520.pdf〔2024/4/19 確認〕
※ 20 IPA:2023 年度宣言事業者における情報セキュリティ対策の実態調査 - 調査報告書 - https://www.ipa.go.jp/security/reports/sme/m42obm000000488h-att/sa-survey2023.pdf〔2024/4/19 確認〕
※ 21 https://www.ipa.go.jp/security/seminar/sme/ttx-e.html〔2024/4/19 確認〕
※ 22 https://www.ipa.go.jp/security/guide/sme/ug65p90000019cbk-att/security-incident.pdf〔2024/4/19 確認〕
※ 23 https://www.ipa.go.jp/security/seminar/sme/riskassesmentws.html〔2024/4/19 確認〕
※ 24 IPA:中小企業の情報セキュリティ対策ガイドライン https://www.ipa.go.jp/security/guide/sme/about.html〔2024/4/19 確認〕
※ 25 IPA:制御システムのセキュリティリスク分析ガイド 第 2 版 https://www.ipa.go.jp/security/controlsystem/riskanalysis.html〔2024/4/19 確認〕
※ 26 https://www.ipa.go.jp/security/economics/checktool.html〔2024/4/19 確認〕
※ 27 https://www.ipa.go.jp/security/economics/csm-practice.html〔2024/4/19 確認〕
※ 28 https://isog-j.org/output/2023/Textbook_soc-csirt_v3.1.pdf〔2024/4/19 確認〕
※ 29 https://www.jnsa.org〔2024/4/19 確認〕
※ 30 https://www.jnsa.org/result/incidentdamage/202402.html〔2024/4/19 確認〕
※ 31 https://sg.jnsa.org〔2024/4/19 確認〕
※ 32 https://www.ipa.go.jp/security/guide/sme/5minutes.html〔2024/4/19 確認〕
※ 33 日本経済新聞:生成 AI のリスクとは 誤情報拡散や情報漏洩が課題 https://www.nikkei.com/article/DGXZQOCB041NJ0U3A500C2000000/〔2024/4/19 確認〕
※ 34 NHK:番組に似せた岸田首相の偽動画拡散 日本テレビが注意呼びかけ https://www3.nhk.or.jp/news/html/20231104/k10014247171000.html〔2024/4/19 確認〕
※ 35 https://www.ppc.go.jp/files/pdf/230602_kouhou_houdou.pdf〔2024/4/19 確認〕
※ 36 文部科学省:初等中等教育段階における生成 AI の利用に関する暫定的なガイドライン https://www.mext.go.jp/content/20230710-mxt_shuukyo02-000030823_003.pdf〔2024/4/19 確認〕
※ 37 読売新聞オンライン:能登地震、偽情報が SNS で拡散…架空の地名で「助けて下さい」・原因は「人工地震」 https://www.yomiuri.co.jp/politics/20240103-OYT1T50054/〔2024/4/19 確認〕
朝日新聞デジタル:SNS の偽・誤情報、有識者会議で対策議論 被災地では偽の救助要請 https://www.asahi.com/articles/ASS1T6K1ZS1TULFA01K.html〔2024/4/19 確認〕
※ 38 NHK 解説委員室:偽情報がもたらす脅威〜情報戦への備えを https://www.nhk.jp/p/ts/4V23PRP3YR/episode/te/21V4RR3N4L/〔2024/4/19 確認〕
※ 39 日本ファクトチェックセンター:AI、処理水、陰謀論…、JFC が検証した 2023 年 10 大フェイクニュース 史上最大の選挙の年に備えを https://www.factcheckcenter.jp/explainer/others/10-biggest-fakenews-2023/〔2024/4/19 確認〕
※ 40 総務省:【啓発教育教材】インターネットとの向き合い方〜ニセ・誤情報に騙されないために〜 https://www.soumu.go.jp/use_the_internet_wisely/special/nisegojouhou/〔2024/4/19 確認〕
※ 41 朝日新聞デジタル:広域強盗、関連する事件は 50 件以上と判明 すでに 60 数人逮捕 https://www.asahi.com/articles/ASR283G90R28UTIL004.html〔2024/4/19 確認〕
※ 42 警察庁:令和5年における特殊詐欺の認知・検挙状況等について（暫定値版） https://www.npa.go.jp/bureau/criminal/souni/tokusyuugasi/hurikomesagi_toukei2023.pdf〔2024/4/19 確認〕
※ 43 https://www.youtube.com/@MPD_koho〔2024/4/19 確認〕
※ 44 https://www.youtube.com/watch?v=0_GGmZDXUqY〔2024/4/19 確認〕
※ 45 https://www.youtube.com/@user-ee2hu8vk3x〔2024/4/19 確認〕
※ 46 https://www.youtube.com/watch?v=rsqF8RnoscA〔2024/4/19 確認〕
※ 47 福岡県警察:動画「闇バイトは暴力団の使い捨て」の制作について https://www.police.pref.fukuoka.jp/boutai/sotai/konnnahazujyanakatta/yamibaitodouga.html〔2024/4/19 確認〕
※ 48 奈良県警察:絶対にダメ!!闇バイト https://www.police.pref.nara.jp/0000005779.html〔2024/4/19 確認〕
※ 49 NHK:くら寿司"しょうゆさしに口"迷惑動画などの被告に有罪判決 https://www3.nhk.or.jp/news/html/20231013/k10014224531000.html〔2024/4/19 確認〕
※ 50 日経 BP:教育と ICT online 第 112 回 なぜ若者は迷惑動画を投稿してしまうのか https://project.nikkeibp.co.jp/pc/atcl/19/08/28/00031/032200125/〔2024/4/19 確認〕
※ 51 文部科学省:教材⑩ 軽はずみな SNS への投稿（全編） https://www.youtube.com/watch?v=WCx-RMKRT60&list=PLGpGsGZ3lmbAOd2f-4u_Mx-BCn13GywDI&index=32〔2024/4/19 確認〕
※ 52 https://www.youtube.com/@mextchannel〔2024/4/19 確認〕
※ 53 https://www.youtube.com/watch?v=tVZSuGkmnGQ〔2024/4/19 確認〕
※ 54 https://www.youtube.com/@ipajp〔2024/4/19 確認〕
※ 55 https://security-portal.nisc.go.jp/cybersecuritymonth/2024/seminar/index.html〔2024/4/19 確認〕
※ 56 https://www.gov-online.go.jp/tokusyu/phishing/〔2024/4/19 確認〕
※ 57 https://www.gov-online.go.jp/prg/prg27221.html〔2024/4/19 確認〕
※ 58 https://www.soumu.go.jp/use_the_internet_wisely/〔2024/4/19 確認〕
※ 59 https://www.soumu.go.jp/use_the_internet_wisely/parent-teacher/digital_citizenship/〔2024/4/19 確認〕
※ 60 総務省:インターネットトラブル事例集ダウンロードページ https://www.soumu.go.jp/main_sosiki/joho_tsusin/kyouiku_joho-ka/jireishu.html〔2024/4/19 確認〕
※ 61 https://www.soumu.go.jp/use_the_internet_wisely/trouble/case/case18.html〔2024/4/19 確認〕
※ 62 警視庁:あなたのスマホが狙われている!?「スマホ防犯教室」 https://www.keishicho.metro.tokyo.lg.jp/kurashi/cyber/joho/sumaho_bouhan.html〔2024/4/19 確認〕
※ 63 https://www.youtube.com/watch?v=yL9rZl2qmFc〔2024/

4/19 確認〕

※ 64 https://www.nisc.go.jp/pdf/policy/general/kijyunr5.pdf
〔2024/4/19 確認〕

※ 65 https://www.meti.go.jp/policy/netsecurity/cclistmetisec2018.pdf〔2024/4/19 確認〕

※ 66 Common Criteria：https://www.commoncriteriaportal.org
〔2024/4/19 確認〕

※ 67 IPA：評価・認証プロテクションプロファイルリスト　https://www.ipa.go.jp/security/jisec/pps/certified-pps/〔2024/4/19 確認〕

※ 68 IPA：セキュリティ評価基準（CC/CEM）https://www.ipa.go.jp/security/jisec/about/kijun.html〔2024/4/19 確認〕

※ 69 JISEC の「規程集」ページ（https://www.ipa.go.jp/security/jisec/shinsei/kitei.html〔2024/4/19 確認〕）の「IT セキュリティ評価及び認証制度に係る規程の改正（2023 年 11 月施行）」参照。

※ 70 JISEC の「規程集」ページ（https://www.ipa.go.jp/security/jisec/shinsei/kitei.html〔2024/4/19 確認〕）の「IT セキュリティ評価及び認証制度に係る規程の改正（2023 年 12 月施行）」参照。

※ 71 https://www.ipa.go.jp/security/jisec/shinsei/doe3um00000098cg-att/Cvv1.0_20210930-j.pdf〔2024/4/19 確認〕

※ 72 https://www.ipa.go.jp/security/jisec/shinsei/cdk3vs00000023xp-att/Acv3.0_20230309-J.pdf〔2024/4/19 確認〕

※ 73 経済産業省：ワーキンググループ 3（IoT 製品に対するセキュリティ適合性評価制度構築に向けた検討会）https://www.meti.go.jp/shingikai/mono_info_service/sangyo_cyber/wg_cybersecurity/iot_security/index.html〔2024/4/19 確認〕

※ 74 経済産業省：IoT 製品に対するセキュリティ適合性評価制度構築に向けた検討会の最終とりまとめを公表し、制度構築方針案に対する意見公募を開始しました　https://www.meti.go.jp/press/2023/03/20240315005/20240315005.html〔2024/4/19 確認〕

※ 75 NIST：Cryptographic Module Validation Program　https://csrc.nist.gov/projects/cryptographic-module-validation-program〔2024/4/19 確認〕

※ 76 IPA：暗号モジュール試験及び認証制度（JCMVP）https://www.ipa.go.jp/security/jcmvp/index.html〔2024/4/19 確認〕

※ 77 https://www.nisc.go.jp/pdf/policy/general/guider5.pdf
〔2024/4/19 確認〕

※ 78 https://www.digital.go.jp/assets/contents/node/basic_page/field_ref_resources/e2a06143-ed29-4f1d-9c31-0f06fca67afc/f1be078e/20220422_resources_standard_guidelines_guideline_07.pdf〔2024/4/19 確認〕

※ 79 IPA、JISEC：「ハードコピーデバイスのプロテクションプロファイル」適合の申請案件についてのガイドライン　第 1.9 版　https://www.ipa.go.jp/security/jisec/shinsei/cdk3vs000000260p-att/guidelineforHCD-PP_1.9.pdf〔2024/4/19 確認〕

※ 80 https://www.ipa.go.jp/en/security/jisec/pps/certified-cert/c0553_it7627.html〔2024/4/19 確認〕

※ 81 内閣官房、総務省、経済産業省：「政府情報システムのためのセキュリティ評価制度（ISMAP）」の運用開始　https://www.soumu.go.jp/menu_news/s-news/01cyber01_02000001_00071.html〔2024/4/19 確認〕

※ 82 https://cio.go.jp/sites/default/files/uploads/documents/cloud_policy_20210330.pdf〔2024/4/19 確認〕

※ 83 総務省、経済産業省：クラウドサービスの安全性評価に関する検討会について　https://www.meti.go.jp/shingikai/mono_info_service/cloud_services/pdf/001_02_00.pdf〔2024/4/19 確認〕

※ 84 https://www.soumu.go.jp/main_content/000666496.pdf
〔2024/4/19 確認〕

※ 85 https://www.nisc.go.jp/pdf/policy/general/wakugumi2021.pdf〔2024/4/19 確認〕

※ 86 NISC：「政府機関等のサイバーセキュリティ対策のための統一基準群」　https://www.nisc.go.jp/policy/group/general/kijun.html
〔2024/4/19 確認〕

※ 87 機密性 2 情報：行政事務で取り扱う情報のうち、秘密文書に相当する機密性は要しないが、漏えいにより、国民の権利が侵害されまたは行政事務の遂行に支障を及ぼす恐れがある情報を指す。

※ 88 https://www.digital.go.jp/policies/security/ismap-liu/#special_measures〔2024/4/19 確認〕

※ 89 NISC、デジタル庁、総務省、経済産業省：ISMAP 制度改善の取組み　https://www.ismap.go.jp/sys_attachment.do?sys_id=be1ce75c4713b5103f0f6befe16d4355〔2024/4/19 確認〕

※ 90 https://www.ismap.go.jp/csm?id=kb_article_view&sysparm_article=KB0010005〔2024/4/19 確認〕

※ 91 https://www.ismap.go.jp〔2024/4/19 確認〕

※ 92 「ISMAP 管理基準マニュアル」は、JIS 規格である JIS Q 27014:2015（ISO/IEC 27014:2013）と JIS Q 27017:2016（ISO/IEC 27017:2015）の両方を購入している場合のみ閲覧することができる。
ISMAP：管理基準　https://www.ismap.go.jp/csm?id=kb_article_view&sysparm_article=KB0010028&sys_kb_id=6ce589cac305821032713201150131d5&spa=1〔2024/4/19 確認〕

※ 93 https://www.nisc.go.jp/pdf/policy/infra/shishin202307.pdf
〔2024/4/19 確認〕

※ 94 https://www.cryptrec.go.jp/list/cryptrec-ls-0001-2022.pdf
〔2024/4/19 確認〕

※ 95 https://www.cryptrec.go.jp/list/cryptrec-ls-0003-2022r1.pdf
〔2024/4/19 確認〕

※ 96 https://www.cryptrec.go.jp/report/cryptrec-gl-3002-1.0.pdf
〔2024/4/19 確認〕

※ 97 NIST：Lightweight Cryptography　https://csrc.nist.gov/Projects/lightweight-cryptography〔2024/4/19 確認〕

※ 98 CRYPTREC：CRYPTREC 暗号技術ガイドライン（軽量暗号）2023 年度版　https://www.cryptrec.go.jp/report/cryptrec-gl-2006-2023.pdf〔2024/4/19 確認〕

※ 99 CRYPTREC：CRYPTREC 暗号技術ガイドライン（耐量子計算機暗号）　https://www.cryptrec.go.jp/report/cryptrec-gl-2004-2022.pdf〔2024/4/19 確認〕

※ 100 CRYPTREC：CRYPTREC 耐量子計算機暗号の研究動向調査報告書　https://www.cryptrec.go.jp/report/cryptrec-tr-2001-2022.pdf〔2024/4/19 確認〕

※ 101 NICT、IPA：CRYPTREC Report 2023　https://www.cryptrec.go.jp/report/cryptrec-rp-2000-2023.pdf〔2024 年 7 月公開予定〕

※ 102 CRYPTREC：CRYPTREC TLS 暗号設定ガイドライン　https://www.cryptrec.go.jp/report/cryptrec-gl-3001-3.1.0.pdf〔2024/6/20 確認〕

※ 103 https://www.cryptrec.go.jp/report/cryptrec-gl-3004-1.0.pdf
〔2024/4/19 確認〕

※ 104 CRYPTREC：CRYPTREC シンポジウム 2023　https://www.cryptrec.go.jp/events/cryptrec_symposium2023_presentation.html
〔2024/4/19 確認〕

※ 105 AES（Advanced Encryption Standard）：米国で NIST により標準化された共通鍵暗号。

※ 106 Eurocrypt 2023：2023 年 4 月 23 日～ 4 月 27 日にフランスで行われた学会。
International Association for Cryptologic Research：Eurocrypt 2023　https://eurocrypt.iacr.org/2023/〔2024/4/19 確認〕

※ 107 Crypto 2023：2023 年 8 月 19 日～ 8 月 24 日にアメリカで行われた学会。
International Association for Cryptologic Research：Crypto 2023
https://crypto.iacr.org/2023/〔2024/4/19 確認〕

※ 108 FSE 2023：2023 年 3 月 20 日～ 3 月 24 日に中国で行われた学会。
International Association for Cryptologic Research：FSE 2023
https://fse.iacr.org/2023/〔2024/4/19 確認〕

※ 109 ChaCha：Daniel J. Bernstein によって開発されたストリーム暗号。ChaCha20 は ChaCha を基にした 20 ラウンドのストリーム暗号であり、これとメッセージ認証子である Poly1305 とを組み合わせた ChaCha20-Poly1305 は、CRYPTREC の電子政府推奨暗号リストに含まれている。

※ 110 NIST：Post-Quantum Cryptography Standardization
https://csrc.nist.gov/projects/post-quantum-cryptography/post-quantum-cryptography-standardization〔2024/4/19 確認〕

※ 111 NIST：Fourth PQC Standardization Conference　https://csrc.nist.gov/events/2022/fourth-pqc-standardization-conference
〔2024/4/19 確認〕

※ 112 NIST：PQC Standardization Process: Announcing Four Candidates to be Standardized, Plus Fourth Round Candidates
https://csrc.nist.gov/News/2022/pqc-candidates-to-be-standardized-and-round-4〔2024/4/19 確認〕

※ 113 NIST：Lightweight Cryptography Standardization Process: NIST Selects Ascon　https://csrc.nist.gov/News/2023/lightweight-cryptography-nist-selects-ascon〔2024/4/19 確認〕

※ 114 ECDSA（Elliptic Curve Digital Signature Algorithm）：楕円曲線暗号を用いたデジタル署名アルゴリズム。

※ 115 CHES 2023：2023 年 9 月 10 ～ 14 日にチェコで行われた学会。
International Association for Cryptologic Research：CHES 2023
https://ches.iacr.org/2023/〔2024/4/19 確認〕

※ 116 Luyao Xu, Zhengyi Dai, Baofeng Wu and Dongdai Lin：Improved Attacks on (EC)DSA with Nonce Leakage by Lattice Sieving with Predicate　https://tches.iacr.org/index.php/TCHES/article/view/10294〔2024/4/19 確認〕

※ 117 Yaacov Belenky, Ira Dushar, Valery Teper, Vadim

Bugaenko, Oleg Karavaev, Leonid Azriel and Yury Kreimer：Carry-based Differential Power Analysis (CDPA) and its Application to Attacking HMAC-SHA-2　https://tches.iacr.org/index.php/TCHES/article/view/10955〔2024/4/19 確認〕

※ 118 NISC が重要インフラの運営を担う事業者と、そこで行われるセキュリティ対策を支援する所管省庁が参照すべき指針として公表している「重要インフラの情報セキュリティ対策に係る行動計画」では、「重要インフラ」として 15 分野が定義されている。
NISC：重要インフラグループ　https://www.nisc.go.jp/policy/group/infra/index.html〔2024/4/23 確認〕

※ 119 Fortinet, Inc.：2023 State of Operational Technology and Cybersecurity Report　https://www.fortinet.com/demand/gated/report-state-ot-cybersecurity〔2024/4/23 確認〕

※ 120 TXOne Networks：The Crisis of Convergence: OT/ICS Cybersecurity 2023　https://www.txone.com/security-reports/ot-ics-cybersecurity-2023/〔2024/4/23 確認〕

※ 121 The Record：Pennsylvania water authority hit with cyberattack allegedly tied to pro-Iran group　https://therecord.media/water-authority-pennsylvania-cyberattack-pro-iran-group〔2024/4/23 確認〕

※ 122 Dark Reading：Pro-Iran Attackers Access Multiple Water Facility Controllers　https://www.darkreading.com/ics-ot-security/Pro-Iran-Attackers-Access-Multiple-Water-Facility-Controllers〔2024/4/23 確認〕

※ 123 CISA：ALERT - Exploitation of Unitronics PLCs used in Water and Wastewater Systems　https://www.cisa.gov/news-events/alerts/2023/11/28/exploitation-unitronics-plcs-used-water-and-wastewater-systems〔2024/4/23 確認〕

※ 124 CISA：Secure by Design Alert: How Manufacturers Can Protect Customers by Eliminating Default Passwords　https://www.cisa.gov/resources-tools/resources/secure-design-alert-how-manufacturers-can-protect-customers-eliminating-default-passwords〔2024/4/23 確認〕

※ 125 The Record：Two-day water outage in remote Irish region caused by pro-Iran hackers　https://therecord.media/water-outage-in-ireland-county-mayo〔2024/4/23 確認〕

※ 126 IT World Canada：Canadian tool manufacturer hit by cyber attack　https://www.itworldcanada.com/article/canadian-tool-manufacturer-hit-by-cyber-attack/523620〔2024/4/23 確認〕

※ 127 The Guardian：Royal Mail overseas post badly disrupted after cyber incident　https://www.theguardian.com/business/2023/jan/11/royal-mail-services-suffer-severe-disruption-after-cyber-incident〔2024/4/23 確認〕

※ 128 IDG Communications, Inc.：MKS Instruments falls victim to ransomware attack　https://www.csoonline.com/article/3687098/mks-instruments-falls-victim-to-ransomware-attack.html〔2024/4/23 確認〕

※ 129 Security Affairs：Ransomware attack on food giant Dole Food Company blocked North America production　https://securityaffairs.com/142726/cyber-crime/dole-food-company-ransomware-attack.html〔2024/4/23 確認〕

※ 130 CTECH：Cyberattacks strike Israel Post, irrigation systems　https://www.calcalistech.com/ctechnews/article/hj000lsgm3〔2024/4/23 確認〕

※ 131 Security Affairs：Lacroix Group shut down three facilities after a‘targeted cyberattack’　https://securityaffairs.com/146335/cyber-crime/lacroix-group-ransomware-attack.html〔2024/4/23 確認〕

※ 132 Bleeping Computer：Japanese pharma giant Eisai discloses ransomware attack　https://www.bleepingcomputer.com/news/security/japanese-pharma-giant-eisai-discloses-ransomware-attack/〔2024/4/23 確認〕
エーザイ株式会社：ランサムウェア被害の発生について　https://www.eisai.co.jp/news/2023/news202341.html〔2024/4/23 確認〕

※ 133 Security Affairs：POLAND'S AUTHORITIES INVESTIGATE A HACKING ATTACK ON COUNTRY'S RAILWAYS　https://securityaffairs.com/149952/hacking/hacking-attack-polan-railways.html〔2024/4/23 確認〕

※ 134 Bleeping Computer：Chilean telecom giant GTD hit by the Rorschach ransomware gang　https://www.bleepingcomputer.com/news/security/chilean-telecom-giant-gtd-hit-by-the-rorschach-ransomware-gang/〔2024/4/23 確認〕

※ 135 Dark Reading：Kyivstar Mobile Attack Plunges Millions in Ukraine Into Comms Blackout　https://www.darkreading.com/ics-ot-security/kyivstar-mobile-attack-ukraine-comms-blackout〔2024/4/23 確認〕

The Record：Hackers damaged some infrastructure of Ukraine's Kyivstar telecom company　https://therecord.media/hackers-damaged-kyivstar-functions-ukraine-telecom-cyberattack〔2024/4/23 確認〕

※ 136 Security Affairs：Danish critical infrastructure hit by the largest cyber attack in Denmark's history　https://securityaffairs.com/154156/apt/denmark-critical-infrastructure-record-attacks.html〔2024/4/23 確認〕
SektorCERT：The attack against Danish, critical infrastructure　https://sektorcert.dk/wp-content/uploads/2023/11/SektorCERT-The-attack-against-Danish-critical-infrastructure-TLP-CLEAR.pdf〔2024/4/23 確認〕

※ 137 Industrial Cyber：Forescout publishes critical analysis of recent energy sector cyberattacks in Denmark, Ukraine　https://industrialcyber.co/industrial-cyber-attacks/forescout-publishes-critical-analysis-of-recent-energy-sector-cyberattacks-in-denmark-ukraine/〔2024/4/23 確認〕
Forescout Technologies, Inc.：Clearing the Fog of War - A Critical Analysis of Recent Energy Sector Attacks in Denmark and Ukraine　https://www.forescout.com/resources/clearing-the-fog-of-war/〔2024/4/23 確認〕

※ 138 Bleeping Computer：Japan's largest port stops operations after ransomware attack　https://www.bleepingcomputer.com/news/security/japans-largest-port-stops-operations-after-ransomware-attack/〔2024/4/23 確認〕
Internet Watch：名古屋港のランサムウェア感染事件、港運協会らが詳細な経緯と今後の対応を報告　https://internet.watch.impress.co.jp/docs/news/1521097.html〔2024/4/23 確認〕
Internet Watch：「日本の重要インフラに影響を及ぼした」～名古屋港へのランサムウェア攻撃をトレンドマイクロが解説　https://internet.watch.impress.co.jp/docs/news/1520831.html〔2024/4/23 確認〕

※ 139 The Maritime Executive：DP World Australia Resumes Terminal Ops After "Serious" Cyber Incident　https://maritime-executive.com/article/dp-world-australia-resumes-terminal-ops-after-serious-cyber-incident〔2024/4/23 確認〕

※ 140 OPSGROUP：Flights Misled Over Position, Navigation Failure Follows　https://ops.group/blog/gps-spoof-attacks-irs/〔2024/4/23 確認〕

※ 141 VICE：Commercial Flights Are Experiencing 'Unthinkable' GPS Attacks and Nobody Knows What to Do　https://www.vice.com/en/article/m7bk3v/commercial-flights-are-experiencing-unthinkable-gps-attacks-and-nobody-knows-what-to-do〔2024/4/23 確認〕
OPSGROUP：GPS Spoofing Update: Map, Scenarios And Guidance　https://ops.group/blog/gps-spoofing-update-08nov2023/〔2024/4/23 確認〕

※ 142 Security Week：Ransomware Operators Leak Data Allegedly Stolen From City of Oakland　https://www.securityweek.com/ransomware-operators-leak-data-allegedly-stolen-from-city-of-oakland/〔2024/4/23 確認〕

※ 143 Security Week：City of Oakland Hit by Ransomware Attack　https://www.securityweek.com/city-of-oakland-hit-by-ransomware-attack/〔2024/4/23 確認〕
City of Oakland：City of Oakland Targeted by Ransomware Attack, Work Continues to Secure and Restore Services Safely　https://www.oaklandca.gov/news/city-of-oakland-targeted-by-ransomware-attack-core-services-not-affected〔2024/4/23 確認〕

※ 144 Security Affairs：City of Oakland issued a local state of emergency after recent ransomware attack　https://securityaffairs.com/142295/cyber-crime/city-of-oakland-emergency-ransomware.html〔2024/4/23 確認〕

※ 145 Government technology：Oakland Reports ‘Outstanding’ Headway in Ransomware Recovery　https://www.govtech.com/security/oakland-reports-outstanding-headway-in-ransomware-recovery〔2024/4/23 確認〕
City of Oakland：City of Oakland Targeted by Ransomware Attack, Work Continues to Secure and Restore Services Safely　https://www.oaklandca.gov/news/city-of-oakland-targeted-by-ransomware-attack-core-services-not-affected〔2024/4/23 確認〕
City of Oakland：City of Oakland Restores and Recovers Systems Affected by Ransomware Attack　https://www.oaklandca.gov/news/city-of-oakland-restores-and-recovers-systems-affected-by-ransomware-attack〔2024/4/23 確認〕

※ 146 The Oaklandside：Oakland gets sued after ransomware

hack https://oaklandside.org/2023/05/30/oakland-sued-after-ransomware-hack/〔2024/4/23 確認〕

※147 Security Affairs：The ransomware attack on Westpole is disrupting digital services for Italian public administration https://securityaffairs.com/156090/cyber-crime/westpole-ransomware-attack.html〔2024/4/23 確認〕

Cubic Lighthouse：LockBit Ransomware Disrupts Public Digital Services in Italy https://cubic-lighthouse.com/2023/12/22/lockbit-ransomware-disrupts-public-digital-services-in-italy/news/〔2024/4/23 確認〕

※148 Bleeping Computer：Ardent hospital ERs disrupted in 6 states after ransomware attack https://www.bleepingcomputer.com/news/security/ardent-hospital-ers-disrupted-in-6-states-after-ransomware-attack/〔2024/4/23 確認〕

※149 FIERCE Healthcare：UPDATE: Ardent Health restores access to Epic EHR two weeks after ransomware attack https://www.fiercehealthcare.com/health-tech/ardent-health-struggles-get-systems-back-online-hospitals-reopen-emergency-rooms〔2024/4/23 確認〕

Ardent Health Services：Cybersecurity Incident https://ardenthealth.com/cybersecurityincident〔2024/4/23 確認〕

※150 Sophos Ltd.：The State of Ransomware in Healthcare 2023 https://news.sophos.com/en-us/2023/08/10/the-state-of-ransomware-in-healthcare-2023/〔2024/4/23 確認〕

※151 CISA の Web サイトで暦年（1/1 ～ 12/31）ごとに公開された ICS Advisory の件数をカウントした。ただし、ICS Medical Advisory（医療機器の脆弱性）は除く。カウントは公表日ベースとした（公表日が 2023 年なら、採番年度が 2022（ICSA-2022-xxx-x）でも 2023 年でカウント）。
CISA：Cybersecurity Alerts & Advisories https://www.cisa.gov/news-events/cybersecurity-advisories〔2024/4/23 確認〕

※152 Dragos, Inc.：OT Cybersecurity: The 2023 Year in Review https://www.dragos.com/ot-cybersecurity-year-in-review/〔2024/4/23 確認〕

※153 ARMIS：Crit IX: 9 vulnerabilities discovered in Honeywell's Experion Platforms for Distributed Control Systems (DCS) https://www.armis.com/blog/critix-9-vulnerabilities-discovered-in-honeywells-experionplatforms-for-distributed-control-systems-dcs/〔2024/4/23 確認〕

※154 The Record：Honeywell, CISA warn of 'Crit.IX' vulnerabilities affecting manufacturing tools https://therecord.media/honeywell-cisa-warn-of-vulnerabilities-affecting-manufacturing-tools〔2024/4/23 確認〕

CISA：ICS ADVISORY - Honeywell Experion PKS, LX and PlantCruise https://www.cisa.gov/news-events/ics-advisories/icsa-23-194-06〔2024/4/23 確認〕

※155 Dark Reading：Zero-Day Vulnerabilities Discovered in Global Emergency Services Communications Protocol https://www.darkreading.com/vulnerabilities-threats/zero-day-vulnerabilities-disclosed-in-global-emergency-services-communications-protocol〔2024/4/23 確認〕

※156 Microsoft 社：Multiple high severity vulnerabilities in CODESYS V3 SDK could lead to RCE or DoS https://www.microsoft.com/en-us/security/blog/2023/08/10/multiple-high-severity-vulnerabilities-in-codesys-v3-sdk-could-lead-to-rce-or-dos/〔2024/4/23 確認〕

※157 Claroty Ltd.：The Global State of Industrial Cybersecurity 2023 https://claroty.com/resources/reports/the-global-state-of-industrial-cybersecurity-2023〔2024/4/23 確認〕

※158 本白書では文献引用上の正確性を期す必要がない場合、表記の統一のため、悪意のあるプログラム、マルウェア等を総称して「ウイルス」と表記する。

※159 Mandiant, Inc.：COSMICENERGY: New OT Malware Possibly Related To Russian Emergency Response Exercises https://www.mandiant.com/resources/blog/cosmicenergy-ot-malware-russian-response〔2024/4/23 確認〕

※160 CISA：US-CERT and ICS-CERT Transition to CISA https://www.cisa.gov/news-events/alerts/2023/02/24/us-cert-and-ics-cert-transition-cisa〔2024/4/23 確認〕

※161 Bleeping Computer：CISA now warns critical infrastructure of ransomware-vulnerable devices https://www.bleepingcomputer.com/news/security/cisa-now-warns-critical-infrastructure-of-ransomware-vulnerable-devices/〔2024/4/23 確認〕

CISA：Ransomware Vulnerability Warning Pilot (RVWP) https://www.cisa.gov/stopransomware/Ransomware-Vulnerability-Warning-Pilot〔2024/4/23 確認〕

※162 Industrial Cyber：CISA CPGs reorganized, reordered, renumbered to align with NIST CSF functions, following industry feedback https://industrialcyber.co/cisa/cisa-cpgs-reorganized-reordered-renumbered-to-align-with-nist-csf-functions-following-industry-feedback/〔2024/4/23 確認〕

CISA：Cross-Sector Cybersecurity Performance Goals https://www.cisa.gov/cross-sector-cybersecurity-performance-goals〔2024/4/23 確認〕

※163 BANK INFO SECURITY：CISA's New 'CyberSentry' Program to Tighten ICS Security https://www.bankinfosecurity.com/cisas-new-cybersentry-program-to-tighten-ics-security-a-22435〔2024/4/23 確認〕

CISA：CyberSentry Program https://www.cisa.gov/resources-tools/programs/cybersentry-program〔2024/4/23 確認〕

※164 CyberWire：CISA, FEMA, and Shields Ready. https://thecyberwire.com/stories/a4d21db2db0b4d2fb0fab6ce989e088f/cisa-fema-and-shields-ready〔2024/4/23 確認〕

FEMA：DHS Unveils New Shields Ready Campaign to Promote Critical Infrastructure Security and Resilience https://www.fema.gov/press-release/20231107/dhs-unveils-new-shields-ready-campaign-promote-critical-infrastructure〔2024/4/23 確認〕

※165 GOV INFO SECURITY：White House Unveils Biden's National Cybersecurity Strategy https://www.govinfosecurity.com/white-house-unveils-bidens-national-cybersecurity-strategy-a-21349〔2024/4/23 確認〕

The White House：FACT SHEET: Biden-Harris Administration Announces National Cybersecurity Strategy https://www.whitehouse.gov/briefing-room/statements-releases/2023/03/02/fact-sheet-biden-harris-administration-announces-national-cybersecurity-strategy/〔2024/4/23 確認〕

U.S. Department of State：Announcing the Release of the Administration's National Cybersecurity Strategy https://www.state.gov/announcing-the-release-of-the-administrations-national-cybersecurity-strategy/〔2024/4/23 確認〕

※166-1 CPO MAGAZINE：White House Cybersecurity Strategy Implementation Plan Released: 65 Mandatory Initiatives, Increased Public-Private Partnerships https://www.cpomagazine.com/cyber-security/white-house-cybersecurity-strategy-implementation-plan-released-65-mandatory-initiatives-increased-public-private-partnerships/〔2024/4/23 確認〕

The White House：FACT SHEET: Biden-Harris Administration Publishes the National Cybersecurity Strategy Implementation Plan https://www.whitehouse.gov/briefing-room/statements-releases/2023/07/13/fact-sheet-biden-harrisadministration-publishes-thenational-cybersecurity-strategyimplementation-plan/〔2024/4/23 確認〕

※166-2 The White House：NATIONAL CYBERSECURITY STRATEGY IMPLEMENTATION PLAN https://www.whitehouse.gov/wp-content/uploads/2024/05/National-Cybersecurity-Strategy-Implementation-Plan-Version-2.pdf〔2024/6/11 確認〕

※167 MSSP Alert：November is Critical Infrastructure and Resilience Month https://www.msspalert.com/news/biden-declares-november-2023-critical-infrastructure-and-resilience-month〔2024/4/23 確認〕

The White House：A Proclamation on Critical Infrastructure Security and Resilience Month, 2023 https://www.whitehouse.gov/briefing-room/presidential-actions/2023/10/31/a-proclamation-on-critical-infrastructure-security-and-resilience-month-2023/〔2024/4/23 確認〕

CISA：CISA Launches Critical Infrastructure Security and Resilience Month 2023 https://www.cisa.gov/news-events/news/cisa-launches-critical-infrastructure-security-and-resilience-month-2023〔2024/4/23 確認〕

CISA：Critical Infrastructure Security and Resilience Month https://www.cisa.gov/topics/critical-infrastructure-security-and-resilience/critical-infrastructure-security-and-resilience-month〔2024/5/16 確認〕

※168 The Register：NIST updates Cybersecurity Framework after a decade of lessons https://www.theregister.com/2024/02/27/nist_cybersecurity_framework_2/〔2024/4/23 確認〕

NIST：NIST Releases Version 2.0 of Landmark Cybersecurity Framework https://www.nist.gov/news-events/news/2024/02/nist-releases-version-20-landmark-cybersecurity-framework〔2024/4/23 確認〕

※169 Industrial Cyber：NCCoE publishes LNG Cybersecurity

Framework Profile based on prioritized mission objectives https://industrialcyber.co/mining-oil-gas/nccoe-publishes-lng-cybersecurity-framework-profile-based-on-prioritized-mission-objectives/〔2024/4/23 確認〕

NIST：NCCoE Publishes Final NIST IR 8406, Cybersecurity Framework Profile for Liquefied Natural Gas https://www.nccoe.nist.gov/news-insights/nccoe-publishes-final-nist-ir-8406-cybersecurity-framework-profile-liquefied-natural〔2024/4/23 確認〕

※ 170 Industrial Cyber：NCCoE releases final NIST IR 8441 HSN Profile document for enhanced space cybersecurity https://industrialcyber.co/nist/nccoe-releases-final-nist-ir-8441-hsn-profile-document-for-enhanced-space-cybersecurity/〔2024/4/23 確認〕

NIST：NIST IR 8441 Cybersecurity Framework Profile for Hybrid Satellite Networks (HSN) https://csrc.nist.gov/pubs/ir/8441/final〔2024/4/23 確認〕

※ 171 Industrial Cyber：EU Cyber Resilience Act reaches political consensus to strengthen cybersecurity standards for products https://industrialcyber.co/threats-attacks/eu-cyber-resilience-act-reaches-political-consensus-to-strengthen-cybersecurity-standards-for-products/〔2024/4/23 確認〕

※ 172 Industrial Cyber：Australia releases comprehensive guide on critical infrastructure asset class definition https://industrialcyber.co/regulation-standards-and-compliance/australia-releases-comprehensive-guide-on-critical-infrastructure-asset-class-definition/〔2024/4/23 確認〕

Cyber and Infrastructure Security Centre：Critical Infrastructure Asset Class Definition Guidance https://www.cisc.gov.au/resources-subsite/Documents/cisc-factsheet-asset-class-definition-guidance.pdf〔2024/4/23 確認〕

※ 173 Federal Register of Legislation：Security of Critical Infrastructure Act 2018 https://www.legislation.gov.au/Details/C2022C00160〔2024/4/23 確認〕

※ 174 Federal Register of Legislation：Security of Critical Infrastructure (Definitions) Rules (LIN 21/039) 2021 https://www.legislation.gov.au/Series/F2021L01769〔2024/4/23 確認〕

※ 175 NISC：サイバーセキュリティ 2023（2022 年度年次報告・2023 年度年次計画） https://www.nisc.go.jp/pdf/policy/kihon-s/cs2023.pdf〔2024/4/23 確認〕

※ 176 NISC：重要インフラのサイバーセキュリティに係る安全基準等策定指針 https://www.nisc.go.jp/pdf/policy/infra/shishin202307.pdf〔2024/4/23 確認〕

※ 177 経済産業省：第 16 回 日 ASEAN サイバーセキュリティ政策会議の結果（4）重要インフラ防護に関する取り組みの推進 https://www.meti.go.jp/press/2023/10/20231006009/20231006009.html〔2024/4/23 確認〕

※ 178 経済産業省：「インド太平洋地域向け日米 EU 産業制御システムサイバーセキュリティウィーク」を実施しました https://www.meti.go.jp/press/2023/10/20231016002/20231016002.html〔2024/4/23 確認〕

※ 179 IPA：産業用制御システム向け侵入検知製品等の導入手引書 https://www.ipa.go.jp/security/controlsystem/icsidshandbook.html〔2024/4/23 確認〕

※ 180 IPA：スマート工場化でのシステムセキュリティ対策事例 調査報告書 https://www.ipa.go.jp/security/controlsystem/securityreport-smartfactory-2023.html〔2024/4/23 確認〕

※ 181 経済産業省：サイバー・フィジカル・セキュリティ対策フレームワーク（CPSF）とその展開 https://www.meti.go.jp/policy/netsecurity/wg1/wg1.html〔2024/4/23 確認〕

※ 182 経済産業省：工場システムにおけるサイバー・フィジカル・セキュリティ対策ガイドライン https://www.meti.go.jp/policy/netsecurity/wg1/factorysystems_guideline.html〔2024/4/23 確認〕

※ 183 IPA：米 CISA 発行 Cross-Sector Cybersecurity Performance Goals Ver.1.0.1(2023-03)の翻訳 https://www.ipa.go.jp/security/controlsystem/cisacpgs.html〔2024/4/23 確認〕

※ 184 NIST：National Vulnerability Database(NVD) https://nvd.nist.gov〔2024/4/23 確認〕

※ 185 IPA：JVN iPedia 脆弱性対策情報データベース https://jvndb.jvn.jp〔2024/4/23 確認〕

※ 186 OffSec Services Limited：Exploit Database https://www.exploit-db.com〔2024/4/23 確認〕

※ 187 Synology 社：Synology-SA-22:25 SRM https://www.synology.com/en-us/security/advisory/Synology_SA_22_25〔2024/4/23 確認〕

※ 188 CERT Coordination Center：Vulnerabilities in TP-Link routers, WR710N-V1-151022 and Archer C5 V2 https://kb.cert.org/vuls/id/572615〔2024/4/23 確認〕

※ 189 Zero Day Initiative：(Pwn2Own) TP-Link Archer AX21 merge_country_config Command Injection Remote Code Execution Vulnerability https://www.zerodayinitiative.com/advisories/ZDI-23-451/〔2024/4/23 確認〕

※ 190 TP-Link 社：Download for Archer AX21 V3 https://www.tp-link.com/us/support/download/archer-ax21/v3/〔2024/4/23 確認〕

※ 191 Zero Day Initiative：TP-LINK WAN-SIDE VULNERABILITY CVE-2023-1389 ADDED TO THE MIRAI BOTNET ARSENAL https://www.zerodayinitiative.com/blog/2023/4/21/tp-link-wan-side-vulnerability-cve-2023-1389-added-to-the-mirai-botnet-arsenal〔2024/4/23 確認〕

※ 192 中国の国家支援型サイバー攻撃への IoT 機器の悪用は、2022 年にも発生。詳細は、「情報セキュリティ白書 2023」(https://www.ipa.go.jp/publish/wp-security/2023.html〔2024/4/23 確認〕)の「3.2.4（4）(d) 中国の国家支援型サイバー攻撃への悪用」(p.200)を参照。

※ 193 Check Point Software Technologies Ltd.：THE DRAGON WHO SOLD HIS CAMARO: ANALYZING CUSTOM ROUTER IMPLANT https://research.checkpoint.com/2023/the-dragon-who-sold-his-camaro-analyzing-custom-router-implant/〔2024/4/23 確認〕

※ 194 CERT Coordination Center：New Netcomm router models NF20MESH, NF20, and NL1902 vulnerabilities https://kb.cert.org/vuls/id/986018〔2024/4/23 確認〕

※ 195 Musarubra US LLC：When Pwning Cisco, Persistence is Key - When Pwning Supply Chain, Cisco is Key https://www.trellix.com/blogs/research/when-pwning-cisco-persistence-is-key-when-pwning-supply-chain-cisco-is-key/〔2024/4/23 確認〕

※ 196 Cisco 社：Cisco IOx Application Hosting Environment Command Injection Vulnerability https://sec.cloudapps.cisco.com/security/center/content/CiscoSecurityAdvisory/cisco-sa-iox-8whGn5dL〔2024/4/23 確認〕

※ 197 Cisco 社：Multiple Vulnerabilities in Cisco IOS XE Software Web UI Feature https://sec.cloudapps.cisco.com/security/center/content/CiscoSecurityAdvisory/cisco-sa-iosxe-webui-privesc-j22SaA4z〔2024/4/23 確認〕

※ 198 Censys, Inc.：CVE-2023-20198 – Cisco IOS-XE ZeroDay https://censys.com/cve-2023-20198-cisco-ios-xe-zeroday/〔2024/4/23 確認〕

※ 199 Claroty Ltd.：Pwn2Own Toronto 22: Exploit Netgear Nighthawk RAX30 Routers https://claroty.com/team82/research/chaining-five-vulnerabilities-to-exploit-netgear-nighthawk-rax30-routers-at-pwn2own-toronto-2022〔2024/4/23 確認〕

※ 200 ASUS 社：ASUS Product Security Advisory https://www.asus.com/content/asus-product-security-advisory/〔2024/4/23 確認〕

※ 201 TWCERT/CC（台灣電腦網路危機處理暨協調中心）：ASUS RT-AX55、RT-AX56U_V2、RT-AC86U - Format String - 1, 2, 3 https://www.twcert.org.tw/newepaper/cp-151-7354-4e654-3.html〔2024/4/23 確認〕

https://www.twcert.org.tw/tw/cp-132-7355-0ce8d-1.html〔2024/4/23 確認〕

https://www.twcert.org.tw/tw/cp-132-7356-021bf-1.html〔2024/4/23 確認〕

※ 202 Bleeping Computer：ASUS routers vulnerable to critical remote code execution flaws https://www.bleepingcomputer.com/news/security/asus-routers-vulnerable-to-critical-remote-code-execution-flaws/〔2024/4/23 確認〕

※ 203 VulnCheck Inc.：Exploiting MikroTik RouterOS Hardware with CVE-2023-30799 https://vulncheck.com/blog/mikrotik-foisted-revisited〔2024/4/23 確認〕

※ 204 SHODAN：インターネットに接続された機器を探索・調査可能な検索エンジン。https://www.shodan.io〔2024/4/23 確認〕

※ 205 OT/IoT 向けセルラールーター：3G や 4G 等のセルラー接続を介して重要なローカルネットワークをインターネットに接続するためのルーター。政府機関や商業施設、緊急サービス、エネルギー、交通、上下水道システム、製造業、医療等、複数の重要インフラ分野で使用されている。

※ 206 Forescout Technologies, Inc.：Sierra:21 - Supply Chain Vulnerabilities in IoT/OT routers https://www.forescout.com/research-labs/sierra21/〔2024/4/23 確認〕

Forescout Technologies, Inc.：Sierra:21 – Living on the Edge – Supply Chain Vulnerabilities in OT/IoT Routers https://www.

第3章
情報セキュリティ対策強化や取り組みの動向

forescout.com/resources/sierra21-vulnerabilities〔2024/4/23 確認〕

※ 207 株式会社バッファロー：VR-S1000 における複数の脆弱性とその対処方法　https://www.buffalo.jp/news/detail/20231225-01.html〔2024/4/23 確認〕

※ 208 NeroTeam Security Labs S.A.S.：Buffalo VPN VR-S1000 - Vulnerability Report　https://neroteam.com/blog/buffalo-vpn-vr-s1000-vulnerability-report〔2024/4/23 確認〕

※ 209 株式会社ラック：【注意喚起】バッファロー製 VR-S1000 における複数の脆弱性（CVE-2023-51363）、早急な対策を　https://www.lac.co.jp/lacwatch/alert/20240122_003661.html〔2024/4/23 確認〕

※ 210 QNAP 社：Security ID：QSA-23-01, Vulnerability in QTS and QuTS hero　https://www.qnap.com/en/security-advisory/qsa-23-01〔2024/4/23 確認〕

※ 211 Censys, Inc.：CVE-2022-27596: The Next Ransomware Target?　https://censys.com/cve-2022-27596/〔2024/4/23 確認〕

※ 212 QNAP 社：Security ID：QSA-23-06, Vulnerabilities in QTS, QuTS hero, QuTScloud, and QVP　https://www.qnap.com/en/security-advisory/qsa-23-06〔2024/4/23 確認〕

※ 213 QNAP 社：Security ID：QSA-23-31, Vulnerability in QTS, QuTS hero, and QuTScloud　https://www.qnap.com/en/security-advisory/qsa-23-31〔2024/4/23 確認〕

QNAP 社：Security ID：QSA-23-35, Vulnerability in QTS, Multimedia Console, and Media Streaming add-on　https://www.qnap.com/en/security-advisory/qsa-23-35〔2024/4/23 確認〕

※ 214 Western Digital 社：Western Digital My Cloud OS 5, My Cloud Home and SanDIsk ibi Firmware Update　https://www.westerndigital.com/support/product-security/wdc-23009-western-digital-my-cloud-os-5-my-cloud-home-and-sandisk-ibi-firmware-update〔2024/4/23 確認〕

※ 215 Claroty Ltd.：A Pain in the NAS: Exploiting Cloud Connectivity to PWN your NAS: WD PR4100 Edition　https://claroty.com/team82/research/a-pain-in-the-nas-exploiting-cloud-connectivity-to-pwn-your-nas-wd-pr4100-edition〔2024/4/23 確認〕

※ 216 Western Digital 社：Western Digital My Cloud OS 5, My Cloud Home and SanDisk ibi Firmware Update　https://www.westerndigital.com/support/product-security/wdc-22020-my-cloud-os-5-my-cloud-home-ibi-firmware-update〔2024/4/23 確認〕

Western Digital 社：My Cloud Firmware Version 5.26.119　https://www.westerndigital.com/en-il/support/product-security/wdc-23002-my-cloud-firmware-version-5-26-119〔2024/4/23 確認〕

Western Digital 社：My Cloud Firmware Version 5.26.202　https://www.westerndigital.com/support/product-security/wdc-23006-my-cloud-firmware-version-5-26-202〔2024/4/23 確認〕

※ 217 Zyxel 社：Zyxel security advisory for pre-authentication command injection vulnerability in NAS products　https://www.zyxel.com/global/en/support/security-advisories/zyxel-security-advisory-for-pre-authentication-command-injection-vulnerability-in-nas-products〔2024/4/23 確認〕

※ 218 Zyxel 社：Zyxel security advisory for authentication bypass and command injection vulnerabilities in NAS products　https://www.zyxel.com/global/en/support/security-advisories/zyxel-security-advisory-for-authentication-bypass-and-command-injection-vulnerabilities-in-nas-products〔2024/4/23 確認〕

※ 219 Claroty Ltd.：A Pain in the NAS: Exploiting Cloud Connectivity to PWN your NAS: Synology DS920+ Edition　https://claroty.com/team82/research/a-pain-in-the-nas-exploiting-cloud-connectivity-to-pwn-your-nas-synology-ds920-edition〔2024/4/23 確認〕

※ 220 Claroty Ltd.：Synology NAS DSM Account Takeover: When Random is not Secure　https://claroty.com/team82/research/synology-nas-dsm-account-takeover-when-random-is-not-secure〔2024/4/23 確認〕

※ 221 Fortinet, Inc.：TBK DVR Authentication Bypass Attack　https://fortiguard.fortinet.com/outbreak-alert/tbk-dvr-attack〔2024/4/23 確認〕

※ 222 PoC（Proof of Concept）：発見された脆弱性を実証するために公開されたプログラムコード。

※ 223 QNAP 社：Security ID：QSA-23-48, Vulnerability Affecting Legacy VioStor NVR　https://www.qnap.com/en/security-advisory/qsa-23-48〔2024/4/23 確認〕

※ 224 Sam Curry：Web Hackers vs. The Auto Industry: Critical Vulnerabilities in Ferrari, BMW, Rolls Royce, Porsche, and More　https://samcurry.net/web-hackers-vs-the-auto-industry/〔2024/4/23 確認〕

※ 225 BlackHat USA 2023：Jailbreaking an Electric Vehicle in

2023 or What It Means to Hotwire Tesla's x86-Based Seat Heater　https://www.blackhat.com/us-23/briefings/schedule/#jailbreaking-an-electric-vehicle-in--or-what-it-means-to-hotwire-teslas-x-based-seat-heater-33049〔2024/4/23 確認〕

※ 226 SOCRadar：Syrus4 IoT Gateway Vulnerability Could Allow Code Execution on Thousands of Vehicles, Simultaneously (CVE-2023-6248)　https://socradar.io/syrus4-iot-gateway-vulnerability-could-allow-code-execution-on-thousands-of-vehicles-simultaneously-cve-2023-6248/〔2024/4/23 確認〕

※ 227 Cisco 社：Cisco IP Phone 6800, 7800, and 8800 Series Web UI Vulnerabilities　https://sec.cloudapps.cisco.com/security/center/content/CiscoSecurityAdvisory/cisco-sa-ip-phone-cmd-inj-KMFynVcP〔2024/4/23 確認〕

※ 228 ZTP（Zero Touch Provisioning）機能：認定ハードウェアの自動プロビジョニングをサポートする機能。

※ 229 BlackHat USA 2023：Zero-Touch-Pwn: Abusing Zoom's Zero Touch Provisioning for Remote Attacks on Desk Phones　https://www.blackhat.com/us-23/briefings/schedule/#zero-touch-pwn-abusing-zooms-zero-touch-provisioning-for-remote-attacks-on-desk-phones-31341〔2024/4/23 確認〕

※ 230 シュナイダー社：Security Notification - SEVD-2023-101-04 Easy UPS Online Monitoring Software　https://www.se.com/il/en/download/document/SEVD-2023-101-04/〔2024/4/23 確認〕

※ 231 キヤノン株式会社：CP2023-003 Vulnerability Mitigation/Remediation for Inkjet Printers (Home and Office/Large Format)　https://psirt.canon/advisory-information/cp2023-003/〔2024/4/23 確認〕

※ 232 RedTeam Pentesting GmbH：D-Link DAP-X1860: Remote Command Injection　https://www.redteam-pentesting.de/en/advisories/rt-sa-2023-006/-d-link-dap-x1860-remote-command-injection〔2024/4/23 確認〕

※ 233 Zyxel 社：Zyxel security advisory for multiple vulnerabilities in firewalls and APs　https://www.zyxel.com/global/en/support/security-advisories/zyxel-security-advisory-for-multiple-vulnerabilities-in-firewalls-and-aps〔2024/4/23 確認〕

※ 234 Cyble Inc.：New Medusa Botnet Emerging Via Mirai Botnet Targeting Linux Users　https://cyble.com/blog/new-medusa-botnet-emerging-via-mirai-botnet-targeting-linux-users/〔2024/4/23 確認〕

※ 235 Bleeping Computer：Medusa botnet returns as a Mirai-based variant with ransomware sting　https://www.bleepingcomputer.com/news/security/medusa-botnet-returns-as-a-mirai-based-variant-with-ransomware-sting/〔2024/4/23 確認〕

※ 236 Palo Alto Networks, Inc.：Mirai Variant V3G4 Targets IoT Devices　https://unit42.paloaltonetworks.com/mirai-variant-v3g4/〔2024/4/23 確認〕

パロアルトネットワークス株式会社：IoT デバイスを狙う Mirai の亜種「V3G4」　https://unit42.paloaltonetworks.jp/mirai-variant-v3g4/〔2024/4/23 確認〕

※ 237 Moobot の詳細に関しては、「情報セキュリティ白書 2020」（https://www.ipa.go.jp/publish/wp-security/sec-2020.html〔2024/4/23 確認〕）の「3.2.1（1）（h）Moobot」（p.172）を参照。

※ 238 Fortinet, Inc.：Moobot Strikes Again - Targeting Cacti And RealTek Vulnerabilities　https://www.fortinet.com/blog/threat-research/moobot-strikes-again-targeting-cacti-and-realtek-vulnerabilities〔2024/4/23 確認〕

※ 239 詳細は、「情報セキュリティ白書 2022」（https://www.ipa.go.jp/publish/wp-security/sec-2022.html〔2024/4/23 確認〕）の「3.2.2（h）Realtek 社製無線機器向け SDK の脆弱性」（p.180）を参照。

※ 240 Zyxel 社：Zyxel security advisory for OS command injection vulnerability of firewalls　https://www.zyxel.com/global/en/support/security-advisories/zyxel-security-advisory-for-remote-command-injection-vulnerability-of-firewalls〔2024/4/23 確認〕

※ 241 Rapid7 Inc.：AKB - CVE-2023-28771　https://attackerkb.com/topics/N3i8dxpFKS/cve-2023-28771/rapid7-analysis〔2024/4/23 確認〕

※ 242 infosec.exchange：The Shadowserver Foundation　https://infosec.exchange/@shadowserver/110442626213838177〔2024/4/23 確認〕

※ 243 Fortinet, Inc.：DDoS Botnets Target Zyxel Vulnerability CVE-2023-28771　https://www.fortinet.com/blog/threat-research/ddos-botnets-target-zyxel-vulnerability-cve-2023-28771〔2024/4/23 確認〕

※ 244 「IH1Z9」の活動は 2018 年 12 月にも観測されている。詳細は、「情報セキュリティ白書 2019」（https://www.ipa.go.jp/archive/

publish/wp-security/sec-2019.html〔2024/4/23確認〕）の「3.2.1（1）
（i）Miori／IZ1H9／APEP」（p.165）を参照。

※ 245 Palo Alto Networks, Inc.：Old Wine in the New Bottle: Mirai Variant Targets Multiple IoT Devices https://unit42.paloaltonetworks.com/mirai-variant-iz1h9/〔2024/4/23 確認〕
パロアルトネットワークス株式会社：新しい瓶に古い酒：Mirai 亜種が複数の IoT デバイスを標的に https://unit42.paloaltonetworks.jp/mirai-variant-iz1h9/〔2024/4/23 確認〕

※ 246 Zyxel 社：Zyxel security advisory for remote code execution and denial-of-service vulnerabilities of CPE https://www.zyxel.com/global/en/support/security-advisories/zyxel-security-advisory-for-remote-code-execution-and-denial-of-service-vulnerabilities-of-cpe〔2024/4/23 確認〕

※ 247 Fortinet, Inc.：IZ1H9 Campaign Enhances Its Arsenal with Scores of Exploits https://www.fortinet.com/blog/threat-research/iz1h9-campaign-enhances-arsenal-with-scores-of-exploits〔2024/4/23 確認〕

※ 248 Palo Alto Networks, Inc.：IoT Under Siege: The Anatomy of the Latest Mirai Campaign Leveraging Multiple IoT Exploits https://unit42.paloaltonetworks.com/mirai-variant-targets-iot-exploits/〔2024/4/23 確認〕
パロアルトネットワークス株式会社：沈黙の IoT：複数の IoT エクスプロイトを悪用する最新 Mirai キャンペーンの解剖 https://unit42.paloaltonetworks.jp/mirai-variant-targets-iot-exploits/〔2024/4/23 確認〕

※ 249 C&C サーバー：Command and Control サーバーの略。ウイルス等により乗っ取ったコンピューター等に対し、遠隔から命令を送り制御するサーバー。

※ 250 Akamai Technologies, Inc.：InfectedSlurs Botnet Spreads Mirai via Zero-Days https://www.akamai.com/blog/security-research/new-rce-botnet-spreads-mirai-via-zero-days〔2024/4/23 確認〕

※ 251 「JenX」の詳細は、「情報セキュリティ白書 2019」（https://www.ipa.go.jp/archive/publish/wp-security/sec-2019.html〔2024/4/23 確認〕）の「3.2.1（1）（b）JenX ／ Jennifer」（p.163）を参照。

※ 252 Akamai Technologies, Inc.：Actively Exploited Vulnerability in FXC Routers: Fixed, Patches Available https://www.akamai.com/blog/security-research/zero-day-vulnerability-spreading-mirai-patched〔2024/4/23 確認〕

※ 253 Akamai Technologies, Inc.：Actively Exploited Vulnerability in QNAP VioStor NVR: Fixed, Patches Available https://www.akamai.com/blog/security-research/qnap-viostor-zero-day-vulnerability-spreading-mirai-patched〔2024/4/23 確認〕

※ 254 Akamai Technologies, Inc.：Uncovering HinataBot: A Deep Dive into a Go-Based Threat https://www.akamai.com/blog/security-research/hinatabot-uncovering-new-golang-ddos-botnet〔2024/4/23 確認〕

※ 255 Dark Reading：Mirai Hackers Use Golang to Create a Bigger, Badder DDoS Botnet https://www.darkreading.com/vulnerabilities-threats/mirai-hackers-golang-bigger-badder-ddos-botnet〔2024/4/23 確認〕
Mirai の最盛期の攻撃に関しては、「情報セキュリティ白書 2017」の「3.2.1（1）Mirai による DDoS 攻撃の脅威」（p.174）を参照。

※ 256 Fortinet, Inc.：AndoryuBot – New Botnet Campaign Targets Ruckus Wireless Admin Remote Code Execution Vulnerability (CVE-2023-25717) https://www.fortinet.com/blog/threat-research/andoryubot-new-botnet-campaign-targets-ruckus-wireless-admin-remote-code-execution-vulnerability-cve-2023-25717〔2024/4/23 確認〕

※ 257 JPCERT/CC：Linux ルーターを狙った Go 言語で書かれたマルウェア GobRAT https://blogs.jpcert.or.jp/ja/2023/05/gobrat.html〔2024/4/23 確認〕

※ 258 Lumen Black Lotus Labs：Routers From The Underground: Exposing AVrecon（2023 年 7 月 12 日公開） https://blog.lumen.com/routers-from-the-underground-exposing-avrecon/〔2024/4/23 確認〕

※ 259 residential proxy：ウイルス感染によりプロキシーサーバーとして悪用されている IoT 機器。同様の事例としては、「情報セキュリティ白書 2023」（https://www.ipa.go.jp/publish/wp-security/2023.html〔2024/4/23 確認〕）の「3.2.4（4）（b）プロキシーとしての悪用」（p.200）を参照。

※ 260 Krebs on Security：Who and What is Behind the Malware Proxy Service SocksEscort? https://krebsonsecurity.com/2023/07/who-and-what-is-behind-the-malware-proxy-service-socksescort/〔2024/4/23 確認〕

※ 261 Qualys, Inc.：CVE-2023-4911: Looney Tunables – Local Privilege Escalation in the glibc' s ld.so https://blog.qualys.com/vulnerabilities-threat-research/2023/10/03/cve-2023-4911-looney-tunables-local-privilege-escalation-in-the-glibcs-ld-so〔2024/4/23 確認〕

※ 262 SonarSource SA：pfSense Security: Sensing Code Vulnerabilities with SonarCloud https://www.sonarsource.com/blog/pfsense-vulnerabilities-sonarcloud/〔2024/4/23 確認〕

※ 263 BitSight Technologies, Inc.：New high-severity vulnerability (CVE-2023-29552) discovered in the Service Location Protocol (SLP) https://www.bitsight.com/blog/new-high-severity-vulnerability-cve-2023-29552-discovered-service-location-protocol-slp〔2024/4/23 確認〕

※ 264 CISA：Abuse of the Service Location Protocol May Lead to DoS Attacks https://www.cisa.gov/news-events/alerts/2023/04/25/abuse-service-location-protocol-may-lead-dos-attacks〔2024/4/23 確認〕

※ 265 Cisco 社：Cisco Small Business RV016, RV042, RV042G, RV082, RV320, and RV325 Routers Vulnerabilities https://sec.cloudapps.cisco.com/security/center/content/CiscoSecurityAdvisory/cisco-sa-sbr042-multi-vuln-ej76Pke5〔2024/4/23 確認〕

※ 266 Bleeping Computer：Over 19,000 end-of-life Cisco routers exposed to RCE attacks https://www.bleepingcomputer.com/news/security/over-19-000-end-of-life-cisco-routers-exposed-to-rce-attacks/〔2024/4/23 確認〕

※ 267 Cisco 社：Cisco SPA112 2-Port Phone Adapters Remote Command Execution Vulnerability https://sec.cloudapps.cisco.com/security/center/content/CiscoSecurityAdvisory/cisco-sa-spa-unauth-upgrade-UqhyTWW〔2024/4/23 確認〕

※ 268 CISA：ICS ADVISORY - Socomec MOD3GP-SY-120K https://www.cisa.gov/news-events/ics-advisories/icsa-23-250-03〔2024/4/23 確認〕

※ 269 ESET, spol. s r.o.：ESET Discovers Corporate Secrets and Data on Recycled Company Routers https://www.eset.com/int/about/newsroom/press-releases/research/eset-discovers-corporate-secrets-and-data-on-recycled-company-routers/〔2024/4/23 確認〕

※ 270 https://notice.go.jp〔2024/4/23 確認〕

※ 271 https://notice.go.jp/status〔2024/5/13 確認〕

※ 272 株式会社インターネットイニシアティブ：wizSafe Security Signal https://wizsafe.iij.ad.jp/〔2024/4/23 確認〕

※ 273 MVPower 社製 DVR TV-7104HE の脆弱性（EDB-ID：41471）については以下を参照。
OffSec Services Limited：MVPower DVR TV-7104HE 1.8.4 115215B9 - Shell Command Execution (Metasploit) https://www.exploit-db.com/exploits/41471〔2024/4/23 確認〕

※ 274 NETGEAR 社製ルーター DGN1000 の脆弱性（EDB-ID：43055）については以下を参照。
OffSec Services Limited：Netgear DGN1000 1.1.00.48 - 'Setup.cgi' Remote Code Execution (Metasploit) https://www.exploit-db.com/exploits/43055〔2024/4/23 確認〕

※ 275 株式会社インターネットイニシアティブ：wizSafe Security Signal 2023 年 1 月 観測レポート https://wizsafe.iij.ad.jp/2023/02/1524/〔2024/4/23 確認〕

※ 276 株式会社インターネットイニシアティブ：wizSafe Security Signal 2023 年 2 月 観測レポート https://wizsafe.iij.ad.jp/2023/03/1537/〔2024/4/23 確認〕

※ 277 株式会社インターネットイニシアティブ：wizSafe Security Signal 2023 年 3 月 観測レポート https://wizsafe.iij.ad.jp/2023/04/1546/〔2024/4/23 確認〕

※ 278 株式会社インターネットイニシアティブ：wizSafe Security Signal 2023 年 5 月 観測レポート https://wizsafe.iij.ad.jp/2023/06/1568/〔2024/4/23 確認〕

※ 279 株式会社インターネットイニシアティブ：wizSafe Security Signal 2023 年 6 月 観測レポート https://wizsafe.iij.ad.jp/2023/07/1576/〔2024/4/23 確認〕

※ 280 株式会社インターネットイニシアティブ：wizSafe Security Signal 2023 年 7 月 観測レポート https://wizsafe.iij.ad.jp/2023/08/1588/〔2024/4/23 確認〕

※ 281 株式会社インターネットイニシアティブ：wizSafe Security Signal 2023 年 10 月 観測レポート https://wizsafe.iij.ad.jp/2023/11/1625/〔2024/4/23 確認〕

※ 282 Cloudflare, Inc.：DDoS threat report for 2023 Q1 https://blog.cloudflare.com/ddos-threat-report-2023-q1/〔2024/4/23 確認〕

※ 283 Cloudflare, Inc.：DDoS threat report for 2023 Q2 https://blog.cloudflare.com/ddos-threat-report-2023-q2/〔2024/4/23 確認〕

第3章

情報セキュリティ対策強化や取り組みの動向

※ 284 Cloudflare, Inc.：DDoS threat report for 2023 Q3　https://blog.cloudflare.com/ddos-threat-report-2023-q3/〔2024/4/23 確認〕
※ 285 Cloudflare, Inc.：DDoS threat report for 2023 Q4　https://blog.cloudflare.com/ddos-threat-report-2023-q4/〔2024/4/23 確認〕
※ 286 AO Kaspersky Lab：Kaspersky releases overview of IoT-related threats in 2023　https://usa.kaspersky.com/about/press-releases/2023_kaspersky-releases-overview-of-iot-related-threats-in-2023〔2024/4/23 確認〕
AO Kaspersky Lab：Overview of IoT threats in 2023　https://securelist.com/iot-threat-report-2023/110644/〔2024/4/23 確認〕
※ 287 Microsoft Corporation：IoT devices and Linux-based systems targeted by OpenSSH trojan campaign　https://www.microsoft.com/en-us/security/blog/2023/06/22/iot-devices-and-linux-based-systems-targeted-by-openssh-trojan-campaign/〔2024/4/23 確認〕
※ 288 Aqua Security Software Ltd.：Tomcat Under Attack: Exploring Mirai Malware and Beyond　https://www.aquasec.com/blog/tomcat-under-attack-investigating-the-mirai-malware/〔2024/4/23 確認〕
※ 289 Lumen Technologies, Inc.：Routers Roasting On An Open Firewall: The KV-Botnet Investigation　https://blog.lumen.com/routers-roasting-on-an-open-firewall-the-kv-botnet-investigation/〔2024/4/23 確認〕
※ 290 Joint Cybersecurity Advisory：People's Republic of China State-Sponsored Cyber Actor Living off the Land to Evade Detection　https://media.defense.gov/2023/May/24/2003229517/-1/-1/0/CSA_Living_off_the_Land.PDF〔2024/4/23 確認〕
Microsoft Corporation：Volt Typhoon targets US critical infrastructure with living-off-the-land techniques　https://www.microsoft.com/en-us/security/blog/2023/05/24/volt-typhoon-targets-us-critical-infrastructure-with-living-off-the-land-techniques/〔2024/4/23 確認〕
※ 291 GOV.UK：Starting gun fired on preparations for new product security regime　https://www.gov.uk/government/news/starting-gun-fired-on-preparations-for-new-product-security-regime〔2024/5/21 確認〕
※ 292 GOV.UK：The UK Product Security and Telecommunications Infrastructure (Product Security) regime　https://www.gov.uk/government/publications/the-uk-product-security-and-telecommunications-infrastructure-product-security-regime〔2024/4/23 確認〕
※ 293 European Commission：Commission welcomes political agreement on Cyber Resilience Act　https://ec.europa.eu/commission/presscorner/detail/en/ip_23_6168〔2024/4/23 確認〕
※ 294 Council of the European Union：Regulation of the European Parliament and of the Council on horizontal cybersecurity requirements for products with digital elements and amending Regulation (EU) 2019/1020 - Letter sent to the European Parliament　https://eur-lex.europa.eu/legal-content/EN/TXT/PDF/?uri=CONSIL:ST_17000_2023_INIT〔2024/4/23 確認〕
※ 295 The White House：Biden-Harris Administration Announces Cybersecurity Labeling Program for Smart Devices to Protect American Consumers　https://www.whitehouse.gov/briefing-room/statements-releases/2023/07/18/biden-harris-administration-announces-cybersecurity-labeling-program-for-smart-devices-to-protect-american-consumers/〔2024/4/23 確認〕
※ 296 Cyber Security Agency of Singapore：Cybersecurity Labelling Scheme (CLS) - Updates　https://www.csa.gov.sg/our-programmes/certification-and-labelling-schemes/cybersecurity-labelling-scheme/updates〔2024/4/23 確認〕
※ 297 Cybersecurity Advisory：People's Republic of China-Linked Cyber Actors Hide in Router Firmware　https://www.ic3.gov/Media/News/2023/230927.pdf〔2024/4/23 確認〕
※ 298 NIST：Lightweight Cryptography Standardization Process: NIST Selects Ascon　https://csrc.nist.gov/news/2023/lightweight-cryptography-nist-selects-ascon〔2024/4/23 確認〕
※ 299 NIST：NIST IR 8454: Status Report on the Final Round of the NIST Lightweight Cryptography Standardization Process　https://csrc.nist.gov/pubs/ir/8454/final〔2024/4/23 確認〕
※ 300 https://www.meti.go.jp/policy/netsecurity/chusyosecurityguide.pdf〔2024/4/23 確認〕
※ 301 https://www.soumu.go.jp/main_content/000895981.pdf〔2024/4/23 確認〕
※ 302 IPA：欧州規格 ETSI EN 303 645 V2.1.1 (2020-06) の翻訳　https://www.ipa.go.jp/security/controlsystem/etsien303645.html〔2024/4/23 確認〕

※ 303 IPA：「IoT 開発におけるセキュリティ設計の手引き」を公開　https://www.ipa.go.jp/security/iot/iotguide.html〔2024/4/23 確認〕
※ 304 一般社団法人セキュア IoT プラットフォーム協議会：セキュア IoT プラットフォーム協議会が「IoT セキュリティ手引書 Ver3.0」をリリース　https://www.secureiotplatform.org/release/2023-09-26〔2024/4/23 確認〕
※ 305 https://csrc.nist.gov/pubs/sp/800/216/final〔2024/4/23 確認〕
※ 306 https://csrc.nist.gov/pubs/sp/1800/36/2prd〔2024/4/23 確認〕
※ 307 NIST：Cybersecurity Framework　https://www.nist.gov/cyberframework〔2024/4/23 確認〕
※ 308 JUAS：企業 IT 動向調査　https://juas.or.jp/library/research_rpt/it_trend/〔2024/5/2 確認〕
※ 309 https://www.soumu.go.jp/johotsusintokei/statistics/pdf/HR202200_002.pdf〔2024/5/2 確認〕
※ 310 JUAS：企業 IT 動向調査報告書 2024　https://juas.or.jp/cms/media/2024/04/JUAS_IT2024.pdf〔2024/5/2 確認〕
※ 311 株式会社エイチーム：個人情報漏えいの可能性に関するお知らせ　https://www.a-tm.co.jp/news/43858/〔2024/5/2 確認〕
※ 312 株式会社エイチーム：個人情報漏えいの可能性に関するご報告とお詫び　https://www.a-tm.co.jp/news/44238/〔2024/5/2 確認〕
※ 313 トヨタ自動車株式会社：クラウド環境の誤設定によるお客様情報の漏洩可能性に関するお詫びとお知らせについて　https://global.toyota/jp/newsroom/corporate/39174380.html〔2024/5/2 確認〕
※ 314 トヨタ自動車株式会社：クラウド設定によるお客様情報の漏洩可能性に関するお詫びとお知らせについて　https://global.toyota/jp/newsroom/corporate/39241571.html〔2024/5/2 確認〕
※ 315 個人情報保護委員会：トヨタ自動車株式会社による個人データの漏えい等事案に対する個人情報の保護に関する法律に基づく行政上の対応について　https://www.ppc.go.jp/files/pdf/230712_01_houdou.pdf〔2024/5/2 確認〕
※ 316 NHK：「NauNau」230 万人以上 位置情報など外部から閲覧可能な状態に　https://www3.nhk.or.jp/news/html/20231021/k10014232891000.html〔2024/5/2 確認〕
※ 317 株式会社モバイルファクトリー：Suishow 株式会社に関する報道について　https://www.mobilefactory.jp/newsrelease/2023/20231023/〔2024/5/2 確認〕
※ 318 Suishow 株式会社：当社運営の「NauNau」をご利用いただいているお客様への重要なお知らせとお詫びについて　https://www.mobilefactory.jp/wp-content/uploads/2023/12/c97ba9d2edf12d1a16fef3806bea77f2-1.pdf〔2024/5/2 確認〕
※ 319 エン・ジャパン株式会社：「エン転職」への不正ログイン発生に関するお詫びとお願い　https://corp.en-japan.com/newsrelease/2023/32484.html〔2024/5/2 確認〕
※ 320 株式会社ディノス・セシール：弊社「セシールオンラインショップ」への"なりすまし"による不正アクセスについて　https://www.cecile.co.jp/fst/information/cecile_20230516.pdf〔2023/5/20 確認〕
株式会社サイバーセキュリティ総研：第三者による不正ログインでユーザー情報流出か「セシールオンラインショップ」　https://cybersecurity-info.com/news/cecile-online-shop-unauthorized-login/〔2024/5/2 確認〕
ScanNetSecurity：不正ログイン成功3件にとどまる、「セシールオンラインショップ」へのなりすましによる不正アクセス　https://scan.netsecurity.ne.jp/article/2023/05/25/49412.html〔2024/5/17 確認〕
※ 321 株式会社ディノス・セシール：弊社「セシールオンラインショップ」への不正アクセスとお客様情報流出の可能性に関するお詫びとお知らせ　https://www.cecile.co.jp/fst/information/c_20180606.pdf〔2024/5/2 確認〕
※ 322 株式会社エムケイシステム：【お詫び】弊社製品障害に関するご報告　https://www.mks.jp/company/topics/20230605〔2024/5/2 確認〕
株式会社エムケイシステム：第三者によるランサムウェア感染被害のお知らせ　https://contents.xj-storage.jp/xcontents/AS97180/bc464498/fb3c/479a/ad33/51ec0cd39818/140120230606596742.pdf〔2024/5/2 確認〕
※ 323 LINE ヤフー株式会社：不正アクセスによる、情報漏えいに関するお知らせとお詫び　https://www.lycorp.co.jp/ja/ir/news/auto_20231127594672/main/0/link/Notice and apology regarding information leakage due to unauthorized access_JP.pdf〔2024/5/2 確認〕
※ 324 LINE ヤフー株式会社：不正アクセスによる、情報漏えいに関するお知らせとお詫び（2024/2/14 更新）　https://www.lycorp.co.jp/ja/news/announcements/007712/〔2024/5/2 確認〕
※ 325 LINE ヤフー株式会社：委託先 2 社のアカウントを利用した不正アクセスによる、従業者等の情報漏えいに関するお知らせとお詫び

https://www.lycorp.co.jp/ja/news/announcements/007711/〔2024/5/2 確認〕

※326 LINE 株式会社：個人情報保護委員会からの個人情報の取扱い等に係る報告および当社における今後の方針について　https://linecorp.com/ja/pr/news/ja/2021/3682〔2024/5/2 確認〕

LINE ヤフー株式会社：LINE のデータ移転に関するご説明　https://www.lycorp.co.jp/ja/news/announcements/000823/〔2024/5/2 確認〕

※327 以下の Web ページで「Post Incident Review (PIR) – Azure Networking – Global WAN issues（Tracking ID: VSG1-B90)」を参照した。

Microsoft 社：Azure status history　https://azure.status.microsoft/en-us/status/history/〔2024/5/2 確認〕

※328 Amazon Web Services, Inc.：Service health　https://health.aws.amazon.com/health/status〔2024/5/2 確認〕

※329 CNN：アマゾンのクラウドサービスに大規模障害　トランプ氏出廷の報道にも影響　https://www.cnn.co.jp/tech/35205182.html〔2024/5/2 確認〕

※330 日本経済新聞：AWS、一時大規模障害　スマホで家電など操作できず　https://www.nikkei.com/article/DGXZQOGN140DN0U3A610C2000000/〔2024/5/2 確認〕

※331 Amazon Web Services, Inc.：Summary of the AWS Lambda Service Event in Northern Virginia (US-EAST-1) Region　https://aws.amazon.com/jp/message/061323/〔2024/5/2 確認〕

※332 Google 社：Google Cloud Service Health > Incidents > Multiple Google Cloud services in the europe-west9-a zone are impacted　https://status.cloud.google.com/incidents/dS9ps52MUnxQfyDGPfkY〔2024/5/2 確認〕

※333 NTT 西日本：2023 年 4 月 3 日に発生した通信サービスへの影響について　https://www.ntt-west.co.jp/brand/20230428_1/〔2024/5/2 確認〕

※334 東日本電信電話株式会社：2023 年 4 月 3 日に発生した通信サービスへの影響について　https://www.ntt-east.co.jp/corporate/20230428.html〔2024/5/2 確認〕

※335 ITmedia：NTT 東西の「フレッツ光」大規模障害、原因は特定のサーバから届いた "特殊なパケット" だった　https://www.itmedia.co.jp/news/articles/2304/03/news168.html〔2024/5/2 確認〕

※336 読売新聞オンライン：海底ケーブル切断で電話やネット遮断、中国船関与か…台湾本島で同様の事態懸念　https://www.yomiuri.co.jp/world/20230302-OYT1T50368/〔2024/5/2 確認〕

※337 NHK：知られざる海底ケーブルの世界　https://www3.nhk.or.jp/news/html/20230620/k10014104331000.html〔2024/5/2 確認〕

※338 NTT 西日本：ニュースリリース　https://www.ntt-west.co.jp/news/〔2024/3/4 確認〕

※339 総務省：クラウドサービス提供における情報セキュリティ対策ガイドライン（第 3 版）　https://www.soumu.go.jp/main_content/000771515.pdf〔2024/5/2 確認〕

※340 https://www.ipa.go.jp/publish/wp-security/qv6pgp0000000vgi-att/000100472.pdf〔2024/5/2 確認〕

※341 CISA：Stakeholder-Specific Vulnerability Categorization (SSVC)　https://www.cisa.gov/stakeholder-specific-vulnerability-categorization-ssvc〔2024/5/2 確認〕

※342 Forum of Incident Response and Security Teams, Inc.：Exploit Prediction Scoring System (EPSS)　https://www.first.org/epss/〔2024/5/2 確認〕

※343 CISA：Known Exploited Vulnerabilities Catalog　https://www.cisa.gov/known-exploited-vulnerabilities-catalog〔2024/5/2 確認〕

※344 https://www.nisc.go.jp/policy/group/infra/cloud_guidance.html〔2024/5/2 確認〕

※345 FIDO Alliance：Passkeys (Passkey Authentication)　https://fidoalliance.org/passkeys/〔2024/5/2 確認〕

※346 1Password：Passkeys.directory（パスキー認証に対応する大手クラウドサービスの一覧）　https://passkeys.directory/〔2024/5/2 確認〕

※347 JISC：https://www.jisc.go.jp/index.html〔2024/5/2 確認〕

※348 MDN：ウェブ認証 API – Web API　https://developer.mozilla.org/ja/docs/Web/API/Web_Authentication_API〔2024/5/2 確認〕

※349 FIDO Alliance：Get Started on Your Passwordless Journey　https://fidoalliance.org/implement-passkeys-overview/〔2024/5/2 確認〕

※350 ケータイ Watch：パスワードレス認証でフィッシング被害にも効果あり!　パスキーを展開する「FIDO アライアンス」の現況とこれから　https://k-tai.watch.impress.co.jp/docs/news/1553203.html〔2024/5/2 確認〕

※351 情報マネジメントシステム認定センター（ISMS-AC)：ISMS クラウドセキュリティ認証　https://isms.jp/isms-cls.html〔2024/5/2 確認〕

※352 ISO：ISO/IEC 27017:2015 - Information technology — Security techniques — Code of practice for information security controls based on ISO/IEC 27002 for cloud services　https://www.iso.org/standard/43757.html〔2024/5/2 確認〕

※353 日本公認会計士協会（JICPA)：AICPA「セキュリティ、可用性、処理のインテグリティ、機密保持及びプライバシーに関する Trust サービス規準」の翻訳の公表について　https://jicpa.or.jp/specialized_field/ITI/2022/20221228tzq.html〔2024/5/2 確認〕

※354 CSA（Cloud Security Alliance)：CSA の認証制度：STAR 認証について　https://cloudsecurityalliance.jp/newblog/2021/10/07/csa の認証制度について /〔2024/5/2 確認〕

※355 一般社団法人日本クラウドセキュリティアライアンス（CSA ジャパン)：CCM WG　https://www.cloudsecurityalliance.jp/site/?page_id=2048#ccm〔2024/5/2 確認〕

※356 JIPDEC：「クラウドサービスに関連する国内外の制度・ガイドインの紹介」改訂版　公開　https://www.jipdec.or.jp/news/news/20220531.html〔2024/5/2 確認〕

第3章 情報セキュリティ対策強化や取り組みの動向

第4章
注目のトピック

2024年は、各国の国政選挙が相次ぐことから、ディープフェイクが選挙に影響を与えることが懸念されている。本章では虚偽情報拡散の脅威と対策について取り上げる。

また各国で議論が活発となり、ガイドラインや制度整備が進んでいるAIについて、セキュリティリスクの実態と影響、対策の最新動向を解説する。

4.1 虚偽を含む情報拡散の脅威と対策の動向

インターネット上の虚偽情報、あるいは真偽不明な情報の生成・拡散（特定の意図による拡散を含む）による社会の混乱や分断、対立は、近年その深刻さを増している。2016年の米国大統領選挙以降、世界各国で主に国家の支援を受けた情報操作による影響工作や、世論誘導、社会の分断及び混乱を目的とするサイバー攻撃（情報操作型サイバー攻撃）が猛威を振るうこととなった。選挙における世論誘導や中傷、扇動、新型コロナウイルス感染症（以下、新型コロナウイルス）対策に関する混乱や陰謀論の広がり、ロシア・ウクライナ戦争及びイスラエル・ハマス間の武力衝突におけるサイバー情報戦、認知戦等の脅威が連続して発生し、虚偽、あるいは真偽不明な情報の生成・拡散にどう対応すべきか、安全保障上の課題にもなっている。

更に近年、「生成AI（Generative AI）」と呼ばれるコンテンツ生成技術が急速に普及し、事実に見せかけた架空のコンテンツ、あるいは不正確なコンテンツ、著名人のなりすまし動画像等が容易に作れる事態となり、生成AIの利用の在り方の議論も始まっている。本節では、こうした虚偽あるいは真偽不明な情報の生成・拡散について、その脅威と対応の状況を述べる。

4.1.1 虚偽情報とは

「虚偽情報」は、単純な意味では事実と異なる、あるいは不正確な情報を指すと考えられるが、近年、特にインターネット上で意図的に広められる虚偽を含んだ情報について、「ディスインフォメーション（Disinformation）」や「偽情報」「フェイクニュース（Fake news）」といった用語が様々に用いられている。以下ではこのような虚偽を含んだ情報を整理した。

(1) 虚偽情報の類型

虚偽を含んだ情報の拡散による社会の混乱（情報騒乱）については、2017年に欧州評議会（CoE：Council of Europe）が用語の整理を行っている（図4-1-1）。この整理による各用語の定義は以下のとおりである。

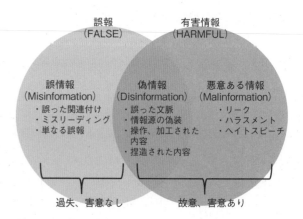

■図4-1-1 欧州評議会による情報騒乱（INFORMATION DISORDER）の分類

（出典）Claire Wardle, Hossein Derakhshan「INFORMATION DISORDER : Toward an interdisciplinary framework for research and policy making※1」を基にIPAが作成
© Council of Europe, reproduced with permission (from p5 Council of Europe report DGI(2017)09 Information disorder: Towards an interdisciplinary framework for research and policy making)

- ミスインフォメーション（Misinformation、誤情報）：
  事実誤認や過失により誤解を招く文脈で発信される、故意や悪意のない誤情報。
- ディスインフォメーション（Disinformation、偽情報）：
  社会、公益への攻撃を目的とした害意のある情報。偽の情報だけでなく、誤った文脈や操作された内容で拡散される真の情報も含まれる。
- マルインフォメーション（Malinformation、悪意ある情報）：
  リークやハラスメント等、害意をもって広められる真の情

報で、機密情報や個人情報の暴露を含むことが多い。

ミスインフォメーションとディスインフォメーションの差異は故意性と害意の有無にあり、ディスインフォメーションとマルインフォメーションの差異はその真偽性にある。この分類においては、本来は誤ったニュースを指すに過ぎない「フェイクニュース」の語は、ミスインフォメーションまたはディスインフォメーションに含まれる。ただし、これらについて確定的かつ共通した国際的な定義はなく、特にディスインフォメーションについては定義に多少の揺らぎが見られる。日本国内のDisinformation対策フォーラムでは、Disinformationを「あらゆる形態における虚偽の、不正確な、または誤解を招くような情報で、設計・表示・宣伝される等を通して、公共に危害が与えられた、又は、与える可能性が高いもの」と定義している[2]。また、欧州対外行動庁（EEAS：European External Action Service）の2023年のレポート[3]では、Disinformationについて「経済的利益を得るため、または意図的に公衆を欺くために作成、提示、流布され、公共に損害を与える可能性のある、検証可能な虚偽または誤解を招く情報。公共の損害とは、民主的な政治・政策決定プロセスや市民の健康、環境、安全保障等の公共財に対する脅威を指す。」と定義して目的の一つとして経済的利益に言及するとともに、その意図として公共への害意を明示している。日本語では「偽情報」という訳語があてられているが、ディスインフォメーションは単に虚偽の情報を含むだけではなく、相手の誤解を招くために真の情報も混ぜ合わせて加工や情報操作が行われる点に注意が必要である。

なお情報の「虚偽性」については、以下の類型があると考えられる。

- 内容が事実でない、あるいは不正確なこと：
  最も単純な虚偽である。
- 内容を拡大解釈、誇張すること：
  事実に基づいていても、誤った解釈とともに拡散されることで誤解を招く。宣伝、他者攻撃等でよく用いられる。
- 飛躍した論理で情報を関係させること：
  都合よく抽出した事実や虚偽を並べ、仮定に過ぎないストーリーを正しいストーリーに見せる。こうした強い意図に基づくストーリーは、「ナラティブ（Narrative）」と呼ばれる。ナラティブは物語と訳されることもあるが、「多くの物語を含んだ、イデオロギー、理論、または信念に沿った出来事の説明であり、将来の行動への道を指し示すもの」である[4]。ナラティブは世界のありよう

を説明し、我々の理解を補い、これから何をすべきかを指し示すことで、行動変容を起こさせる。ナラティブが情報空間で用いられると、そこに含まれる多くの物語に強い感情が呼び起こされ、ナラティブ拡散者の意図する指針に影響を受けて共有行動が促進されることにより、関連の情報がよりいっそう拡散されやすくなる。

- 情報伝達の意図を誤らせること：
  情報の本来の意図を錯誤させる。最も端的な例は、宣伝を宣伝と見せずに人を誘導するステルスマーケティング（広告主が自らの広告であることを隠したまま広告を出稿したり、企業からの依頼案件であることを隠した宣伝をインフルエンサー等に依頼したりすること[5]）である。

以下では、ディスインフォメーション（偽情報）を中心に、フェイクニュースやミスインフォメーション（誤情報）等も含めた虚偽を含んだ情報について、政府の用法[6]と合わせて「偽・誤情報」と表し、解説していく。

(2) 偽・誤情報利用による安全保障上の脅威とその背景

近年、ディスインフォメーションを中心とした悪意ある情報操作が安全保障上の問題になっている。

2014年のクリミア危機以降、ロシアによるハイブリッド戦争[7]が行われる中でも、国家による情報操作が大きな課題となってきた。ロシアによるハイブリッド戦争は、図4-1-2（次ページ）で示すように3段階で行われている。第1段階は、戦闘が始まる前の平時から行われる情報戦・心理戦である。情報戦は、ディスインフォメーションを流布することによって、相手の社会混乱や政府機関の信用失墜を企図する、情報操作型のサイバー攻撃によって行われる[8]。

(a) 情報操作型サイバー攻撃の実態

情報操作型サイバー攻撃はディスインフォメーションの流布だけではない。2016年の米国大統領選挙では、民主党全国委員会（DNC：Democratic National Committee）等のネットワークがロシアに関係するAPT攻撃グループによりハッキングされ、内部の電子メールが流出し、その内容を利用して民主党やHillary Clinton候補を攻撃するディスインフォメーションが流布された[10]。2022年のロシアによるウクライナ侵攻の直前には、ウクライナの国防総省及び国営銀行のWebサイトに対してロシア連邦軍参謀本部情報総局（以下、GRU）により

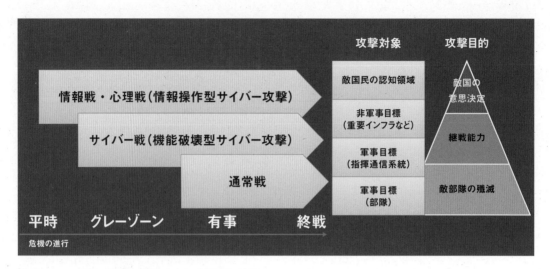

■図 4-1-2 ハイブリッド戦争の様相とサイバー攻撃類型
（出典）大澤淳「台湾有事とハイブリッド戦争[※9]」

DDoS 攻撃が行われ、Web サイトが接続不可能となるとともに、銀行 ATM が機能していないというディスインフォメーションが流布された[※11]。更にロシアは、その情報戦戦略において、ディスインフォメーションを用いた工作活動と機密情報の漏えいとを組み合わせるとしている[※12]。

このように、情報操作型サイバー攻撃は、情報窃取型や機能破壊型のサイバー攻撃と組み合わされることで更に大きな影響力を生む。そのため、情報操作型といっても情報戦の文脈にとどまらず、サイバーセキュリティの観点からも警戒と対策が必要である。

情報操作型のサイバー攻撃は、SNS やマイクロターゲティング（マーケティングや選挙活動において、対象となる個人の嗜好や行動を分析してより効果的な戦略を実行する手法）による Web 広告といった新たな IT 基盤を利用し、ディスインフォメーションを累積させることで我々の認知に影響を及ぼし、選挙や政治に関する行動変容を企図していると認識されている。攻撃者が有利なナラティブを意図的に形成することで、影響工作として更に大きな効果を生むといわれる。

(b) 国家戦略に利用されるナラティブとその狙い

国家による攻撃の意図のもとで戦略的に利用されるナラティブは「戦略的ナラティブ（Strategic Narrative）」と呼ばれ、これが国家間や組織間で利用されると「ナラティブの戦い（Battle of Narrative）」となる[※13]。この場合の戦略的ナラティブは、主にディスインフォメーションから構築される。それらは事実を含み得るが、「4.1.1（1）虚偽情報の類型」で示したように、文脈が歪められたり、悪意を持って操作され本来は表に出るはずのなかった不都合な真実であったり、真の目的を隠蔽するものであっ

たりする。我々の認知に影響を与えやすい戦略的ナラティブとして、陰謀論が一つの脅威になっている[※4]。

ナラティブの戦いでは、イデオロギー、理論、信念に関する人間の認知情報処理に働きかけ、そこから生成される行動や言動に変容を起こすことを狙いとする。視覚や聴覚等の感覚入力にディスインフォメーションや誤った情報をインプットし、更にナラティブを通じて過去の記憶と紐付けられたワーキングメモリー（作動記憶）にも働きかけ、情報の取捨選択を行う知覚フィルターを変容させる。このフィルターを通じて、認知領域の中でその個人特有の現実の解釈（内部表象）が生まれるため、知覚フィルターを攻撃することで干渉したい事象（政治や選挙等）の解釈を操作しようとする。その結果として、個人の感情や行動に影響を与え、攻撃の所与の目的である戦略的な結果を引き出そうとするという[※14]。このような攻撃者側の戦略は安全保障分野で理論的な研究が積み重ねられており[※15]、このプロセスを示したものが図 4-1-3（次ページ）となる。

偽・誤情報の利用は、情報操作型サイバー攻撃やナラティブの戦いという形で広がり、安全保障にも影響を与えている。安全保障において、認知領域は陸・海・空・宇宙・サイバー空間に続く新たな第六の戦場とみなされる。現在の国家間の紛争では、認知領域への攻撃は平時有事を問わず行われ、「認知戦」と呼ばれている。

4.1.2　ディスインフォメーションの生成・拡散の流れ

情報操作を狙いとしたディスインフォメーションの生成・拡散の流れについて、整理した結果を図 4-1-4（次ページ）に示す。

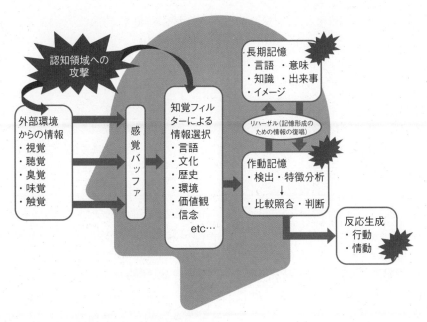

■図 4-1-3　人の認知処理フローと認知領域への攻撃イメージ
(出典)公益財団法人笹川平和財団安全保障研究グループ「"外国からのディスインフォメーションに備えを!
～サイバー空間の情報操作の脅威～"※ 14」を基に IPA が編集

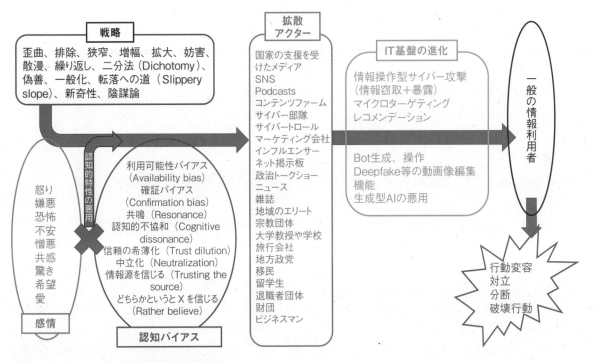

■図 4-1-4　ディスインフォメーションの生成・拡散の流れ
(出典)Puma Shen「How China Initiates Information Operations Against Taiwan※ 16」を基に IPA が作成

(1) 生成・拡散の流れ

攻撃主体は、自身の利益や自身の主張の優位性を確立するため、宣伝、あるいはディスインフォメーション等を利用して情報騒乱を引き起こすような戦略に基づいて情報拡散を行う。虚偽のニュースは、真実よりも遠く、速く、深く、広く拡散されるという性質が統計的に示されており、組織的なボットよりも、実際には人間が虚偽情報をより多く拡散してしまうことが明らかになっている※ 17。

情報拡散の際には、自己の優位性を確立するナラティブの形成を目指すとともに、情報拡散に利用しやすい、対象の強い感情を引き起こすナラティブが既に成立している場合は、そのナラティブを拡散に利用する。ナラティブの形成、拡散においては、情報の正確性を歪めたり、より強い感情を惹起したりするような人間の認知バイアスも加味される。強い感情は真偽判断よりも共有意図に大きな影響を与えるが、特に怒りが喚起された場合にこの

傾向が見られる。ディスインフォメーションは強い怒りを喚起することが多いことが先行研究で指摘されており、真偽判断に関わらず、二次的な社会的共有（投稿のシェア、リポスト等）を促進することが示唆されている[18]。こうした情報に感情を操作された情報利用者に加え、アクセス数や広告収入増加等の利益（アテンションエコノミー）を意図したインフルエンサー等の第三者、拡散側の国家や組織の支持者が拡散アクターとして増幅、拡散を行う。

また、現在のSNSやWeb検索においては、ユーザーの使用履歴を蓄積し、その傾向や嗜好から各ユーザーにあった広告やリコメンデーションが表示されるシステムが多い。そうした環境においては、ユーザーがより情報を追いたくなるような、好みに合った情報が表示され続け、自分の好みのフィルターの泡（バブル）の中に閉じ込められる「フィルターバブル」という状況に陥りやすい。更には、自分と同じ意見、思想、嗜好の人の記事や書き込みを読む方が心地良いため、気付かぬうちに、自分と同じ意見だけが聞こえてくる環境（エコー：こだま）を無意識的に選択し、多様な情報や自分の考えと異なる情報が目に入らなくなることがある。こうした状況を「エコーチェンバー」という。情報を拡散する側だけでなく、受け手のこうした環境も、情報拡散の一因となる。

こうした一連の流れによって、攻撃主体は、相手の行動変容や対象となる社会の対立、分断を企図している。

（2）流れを加速するIT基盤の進化

近年のIT基盤の進化により、偽・誤情報の生成・拡散のコストは結果的に大幅に削減されることとなった。偽・誤情報を拡散したい組織及びその支援者は、この基盤を活用して生成・拡散システムを形成している。以下の要素が高度化・自動化したことは、偽・誤情報の生成・拡散システムが拡大する主要な技術的要因となった。

- 情報窃取・悪意の拡散
  サイバー攻撃による不正アクセス等を用いて、評価を貶めようとする組織・個人の情報を窃取する。また大量のボットにより、悪意ある情報拡散を自動化する。
- コンテンツ生成
  生成AIによる「事実とは似て非なるコンテンツ」の生成では、政治家や芸能人のディープフェイク動画拡散等で悪用が懸念され、後述するとおり被害事例も増加している。2020年以降急速に普及している大規模言語モデル（LLM：Large Language Model）を用いた対話型AIでは、事実とは異なる内容や、文脈と無関係な内容が一見もっともらしい回答として出力され

てしまう現象（「ハルシネーション」）があり、AIから返答を受け取ったユーザーに真偽を判断できる知識がないと、それが正しい情報だと誤認されて拡散されるリスクがある。更には、悪意のある攻撃者がナラティブを利用し真偽を交えたコンテンツを安価に大量生成するといった脅威が考えられる。生成AIを用いたディスインフォメーション作成に関しては、ディスインフォメーションを含む合計1万7,000語以上、102件のブログ記事を65分で生成できた上に、40以上の言語に変換可能な、ワクチンに関するディスインフォメーションを語る医療専門家のディープフェイク動画を5分以内に生成できたという実験結果がある[19]。

- 広告関連機能による拡散・増幅
  マイクロターゲティング技術の悪用は、個人を特定してその嗜好や思想傾向にカスタマイズした情報生成や情報配信を容易にする。また、検索エンジン等で用いられるレコメンデーションアルゴリズムは、個人だけではなく特定志向を持つグループに彼らが好む情報ばかりを提示し、有害な情報の拡散や特定グループ内での情報の濃縮、同質化を促進する。

4.1.3 虚偽を含んだ情報生成・拡散の事例

2023年度に発生した主な事例を以下に記載する。

（1）イスラエル・ハマス間の武力衝突

本項では、イスラエル・ハマス間の武力衝突で見られた偽・誤情報の拡散及びそれらを利用した情報戦の様相について整理する。

（a）事案の内容

2023年10月7日、パレスチナのガザ地区を実効支配する武装組織ハマスがイスラエルに対してミサイル攻撃を開始するとともに、イスラエル南部に戦闘員を侵入させ民間人多数を殺傷、拉致するに及んだ。これにより、イスラエルとハマスは戦闘状態となり、これは2024年4月現在も継続している。

この武力衝突においては、イスラエル政府とハマス双方の公的な発信による熾烈な情報戦が繰り広げられた。一例としては、2023年10月17日に起きたガザ地区のアル・アハリ病院の爆破事件が挙げられる。ハマス側はすぐにこれをイスラエルによる故意の空爆であるとして即時に非難し[20]、イスラエル側もハマスによる攻撃と断じる発表を行った[21]。イスラエル政府のX（旧Twitter）公

式アカウントは、これがハマスのロケット弾の誤作動によるものだとするビデオまで公開したが、The New York Times はビデオのタイムスタンプの分析に基づいてその動画がフェイクであることを暴いた[22]。米国は各種情報の分析から、これはハマス側の誤射であるとしているが[23]、反イスラエルのクラスター（組織や団体、個人の集まり）はイスラエルの戦争犯罪の一つだと喧伝し続けている[24]。

そのほかに拡散されたミスインフォメーションやディスインフォメーションの例としては、「イスラエルがガザに核爆撃を行った」「イスラエルがガザに白リン弾を使用した」「イスラエルがアイアンビームを実戦投入」「ハマスはイスラエルの子供をさらい檻に閉じ込めている」「パレスチナが死者を捏造している」「パレスチナの病院で被害を訴える医師は女優」「イスラエルはガザ南部の退避地域に空爆を行っておらず民間人を攻撃していない」といった情報がある[25]。

こうした情報工作に加えて、イスラエル政府や地元紙の The Jerusalem Post 関連の Web サイトに対して DDoS 攻撃が行われたが、これは情報工作を否定する発表を阻害する狙いがあるとされている[26]。一方でイスラエル側も、ハマスの情報戦能力を削減させるために、空爆でガザ地域の携帯電話通信用の電波塔を標的にし、同地域で主力なインターネットサービスプロバイダーへの電力供給を拒否する等、情報インフラ機能を破壊している。こうした攻撃により、2023 年 10 月末までに、ガザ全域のインターネット・トラフィックは 80% 減少した[27]。

(b) 関係組織

前述のとおり、この武力衝突では、イスラエル政府と武装組織ハマスによる情報戦が展開されており、いずれの公的発信も情報戦戦略の一環として解釈する必要がある。

また、この武力衝突を利用して反欧米のナラティブを強化するために、ロシア、中国、イランが国営メディアや政府高官の SNS 発信等で反イスラエル、反米のディスインフォメーションを拡散している[24]。

このような活発な情報戦において、公開情報を分析してファクトチェックを行う OSINT（Open Source Intelligence）分析グループが数多く活動している。The New York Times や BBC 等メディアの検証チーム、Bellingcat 等の OSINT 専門グループ、個人や私的なグループで OSINT 分析家を標榜する者等様々だが、こうした OSINT 分析の乱立による競争が生まれるように

なった。SNS の収益化構造も相まって、より早く決定的な分析結果をフォロワーに提供しようとすることで、彼らはかえって、特定の国や勢力を利する政治的なナラティブを強化する一因となってしまっている。このような状況で、OSINT 分析すらも情報戦の兵器として国家等の特定勢力に利用されてしまう（兵器化）構造となったことが指摘されている[22]。

(c) 手口

情報戦の主な舞台は SNS であった。Thierry Breton 欧州委員（域内市場担当）は、X、Facebook、TikTok、YouTube に対し、今回の武力衝突に関するディスインフォメーションの抑制が十分でないと批判したが、各社は有害なコンテンツに対処する措置を講じたと述べている。2023 年 10 月 7 日以降、イスラエル検察庁のサイバー部門は、ハマスに関連する暴力を扇動する SNS コンテンツに対して削除依頼を出しているが、攻撃開始後 2 週間でその件数は約 4,500 件に上り、その大半は Facebook、TikTok、X に対するものだという[28]。

イスラエルのソーシャルメディア分析企業である Cyabra によれば、攻撃開始後の 1 ヵ月で、少なくとも約 40,000 件以上の Bot アカウント及び不正なアカウントを確認したという。また、Facebook、Instagram、TikTok、X でこの武力衝突について投稿したアカウントのおよそ 4 個に 1 個が偽のアカウントであることが攻撃後 1 日で判明したという。更には、アル・アハリ病院での爆発から 24 時間以内に、X に本件を投稿したアカウントの 3 個に 1 個以上が偽のアカウントであった[29]。

また、この情報戦を自国に優位なナラティブ形成に利用しようとして、ロシアや中国、イランの政府高官、省庁、大使館といった政府関連アカウントは、SNS 上の発信において、Sputnik や RT（旧称、Russia Today）、Global Times（環球時報）、Tasnim News Agency といった国営（ないしは半国営）メディアからの発信を積極的に引用していた。ロシアにおいては、前述した各社 SNS に加え、Telegram の利用も見られる[24]。

この情報戦では、生成 AI によって作成、加工された動画像の流布が多く見られた。代表的な事例としては、男性が子供達を瓦礫から救出する画像、瓦礫に押しつぶされ悲鳴を上げる赤ん坊の画像、兵士達がイスラエル国旗を掲げて爆撃地を行進する画像、イスラエル国民がマンションの各部屋から国旗を掲げてイスラエル兵士を歓迎する画像、米国の人気モデルがイスラエル支持を表明する動画等が確認されている[30]。

第4章 注目のトピック

213

日本ファクトチェックセンター（JFC：Japan Fact-check Center）によると、男性が子供達を瓦礫から救出する画像では、AIが生成した画像に特有の、細部の不自然な描写が多数確認できるという[31]（図4-1-5の丸で囲われた箇所や矢印の箇所）。

小さな子供や赤ん坊の被害を強調して悲壮な感情を扇動する画像は、「#Gaza_under_attack」「#Free Palestine」といったハッシュタグとともにパレスチナ擁護側から拡散され、またイスラエル国旗を用いて愛国心を鼓舞する画像は、「#HamasTerrorist」「#IsraelFightsBack」といったハッシュタグとともにイスラエル支持側から拡散された[33]。ただし、「戦争の被害に遭うかわいそうな子供達」というナラティブ自体は、イスラエル・ハマス双方が利用している[34]。

政治的な意図によって作成されたAI画像以外にも、ストックフォトサービスにおいて「中東戦争」とタグ付けされたAI画像が商品化されており、これが今回の武力衝突に関する現実の画像と誤認されて拡散されたり、生成AIによるものと明示せずに使用されたりすることで誤解を招くという問題も指摘されている[35]。

JFCによると、パレスチナ系の米国人モデルであるIsabella Khair Hadidがイスラエルの対応を非難したところ、彼女の過去のスピーチ動画を、生成AIを利用し加工して、イスラエル非難の発言を謝罪しイスラエル支持を表明する動画が捏造され拡散された。この動画では、彼女の音声をAIに学習させ捏造音声を生成するとともに、生成した音声に合わせてリップシンク（唇が連動）

■図4-1-5　生成AIによるディープフェイク画像生成・拡散の事例[32]

するように動画が加工されていたという[36]。

(d) 影響

この情報戦においては、ハマス側の工作スピードが速く、またイスラエルの非道さを強調するナラティブが功を奏し、イスラエル側は守勢に回っていると評価されている[29]。イスラエルや同国を支援する米国の政府高官には、既に国際世論の支持を失い武力行使の大義を失っているという認識があるという[37]。情報工作の効果について客観的な評価は困難であるが、米国の世論調査では、米国がイスラエル側に立つことを望む人の割合は、2023年10月の43%から同年11月には37%に減少したという[38]。これは、この情報戦の影響の一つと考えられる。

ロシアや中国、イラン等非交戦国による周縁的な情報戦の動きについては、彼らの反欧米のナラティブが欧米の枠を超え、反植民地主義的な不満と呼応するグローバルサウスにおいて共鳴する可能性が高いという指摘がある[24]。この情報戦で、グローバルサウスにおけるウクライナ支持結集の努力や欧米的な自由民主主義の価値観までも毀損されるという影響が広がっているという。

(2) 福島第一原発処理水放出

本項では、東京電力ホールディング株式会社福島第一原子力発電所（以下、福島第一原発）のALPS（Advanced Liquid Processing System）処理水放出をめぐる偽・誤情報の拡散及び情報戦の様相について整理する。

(a) 事案の内容

2023年8月24日、福島第一原発のALPS処理水の太平洋への放出が開始された。その際、この処理水を巡って様々なディスインフォメーションやミスインフォメーションが拡散された。事例としては、「魚の大量死は福島第一原発からの処理水の影響」「ALPSを通してもストロンチウムを含む放射性物質の約6割が除去されず海に放出される」「日本政府は汚染水を処理せず福島第一原発からそのまま放出」「国際原子力機関（IAEA）の報告書には欠陥がある」「IAEAは日本の計画を支持していない」「汚染水放出は日本の魚介類を汚染し、食用に適さなくなる」「処理水放出後に海面の色が変化する程の汚染があった」といった内容があった[39]。これらは、処理水放出に批判的な立場から発せられたため、処理水（treated wastewater）を核汚染水（nuclear-contaminated water）と呼ぶことによる印象操作も行わ

れた。

また、特に韓国のネットメディアからは、「日本政府が
IAEAに対して100万ユーロ以上の政治献金を行った」
「IAEAレビュー報告書の結論は最初から絶対安全と決
まっている」「IAEAレビューに参加する第三国専門家は
飾り物である」「外務省の公電にて『処理水のタンク群の
調査の結果、放射能濃度が基準を大幅に超過したため、
バラスト水の交換によってALPS処理水の希釈を加速
し、安全基準を満たすことが検討されている』といった記
載がある」といったディスインフォメーションが拡散され、
これらについては、外務省が計2回にわたって公式に
反論文書を公表した[40]。

また、台灣事實查核中心（台湾ファクトチェックセン
ター）によると、西村康稔経済産業大臣（当時）が中国に
よる日本産水産物の禁輸撤廃を求めた会見の動画につ
いて、簡体字が交じった中国語で、「中国や香港、マ
カオに輸出予定だった2万匹の魚が台湾に運ばれた」と
いった虚偽のキャプションが追加されて中国語圏のSNS
上で拡散されたという[41]。これについては、経済産業
省が公式に反論している[42]。

(b)関係組織

日本国内では、処理水放出に批判的なSNS上のクラ
スターにおいて、前述のようなディスインフォメーションが拡
散された。更に、中国政府と政府系メディアが結託して、
福島第一原発の処理水に関するディスインフォメーション
キャンペーンが行われたことが明らかになっている[43]。
この動きに一部の太平洋島しょ国も同調し、ソロモン諸
島政府やフィジーの野党を含む太平洋地域の親中派政
治家や活動家には、中国と歩調を合わせて処理水が海
に放出されたことを非難する動きがあった。また、前述
のとおり韓国メディアからもディスインフォメーション拡散の
動きがあった。

(c)手口

主にSNSを中心にディスインフォメーションが拡散され
たが、特に組織的な中国の反処理水キャンペーンは以
下のようなものであった[43]。

- 2023年1月から8月にかけて、環球時報は福島第
  一原発の排水放出に関する約126本の英文記事を
  掲載した。同時に、人民日報は福島第一原発の排水
  に関する記事を英語で約74本、日本語で約60本掲
  載した。
- 国営テレビである中国中央電視台（CCTV：China

Central Television）、国営ラジオである中央人民広
播電台（CNR：China National Radio）、海外向けの
ラジオ放送である中国国際広播電台（CRI：China
Radio International）を含む中国の国営メディアが、
英語、ドイツ語、ポルトガル語、クメール語を含む複
数の言語で、廃水放出がもたらすリスクに関して少な
くとも22の有料広告をFacebookやInstagram等の
SNSに掲載した。広告は、世界中の少なくとも1,000
以上のMeta Platforms, Inc.（以下、Meta社）の広
告ライブラリを利用する各種SNSページで掲載された。
- 同年8月24日、福島第一原発事故に関する以下の
  ような北京語のハッシュタグが、中国のSNSである微
  博（Weibo）のトレンドの上位を占めた。「日本核汚染
  水排海正式开始（翻訳：日本の核汚染水排出が正式
  に始まる）- 24億回読了」「日本将用700亿日元处理
  核汚染水负面信息（翻訳：日本は核汚染水に関する
  ネガティブな情報への対応に700億円を使う）- 4億
  3000万回読了」「中国日料店会大批量倒闭吗（翻訳：
  中国の日本食レストランは大量に廃業しているのか?）-
  3億2,000万回読了」「受日本核汚水影响最大的省份
  （翻訳：日本の原子力汚水によって最も影響を受けた
  地方）- 1億3千万回読了」等。
- 2023年1月1日から2023年8月25日の間に、中国
  の国営メディア、政府関係者、親中派インフルエンサー
  による「フクシマ」に言及した投稿がWeibo、Facebook、
  X等のSNSにおいて1,509%増加した。

また、JFCによると、海水面の変色等、中国の動画
サイトで拡散されていたトピックが日本語に訳されてSNS
上の日本語クラスターに拡散されていた例も見られたとい
う[44]（次ページ図4-1-6）。

(d)影響

これらのディスインフォメーションは、米国の同盟国で
ある日本の失敗を強調し、周辺国に害を与えると思わせ
ることによって、日本を世界から孤立させるとともに、日本
国内の世論の分断をも扇動したと見られる。また、現在
の世界秩序維持における国際機関の無力さも喧伝する
ナラティブの拡散を意図したと分析されている[43]。

(3)台湾総統選挙、立法委員選挙

本項では、台湾総統選挙における偽・誤情報の拡散
と情報戦の様相について整理する。

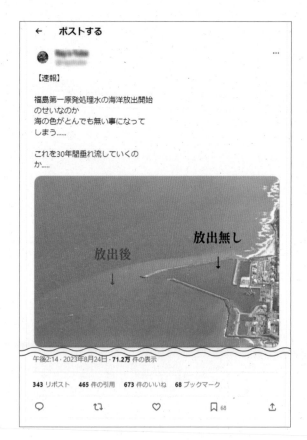

■図 4-1-6 偽・誤情報拡散の事例[15]

(a) 事案の内容

　台湾の選挙においては、影響工作のためのサイバー攻撃を含む選挙介入が確認されている[46]。2016年1月16日の総統選挙では、政府関係者、台湾独立運動家に向けて、ハッカー集団「APT12」によるフィッシング攻撃が行われた。また、2018年の統一地方選挙では、民進党が大敗を喫したが、これについて、民進党の報道官が中国による介入があったとコメントしている。2020年1月11日の総統選挙においても、米国のシンクタンクである戦略国際問題研究所（CSIS：Center for Strategic and International Studies）の分析によれば、2019年から中国の介入があったとされる。この分析によると、①資金供与によって親中の候補に有利となる調査結果を台湾の報道機関と世論調査会社に作成・公表させる、②コメントの投稿で報酬を受け取れる「五毛党」を組織し、Facebook等のSNSで反中候補者を攻撃し、親中コメントを投稿させる、といった手法が使われているとのことである[47]。

　2024年1月の総統選挙に向けても、サイバー攻撃[48]を含む選挙介入が観測された。この影響工作活動においては、軍事的圧力、経済威圧行動も組み合わされ、報道機関やソーシャルメディア等を通じたディスインフォ

メーションの拡散が行われたとされている[49]。

　2023年6月に実施された台湾側の軍事演習においては、蔡英文総統（当時）が有事の際に台湾を脱出する練習をしている、といったディスインフォメーションが流布された[50]。2023年8月に中国が台湾周辺海域で軍事演習を行った際には、航空機や艦船による中間線への接近頻度を増すことで、単純に軍事的緊張を高めるだけでなく、「戦争の恐怖」を作り出すことによる認知戦の要素もあったと指摘されている。世論の反戦意識を高め、中国が台湾内の特定のメディアや政治団体と協力し、台湾の選挙への実質的な介入を行っていると安全保障関係者は分析している[51]。また、脱走兵が出たというディスインフォメーションの流布や、海事を司る女神である媽祖の庇護は中国にあるといった映画を製作することで、中国に有利なナラティブの強化を行うといった活動も見られた[52]。これに対して台湾国防部は即座にプレスリリースで反論し、台湾市民に対して台湾側に有利なナラティブの擁護に務めた。軍事的アプローチにとどまらないこうした台湾国防部の対策行動は、多角的な認知戦対策として有効であると考えられる。

　ディープフェイクの事例としては、民進党候補者の頼清徳氏が暗号資産への投資を推奨する動画、同氏が野党の主張を擁護する動画、米国下院議員 Rob Wittman 氏が、2024年1月13日の総統選挙で与党・民進党の候補者が勝利した場合、台湾への軍事支援を支持するというフェイク動画等が SNS 上で確認された[53]。また、音声によるディープフェイクとして、台湾民衆党候補者の柯文哲氏のものとされる音声ファイルがメディア関係者にメールで拡散された。その内容は外遊中の頼氏が米国で金を払って支援者を集めている、というものであった[54]。こうした活動と並行して、台湾の分断を促進するディスインフォメーションが流布されている。

(b) 関係組織、手口

　中国は、情報戦の一環として、この10年間に国営メディアに多額の投資を行ってきた。現在、中国国営メディアは少なくとも12ヵ国語で配信し、世界中の視聴者に到達している[55]。主なメディアは CCTV、CNR、CRI、国際ニュース放送を行う中国国際電視台（CGTN：China Global Television Network）、新華社通信、中国通信社等である。例えば、CGTN 発行の記事は日本の Yahoo! ニュースにおいて日本語で配信されており[56]、ニュースサイトやまとめサイト等を閲覧する際には記事の配信元の確認が必須である。

情報戦の拡散アクターであるインフルエンサーに関しては、中国はFacebookグループや配信者に外貨を支払って記事を拡散させる動きがあることや、国の支援がなくとも、親中派のメッセージを発する台湾国内の配信者には中国の愛国者達から寄付が集まりやすい構造があることが挙げられる[57]。台湾では、親中派の記事を広めるだけで、毎月1,500米ドルも稼ぐことができるFacebookページが確認されている。寄付については、2019年に台湾でネット上の寄付を受けたYouTuberトップ10のうち、7人が親中メッセージを拡散していた。トップのYouTuberは7万人の登録者しか得ていないが、年間100万台湾ドルの寄付を集めていたという。

(c)影響

台湾政府は、SNSだけでなく、テレビ等のメディアについても監視を徹底した。総統・副総統候補による政見発表会やテレビ討論会では各省庁がチェック体制を敷き、誤った情報があれば即座に報道資料を発表して訂正した。また、国家安全法や反浸透法に基づき、中国による選挙への介入について検察は捜査を開始している[59]。

2024年1月の台湾総統選の選挙結果としては、与党・民進党の頼清徳氏が当選したものの、頼氏の得票率は40.05%と伸び悩み、新興政党・台湾民衆党の柯文哲氏に票が流れた。これは与党とは対中関係で立場を異にする野党の伸長を示しているとする見方もある[60]。中国による認知戦の成果の客観的な測定は難しいが、前述した多様な工作による認知戦の影響もあったとはいえるだろう。

(4)令和6年能登半島地震

本項では、2024年に発生した能登半島地震における、偽・誤情報の拡散状況について整理する。

(a)事案の内容

2024年1月1日、能登半島で最大震度7を記録する大地震が発生した。この震災の混乱に伴い、多くの偽・誤情報が拡散され、以下のような事例が確認されている[61]。

- 2011年の東日本大震災の津波の映像を使って、まるで能登半島地震の被害のように誤認させるもの
- 被災地の住所を転記して、まるで自分が被害に遭っているかのように誤解させる偽の救助要請
- PayPay等を経由した虚偽の寄付募集
- 全国から能登半島に盗賊団が大集結中といった根拠

不明の犯罪情報
- 志賀原子力発電所で放射性物質を含む水が2基で約420リットル漏えい中といった原発事故を誤認させるもの
- 人工地震等の陰謀論

(b)関係組織、手口

この地震においては、詐欺目的やいたずら目的の個人の情報発信に加えて、X特有の問題として、いわゆる「インプレゾンビ」による情報の混乱が問題となった。Xは2023年から、課金しているユーザーが一定の「インプレッション」（投稿されたポストが表示された回数）を獲得すると、収益が得られる仕組みを導入している。そのため、こうした災害時に話題になりやすいトピックで投稿を行うことでインプレッションを稼ぎ、増収を狙うアカウントが多数見られた。前述の事例のうち、偽の救助要請を投稿したアカウントの中には、Xでインプレッションを獲得すると収益が得られる仕組みやその方法を教える動画を公開しているケースや、こうした偽・誤情報の投稿で収益を上げたことを報告しているケースも確認された[62]。こうしたインプレッション稼ぎのアカウントには、南アジアや中東地域のユーザーも多く、日本語の投稿のコピーアンドペーストだけでなく、インプレッションを集めている投稿にアラビア語でのリプライ（返信）を行うことで主投稿の閲覧者からのインプレッションを稼ぐ事例等も見られる。

(c)影響

地震発生の翌日、情報騒乱の状況を危惧し、岸田首相自身が「虚偽情報の流布は許されない、こうした行為は謹んでほしい」と国民に呼びかけた[63]。併せて、総務省はSNS等の4事業者に適切な対応を求めた[64]。総務省によると、Meta社とLINEヤフー株式会社（以下、LINEヤフー社）では偽情報であることが明らかな規約違反投稿を削除し、X Corp.（以下、X社）はQRコードで寄付等の支援を求める疑わしいアカウントを凍結、Google LLC（以下、Google社）はYouTubeのモニタリング体制を整えるといった対応を取った。更に、総務省の「デジタル空間における情報流通の健全性確保の在り方に関する検討会」において、2024年1月19日の会合で、偽情報に関する新たな作業部会の設置が決定された[65]。この検討会を通じて、Google社やLINEヤフー社といった主要プラットフォーム事業者にヒアリングが行われ、同年5月15日に暫定版の報告書が公表された[66]。

(5) 2024年の各国の国政選挙

本項では、2024年の各国国政選挙に向けて増加している偽・誤情報の拡散について、特に動画や音声を用いた事例を中心に整理する。

(a) 事案の内容、手口

2024年は選挙イヤーと言われており、米国大統領選挙を始め、各国で国政レベルの選挙が実施される。2024年は生成AIが広く普及してから初めての選挙イヤーでもあり、以下のような政治家や選挙に関係する著名人のディープフェイク動画像、音声等が数多く拡散している。

- 米国のJoe Biden大統領が「徴兵法を発動する」等と発言して、徴兵への協力を呼びかける動画[67] TikTokでは20万以上の「いいね！」と1万1,000以上のコメントを集め、その後、他のプラットフォームにも拡散した。
- ニューハンプシャー州の有権者に対する、予備選挙への参加を思いとどまらせるBiden大統領の音声によるロボコール（自動の電話メッセージ）[68]
- トランスジェンダーに対して、あなたは女性にはなれないと非難するBiden大統領の動画[69]
- インドネシアのJoko Widodo大統領が中国語で演説する動画[70]
- ウクライナ支援に反対するメッセージを伴うセレブリティ達の画像 歌手のTaylor Swift、サッカー選手のCristiano Ronaldoといった有名人が利用され、Facebook上で560件の広告掲載がなされたことで、およそ760万人の目に触れたと考えられている[71]。

また、選挙の当事者である政党同士が相手の党や候補者への攻撃のために生成AIによる動画像を利用する例も増えている。共和党全国委員会（RNC：Republican National Committee）は、Biden大統領の再選による終末的なシナリオを描いたディープフェイク動画を作成し、投稿後に広く拡散された。ポーランドでは、主要野党・市民プラットフォーム（PO：Platforma Obywatelska）が、現与党である法と正義（PiS：Prawo i Sprawiedliwość）の内政を批判するMateusz Jakub Morawiecki首相のディープフェイク音声を公開した。スロバキアでは、進歩党の党首が選挙の不正操作を画策しているとするディープフェイク音声が、投票所の開場数日前に拡散された[67]。

(b) 関係組織

前述した国内当事者同士の関与や、政治的な意図を持つ個人や私的な集団以外に、外国から他国の選挙に干渉しようとする勢力としては、ロシアのDoppelgänger（ドッペルゲンガー）が挙げられる。彼らはロシアのGRUと関係があるとされ、米国に焦点を当てたディスインフォメーション工作を行っている[72]。2024年の米国大統領選挙を前に、社会的・政治的分裂を利用することを目的とし、反LGBTQ+感情を煽り、米国の軍事力を批判し、米国のウクライナ支援をめぐる政治的分裂を増幅させようとしている。前述したセレブリティを利用した反ウクライナ支援キャンペーン等もドッペルゲンガーによるもので[71]、彼らの近年の手法としてAIを活用していることが特徴的であるとされる。

(c) 影響

各国でこのようなディープフェイクが蔓延していることは、選挙の信頼性を毀損するものであり、民主主義への脅威がより高まっている状況といえる。

このような状況に対し、米国では、超党派の下院議員グループにより、AI詐欺禁止法案（No Artificial Intelligence Fake Replicas And Unauthorized Duplications Act：通称、No AI FRAUD Act）が2024年1月に提出され、ディープフェイクへの法規制が議論され始めている[73]。

(6) 新型コロナウイルス関連

本項では、新型コロナウイルス関連の偽・誤情報の拡散状況について整理する。

(a) 事案の内容

2020年1月に新型コロナウイルスが中国で確認され、世界に感染拡大した。それ以来、新型コロナウイルス関連の偽・誤情報や有害情報がSNS、報道等で拡散し続けた。現在は新型コロナウイルス自体が感染収束傾向にあるため、情報騒乱も沈静化してきてはいるものの、2023年度もワクチンを中心とした虚偽情報が確認されている。

主な虚偽情報、悪意ある情報の類型は以下のようになる。

- 発生源に関する不確実情報 発生源は中国武漢市の市場あるいはウイルス研究所である可能性が高いとの西側メディアの報道が2023年時点も継続している[74]。中国政府は研究所流出

説を強く否定している。

- 感染対処法に関するデマ

発生直後、根拠不明の多くのコロナ予防や諸症状への対処法が拡散した。

- 対策に関する詐欺情報

発生直後から、世界各国で詐欺情報が横行した。具体的には、関係省庁の注意喚起を装うフィッシングメール、マスクや新薬、ワクチン接種等に関する金銭詐欺、給付金支給に関する個人情報詐取等が確認された[75]。

- ワクチン接種に関する不正確な主張

新型コロナウイルスワクチン接種に反対する人々は、医学的合理性が確認されていない「ワクチンによって死亡者が出た」「ワクチンは人口削減のため」といった言説を拡散した[76]。

(b) 関係組織

上記の不正確な主張について、反対派の人々の言説は「コロナ禍はディープステート（闇の政府）によるもの」「ワクチンは陰謀」といった陰謀論言説と親和性が高いことが明らかになっており[77]、こうしたナラティブに共鳴したグループは、SNS等で偽・誤情報の増幅・拡散を行ったと思われる。

(c) 手口

多くはSNSによる拡散であり、状況に応じて自然発生的に生じたと考えられる。ただし、ヘイトスピーチの拡散では自動で投稿するボットの利用が確認され[78]、共鳴するグループが組織的に拡散したケースがあることがうかがわれる。

(d) 影響

世界同時的な感染症による社会不安の発生に伴い、偽・誤情報・不確実情報、陰謀論の同時蔓延も生じ、この状況をWHOは「インフォデミック（Infodemic）」という言葉で表した[79]。中国、ロシアによる新型コロナウイルス関連の情報工作は国際関係にも影響を与え、安全保障上の脅威にもなったことが米国国務省のレポート等で指摘されている[80]。

(7) ロシア・ウクライナ戦争

本項では、ロシア・ウクライナ戦争における偽・誤情報の拡散状況及び情報戦の様相について整理する。

(a) 事案の内容

2022年2月24日のロシアによるウクライナ侵攻において、ロシアはその侵攻前の段階から、情報窃取や機能破壊型のサイバー攻撃を組み合わせた情報戦を展開していた。併せて、ロシアの侵攻を正当化し、ウクライナ支援を行う欧米の分断を図るナラティブを対ウクライナ及び対国際世論への影響を目論んでSNS上で拡散しており、こうした情報工作の動きは2023年度も継続した。これらは、ロシアの安全保障政策に基づくサイバー情報戦の一環であり、ウクライナ及び西側諸国を敵視したナラティブの拡散は2014年のクリミア併合時点から継続している[81]。2024年3月22日にモスクワ近郊のクロクス・シティー・ホールが襲撃され、145人が死亡したテロ事件においては、イスラム国（IS：Islamic State）が犯行声明を発表しているにもかかわらず、ウクライナと西側諸国の関与があったとロシア当局は主張している[82]。

(b) 関係組織

ロシアのサイバー情報戦の主体は政府、ロシア軍、ロシア連邦保安庁や対外情報庁等の情報機関、RTやSputnik等の親ロシア系報道機関、Internet Research Agency等の情報操作企業、親ロシア系ハッカーとされる。親ロシア系の第三国からの拡散もあるという[83]。

(c) 手口

ウクライナ侵攻において、ロシアが工作を行っている類型は以下の三つに大別できる。

- 国際世論をターゲットとしたサイバー影響工作

Microsoft Corporation（以下、Microsoft社）の調査によると、ロシアは国内・ウクライナ・西側諸国・非同盟国それぞれに、SNS等に事前に配置した宣伝メッセージを一斉に拡散、自国、ウクライナの親ロシア派、非同盟国からの支持強化、及び西側諸国の分断誘発を図った[84]。

- ウクライナ政府の評価を毀損するディスインフォメーション

「ウクライナ政府はネオナチ」「ゼレンスキー大統領が首都キーウを脱出」「ブチャの虐殺は米英の陰謀」といったディスインフォメーションや、Volodymyr Zelenskyy大統領が降伏を呼びかけるディープフェイク動画等が拡散された[85]。

- 偽旗作戦（False Flag Operation）

侵攻以前から「ウクライナ東部のロシア系住民が迫害された」「親ロシア勢力が攻撃された」等の情報が

SNS等で拡散した[86]。米国はこれを、侵攻を正当化するロシアの「偽旗作戦」と断じ、侵攻直前にBiden大統領が公表するという措置を取った[87]。

また、SNSにおける活発な工作のうち、ロシアにおいて特徴的だったのは「Telegram」(テレグラム)の主戦場化である。

Telegramはロシアで誕生した守秘性の高いSNSであり、ロシア・ウクライナ双方で多くの人が利用している。2013年のサービス開始以来、監視等の機能がないために極右・過激主義・反体制集団等が宣伝を行っていたが、政府の規制は免れていた[88]。

2022年以降、Telegramはロシア、ウクライナ双方の政府及び政府支援グループが情報工作とプロパガンダを行う主戦場となった。ロシア国民は、他のSNSと異なりTelegram上では、自国に加え、ウクライナ及び西側諸国の拡散情報を自由に見ることができる[89]。これにはロシア政府にTelegram規制が自国に有利でない、という判断があると思われる。Telegram上では相手国政府にサイバー攻撃を行う「サイバー義勇軍」の勧誘も行われたという。

ウクライナでも、Telegramは戦時の重要な情報源となっている。多くのウクライナ人が国外に避難しており、テレビ等の主要なウクライナメディアを見ることができない状況で、Telegramのいくつかのチャンネルはマスメディアと同等の働きをしている。ロシア・ウクライナ戦争開戦前の2021年には、ウクライナでのTelegram使用率は20%前後であったが、2023年の調査では成人の72%がTelegramを使用しているという、急成長を示す結果となった[90]。しかし、Telegramはロシア発の偽・誤情報の温床となっており、2024年3月にはTelegramを規制する法案がウクライナに提出されている[91]。しかし、その規制事項は実質的な禁止措置に等しい内容であるため、言論の自由の観点から大きな反発にあい議論となっている。

(d) 影響

ロシア政府の情報戦は、自国民の支持強化には成功した。肝心な対ウクライナについて、侵攻当初、ロシア政府は大半のウクライナ国民が支持または無関心の態度を取ると想定したと見られるが、彼らは反ロシアに回った。西側諸国の分断に対しても、ロシア政府の思惑は外れた。これらの誤算については、ウクライナ政府のSNS等による情報戦が巧みであったこと、2014年のクリ

ミア侵攻の成功でロシアに楽観が生まれたこと等が指摘されている[92]。一方で、西側諸国や中国・ロシア陣営に与しないグローバルサウス諸国の支持については一定の効果があったと考えられている。

4.1.4 虚偽を含んだ情報への対応状況

日本では、2022年12月に公表された国家安全保障戦略[93]において、「偽情報等の拡散を含め、認知領域における情報戦への対応能力を強化する。その観点から、外国による偽情報等に関する情報の集約・分析、対外発信の強化、政府外の機関との連携の強化等のための新たな体制を政府内に整備する」とされた。これに伴い、陸上自衛隊には認知戦対処専門部隊[94]が、海上自衛隊には電子戦や偽情報対策を担う部隊[95]が新設されることとなった[96]。

(1) 日本政府の対応

2023年4月には、内閣官房を中心に政府の偽情報対応のための体制整備が進められることが明らかとなった[97]。具体的には、内閣情報調査室の内閣情報集約センターにおいて公開情報の収集・集約・分析を行い、その一環として、内閣情報官のもとで、外国からの偽情報等の収集・集約・分析を実施することとなった。併せて、偽情報等に対する対外発信も強化し、内閣広報官のもとで官邸国際広報室が、国家安全保障局、外務省、防衛省を含む関係省庁と連携して発信を行っていくとされた。

各省の対応としては、防衛省は2022年4月時点で既に新たな役職として、国際情勢を分析し、偽情報対応等にあたる「グローバル戦略情報官」を設置していた[98]。AIを使用して公開情報やSNSの投稿を自動収集し、諸外国の意図や影響分析を行っている。外務省もAIを使った偽情報対策に乗り出しており、2024年度に向けた概算要求においては、「認知領域における情報戦に係る本省モニタリング・分析・発信強化」と「国際情勢分析能力強化のためのAI活用」といった事業を盛り込み、合わせて12.6億円を計上している[99]。また、総務省は2023年10月に「デジタル空間における情報流通の健全性確保の在り方に関する検討会」を立ち上げ、偽・誤情報対策を含め、デジタル空間における情報流通の健全性確保に向けた今後の対応方針と具体的な方策について検討を進めている[100]。
・安全保障上の脅威となる国家レベルの情報操作や偽

情報の拡散について、一国のみでの対処では十分でないことから、国際協力が進んでいる。2023年4月29～30日に開催されたG7デジタル・技術大臣会合においては、「人権、特に表現の自由に対する権利を尊重しつつ、オンラインの情報操作や干渉、偽情報に対処するために、ソーシャルメディアプラットフォーム、市民社会、インターネット技術コミュニティ、学術界を含む幅広いステークホルダーがとる行動の重要性」を認識したとする閣僚宣言が発表された。宣言では、「オンラインの偽情報に対処するための様々なステークホルダーによる既存のプラクティスを『偽情報対策既存プラクティス集（EPaD）』として収集・編集することに協力し、そしてこの報告書を京都で開催される国連IGF2023で公表・発表する」ことも宣言された[101]。この宣言に従い、2023年10月8日～12日に国連主催で開催された「インターネット・ガバナンス・フォーラム京都2023（IGF京都2023）」において、同プラクティス集が公表された[102]。

また、2023年12月に日本と米国は協力文書に署名し、外国から情報操作があった場合の検知や情報の交換、収集情報の分析等に連携して対処していくことを確認した[103]。

SNS等を運営する企業（プラットフォーマー）への対処としては、2024年1月に、プロバイダー責任制限法の改正案が提出された[104]。これは、SNSを運営する企業に対し、不適切な投稿の削除の申請があった場合に迅速な対応や削除基準の公表等を義務付けるものである。主な狙いはSNS上の誹謗中傷対応を想定したものではあるが、前述のとおりディスインフォメーションのオペレーションにはヘイトスピーチや個人情報のリークによる中傷等も組み合わされることから、こうしたプラットフォーマー規制は情報戦対応の第一歩ともなる。

更に、能登半島地震をめぐる偽・誤情報の氾濫を契機として、SNSのプラットフォーマーが偽・誤情報を判別しやすくするため、政府は「発信者の実在性と信頼性を確保する技術」の開発を支援する方向性を打ち出した[105]。具体的には、コンテンツの発信者情報を電子的に付与する「オリジネーター・プロファイル（OP：Originator Profile）」（インターネット上の記事や広告に、第三者機関が認証した発信者情報を電子的に付与し、利用者が信頼性を確認できるようにする技術）の開発や、生成AIの技術で作成したディープフェイク動画を判別できる技術開発を支援することを対策に盛り込んだ。2011年の東日本大震災や2016年の熊本地震等、過去の災害で流布された真偽の判別が難しい情報の特徴を分析し、

プラットフォーマーと共有する考えも示している。

(2) 国内のファクトチェックの状況

ファクトチェック関連の動向としては、JFCが、LINEボットによるファクトチェックの提供サービスを開始した[106]。このボットはJFCのデータベースと接続されており、LINEアプリでJFCを友達に追加して質問を送ると、ボットがデータベースを参照して関連すると思われる回答を返す。また、データベース上にファクトチェック情報がない場合は、JFCが調査を行い、関連するファクトチェック記事が公開された時点で、質問者に自動的に記事が送信される仕組みとなっている。LINEという身近なアプリを使用することで、ファクトチェックが手軽に行えるようになり、ファクトチェックという習慣がよりいっそう国民に浸透することが期待される。

「4.1.3 虚偽を含んだ情報生成・拡散の事例」で言及したように、近年のディスインフォメーションには生成AIによって作成された動画像が利用されることも多く、AI利用のガバナンスの在り方が問われている。

(3) 海外の対応

米国では、2023年10月30日にBiden大統領によってAIの安全性に関する大統領令が公表された[107]。この大統領令では、AI開発者に対しては開発情報を連邦政府と共有することや、国家安全保障等に重大なリスクをもたらすAIの開発を行う企業には開発の過程で政府への通知を求める等、安全性に関わる諸基準や共有方法等を定めている。この大統領令の目的の項では、ディスインフォメーションのリスク低減も記載されている。

2023年11月1日にはAIセーフティサミットが英国で開催され、各国政府関係者やAI関連企業が参加した。このサミットでは、参加国29ヵ国が署名したブレッチリー宣言が公表され[108]、AIのリスクにどう取り組むか、世界的な合意に達することを目標に掲げている。併せて、米国及び英国では、政府におけるAIの信頼性、安全性を確保するための専門機関としてAIセーフティ・インスティテュート[109]の設置も発表した。このような世界的な流れを受けて、我が国でもAIの安全性の評価手法の研究や規格作成等を行うため、2024年2月14日に「AIセーフティ・インスティテュート（AISI：AI Safety Institute）[110]」をIPA内に設置した。

更に2024年2月には、生成AIを悪用したディープフェイクによる動画・音声等が各国選挙に影響を及ぼすことを防ぐため、世界の主要IT企業20社が協業体制を

取ることで合意した[111]。OpenAI 社や Microsoft 社、Google 社、Meta 社、X 社といった AI 関連企業、プラットフォーマー企業が参画する。動画の出所を明示する「電子透かし」や、SNS 上で偽動画を検出する技術の開発、向上を目指して、この 20 社は協働していくこととなった。

AI のセキュリティについては、「4.2 AI のセキュリティ」も参照されたい。

4.1.5 状況のまとめと今後の見通し

本項では、これまで述べてきた虚偽を含んだ情報の生成・拡散、悪用状況をまとめるとともに、今後の見通しについて整理する。

(1) 状況のまとめ

偽・誤情報の生成・拡散は、国家レベルの組織的・政治的なもの、陰謀論・差別・偏見等、社会に根強くあるナラティブの形を借りて虚偽のストーリーが作られるもの、災害・パンデミック・金融不安等の社会不安を契機とする突発的なもの、更にこれらの組み合わせや、これらによって経済的利益を得ようとするもの等が確認できる。そして、近年の IT 基盤の発達がこれらの拡散を容易にしてしまい、SNS、ターゲティング、レコメンデーション等による情報同質化（フィルターバブル）と増幅（エコーチェンバー）が懸念される拡散の脅威が増大している。

IT サービス提供者の側では、過度のビジネス重視による不正コンテンツや不正アカウントの放置が問題化し、ファクトチェック強化や規制強化が進んでいるものの、生成 AI 等による真偽不明なコンテンツの急増には法整備を始めとした対策が追いついていない。

アクセス数・広告収入増加等を目当てに虚偽と思われる情報を拡散した結果、一定の割合でそれを信じる人が現れたと報告されている[112]。また、震災等の特異な状況では、使命感や正義感等の強い感情に駆られて、悪意はなくとも不確実情報を拡散してしまうユーザーも多く、IT サービス利用者の側にも、不確実情報の拡散に対しての意識向上が求められる。総務省ではデジタル空間の健全性確保の観点から啓発を始めているが、国外からの情報操作に対抗するリテラシー醸成については、安全保障を意識した官民の教育プログラムが十分に整備されていない。

これらの偽・誤情報に関連する社会問題については、情報社会のトラスト形成の観点から課題解決を目指す研究開発プロジェクトが、国立研究開発法人科学技術振興機構（JST：Japan Science and Technology Agency）内の社会技術研究開発センター（RISTEX：Research Institute of Science and Technology for Society）において 2023 年から開始されている[113]。「SDGs の達成に向けた共創的研究開発プログラム（情報社会における社会的側面からのトラスト形成）」と題した同プロジェクトにおける採択研究課題について、開発成果の社会還元、社会実装が期待される。更に、安全保障及び情報リテラシー両面での対策が急務である。

(2) 今後の見通し

偽・誤情報の生成・拡散は、社会の分断や対立を求める力が働く限り、今後も継続すると思われる。検討されている対応策を整理すると、以下のようになる。

- 情報操作型サイバー攻撃への対処
  情報騒乱を用いた情報戦に対しては、情報操作型サイバー攻撃を防ぐサイバーセキュリティの文脈での対応が求められるとの指摘もある[114]。
- ファクトチェック機能強化
  官民を通じた多角的なファクトチェック体制の構築、急増するコンテンツのチェック自動化等の技術支援等が必要と思われる。また、虚偽情報を常習的に拡散するユーザーの把握や「この話題は虚偽情報が確認されている」というリスク情報の開示も、利用者への注意喚起のために重要である。
- プラットフォーマー規制
  憲法で保障されている表現の自由に十分配慮しながら、犯罪目的・武力行使正当化・差別等の偽情報拡散防止についてはプラットフォーマーの規制を求める指摘もある[114]。
- 利用者のリテラシー向上
  公教育におけるサイバーリテラシー教育の導入、社会人等が積極的に参加できるワークショップの実施等、国民のリテラシーを向上させる教育プログラムの拡充が必要である。その中では、以下のような情報を周知することは意味があると考えられる。
  - エコーチェンバー、フィルターバブル、マイクロターゲティングといった偽・誤情報拡散の仕組み
  - 国家支援勢力による情報戦、認知戦の脅威
  - ファクトチェックの重要性と情報ソースの多様化の方法
  - ナラティブの影響力とナラティブの戦いの脅威

情報ソースの多様化については、例えばラテラルリー

ディング（「横読み」ともいう。ブラウザのタブを複数開いて、当該の情報について検索したり、関連する公的機関や主要メディアの発信と比較したり、検証ツールを活用したり、といった複数の情報源にあたること[115]）という手法がある。

• ナラティブに基づく拡散対応

情報戦においては、過去の事例やその国の歴史・文化等から利用されやすいナラティブがある程度予測できるため、自国への攻撃に利用されやすいナラティブを事前に把握しておき、反論を用意しそれらを国民に周知徹底しておくといった、政府レベルでの対応策が重要である。これには民間のメディアにも協力を仰ぎ、官民で多角的な情報発信をすることが求められる。

• 生成AIの利用ルール策定

現在は人権への配慮が注目されているが、生成AIによる虚偽情報を増やさないためにも、利用ルールの早期の策定が望まれる。生成AIは活用するメリットも大きいため、一律規制ではない対応が重要である。

IT基盤のサイバーセキュリティ確保が重要な対策であることは言うまでもないが、偽・誤情報を拡散する攻撃主体がAI技術を悪用した場合、この対処は非常に難しくなるため、特に安全保障の分野では喫緊の課題として警鐘が鳴らされている[116]。AI技術の悪用を防止し、攻撃主体の活動をいかに抑止するかが重要課題となる。

第4章

注目のトピック

4.2 AIのセキュリティ

人工知能（AI：Artificial Intelligence）は、2010年代のディープラーニング（深層学習）を代表とする機械学習技術の革新により、システム自動制御、画像診断・自動走行等の分野への応用が進んだ[117]。更に2022年以降、生成AIと呼ばれる技術・サービスが急激に普及し、AIの専門知識がなくてもデジタルコンテンツを飛躍的に容易に生成することが可能となった。こうした応用が日常生活や業務・産業の革新を生み出すとの期待も高まっている。

一方で、AIがもたらすリスク（判定や処理の安全性、公平性、遵法性、プライバシー保護等）にも懸念があり、AIのサイバーセキュリティリスクもその中に含まれる。2022年以降の生成AIの技術進化と普及のスピードは、それらのリスクがどの程度なのか、どう対処すればいいのかの検討が追いつかない、という状況を生み出しつつあり、法制化によるAI規制（例えば欧州のAI法[118]（「2.2.3 (2) (e) AI法の成立と実装準備」参照））、あるいは政府によるAIガバナンスの枠組みの議論も始まっている（例えば広島AIプロセス[119]（「2.2.1 (1) (b) AIの軍事利用や安全性に関する国際的な議論」参照））。

「情報セキュリティ白書2019[120]」に「3.5 AIのトラストとセキュリティ」を掲載したが、本節では上記の状況を鑑み、2024年4月時点におけるAIのサイバーセキュリティリスクの実態と影響、対策の最新動向について解説する。

4.2.1 本節で対象とするAIのスコープ

本節で対象とするAIのスコープを説明する。まずAIの定義については、AIを「機械学習に基づく分類・生成機能を備えたソフトウェア」、AIシステムを「AIの判定・推論に基づき動作・処理を行うシステム」と規定する。このため従来のエキスパートシステム等の機械学習を伴わないAIは除外される。

AIとセキュリティの関係については、AIのセキュリティ（Security for AI）とAIによるセキュリティ（AI for Security）の二つのトピックがある。本節ではAIのセキュリティ、特に「AIの利用に伴うセキュリティ脅威の現状と対応」に議論を絞る。セキュリティ脅威には、①AIシステムに対するセキュリティ脅威、②攻撃者のAI悪用による他システムへのセキュリティ脅威のいずれも含める。②の脅威は詳述する。またプライバシー侵害に関しては、

サイバーセキュリティインシデントの一環として含めるものとする。

またAIの応用範囲について、本節では軍事利用の詳細な分析はしないものとする。

以下ではまず、2024年4月時点のAIの利用状況を概観した後、そのリスク要因を整理する。次いでサイバーセキュリティリスクの要因を細分化し、その特性と脅威について述べる。最後に、現在取り組まれているベンダー側のAIガバナンスを主体とするリスクマネジメントの取り組みについても紹介する。

4.2.2 AIの利用状況と品質特性

本項では生成AIを中心として、AIの利用状況、及び品質特性、それらに伴うリスクを概観する。

(1) 生成AIの急速な普及

2022年11月、非営利法人OpenAI, Inc.が大規模言語モデル[121]（LLM：Large Language Model）を用いたチャットサービスであるChatGPTをリリース[122]した。ChatGPTは対話形式で幅広い質問に応答できることから急激に普及した。主要ITベンダー、スタートアップ各社から、様々な用途に利用できる基盤モデル[123]（Foundation model）に基づく多様な生成AIが相次いで公開されていった。

生成AIは文章、画像、プログラム等を生成できるAIモデルに基づくAIの総称で、汎用の基盤モデル、あるいは特定用途向けのAIモデルに基づき、コンテンツを生成する。技術面では深層学習（Deep learning）が用いられ、従来のGAN[124]等とは異なり、Diffusion Model、Transformer等の手法が日進月歩で開発されている。プログラム、質問回答や文書生成等を支援するChatGPT、画像生成のStable Diffusion、音声生成のWaveNet、ElevenLabs等により、AIスキルのない利用者が、自然言語（プロンプト）で完成度の高いコンテンツをノーコードやローコードで生成できる。生成AIによるソフトウェアコード生成も注目され、複雑なコードの作成はまだ難度が高いが、試験的なコード生成等から利用が始まっている。

生成AI自身の基盤モデルやチューニングモデルの開発では、Meta社等が基盤モデルを公開する[125]等、

オープンソース化、オープンソースコミュニティによるファインチューニングが進展している。このように、AI の開発・利用いずれにおいても、一般利用者が容易にアクセスできる状況は「AI の民主化」と表現されることがある[※126]。AI の民主化は言うまでもなく AI 普及の原動力の一つであるが、同時に AI のリスクの統制が難しくなるという問題をはらむ。

(2) AI 品質の特性と新たなリスク

本項では、機械学習を利用した AI システムの品質面での特性とそれに起因するリスクについて述べる。

機械学習を利用した AI システムの品質の最大の特性は、それが AI のアルゴリズムの性能だけでなく学習の質・量によって決定される点にある。学習データが量的に不十分である、網羅的でなく偏りがある、ノイズが混入している等の要因で AI の分類精度は劣化してしまう。そして、必要な学習データをすべて用意し、完全にノイズを排除して学習を行うことは現実的ではない。

もう一つの重要な品質特性は、AI の動作を人間が理解することは事実上不可能であり、どんな入力がどのような誤りを生じさせるかも完全には知り得ない、という点である。人間の認知行動からはまったく予期できない間違いが生じ得ることは、例えば画像認識についてよく知られている。

以上の議論から、AI の分類・判定には誤りが含まれる可能性があること、どんな入力に対してどのような誤りが発生するか事前に予見することが難しいこと、が AI 固有の品質特性として挙げられる。これらの特性は、AI の判定に基づく処理の安全性、あるいはサイバーセキュリティ上の新たなリスクとなり得る。リスクを増大する悪意のデータ入力・訓練データ改ざん、あるいは不適切な AI の利用によりリスクが増大する可能性は、例えばディープフェイク等の深層学習[※127]技術を用いた生成 AI ツールの登場・利用の一般化により、急速に深刻化している[※128]。以下の各項において、これらのリスクの状況を詳細に見ていく。

4.2.3 AIのリスク要因の包括的整理

AI の急速な利用拡大の一方で、AI がもたらすリスクが懸念され、多くの議論やリスク低減施策の検討が進んでいる[※129]。2010 年代より、技術者、研究者、法律家等の専門家により、技術・倫理・制度等の様々な観点から、AI の社会実装に関わるリスクの議論が活発化し[※130]、

国際標準化、学会や民間によるガイドライン公開、更には 2020 年以降の欧州 AI 法の議論を始めとする AI リスクの政府による統制や法規制についての議論が急速に進んだ。

AI リスクの中では、安全（セーフティ）に関するリスクが注目されている。ここでのセーフティリスクは、AI システムの誤作動や戦争・テロリズム・犯罪等への AI 悪用による身体的・物理的被害に加え、フェイクコンテンツ・情報暴露等による人権侵害・民主主義への脅威を含む点が重要である。更に、データの知的財産権保護、プライバシー保護、AI システム・データのセキュリティ、動作に関する説明性・追跡性・透明性の不備・不全等がリスク要因とされている。これらのリスクを包括的に統制する議論が官民で行われている[※131]。

(1) 国際標準によるリスク対応の枠組み

2023 年 12 月 18 日、AI マネジメントに関する国際標準 ISO/IEC 42001:2023 が発行された[※132]。同標準は、ISO9001 品質マネジメントシステム（QMS）規格や ISO/IEC27001 情報セキュリティマネジメントシステム（ISMS）規格等と同様のアプローチを採用しつつ、AI 固有のリスク管理策として、AI の特質からくる信頼性や透明性、説明責任等におけるリスクの軽減や利用における公平性・プライバシーへの配慮を要求するものである[※133]。適用対象は AI システムを開発・提供・利用する組織すべてにわたる。PDCA サイクルに基づくリスク対応に透明性や公平性、プライバシー等の AI の信頼（トラスト）に関わるリスクを組み込んだもので、ISMS の既存の規格と親和性の高い形式である。

(2) ガイドライン等によるリスク対応の枠組み

2023 年 1 月 26 日、米国国立標準技術研究所（NIST: National Institute of Standards and Technology）は AI の Trustworthiness を確保するためのリスクマネジメントの枠組みのガイドラインとして「Artificial Intelligence Risk Management Framework（AI RMF 1.0）」（以下、AI RMF）を公開した[※134]。更に 2024 年 4 月 29 日、AI RMF に基づき、生成 AI 固有、または生成 AI により増幅されるリスク要因を記載したガイドラインである「NIST AI RMF: Generative AI Profile」（以下、Generative AI Profile）のドラフトを公開した[※135]。更に 2024 年 5 月 3 日、経済協力開発機構（OECD：Organisation for Economic Co-operation and Development）は、生成 AI 等の技術進展に対応するため、人権・民主的価値

を尊重し、革新的かつ信頼できる AI 利用の原則として「OECD AI Principles」を改訂した[136]。「OECD AI Principles」は、米国、欧州、アジア等で策定される AI 関連ガイドラインの基底となるものとして参照されている。

以下では、上記のうち NIST の二つのガイドライン、及び日本政府の「AI 事業者ガイドライン（第1.0版）」に基づいて AI リスク要因と統制を整理する。

（a）AI RMF のリスク要因整理

AI RMF では、AI の Trustworthiness を担保するために統制すべきリスク要因として、以下を挙げている。

①妥当性確認・信頼性（Valid and Reliable）

AI システムが期待した性能・機能で動作し、その妥当性を客観的に確認できること。なおここでの「信頼性」は、一定の期間・条件のもとで期待した正しさ（精度）で動作することをいう。

②安全（Safe）

AI システムの動作により人の身体・健康・資産・環境を危険に晒されないこと。AI システムがサイバーフィジカルシステムである場合、サイバー攻撃が身体的な安全を脅かす等、③のセキュリティと重なりが生じ得る。

③セキュリティ・レジリエンス（Secure and Resilient）

サイバー攻撃に対して防御・対応すること（セキュリティ）、想定外・予期しないイベントに対して安全に動作すること（レジリエンス）。予期しないイベントには、AI に誤判定を起こさせる「敵対的サンプル」の入力、訓練データにノイズを加えて判定精度を劣化させたり、意図的な誤判定を誘導したりする「データポイズニング」等の攻撃が含まれる。レジリエンスの確保はセキュリティ対策の一環であると同時に、安全性対策とも重なる。

④アカウンタビリティ・透明性（Accountable and Transparent）

AI システムに関する情報を開示すること（透明性）、また透明性の担保によって AI システムの出力に関する説明責任を果たすこと（アカウンタビリティ）。透明性には、訓練データの出自に関する追跡可能性も含む。

⑤説明可能性と解釈可能性（Explainable and Interpretable）

AI システムの動作の仕組み、AI システム出力の意味を説明し、利用者の「AI が何をしているのか」に関する理解の不足に起因するリスクを低減すること。

⑥プライバシー強化（Privacy-enhanced）

AI システムが扱う個人情報の匿名化、頑健な ID 管理、人権保護、情報開示制限等を行うこと。

⑦公平性 - 有害なバイアスのマネジメント（Fair-with harmful bias managed）

AI システムの判定が有害なバイアス・差別等を含まず平等・公正であること。公平性は複雑であり、例えば人口学的な分布に基づく判定は、障害を持った人を他の人と平等な条件で必ずしも判定しない等の難しさがある。

以上で見たように、AI のリスク要因はセキュリティにとどまらず多様である。上記分類では、②安全は③セキュリティと同じレベルのカテゴリとなっているが、特に③のレジリエンスに関わるリスクでは重なりが生じ得る。また、次の「4.2.3（2）（b）Generative AI Profile のリスク要因整理」で述べるように、生成 AI についてはプロンプトの脆弱性を突いた攻撃（悪意の質問）や AI の悪用により、新たなリスクが高まる可能性がある。

（b）Generative AI Profile のリスク要因整理

Generative AI Profile は AI RMF の実装について、事例を生成 AI に特化し、分野を横断する共通プロファイルとして記載しており、生成 AI 固有、または生成 AI で増大するリスク要因を以下のようにまとめている。

①化学・生物・放射性・核関連兵器に関する情報へのアクセス容易化

②自信を持った表現による誤り・虚偽の記載（ハルシネーション）

③危険・暴力的で犯罪や不正につながる推奨

④プライバシー漏えい（生体情報・位置情報・個人識別情報等）

⑤環境（生成 AI 訓練用の資源増大による環境劣化）

⑥人間と AI の構成（設定・インタラクション不備による不適切な AI 利用）

⑦情報の一貫性（真偽不明の情報・誤情報・虚偽情報の拡散）

⑧情報セキュリティ（サイバー攻撃、ウイルス[137]生成、フィッシング等の容易化）

⑨知的財産（権利処理のないコンテンツ利用、営業秘密の開示）

⑩わいせつ・権利を侵害するコンテンツ

⑪中毒性・ヘイト・偏見コンテンツ等への一方的アクセス

⑫バリューチェーン・部品統合（サプライチェーン上の不十分な品質チェック）

上記のうち⑥には、AIとのインタラクション不備による誤用・想定された目的以外の利用（悪用）が含まれ、⑧のサイバーセキュリティリスクとも大きく関わる。悪用は生成AIに限定されるものではないが、後述のIPAの米国調査によれば、例えばフィッシングは、生成AIで明らかにリスクが増大していると見られる。また④のプライバシー漏えい、⑦の情報の一貫性、⑫のサプライチェーンのチェック不備等もセキュリティと重なるリスクと考えられる。このうち⑫のサプライチェーンリスクは生成AIに限られるものではないが、オープンソースソフトウェア（OSS: Open Source Software）調達等が生成AIに顕著な課題となる可能性はある。

(c)国内のAIガイドラインによるリスク統制

2024年4月19日、内閣府、総務省、経済産業省は省別にまとめられていたAI開発・利活用のガイドラインを統合した「AI事業者ガイドライン（第1.0版）」を公開した。同ガイドラインも「OECD AI Principles」に基づくリスク統制を志向しており、以下の統制項目を挙げている。
①人間中心（人権・人間の尊厳や虚偽情報の統制）
②安全性
③公平性
④プライバシー保護
⑤セキュリティ確保
⑥透明性
⑦アカウンタビリティ
⑧教育・リテラシー
⑨公正競争確保
⑩イノベーション

同ガイドラインとAI RMFを比較すると、いずれも「OECD AI Principles」に準拠し、リスクベースのAIガバナンス及びマネジメントを目標とするが、AI RMFに比べ、同ガイドラインの項目①⑧⑨⑩のガバナンス及びマネジメントはやや広めであると思われる。また同ガイドラインは生成AIを想定した「高度なAIシステム」の統制のため、内部テストの実施、透明性の確保等が記載されている。ただし欧州AI法の「ハイリスクAI」（「2.2.3（2）(e) AI法の成立と実装準備」参照）と異なり、規制ではない。AI RMFとの詳細比較（クロスウォーク）は、2024年2月、日米それぞれに設置されたAIの安全性に取り組む「AIセーフティ・インスティテュート（AISI：AI Safety Institute）[138]」が共同で実施しており、最初の結果は2024年4月30日に公開された[139]。

なお「AI事業者ガイドライン」では、AIサービス提供者は安全な利用のための情報をステークホルダに提供する、AI利用者はAI提供者が想定した範囲内で利用する、としている。「4.2.3（2）(b) Generative AI Profileのリスク要因整理」の⑧で見たとおり、AIサービス提供者の想定を逸脱した誤用・悪用は大きなセキュリティ脅威でもあり、セキュリティの面からも情報の適切な提供とそれに基づいた利用が望まれる。

4.2.4 AIのサイバーセキュリティリスク認知状況

前項で、「Trustworthy AIを実現するために統制すべきリスク」を包括的に整理した。本項では、前項におけるサイバーセキュリティリスクの議論を踏まえ、AIシステムのサイバーセキュリティリスク要因とその脅威について分析を行う。

生成AIの急速な普及が言われているが、2024年4月時点でどんなAIサービスが利用され、利用者のセキュリティリスク認知はどの程度であろうか。IPAは2024年3月、AIサービスの業務利用、及び組織の「AI利用時のセキュリティ脅威・リスク調査」（以下、IPA国内調査）を実施した[140]。同調査は、国内企業、組織の役職員4,941人からAIサービスの利用実態について回答を得た。更に回答者の中からAIサービスを業務で「利用している／許可している」「予定している」と回答した役職員（以下、IT実務者）1,000人（就業301人以上の大企業466人、300人以下の中小企業534人）を抽出し、AIサービス選定時にセキュリティが意識されているか、企業、組織内のAI利用の規定整備や体制づくりができているかを調査した。回答者全体の中で、AIサービスを業務で「既に利用している／許可している」あるいは「予定がある」とする回答者の割合は22.5%であった。

(1)AI業務利用の状況

IPA国内調査で「いずれのAIサービスも利用しない／許可しない、予定もない」と回答した3,827人に、企業、組織がAIを利用しない／許可しない理由を尋ねたところ、「AIを導入するほどITを活用できていない」「AIに関するエキスパートがいない」という選択肢に「あてはまる」「ややあてはまる」と回答した合計の割合が上位であり、セキュリティ・プライバシー等のリスクは相対的には下位であった（次ページ図4-2-1）。

IT実務者にAI利用分野別に利用開始／許可時期を尋ねたところ、全体として、「今後利用／許可予定で

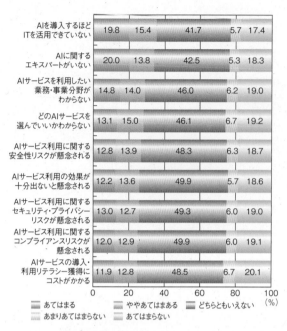

■図 4-2-1　企業、組織が AI を業務で利用しない／許可しない理由
（n=3,827）
（出典）IPA 国内調査を基に編集

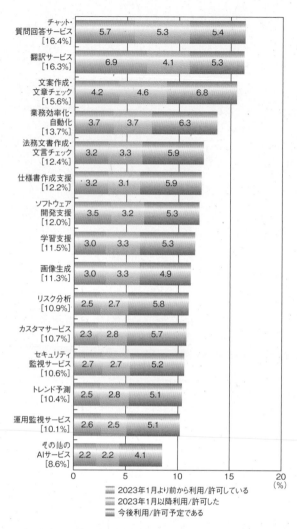

■図 4-2-2　企業が AI の利用／許可を開始した時期（n=1,114）
（出典）IPA 国内調査を基に編集

ある」との回答が最も多く、「2023 年 1 月以降利用／許可した」と「2023 年 1 月より前から利用／許可している」の回答はほぼ同等であった（図 4-2-2）。分野別では「チャット・質問回答サービス」「翻訳サービス」「文案作成・文章チェック」「業務効率化・自動化」が上位であった。生成 AI の普及に合わせ、急速に利用が広まっていることがうかがわれるが、従来の「業務効率化・自動化」等も今後の利用の拡大が見込まれることが分かる。

（2）AI 導入で重要な評価尺度

　AI の導入可否を決める場合に重要な評価尺度を尋ねた。AI の応用によって尺度が異なる可能性を考慮し、コンテンツ生成を主目的とする「生成 AI」、分類を主目的とする「分類 AI」それぞれについて質問したが、結果としては大きな差はなかった（次ページ図 4-2-3、図 4-2-4）。いずれも、「非常に重要だと思う」と「やや重要だと思う」を合計した割合を見ると、「出力の正確性」や「作業効率」に続いて「セキュリティ対策」（次ページ図 4-2-3、図 4-2-4 の赤枠）とプライバシー保護に関係した項目が重要な評価尺度となっていることが分かる。「学習の公平性」や「学習における法務・知財処理」「学習の網羅性」等がそれに続くが、透明性に関係する「出力をどう生成したかの説明」「学習の追跡性」等は「生成 AI」「分類 AI」どちらも下位となっている。なお、セキュリティが重要な尺度とする回答には大企業と中小企業の差は見られなかった。

（3）AI に関するセキュリティ施策の状況

　企業、組織が AI について実施しているセキュリティ施策について尋ねた結果を図 4-2-5（次々ページ）に示す。

　図 4-2-5（次々ページ）の選択肢は、セキュリティ施策に関わる要件で、赤枠が「分類 AI」、青枠が「生成 AI」に求められる要件である（中央の「社内システムの連携におけるセキュリティ要件」は双方に重なる）。若干ではあるが、「分類 AI」での対応が先行しているが「検討している」を含めても 40% 超にとどまっており、対応できているとは言い難い。特に、急速に広まっている生成 AI のプロンプト入力・管理等の規則化が 12% 程度にとどまっているのは課題と言える。

（4）AI のセキュリティ脅威の認識

　所属する企業にとってのセキュリティ脅威の大きさの認知について尋ねた結果を図 4-2-6（次々ページ）に示す。本設問でも「分類 AI」（図の赤枠）、「生成 AI」（図の

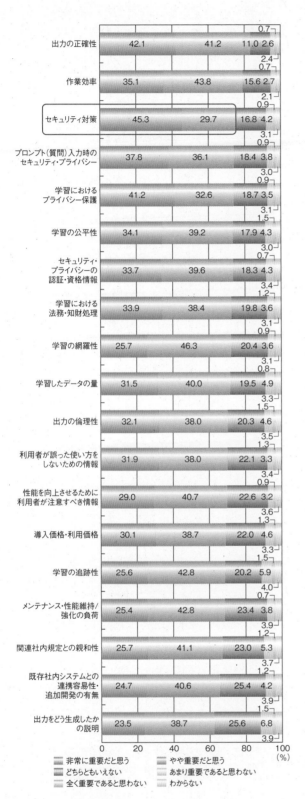

■図 4-2-3　企業が AI の導入可否において重視する尺度（生成 AI）
　　　　　（n=1,000）
（出典）IPA 国内調査を基に編集

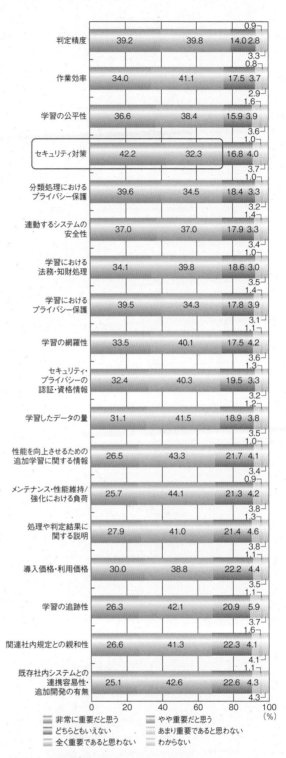

■図 4-2-4　企業が AI の導入可否において重視する尺度（分類 AI）
　　　　　（n=1,000）
（出典）IPA 国内調査を基に編集

第4章　注目のトピック

青枠）双方に関わる脅威を挙げたが、個々の種別による大きな差は見られていない。これは、AI に関わるセキュリティ脅威が実際どのようなものか、経験が浅く実感されていない可能性を示している。

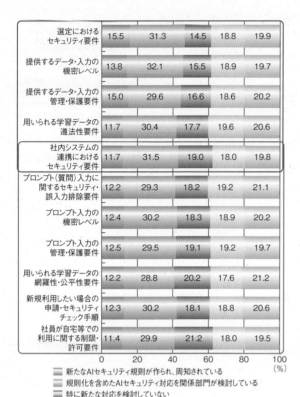

■図4-2-5　企業、組織が対応しているセキュリティ施策(n=1,000)
(出典)IPA 国内調査を基に編集

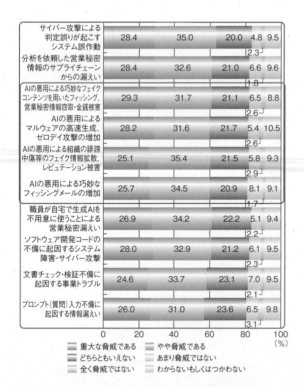

■図4-2-6　AI セキュリティ脅威の大きさの認知状況(n=1,000)
(出典)IPA 国内調査を基に編集

4.2.5 AIのサイバーセキュリティリスクの分類

前項の調査では、国内の業務向け AI システムの利用者に関しては、AI のサイバーセキュリティリスクは重要という意識が強いものの脅威の認知やセキュリティ対応はこれから、という状況がうかがわれた。国内調査と並行して、IPA は 2024 年 2 ～ 3 月、米国における AI システムのサイバーセキュリティリスクの認知状況に関する調査(以下、IPA 米国調査)を行い、この中で有識者インタビューを実施した[141]。

本項では、IPA 米国調査を踏まえ、AI システムに関わるサイバーセキュリティリスクの詳細な分析を以下の三つの類型に分けて行う。

① AI の悪用

代表例としては、無制限な軍事利用、暴力・犯罪・サイバー攻撃への悪用、フェイクコンテンツ拡散による権利侵害・対立扇動、悪意のボット・ウイルス生成等がある。

② AI の機能特性による誤判断・誤用

代表例としては、誤判断による自動走行事故、生成 AI の不適切な学習やプロンプト処理による差別的回答・情報漏えい・誤情報拡散等がある。

③ AI の機能特性を突いた攻撃脅威

AI モデルの特性により、特定のデータやパターンを含む入力に対して間違った予測・分類結果が出力される場合がある。こうした AI を間違えさせる入力は「敵対的サンプル（Adversarial example）」と呼ばれ、AI モデルの特性を調べる手段となっているが、これを逆手に取った多くの攻撃手法が存在する。一方、学習時点において学習データにノイズを混入させ、AI モデルの性能を劣化させる、あるいは意図的な誤判定を誘導する攻撃（データポイズニング）もよく知られている。

以下では、前述の AI システムに関わるサイバーセキュリティリスクのそれぞれの実態と対応について検討する。

(1) AI の悪用

本節では、特にサイバー攻撃への悪用に注目する。AI のサイバー攻撃への悪用は、大別して①システムの脆弱性を突くもの、②人間の脆弱性を突くもの、に分けられる。このうち①は、AI を用いたセキュリティ対策と表裏一体の側面がある。すなわち、以下はサイバーセキュリティリスクの把握・対策に不可欠であり、対策強化の

ためにAIの活用が望まれるが、こうした活用はシステムを狙う攻撃者にもメリットをもたらし、攻撃高度化・効率化のための悪用が懸念される。

- ソフトウェア記述不備等の脆弱性検出・リスク評価
- システム設定不備等の脆弱性検出・リスク評価
- 脆弱性を突いた攻撃予測　等

更に、新たな脆弱性に対するウイルス作成支援（または自動化）も警戒すべきAI悪用の一つである。

一方②の人間に対する攻撃では、生成AIにより、虚偽を含むもっともらしい文章・動画・音声等の生成が飛躍的に容易化し、詐欺的攻撃への生成AIの悪用が非常に懸念される。

以下では、代表的な悪用の類型ごとに説明する。

(a) 主流となるサイバー攻撃の準備支援（システムの脆弱性を突く悪用）

ランサムウェアや標的型攻撃等、現在の主流であるサイバー攻撃の準備、特に攻撃対象の情報収集・脆弱性発見を支援するAIの利用は、スキルの高くないサイバー攻撃者を助けるものとして懸念される。IPA米国調査では、①公開情報収集・分析（OSINT）の効率化・精緻化、②脆弱性探索活動の自動化、③内部侵入のためのフィッシングメール作成の効率化・精緻化等が想定されるとしている。このうち③は次の「4.2.5(1)(c)フィッシング（人間の脆弱性を突く悪用）」で述べるとおり、現実に起こっていると思われる。①②がどこまで行われているかを知ることは難しいが、IPA米国調査では、スキルのあまりない攻撃者がAIを利用して攻撃のコストを下げることが先行している、という有識者の意見が見られた。一方で、重要インフラ等で高度な攻撃を仕掛ける攻撃者が、既存LLMのチューニング、あるいはジェイルブレイク（遵法用フィルタの回避）によりAIで新たな攻撃手法やウイルスを作成する、という意見もあるが、調査時点では既存攻撃のコスト削減が悪用の中心と見られる。英国サイバーセキュリティセンター（NCSC：National Cyber Security Centre）は、AI悪用による攻撃の規模とインパクトの拡大が今後2年以内に起こる、と見ている[142]。

(b) ウイルス生成（システムの脆弱性を突く悪用）

2023年8月、ウイルス生成を目的とする悪意のAIモデルの存在が報告された[143]。このうちWolf GPTは秘匿性の高い暗号化ウイルス生成や高度なフィッシングを目的としたPythonベースのChatGPT代替ツール、

XXXGPTはボットネットや遠隔操作ウイルス（RAT：Remote Access Trojan）、ATM用ウイルス作成キット等のコード生成を目的とするChatGPT代替ツールである。このようなツールがアンダーグラウンドコミュニティでどのように利用されているかは不明であり、実際のウイルスが生成AIにより作成されたか判定することは難しい。しかし、コーディングスキルに乏しい攻撃者を助け、攻撃コストを下げていることは想定できる。

一方IPA米国調査では、AIによるウイルス生成の脅威は、フィッシングやフェイクコンテンツの脅威に比べるとまだ大きくない（次に来る脅威である）という意見も聞かれた。生成AIはコード生成の試行に適しているが、完成度の高いコードを作るにはまだ人手を必要とする。ただし、その工数は確実に削減されているとする意見もある。2024年4月時点では、AIの悪用は、システムより人間を標的とするもののほうが脅威だ、と認知されていると思われる。

(c) フィッシング（人間の脆弱性を突く悪用）

実際のフィッシングメールが生成AIで作成されたかどうかの検証は難しい。しかし、IPA国内調査とは別途行った国内有識者インタビュー、IPA米国調査の有識者インタビューにおいては、フィッシングへの悪用は現実である、とする意見が大半である。2023年7月には、フィッシングを目的としたAIモデルFraudGPTが登場する[144]等、悪意のAIモデルも使われていると考えられる。

IPA米国調査で公開されたAIセキュリティ脅威とリスクのチャート[145]では、フィッシングへの悪用は現実に起こっており、かつ影響は大きい、として最大レベルの脅威とされた。IPA国内調査とは別途行った国内有識者へのインタビューでも、つたない日本語が含まれていたフィッシングメールの文章が非常に流暢になっている、生成AIは海外攻撃者に使われているという意見がある。

(d) フェイクコンテンツ生成・拡散（人間の脆弱性を突く悪用）

2018年のディープフェイク技術の悪用を始めとして、国家が支援する活動家や協力者等が特定個人・組織を攻撃する生成AIコンテンツをSNSに拡散させ続けている。例えば2023年10月、Barack Obama元大統領の新たなフェイク動画がSNSサービスTikTok上で拡散した。フェイク動画内の家族の料理人の突然死に関する本人に酷似した弁護の音声は、攻撃対象者の音声合成サービスを利用したものであることが判明してい

る[146]。「4.2.2(1) 生成 AI の急速な普及」で述べたディープフェイク発展技術と LLM が容易に利用できる等、AI の民主化の負の影響が背景となり、ロシア・ウクライナ戦争、イスラエル・ハマス間の武力衝突等でもフェイクコンテンツが拡散され続けている[147]（事例については「4.1.3 虚偽を含んだ情報生成・拡散の事例」参照）。

フェイク文章生成については、前項でフィッシングへの悪用が大きな脅威であることを確認した。2023 年 7 月、フランスのスタートアップ企業 Mithril Security はセキュリティ研究目的として、実験ツール PoisonGPT を公開した[148]。PoisonGPT は「悪意の AI モデルに気付かない利用者がフェイクニュースをどう生成・拡散させるか調べる」という調査意図が隠されたまま公開されたが、40 セットがダウンロードされた後、PoisonGPT が公開されていた機械学習に関する共同作業プラットフォームである Web サイト Hugging Face[149] の運営者により利用規約違反として削除された。Mithril Security はこの物議をかもした調査について、AI モデルのサプライチェーン上の追跡性が重要であると述べている。

IPA 米国調査では、前述の政治的なフェイクコンテンツ拡散の脅威については「深刻である」とする意見と「影響はあるが、そこまで深刻ではない（一見してフェイクと分かるものが多い）」とする意見に分かれ、評価は定まっていない。ただし、2024 年は世界的な「選挙イヤー」であることから、政党支持者・敵対的国家・分断で利益を得る組織等による選挙妨害・世論分断等の影響が懸念されており、SNS 事業者のフェイク対策が十分でない、との不安の声もある[150]。特に米国では、2024 年 11 月の大統領選挙に向けた選挙妨害・世論分断工作等が懸念され、CISA は国家支援活動家の生成 AI 悪用についてまとめ、注意喚起している[151]。その手口は候補者のフェイク音声・動画、選挙スタッフの音声詐称、選挙事務所へのフィッシング、選挙インフラベンダーのなりすまし等多岐にわたる。2024 年 4 月時点で、フェイクコンテンツ検知技術や生成 AI マーク埋め込み等の抑止技術、その実施体制は確立できていない。一時的にフェイクコンテンツを検知できてもすぐに新たな技術で生成・拡散されることも予想され、根本的な解決は難しいと考えられる。大量のフェイクコンテンツ拡散を前提として、大統領選挙で米国民がどのように対応するか、注目される。

なお、フェイクコンテンツ検出技術については国内でも研究と普及が進められている[152]。

(2) AI の機能特性・学習不備による誤判定・誤用

「4.2.2(2) AI 品質の特性と新たなリスク」とで見たとおり、機械学習に基づく AI モデルの判定処理は分析が難しく、その統計的性質により誤判定はゼロにならない。またどのような入力に対し、どのような誤判定が起こるかの予測も難しい。こうした機能特性は AI モデルの「脆弱性」とも考えられ、誤判定に起因するインシデント、あるいは誤判定を狙った攻撃が脅威になり得る。

誤判定による直接的なインシデントは、サイバーフィジカルシステムへの AI 応用ではセーフティ（安全）の脅威（以下、セーフティ脅威）につながる場合もあるが、以下ではセーフティ脅威も、AI システムの一貫性に不具合が生じたセキュリティ脅威の発現類型と見て、検討に含める。

(a) AI 誤判断によるセーフティ脅威

この脅威の中では、① AI で制御される製造ラインの誤判断による異常動作、② AI で制御される自律型ロボットの誤判断による異常動作、③自動運転車の誤判断による事故等の類型が代表例として考えられる。類型①②は場所（工場や利用エリア等）が特定され、AI システム利用環境のコントロール（入力のコントロール）がやりやすいことが多く、異常動作時にはフェールセーフ原則に基づき停止させれば大きな脅威にはなりにくいと思われる[153]。一方で、類型③は①②に比べ利用環境の自由度が高く、映像等の入力データもコントロールできないため、事前学習が行き届かず、誤判定が大きな脅威になり得る。

2023 年 10 月 2 日、米国サンフランシスコで自動運転タクシーが隣を走行する車にはねられた女性をひく事故が発生した[154]。当該自動運転車は救急車の到着までひいた女性の上に停車したままであった。現実の大都市での走行を想定すれば、あり得ないことではない。様々な事故態様への準備が必要となる自動運転車の学習の難しさが顕在化することとなった。

日本においては 2023 年 10 月 29 日、福井県永平寺町にて特定条件のもとでの完全自動運転「レベル 4[155]」で運行していた観光用自動運転車が自転車と接触事故を起こした（低速であり、けがはなかった）[156]。真後ろから見た特殊形状の自転車等、障害物検知学習が不足していたとされ、追加学習とスタッフの添乗によりサービスは 2024 年 3 月に再開された[157]。非常に限定された走行条件ながら、こちらも学習の課題が顕在化した。

以上の 2 例から、類型③のセーフティ脅威の削減に

は想定利用環境で起こり得るインシデント、及びインシデント対応で学習すべきデータの明確化が必要であると思われる。また、想定ケースに適合した学習データで、想定ケースについて網羅的に学習が行われたことの検証も求められる。

（b）生成 AI との不適切な質問応答

生成 AI への質問（プロンプト）は自然言語で行われ、生成 AI は質問の都度最も妥当と判定された回答を返す。質問によっては回答がセキュリティや、プライバシー、コンプライアンス上問題となることがある。以下ではその主要な類型を見ていく。

（ア）不適切な入力による情報漏えい

質問として入力された文は、生成 AI 基盤モデルの学習に利用されることがある。履歴が AI サービス事業者側に残る入力データは事業者が保持し、以降のサービスで回答に使われる可能性がある。

2023 年 4 月、Samsung Electronics Co., Ltd.（以下、Samsung 社）の半導体部門の技術者が、ソースコード開発に ChatGPT を利用した際、製造技術に関わる営業秘密データを不用意に入力したと報じられた[158]。このとき ChatGPT への入力は OpenAI 社が保持する設定であり、ChatGPT がその情報を使って回答を生成できる状況となった。同年 5 月、Samsung 社は ChatGPT の業務利用を禁じた。また米国では、API キーが埋め込まれたソースコードを開発者が ChatGPT に送った事案も報告されている[159]。

「4.2.4 AI のサイバーセキュリティリスク認知状況」の IPA 国内調査で見たように、生成 AI を業務利用する企業はまだ少数であり、導入においてはセキュリティが最大の懸念点の一つとなっている。Samsung 社の事案は生成 AI のセキュリティ対策を企業が考える契機となったと思われ、導入を検討する企業に影響を与えた可能性もある。

プロンプト入力における個人情報の扱いについては、AI ベンダー・サービス事業者への注意喚起が行われている。2023 年 6 月 2 日、個人情報保護委員会は生成 AI サービス利用に関する注意喚起等を公開[160]し、個人情報保護を取り扱う事業者が生成 AI を利用する場合、プロンプトで入力する個人情報は必要最小限とすること、本人の同意を得ない個人データ入力が想定される場合は当該データを機械学習に利用しないよう確認することを注意した。また ChatGPT については OpenAI 社

に対し、本人の同意を得ないまま要配慮個人情報を取得しないこと、取得する個人情報の利用目的を本人に日本語で通知または公表することを注意した。

図 4-2-6（p.230）によれば、「プロンプト（質問）入力不備に起因する情報漏えい」が脅威であると回答している割合は、他のリスクを脅威と回答している割合と比べ、特段に多くなってはいない。これは、生成 AI の利用がまだ限定的で、営業秘密・個人情報を扱う社内業務への導入がためらわれる、という国内企業の状況を示している可能性がある。一方で、2023 年後半以降、主要な生成 AI ベンダー・サービス事業者はビジネス向けの有償サービス等において、営業秘密・個人情報等の①機械学習への利用除外、②当該情報の管理と AI モデルの分離等を含む生成 AI のセキュリティ対策を強化しており[161]、今後利用が進むものと思われる。

（イ）生成 AI 出力の脆弱性とその不適切な利用

大まかなソフトウェア仕様を自然言語で入力し、コードを試験的に生成させる等、ソフトウェア開発効率化のための生成 AI 利用が IT 事業者の間で広まっている[161]。複雑なコードの自動生成は難しいものの、試行錯誤的にいろいろなコードを試す等のいわゆる仕様検討の「壁打ち」としての使い方が有効と見られるが、セキュリティ面では以下の課題がある。

- 学習データに含まれるコードに脆弱性がある場合、それが生成コードに反映されるリスクがある。
- スキルの低い開発者が生成 AI に頼りコードを作成した場合や、工数がひっ迫した状況で生成 AI に頼りコードを作成した場合等には、脆弱性を含んだコードが拡散するリスクがある。

上記リスクについて、実際に脆弱な生成 AI 由来のコードが拡散した事案は報告されていないが、GitHub 等の OSS 共有サイトで脆弱なコードが拡散してしまうリスクは IPA 米国調査で指摘され、現実に起こり得る、とされている。また、生成 AI を利用した生成コードはセキュリティが弱い傾向にある、との実験報告もある[162]。生成 AI の利用範囲やコード共有時のルールの規定等、IT ベンダーや内製しているユーザー企業の対応が必要と思われる。

（3）AI の機能特性を突いた攻撃脅威

AI アルゴリズム自身の特性（あるいは不備）を悪用し、意図的に誤判定を起こさせることは、AI システムの性能

第4章
注目のトピック

劣化、あるいは意図的な誤判定によるインシデント発生を目的とする攻撃の手段となり得る。また、AIシステムの運用・サービスにおいて、学習データの信頼性をサプライチェーンにわたってどう担保するか、データへの攻撃も重要な課題となる。以下では主要な脅威の類型について見ていく。より詳細な手法については人工知能学会の解説[163]、総務省とセキュリティベンダーによる手法のまとめ[164]等を参照されたい。

(a)プロンプトインジェクション

対話型生成AIにおいては、不適切な応答が生成されることのないように様々な安全策が施されている。しかし、それらの裏をかくようなテキストを入力することによって安全策を回避し、詐欺や犯罪等を助長するメッセージ等を回答させる攻撃手法があり、これをプロンプトインジェクションと呼ぶ。自動車ディーラーに対する巧みなプロンプトインジェクションにより、わずか1ドルで新車を販売する約束を取り付けてしまうという事例も発生している。

(b)敵対的サンプル

AIモデルに意図的に誤判定を起こさせる手段として、AIの判定動作を錯誤させる入力が調べられている。これは敵対的サンプル(Adversarial sample)と呼ばれる。

人間が知覚できないノイズをデータに含め、人間には予想できない誤判定を起こさせる攻撃が、画像認識等の分野で研究されている[165]。AIモデル内で処理される入力データがノイズで変化して、分類されるべきカテゴリから遠くなり、誤判定に至るとされる。誤判定を起こさせる画像の特定やノイズ混入データの作成には攻撃対象のAIモデルに関する知識が要求され、容易でないと思われるが、自動走行を想定した研究事例では、交通標識にテープを貼ることで物理的に「ノイズ」を与え、標識の認識を失敗させるとことが可能であるという報告がある[166]。AIの利用場面によっては攻撃が容易にできる可能性があり、注意が必要である。

(c)モデルインバージョン

入力に対する判定の確からしさ(確信度)が出力として得られる場合、入力を調整して確信度を高め学習データを推定する攻撃手法はモデルインバージョン(Model inversion)と呼ばれる。顔認証システムで用いられる学習用顔画像の推定事例が、プライバシー侵害の可能性があることからよく知られている[167]。ただし、入力を繰り返して調整を効率よく行う攻撃には周到な準備が必要

と考えられる。

(d)推論攻撃

データベースに対して複数の検索を行い、検索された情報の対象者(個人)を特定する等の攻撃は推論攻撃と呼ばれるが、生成AIへの複数の質問によって同様な推論攻撃が可能となるリスクがある。例えば、特定のデータが学習データに含まれているかどうかを間接的な質問を繰り返すことで特定する攻撃が考えられる。2024年4月時点で、生成AIの個々の質問応答は、不適切な回答がないようチューニングされつつあるが、複数質問により個人情報や犯罪関連情報(武器製造法等)を推定するリスクがどの程度かはまだ自明でない[161]。

(e)バックドア

AIモデル自体に細工(バックドア)を施し、特定のノイズやパターンデータ(トリガーと呼ぶ)等を含む入力に対して誤判定をさせる攻撃はバックドア攻撃と呼ばれる。バックドアは例えば、トリガーを入れたデータを事前に学習させてAIモデルを変化させておくことで用意される。大規模なデータを学習させる必要がある場合、学習ア　クにバックドアがないことの検証は難しくなる。またAIモデルが公開・共有される場合、バックドアが仕掛けられるリスクが生じる。バックドアの仕掛けられたAIモデルは実際に共有サイトで確認されているという[168]。

(f)データポイズニング

ノイズを加えた大量のデータで学習を行わせ、AIモデルの判定を意図的に誤らせる、あるいは判定性能を劣化させる攻撃をデータポイズニングと呼ぶ。代表的な手法には、教師あり学習において、誤ったラベルを付けた学習データを混入させる「ラベルポイズニング」等がある。スパムメールフィルタの分類器の学習データやネットワークトラフィック分類システムの学習データを汚染する等のセキュリティ分野のAIシステムの攻撃事例があげられており[169]、IPA米国調査においては、現実に起こり得る脅威としてリスクが高いとされている。

データポイズニングを大量のデータに対して行うことは、攻撃対象の学習等に関わる内部不正があった場合、容易になる可能性があるが、AIモデルや学習データへの攻撃について、国内では「内部不正は脅威」とする意見と、「実施コストが高く、違う攻撃手法をとるのでは」という意見がある[161]。

上記 (a) ～ (f) の攻撃類型を含め、AI システムが誤判定や不適切な出力をした場合、影響を小さく抑えること（堅牢性の確保）が重要である。想定外の出力は悪意だけでなく、学習の不足、誤った利用等でも生じ、影響もセキュリティにとどまらずセーフティ、プライバシー、人権侵害等に及ぶ。影響の低減施策では、こうしたリスクを包括的に検討する必要がある。

(g) AI モデルの窃取

AI モデルを不正コピーされ、同等の性能を持つコピー AI として利用されることは、セキュリティの視点から見ると窃取した AI モデルへの攻撃が容易になる、という脅威につながる。「4.2.5 (3) (c) モデルインバージョン」で記載した攻撃も AI モデル窃取を目的として用いられることがある。高価値のデータでコストをかけて学習した AI モデルの不正コピー AI が出回るというケースは今後あり得ると考えられる。保護対象として AI モデルのセキュリティを確保することが重要である[170]。

(h) サプライチェーン上の脅威

サービスサプライチェーン上の脆弱性を突く攻撃は AI システムに限らず、大きな脅威になり得る。AI については、学習データと AI システム自身のサプライチェーンセキュリティが求められる。学習データについては、真正性（データ改ざん・ノイズ追加等がないこと）、公平性（偏った学習でないこと）、プライバシー保護（学習に個人データが含まれる場合の匿名性確保）等が担保されていることを検証する必要がある。

AI システムについては、企業が生成 AI を利用する場合、社外にある AI モデル、及び AI モデルと連動する社内システム（営業秘密等が管理される）の情報管理とセキュリティに関する責任分担が重要となる[161]。更に、基盤モデル（AI モデル）が OSS 由来である場合、開発サプライチェーンのセキュリティ確保が非常に重要である。

4.2.6 AI セキュリティ対策の動向

IPA 国内調査によれば、国内企業、組織の AI セキュリティに対して重要性の認知はできているが、体制やルール策定等の本格的な取り組みはこれから、という状況である。本項では、研究機関・政府機関等から公開されている AI セキュリティガイドライン等について紹介する。

(1) 国内ガイドライン

AI のセキュリティガイドラインとしては、AI ベンダーを対象とする開発ガイドラインが先行している。2023 年 9 月、機械学習工学研究会は「機械学習システムセキュリティガイドライン Version 2.00」を公開した[171]。同ガイドラインは企業・民間団体が主導しており、「4.2.5 (3) AI の機能特性を突いた攻撃脅威」に記載されたような攻撃脅威への対策を事例として示し、脅威分析等になじみのない AI 開発者に具体的な対応の仕方を示している。

2023 年 11 月、内閣府は「セキュア AI システム開発ガイドライン」を公開した[172]。同ガイドラインは広島 AI プロセス[119] の補完文書として英国 NCSC、米国 CISA との共同執筆によるもので、セキュア・バイ・デザイン原則による AI システム開発、SBOM（Software Bill of Materials）の利用によるサプライチェーンセキュリティ確保等が記載されている。

更に 2024 年 4 月、総務省・経済産業省は「AI 事業者ガイドライン（第 1.0 版）」を公開した[173]。前述の AI RMF に類する国内向けの AI ガバナンス指針であり、AI 開発者・AI 提供者・AI 利用者に対してセキュリティとプライバシーを含む共通指針を示している。また広島 AI プロセスに基づき、「高度な AI システム（多目的に用いられる基盤モデル等）」の開発者に対しては共通指針に加え、「安全性のテスト」「セキュリティ確保」「モニタリング結果公開」等の要件を示している。

(2) 米国のガイドライン

「4.2.3 (2) ガイドライン等によるリスク対応の枠組み」に示したとおり、2023 年 1 月、NIST は Trustworthy AI の包括的なガバナンス指針となる AI RMF を公開した。更に Biden 大統領の大統領令である EO 14110 により、NIST は 2024 年 4 月に生成 AI 対応の新たなガイドラインを公開した。一つは生成 AI に関する AI RMF の拡張版 NIST AI 600-1[135]、もう一つはソフトウェアサプライチェーンセキュリティ強化を目的とした「セキュアソフトウェア開発フレームワーク（SSDF[174]）」を拡張した新たな開発ガイドライン NIST AI 800-218A[175] で、生成 AI、及びデュアルユース基盤モデル[176] のデータ保護を対象にしたプロファイルが記載されている。

これらのガイドラインは日本国内のガイドラインとの整合、セキリティ対策策定・実践にも影響があると思われる。

4.2.7 まとめ

本節では、AI のセキュリティを「AI を悪用したセキュリティ脅威」「AI に対するセキュリティ脅威」に絞り込んで解説した。IPA 国内調査及び IPA 米国調査の結果から、AI に関わるセキュリティインシデントはそう顕著ではないことが確認されたが、それは脅威が小さいことを意味しない。AI の民主化により、AI リスクの統制はより難しく、応用はより広範に、技術進歩はより高速になっている。このため、新たな応用が日々生まれ、新たなリスクが日々増えている。その全体像は我々にまだ見えていないと考えるべきであり、全体を把握する作業を続けなければならない。

AI を使わないから大丈夫、ということはない。AI の悪用による従来システムへの攻撃の増加・進化は止めることができない。情報漏えいやシステム障害等の従来型の被害に加え、フェイクコンテンツや偏った情報による詐欺、人権侵害、世論分断等はこれまでセキュリティとはやや遠い話であったが、AI リスクマネジメントではセーフティも含め、全部を地続きなものとしてとらえる必要があると思われる。

2024 年 4 月時点で、AI セーフティ、セキュリティ、プライバシーの対策は、開発者側のガバナンス強化・規則策定等から始まっている。しかし、AI のセキュリティにおいて、誰がどう使うのか、それをどうコントロールするのかの問題は非常に大きい。使う側が何をすべきか、何ができるかの議論も進めることが重要と思われる。

※ 1 https://rm.coe.int/information-disorder-toward-an-interdisciplinary-framework-for-researc/168076277c〔2024/5/2 確認〕
※ 2 一般社団法人セーファーインターネット協会：Disinformation 対策フォーラム報告書 https://www.saferinternet.or.jp/wordpress/wp-content/uploads/Disinformation_report.pdf〔2024/5/2 確認〕
※ 3 EEAS：1st EEAS Report on Foreign Information Manipulation and Interference Threats https://www.eeas.europa.eu/eeas/1st-eeas-report-foreign-information-manipulation-and-interference-threats_en〔2024/5/2 確認〕
※ 4 Marc Laity, 2015, NATO AND THE POWER OF NARRATIVE, Peter Pomerantsev ed., Information at War: From China's Three Warfares to NATO's Narratives, London: LEGATUM INSTITUTE, 22-27, p.24
※ 5 消費者庁：ステルスマーケティングに関する検討会報告書 https://www.caa.go.jp/policies/policy/representation/fair_labeling/stealth_marketing〔2024/5/2 確認〕
※ 6 総務省：情報通信白書令和5年版 第1部第3節 インターネット上

での偽・誤情報の拡散等 https://www.soumu.go.jp/johotsusintokei/whitepaper/ja/r05/html/nd123140.html〔2024/5/2 確認〕
※ 7 大澤淳「主戦場となるサイバー空間 "専守防衛" では日本を守れない」月刊 Wedge、2021 年 12 月号、pp.24-27
※ 8 大澤淳「サイバー情報操作の脅威から日本をどう守るのか」中央公論新社、中央公論、2022 年 4 月号、pp.154-161
※ 9 大澤淳：台湾有事とハイブリッド戦争 https://www.spf.org/iina/articles/osawa_02.html〔2024/5/2 確認〕
※ 10 Office of the Director of National Intelligence:Background to" Assessing Russian Activities and Intentions in Recent US Elections"：The Analytic Process and Cyber Incident Attribution https://www.dni.gov/files/documents/ICA_2017_01.pdf〔2024/5/2 確認〕
※ 11 CYBERSCOOP：White House attributes Ukraine DDoS incidents to Russia's GRU https://cyberscoop.com/ukraine-ddos-russia-attribution-white-house-neuberger/〔2024/5/2 確認〕
※ 12 А. В. Манойло et al, "Операции информационно-п

сихологической войны," Горячая линия-Телеком, 2018. p108-110.

※ 13 Information at War: From China's Three Warfares to NATO's Narratives https://li.com/wp-content/uploads/2024/05/information-at-war-from-china-s-three-warfares-to-nato-s-narratives-pdf.pdf〔2024/6/13 確認〕

髙木耕一郎「新領域から『バトル・オブ・ナラティブ』へ - - 新領域（宇宙、サイバー、電磁波）、心理・認知領域含む多次元環境下における将来戦」、戦略研究学会編「戦略研究 27 多次元環境下の戦略」芙蓉書房出版、2020 年、pp.49-71

※ 14 公益財団法人笹川平和財団安全保障研究グループ："外国からのディスインフォメーションに備えを!〜サイバー空間の情報操作の脅威〜" https://spf.org/global-data/user172/cyber_security_2021_web1.pdf〔2024/5/2 確認〕

※ 15 А. В. Манойло et al, "Операции информационно-психологической войны," Горячая линия-Телеком, 2018.

Daniel Bagge, "Unmasking Maskirovka: Russia's Cyber Influence Operations," 2019.

※ 16 https://www.airitilibrary.com/Publication/alDetailedMesh?docid=P20220613001-202112-202206130009-202206130009-19-34〔2024/5/2 確認〕

※ 17 Soroush Vosoughi, Deb Roy, and Sinan Aral：The spread of true and false news online https://www.science.org/doi/10.1126/science.aap9559〔2024/5/2 確認〕

※ 18 Haruka Nakajima Suzuki, Midori Inaba：Psychological Study on Judgment and Sharing of Online Disinformation https://ieeexplore.ieee.org/document/10196864〔2024/5/2 確認〕

※ 19 Bradley D Menz, Natansh D Modi, Michael J Sorich, Ashley M Hopkins：Health Disinformation Use Case Highlighting the Urgent Need for Artificial Intelligence Vigilance: Weapons of Mass Disinformation https://pubmed.ncbi.nlm.nih.gov/37955873/〔2024/5/2 確認〕

※ 20 BBC：Gaza hospital: What video, pictures and other evidence tell us about Al-Ahli hospital blast https://www.bbc.com/news/world-middle-east-67144061〔2024/5/2 確認〕

※ 21 IDF（The Israel Defense Forces）Announcement：Briefing by IDF Spokesperson, Rear Admiral Daniel Hagari https://idfanc.activetrail.biz/ANC1810202362〔2024/5/2 確認〕

※ 22 WIRED：Who's Responsible for the Gaza Hospital Explosion? Here's Why It's Hard to Know What's Real https://www.wired.com/story/al-ahli-baptist-hospital-explosion-disinformation-osint/〔2024/5/2 確認〕

※ 23 Reuters：Biden vows aid for Gaza, Israel as protests rock Middle East https://www.reuters.com/world/biden-heads-middle-east-inflamed-by-gaza-hospital-blast-2023-10-18/〔2024/5/2 確認〕

※ 24 Institute for Strategic Dialogue：Capitalising on crisis: Russia, China and Iran use X to exploit Israel-Hamas information chaos https://www.isdglobal.org/digital_dispatches/capitalising-on-crisis-russia-china-and-iran-use-x-to-exploit-israel-hamas-information-chaos/〔2024/5/2 確認〕

※ 25 JFC：イスラエル・パレスチナ情勢をめぐり大量の誤情報／偽情報 検証方法を解説【ファクトチェックまとめ】 https://www.factcheckcenter.jp/fact-check/international/israel-palestine-conflict-fact-check-summary/〔2024/5/2 確認〕

※ 26 日本経済新聞：イスラエルでハイブリッド戦　ハマス側サイバー攻撃周到 https://www.nikkei.com/article/DGXZQOUC109PP0Q3A011C2000000/〔2024/5/2 確認〕

※ 27 Foreign Affairs：Gaza and the Future of Information Warfare https://www.foreignaffairs.com/middle-east/gaza-and-future-information-warfare〔2024/5/2 確認〕

※ 28 Reuters：Disinformation surge threatens to fuel Israel-Hamas conflict https://jp.reuters.com/article/idUSKBN31I118/〔2024/5/2 確認〕

※ 29 The New York Times：In a Worldwide War of Words, Russia, China and Iran Back Hamas https://www.nytimes.com/2023/11/03/technology/israel-hamas-information-war.html〔2024/5/2 確認〕

※ 30 JFC：「（画像）男性が子どもたちを瓦礫から救出する画像」は AI で作成【ファクトチェック】 https://www.factcheckcenter.jp/fact-check/international/ai-generated-image-of-man-rescuing-children-from-rubble/〔2024/5/2 確認〕

Euronews：Israel-Hamas War: This viral image of a baby trapped under rubble turned out to be fake https://www.euronews.com/my-europe/2023/10/24/israel-hamas-war-this-viral-image-of-a-baby-trapped-under-rubble-turned-out-to-be-fake〔2024/5/2 確認〕

Deutsche Welle：Fact check: AI fakes in Israel's war against Hamas https://www.dw.com/en/fact-check-ai-fakes-in-israels-war-against-hamas-a-67367744〔2024/5/2 確認〕

Radio Free Asia：Israel-Hamas war: How tech, social media spur misinformation https://www.rfa.org/english/news/afcl/fact-check-israel-hamas-misinformation-11082023172217.html〔2024/5/2 確認〕

JFC：「（動画）アメリカの人気モデルがイスラエル支持を表明」は誤り AI で改変【ファクトチェック】 https://www.factcheckcenter.jp/fact-check/international/american-model-supports-israel/# 拡散した動画に ai による改変の形跡〔2024/5/2 確認〕

※ 31 JFC：『（画像）男性が子どもたちを瓦礫から救出する画像』は AI で作成【ファクトチェック】 https://www.factcheckcenter.jp/fact-check/international/ai-generated-image-of-man-rescuing-children-from-rubble/〔2024/5/2 確認〕

※ 32 この画像は、在フランス中国大使館の X の投稿（https://twitter.com/AmbassadeChine/status/1718262759249326313?s=20&ref=factcheckcenter.jp〔2024/5/2 確認〕）の画像を IPA がダウンロードしたものを掲載したものである。IPA が顔部分をぼかす加工を行った。また、JFC のファクトチェック結果（JFC：『（画像）男性が子どもたちを瓦礫から救出する画像』は AI で作成【ファクトチェック】 https://www.factcheckcenter.jp/fact-check/international/ai-generated-image-of-man-rescuing-children-from-rubble/〔2024/5/2 確認〕）を基に丸の囲みや矢印を追加する加工を行った。

※ 33 JFC：「（画像）男性が子どもたちを瓦礫から救出する画像」は AI で作成【ファクトチェック】 https://www.factcheckcenter.jp/fact-check/international/ai-generated-image-of-man-rescuing-children-from-rubble/〔2024/5/2 確認〕

Radio Free Asia：Israel-Hamas war: How tech, social media spur misinformation https://www.rfa.org/english/news/afcl/fact-check-israel-hamas-misinformation-11082023172217.html〔2024/5/2 確認〕

※ 34 NHK：世界を分断する SNS 発 "赤ちゃん" の物語（ナラティブ） https://www3.nhk.or.jp/news/html/20231027/k10014237551000.html〔2024/5/2 確認〕

※ 35 Deutsche Welle：Fact check: AI fakes in Israel's war against Hamas https://www.dw.com/en/fact-check-ai-fakes-in-israels-war-against-hamas-a-67367744〔2024/5/2 確認〕

※ 36 JFC：「（動画）アメリカの人気モデルがイスラエル支持を表明」は誤り AI で改変【ファクトチェック】 https://www.factcheckcenter.jp/fact-check/international/american-model-supports-israel/# 拡散した動画に ai による改変の形跡〔2024/5/2 確認〕

※ 37 TIME：Inside the Israel-Hamas Information War https://time.com/6549544/israel-and-hamas-the-media-war/〔2024/5/2 確認〕

※ 38 University of Maryland：American Public Attitudes on Israel/Palestine During the Israel-Gaza War https://criticalissues.umd.edu/sites/criticalissues.umd.edu/files/UMCIP_October2023_Israel-Gaza_Results.pdf〔2024/5/2 確認〕

University of Maryland：American Public Attitudes on Israel/Palestine During the Israel-Gaza War: Part 2 https://criticalissues.umd.edu/sites/criticalissues.umd.edu/files/UMCIP_11.3-5.2023_Israel-Gaza_Results.pdf〔2024/5/2 確認〕

※ 39 JFC：福島第一原発の処理水と汚染水の違いは何?海洋放出は危険?【ファクトチェックまとめ】 https://www.factcheckcenter.jp/fact-check/nuclear/fukushima-daiichi-nuclear-plant-treated-water-ocean-release-fact-check-summary/〔2024/5/2 確認〕

Logically Ltd.：Logically Bulletin: Coordinated Chinese campaign targets Japan's release of treated nuclear wastewater https://www.logically.ai/resources/fukushima-daiichi-wastewater-release〔2024/5/2 確認〕

※ 40 外務省：外務省幹部とされる人物との ALPS 処理水の取扱いについての面談に関する報道について https://www.mofa.go.jp/mofaj/press/release/press5_000052.html〔2024/5/2 確認〕

外務省：外務省のものとされる偽文書に関する報道について https://www.mofa.go.jp/mofaj/press/release/press1_001532.html〔2024/5/2 確認〕

※ 41 台湾事實査核中心（台湾ファクトチェックセンター）：【易生誤解】網傳『日本媒體報導日本排放核廢水，原銷往中國、香港、澳門 2 萬條魚，今晚已經改銷、運往台灣』? https://tfc-taiwan.org.tw/articles/9521〔2024/5/2 確認〕

※ 42 経済産業省：ALPS 処理水の海洋放出に関する偽情報について https://www.meti.go.jp/press/2023/09/20230902002/20230902002.html〔2024/5/2 確認〕

※ 43 Logically Ltd.：Logically Bulletin: Coordinated Chinese campaign targets Japan's release of treated nuclear wastewater https://www.logically.ai/resources/fukushima-daiichi-wastewater-release〔2024/5/2 確認〕
※ 44 JFC：「処理水放出で海の色が変化」は誤り【ファクトチェック】https://www.factcheckcenter.jp/fact-check/nuclear/discharge-treated-water-sea-color-change-false/〔2024/5/2 確認〕
Bilibili：日本核汚染水 https://search.bilibili.com/all?keyword= 日本核汚染水 &from_source=article〔2024/5/2 確認〕
※ 45 この画像は、X の投稿（https://twitter.com/raystube/status/1694578936540451191〔2024/5/2 確認〕）を IPA がキャプチャした画面を掲載したものである。IPA がアカウント名をぼかす加工を行った。
※ 46 本段落の各事例については以下の資料 p.12 を参照。
公益財団法人笹川平和財団安全保障研究グループ："外国からのディスインフォメーションに備えを!～サイバー空間の情報操作の脅威～" https://www.spf.org/global-data/user172/cyber_security_2021_web1.pdf〔2024/5/2 確認〕
※ 47 インド太平洋防衛フォーラム：2020 年の台湾選挙への介入を目的として、政治的影響力という多くの武器を駆使する中国共産党 https://ipdefenseforum.com/ja/2019/12/2020 年の台湾選挙への介入を目的として、政治的影 //〔2024/5/2 確認〕
※ 48 大紀元：Venus Upadhayaya「台湾への直接的な選挙妨害か 総統選 8 日前、前例のないサイバー攻撃」 https://www.epochtimes.jp/2024/01/196253.html〔2024/5/2 確認〕
TBS NEWS DIG：「中国から毎日数百万回のサイバー攻撃」台湾外交部長 https://newsdig.tbs.co.jp/articles/-/775036?display=1〔2024/5/2 確認〕
※ 49 インド太平洋防衛フォーラム：選挙が近づく台湾、中国共産党の威圧行動と情報操作に警戒 https://ipdefenseforum.com/ja/2023/12/ 選挙が近づく台湾、中国共産党の威圧行動と情報 /〔2024/5/2 確認〕
※ 50 Reuters：台湾総統が「戦時の逃亡準備」、1 月選挙まで中国報道続く＝調査 https://jp.reuters.com/world/taiwan/NSBN4DOUHJOHLHUEJQOTOCNUKE 2024-01-01/〔2024/5/17 確認〕
中国での報道例としては例えば以下がある。
网易：美台島撤僑計劃曝光, 蔡英文随時准备逃亡! 布林肯急忙"踩刹车" https://www.163.com/dy/article/I7RPC5F905534DFV.html〔2024/5/17 確認〕
※ 51 中央通訊社：郭無患「共軍宣布海空聯合演訓 國安人士：介入選舉動機明確」 https://www.cna.com.tw/news/aipl/202308190067.aspx〔2024/5/2 確認〕
※ 52 中央通訊社：翟思嘉「國防部：將整合軍媒力量反制中共認知作戦」 https://www.cna.com.tw/news/aipl/202308220124.aspx〔2024/5/2 確認〕
※ 53 台灣事實查核中心：2024 總統大選不實訊息 https://tfc-taiwan.org.tw/topic/9640〔2024/5/2 確認〕
Liberty Times：合成總統、副總統假影片搞詐 選前首見深偽片查介選意圖 https://news.ltn.com.tw/news/society/paper/1615999〔2024/5/2 確認〕
※ 54 台灣事實查核中心：2024 選舉查證筆記第一集：台灣首見選前AI 造假檔 教你判別偽造影音小撇步 https://tfc-taiwan.org.tw/articles/9781〔2024/5/2 確認〕
※ 55 U.S. Department of State：How the People's Republic of China Seeks to Reshape the Global Information Environment https://www.state.gov/gec-special-report-how-the-peoples-republic-of-china-seeks-to-reshape-the-global-information-environment/〔2024/5/2 確認〕
※ 56 Yahoo! ニュースにおいて「CGTN」で検索（https://news.yahoo.co.jp/search?p=CGTN&ei=utf-8〔2024/5/2 確認〕）すると、多数の日本語版の記事が表示される。
※ 57 Shen, Puma. "How China Initiates Information Operations Against Taiwan," p. 29
※ 59 フォーカス台湾：総統選 / 中国が政治的威圧や偽情報拡散で総統選に介入 台湾、情報の即時訂正体制で防衛図る https://japan.focustaiwan.tw/politics/202401050005〔2024/5/2 確認〕
※ 60 日本経済新聞：台湾総統選後の東アジア 中国、国際的に「認知戦」展開 https://www.nikkei.com/article/DGXZQOCD173HS0X10C24A1000000/〔2024/5/2 確認〕
※ 61 JFC：(能登半島地震) 災害時に広がる偽情報 5 つの類型 地震や津波に関するデマはどう拡散するのか https://www.factcheckcenter.jp/explainer/others/5-types-of-disinformation-about-disaster/〔2024/5/2 確認〕
※ 62 NHK：能登半島地震の偽情報 海外から多く "インプレゾンビ" が https://www3.nhk.or.jp/news/html/20240202/k10014341931000.html〔2024/5/2 確認〕

※ 63 日本経済新聞：能登半島地震、岸田首相「虚偽情報の流布許されず」https://www.nikkei.com/article/DGXZQOUA020TY0S4A100C2000000/〔2024/5/2 確認〕
首相官邸：令和6年能登半島地震についての会見 https://www.kantei.go.jp/jp/101_kishida/statement/2024/0102kaiken.html〔2024/5/2 確認〕
※ 64 総務省：令和6年能登半島地震におけるインターネット上の偽・誤情報への対応 https://www.soumu.go.jp/main_content/000923727.pdf〔2024/5/2 確認〕
※ 65 日本経済新聞：災害時の偽情報対策探る 現在は要請どまり、EU は 法 規 制 https://www.nikkei.com/article/DGXZQOUA061020W4A100C2000000/〔2024/5/2 確認〕
※ 66 デジタル空間における情報流通の健全性確保の在り方に関する検討会事務局：プラットフォーム事業者ヒアリングの総括（暫定版※）https://www.soumu.go.jp/main_content/000946374.pdf〔2024/5/27 確認〕
※ 67 THE SOUFAN CENTER：IntelBrief: AI-Powered Disinformation in the Israel-Hamas War and Beyond https://thesoufancenter.org/intelbrief-2023-october-26/〔2024/5/2 確認〕
※ 68 VOA：'Deepfake' of Biden's Voice Called Early Example of US Election Disinformation https://learningenglish.voanews.com/a/deepfake-of-biden-s-voice-called-early-example-of-us-election-disinformation/7455392.html〔2024/5/2 確認〕
※ 69 Reuters：Deepfaking it: America's 2024 election collides with AI boom https://jp.reuters.com/article/idUSKBN2XL0IR/〔2024/5/2 確認〕
※ 70 NHK：「選挙イヤー」の 2024 年 世界で高まる "フェイクへの懸念" https://www3.nhk.or.jp/news/html/20231216/k10014289161000.html〔2024/5/2 確認〕
※ 71 WIRED：Fake Taylor Swift Quotes Are Being Used to Spread Anti-Ukraine Propaganda https://www.wired.com/story/russia-ukraine-taylor-swift-disinformation/〔2024/5/2 確認〕
※ 72 Recorded Future：Obfuscation and AI Content in the Russian Influence Network "Doppelgänger" Signals Evolving Tactics https://go.recordedfuture.com/hubfs/reports/ta 2023-1205.pdf〔2024/5/2 確認〕
※ 73 ABC News：Taylor Swift and No AI Fraud Act: How Congress plans to fight back against AI deepfakes https://abcnews.go.com/US/taylor-swift-ai-fraud-act-congress-plans-fight/story?id=106765709〔2024/5/2 確認〕
※ 74 The Wall Street Journal：Lab Leak Most Likely Origin of Covid-19 Pandemic, Energy Department Now Says https://www.wsj.com/articles/covid-origin-china-lab-leak-807b7b0a〔2024/5/2 確認〕
※ 75 独立行政法人国民生活センター：これまでに寄せられた新型コロナウイルス関連の消費者トラブル https://www.kokusen.go.jp/soudan_now/data/coronavirus_jirei.html〔2024/5/2 確認〕
※ 76 JFC：ワクチン https://www.factcheckcenter.jp/tag/vaccine/〔2024/5/2 確認〕
※ 77 Springer Nature：Fujio Toriumi, Takeshi Sakaki, Tetsuro Kobayashi & Mitsuo Yoshida: Anti-vaccine rabbit hole leads to political representation: the case of Twitter in Japan https://link.springer.com/article/10.1007/s42001-023-00241-8〔2024/5/2 確認〕
※ 78 笹原和俊、デジタル影響工作に対する計算社会科学のアプローチ、一田和樹他、ネット世論操作とデジタル影響工作、原書房、2023 年 3 月
※ 79 WHO：Infodemic https://www.who.int/health-topics/infodemic#tab=tab_1〔2024/5/2 確認〕
※ 80 POLITICO：State report: Russian, Chinese and Iranian disinformation narratives echo one another https://www.politico.com/news/2020/04/21/russia-china-iran-disinformation-coronavirus-state-department-193107〔2024/5/2 確認〕
※ 81 佐々木孝博、ロシアによるデジタル影響工作、一田和樹他、ネット世論操作とデジタル影響工作、原書房、2023 年 3 月
※ 82 BBC NEWS JAPAN：コンサートホール襲撃 ロシアはなぜウクライナのせいにしようとするのか https://www.bbc.com/japanese/articles/c51npj7v1lxo〔2024/5/2 確認〕
※ 83 U.S. Department of State：GEC Special Report: August 2020 Pillars of Russia's Disinformation and Propaganda Ecosystem https://www.state.gov/wp-content/uploads/2020/08/Pillars-of-Russia%E2%80%99s-Disinformation-and-Propaganda-Ecosystem_08-04-20.pdf〔2024/5/2 確認〕
※ 84 Microsoft Corporation：ウクライナの防衛：サイバー戦争の初期の教訓 https://news.microsoft.com/ja-jp/2022/07/04/220704-defending-ukraine-early-lessons-from-the-cyber-war/〔2024/5/2

第4章

注目のトピック

確認〕

※85 JFC：ウクライナ https://www.factcheckcenter.jp/tag/ukraine/〔2024/5/2 確認〕

※86 朝日新聞：ロシアの偽情報作戦、ソ連時代から「お家芸」 ウクライナ危機の深層 https://digital.asahi.com/articles/ASQ2S7H84Q2SUHBI03X.html〔2024/5/2 確認〕

※87 The New York Times：Russia has been laying groundwork online for a 'false flag' operation, misinformation researchers say. https://www.nytimes.com/2022/02/19/business/russia-has-been-laying-groundwork-online-for-a-false-flag-operation-misinformation-researchers-say.html〔2024/5/2 確認〕

※88 藤村厚夫、世界のメディアの変容、一田和樹他、ネット世論操作とデジタル影響工作、原書房、2023 年 3 月

※89 The Wall Street Journal：ロシアで SNS「テレグラム」急成長の理由 https://jp.wsj.com/articles/telegram-thrives-amid-russias-media-crackdown-11647826301〔2024/5/2 確認〕

※90 Internews：Ukrainians increasingly rely on Telegram channels for news and information during wartime https://internews.in.ua/news/ukrainians-increasingly-rely-on-telegram-channels-for-news-and-information-during-wartime/〔2024/5/2 確認〕

※91 EL PAIS：Ukraine considers banning Telegram if app is confirmed as threat to national security https://english.elpais.com/international/2024-04-02/ukraine-considers-banning-telegram-if-app-is-confirmed-as-threat-to-national-security.html〔2024/5/2 確認〕

※92 University of Cambridge：The failure of Russian propaganda https://www.cam.ac.uk/stories/donbaspropaganda〔2024/5/2 確認〕

※93 内閣官房：国家安全保障戦略について https://www.cas.go.jp/jp/siryou/221216anzenhoshou.html〔2024/5/2 確認〕

※94 産経新聞：＜独自＞陸自に「認知戦」対処専門部隊新設 安保3文書に明記 https://www.sankei.com/article/20221208-MLNG77HAEZOQPIYMA2IPIB7SMU/〔2024/5/2 確認〕

※95 読売新聞オンライン：海自に電子戦や偽情報対策担う部隊新設、25 年までに 2000 人規模…3文書案 https://www.yomiuri.co.jp/politics/20221209-OYT1T50304/〔2024/5/2 確認〕

※96 防衛省、自衛隊：認知領域を含む情報戦への対応 https://www.mod.go.jp/j/approach/defense/infowarfare/index.html〔2024/5/27 確認〕
国家安全保障会議決定、閣議決定：防衛力整備計画 https://www.mod.go.jp/j/policy/agenda/guideline/plan/pdf/plan.pdf〔2024/5/27 確認〕

※97 首相官邸：令和 5 年 4 月 14 日（金）午前 - 内閣官房長官記者会見 https://www.kantei.go.jp/jp/tyoukanpress/202304/14_a.html〔2024/5/2 確認〕

※98 日本経済新聞：防衛省、偽情報対策で新ポスト 諸外国の意図や影響分析 https://www.nikkei.com/article/DGXZQOUA013J90R00C22A4000000/〔2024/5/2 確認〕

※99 外務省：令和6年度概算要求の概要 https://www.mofa.go.jp/mofaj/files/100546567.pdf〔2024/5/2 確認〕

※100 総務省：「デジタル空間における情報流通の健全性確保の在り方に関する検討会」の開催 https://www.soumu.go.jp/menu_news/s-news/01ryutsu02_02000374.html〔2024/5/2 確認〕

※101 G7 2023 HIROSHIMA SUMMIT：Ministerial Declaration The G7 Digital and Tech Ministers' Meeting 30 April 2023 https://www.soumu.go.jp/joho_kokusai/g7digital-tech-2023/topics/pdf/pdf_20230430/ministerial_declaration_dtmm.pdf〔2024/5/2 確認〕

※102 G7 2023 HIROSHIMA SUMMIT：Existing Practices against Disinformation (EPaD) https://www.soumu.go.jp/main_content/000905620.pdf〔2024/5/2 確認〕

※103 NHK：SNS などの偽情報対策 日米で連携して対処へ 協力文書に署名 https://www3.nhk.or.jp/news/html/20231206/k10014279951000.html〔2024/5/2 確認〕

※104 読売新聞オンライン：ネット上の誹謗中傷は迅速削除、SNS大手に義務付けへ…法改正で削除基準の透明化も https://www.yomiuri.co.jp/national/20240111-OYT1T50187/〔2024/5/2 確認〕

※105 読売新聞オンライン：能登半島地震巡る偽情報対策、被災自治体とOP技術を使い実証実験へ…岸田首相「虚偽情報の流布許さない」 https://www.yomiuri.co.jp/politics/20240124-OYT1T50000/〔2024/5/2 確認〕

※106 JFC：日本ファクトチェックセンターが AI 活用 LINE でユーザーからの質問に答えます https://www.factcheckcenter.jp/info/others/ai-answers-user-questions-on-line/〔2024/5/2 確認〕

※107 The White House：Executive Order on the Safe, Secure, and Trustworthy Development and Use of Artificial Intelligence https://www.whitehouse.gov/briefing-room/presidential-actions/2023/10/30/executive-order-on-the-safe-secure-and-trustworthy-development-and-use-of-artificial-intelligence〔2024/5/2 確認〕

※108 GOV.UK：The Bletchley Declaration by Countries Attending the AI Safety Summit, 1-2 November 2023 https://www.gov.uk/government/publications/ai-safety-summit-2023-the-bletchley-declaration/the-bletchley-declaration-by-countries-attending-the-ai-safety-summit-1-2-november-2023〔2024/5/2 確認〕

※109 NIST：U.S. Commerce Secretary Gina Raimondo Announces Key Executive Leadership at U.S. AI Safety Institute https://www.nist.gov/news-events/news/2024/02/us-commerce-secretary-gina-raimondo-announces-key-executive-leadership-us〔2024/5/2 確認〕
GOV.UK：AI Safety Institute https://www.gov.uk/government/organisations/ai-safety-institute〔2024/5/2 確認〕

※110 https://aisi.go.jp〔2024/5/2 確認〕

※111 読売新聞オンライン：選挙での「ディープフェイク」に歯止め、IT20社が生成AI偽情報対策で合意…OP技術研究組合も支持 https://www.yomiuri.co.jp/economy/20240217-OYT1T50140/〔2024/5/2 確認〕

※112 読売新聞社大阪本社社会部、情報パンデミック あなたを惑わすものの正体 第 2 章 発信者を追う なぜ広めるのか、中央公論社、2022 年 11 月

※113 RISTEX：SDGs の達成に向けた共創的研究開発プログラム（情報社会における社会的側面からのトラスト形成）について https://www.jst.go.jp/ristex/funding/solve-digist/〔2024/5/2 確認〕

※114 公益財団法人笹川平和財団安全保障研究グループ："外国からのディスインフォメーションに備えを!～サイバー空間の情報操作の脅威～" https://www.spf.org/global-data/user172/cyber_security_2021_web1.pdf〔2024/5/2 確認〕

※115 JFC：JFC ファクトチェック講座 3：検証の4ステップ「横読み」で効率的に https://www.factcheckcenter.jp/course/fact-check-course/4-step-verification-efficient-skimming/〔2024/5/2 確認〕

※116 RAND：The Rise of Generative AI and the Coming Era of Social Media Manipulation 3.0 https://www.rand.org/pubs/perspectives/PEA2679-1.html〔2024/5/2 確認〕

※117 総務省：平成 30 年版 情報通信白書 第 2 章 ICT による新たなエコノミーの形成 https://www.soumu.go.jp/johotsusintokei/whitepaper/ja/h30/pdf/n2100000.pdf〔2024/6/19 確認〕
IPA：AI 白書 2019 https://www.ipa.go.jp/publish/wp-ai/qv6pgp0000000w5z-att/000088602.pdf〔2024/6/13 確認〕

※118 European Commission：AI Act https://digital-strategy.ec.europa.eu/en/policies/regulatory-framework-ai〔2024/5/27 確認〕

※119 総務省：広島 AI プロセスについて https://www8.cao.go.jp/cstp/ai/ai_senryaku/7kai/11hiroshimaaipurosesu.pdf〔2024/5/27 確認〕

※120 https://www.ipa.go.jp/archive/publish/wp-security/qv6pgp0000000v5l-att/000079041.pdf〔2024/5/27 確認〕

※121 大規模言語モデル：大量のデータセットとディープラーニング技術により、文章や単語の出現確率を推定するモデル。自然言語処理の精度を大幅に向上させた。

※122 ZDNET：What is ChatGPT and why does it matter? Here's what you need to know https://www.zdnet.com/article/what-is-chatgpt-and-why-does-it-matter-heres-everything-you-need-to-know/〔2024/5/27 確認〕

※123 基盤モデル：大量のデータ（画像・動画・音声等を含む）を学習し、様々な用途（アプリケーション）にチューニングできるモデル。大規模言語モデルもその一つ。

※124 GAN（Generative Adversarial Network）：GAN は敵対的生成ネットワークと呼ばれ、ラベルのない入力データ（教師なし学習）から実際には存在しない人の顔画像等を高品質で生成できる。

※125 Meta 社：Build the future of AI with Meta Llama 3 https://llama.meta.com/llama3/〔2024/5/27 確認〕

※126 総務省：令和元年版 情報通信白書 第3節（2）進む AI の民主化 https://www.soumu.go.jp/johotsusintokei/whitepaper/ja/r01/html/nd113220.html〔2024/5/27 確認〕

※127 深層学習（ディープラーニング）：パラメータ化されたモジュールを多層的に組み合わせたニューラルネットワークモデルを扱う学習手法。

※128 総務省：令和 5 年版 情報通信白書 第3節 インターネット上での偽・誤情報の拡散等 https://www.soumu.go.jp/johotsusintokei/whitepaper/ja/r05/pdf/n2300000.pdf〔2024/5/27 確認〕

※129 IPA の「AI 白書 2019」（https://www.ipa.go.jp/publish/wp-

ai/qv6pgp0000000w5z-att/000088602.pdf〔2024/5/27 確認〕）の「第5章 AIの社会実装課題と対策」参照。
※130 いわゆる汎用人工知能が人間の知性を凌駕するシンギュラリティがリスクとして議論されることがあるが、本稿ではこの課題は扱わない。
※131 内閣府：AIガバナンスに関する議論の方向性について（ディスカッションペーパー） https://www8.cao.go.jp/cstp/ai/ningen/r5_1kai/siryo3.pdf〔2024/5/27 確認〕
※132 ISO：ISO/IEC 42001:2023 Information technology https://www.iso.org/standard/81230.html〔2024/5/27 確認〕
※133 経済産業省：AIマネジメントシステムの国際規格が発行されました https://www.meti.go.jp/press/2023/01/20240115001/20240115001.html〔2024/5/27 確認〕
※134 NIST:Artificial Intelligence Risk Management Framework (AI RMF 1.0) https://nvlpubs.nist.gov/nistpubs/ai/NIST.AI.100-1.pdf〔2024/5/27 確認〕
※135 NIST：Artificial Intelligence Risk Management Framework: Generative Artificial Intelligence Profile https://airc.nist.gov/docs/NIST.AI.600-1.GenAI-Profile.ipd.pdf〔2024/5/27 確認〕
※136 OECD：OECD AI Principles overview https://oecd.ai/en/ai-principles〔2024/5/27 確認〕
※137 本白書では文献引用上の正確性を期す必要がない場合、表記の統一のため、悪意のあるプログラム、マルウェア等を総称して「ウイルス」と表記する。
※138 米国のAISI (U.S. AISI) は2024年2月7日にNISTに設置された。
NIST：U.S. ARTIFICIAL INTELLIGENCE SAFETY INSTITUTE https://www.nist.gov/aisi〔2024/5/27 確認〕
日本のAISI(AISI Japan)は2024年2月14日にIPAに設置された。
AISI:Japan AI Safety Institute https://aisi.go.jp〔2024/5/27 確認〕
※139 AISI:AI事業者ガイドラインと米国NIST AIリスクマネジメントフレームワーク（RMF）とのクロスウォーク https://aisi.go.jp/2024/04/30/ai_rmf_crosswalk1_news/〔2024/5/27 確認〕
※140 IPA：IPAテクニカルウォッチ「AI利用時のセキュリティ脅威・リスク調査報告書」 https://www.ipa.go.jp/security/reports/technicalwatch/20240704.html〔2024/7/5 確認〕
※141 IPA：AI RISK AND THREATS https://www.ipa.go.jp/security/reports/technicalwatch/m42obm000000hzkm-att/2024_IPA_Report1_FINAL_forPublic.pdf〔2024/6/18 確認〕
※142 NCSC：The near-term impact of AI on the cyber threat https://www.ncsc.gov.uk/report/impact-of-ai-on-cyber-threat〔2024/5/27 確認〕
※143 Cyber security news：Hackers Released New Black Hat AI Tools XXXGPT and Wolf GPT https://cybersecuritynews.com/black-hat-ai-tools-xxxgpt-and-wolf-gpt/〔2024/5/27 確認〕
※144 SlashNext：The State of Phishing 2023 https://slashnext.com/wp-content/uploads/2023/10/SlashNext-The-State-of-Phishing-Report-2023.pdf〔2024/5/27 確認〕
※145 IPA米国調査「AI RISK AND THREATS」（https://www.ipa.go.jp/security/reports/technicalwatch/m42obm000000hzkm-att/2024_IPA_Report1_FINAL_forPublic.pdf〔2024/6/18 確認〕）の「Table 7: Summary of AI Threats and Risk Chart」参照。
※146 The New York Times：'A.I. Obama' and Fake Newscasters: How A.I. Audio Is Swarming TikTok https://www.nytimes.com/2023/10/12/technology/tiktok-ai-generated-voices-disinformation.html〔2024/5/27 確認〕
※147 例えばロシア・ウクライナ戦争については、以下を参照。
The Japan News：Examining Generative AI / Russian Side Seeks to Undermine Ukraine Via Disinformation; Fake Video Shows Military Leader Criticizing Zelenskyy https://japannews.yomiuri.co.jp/society/social-series/20240221-169948/〔2024/5/27 確認〕
イスラエル・ハマス間の武力衝突については以下を参照。
WIRED：Generative AI Is Playing a Surprising Role in Israel-Hamas Disinformation https://www.wired.com/story/israel-hamas-war-generative-artificial-intelligence-disinformation/〔2024/5/27 確認〕
※148 MITHRIL SECURITY：PoisonGPT: How We Hid a Lobotomized LLM on Hugging Face to Spread Fake News https://blog.mithrilsecurity.io/poisongpt-how-we-hid-a-lobotomized-llm-on-hugging-face-to-spread-fake-news/〔2024/5/27 確認〕
※149 https://huggingface.co〔2024/5/27 確認〕
※150 Reuters：焦点：ソーシャルメディア大手、「選挙イヤー」のフェイク対策が後手に https://jp.reuters.com/business/technology/6UH5ANX25JLXPN5226HWQES2YM-2024-01-12/〔2024/5/27 確認〕
※151 CISA：Risk in Focus: Generative A.I. and the 2024 Election

Cycle https://www.cisa.gov/resources-tools/resources/risk-focus-generative-ai-and-2024-election-cycle〔2024/5/27 確認〕
※152 人工知能学会、越前功、馬場口登、笹原和俊、インフォデミック時代におけるフェイクメディア克服の最前線 人工知能学会誌 Vol.38 No.2 (2023/3)、pp.189-196
※153 統計的な誤判定による誤動作の対応を「統計的に起こる故障対応の一貫」と考えるセーフティ専門家もいる。
※154 朝日新聞：完全無人タクシーが女性をひいて体の上に停車 米サンフランシスコ https://digital.asahi.com/articles/ASRB43JCWRB4UHBI00S.html〔2024/5/27 確認〕
※155 自動運転 レベル4：自動車専用道路や敷地内・送迎ルート等の限定エリアで、人間が介在しない完全な自動運転が行われるレベル。
※156 NHK：「レベル4」自動運転事故 カメラが自転車を認識できず 福井 https://www3.nhk.or.jp/news/html/20231110/k10014254121000.html〔2024/5/27 確認〕
※157 日本経済新聞：自動運転レベル4運行再開 昨年に事故、福井・永平寺 https://www.nikkei.com/article/DGXZQOUE1610E0W4A310C2000000/〔2024/5/27 確認〕
※158 TechTimes：Samsung Employees Use ChatGPT at Work, Unknowingly Leak Critical Source Codes https://www.techtimes.com/articles/289996/20230404/samsung-employees-used-chatgpt-work-unknowingly-leaked-critical-source-codes.htm〔2024/5/27 確認〕
※159 CIO：CIOs are worried about the informal rise of generative AI in the enterprise https://www.cio.com/article/650764/cios-are-worried-about-the-informal-rise-of-generative-ai-in-the-enterprise.html〔2024/5/27 確認〕
※160 個人情報保護委員会：生成AIサービスの利用に関する注意喚起等について https://www.ppc.go.jp/files/pdf/230602_kouhou_houdou.pdf〔2024/5/27 確認〕
※161 IPAによる国内有識者インタビューを基にした。
※162 ACM Digital Library：Do Users Write More Insecure Code with AI Assistants? https://dl.acm.org/doi/abs/10.1145/3576915.3623157〔2024/5/27 確認〕
※163 人工知能学会、大塚玲、AIセキュリティの研究動向、人工知能学会誌 Vol.38 No.2 (2023/3)、pp.181-188
※164 総務省、三井物産セキュアディレクション株式会社：総務省×MBSD：詳細解説 https://www.mbsd.jp/aisec_portal/detail_category.html〔2024/5/27 確認〕
※165 Ian J. Goodfellow, Jonathon Shlens and Christian Szegedy：EXPLAINING AND HARNESSING ADVERSARIAL EXAMPLES https://arxiv.org/pdf/1412.6572.pdf〔2024/5/27 確認〕
※166 David Silver：Adversarial Traffic Signs https://medium.com/self-driving-cars/adversarial-traffic-signs-fd16b7171906〔2024/6/24 確認〕
※167 Matt Fredrikson, Somesh Jha and Thomas Ristenpart：Model Inversion Attacks that Exploit Confidence Information and Basic Countermeasures https://www.cs.cmu.edu/~mfredrik/papers/fjr2015ccs.pdf〔2024/5/27 確認〕
※168 JFrog Ltd.：Data Scientists Targeted by Malicious Hugging Face ML Models with Silent Backdoor https://jfrog.com/blog/data-scientists-targeted-by-malicious-hugging-face-ml-models-with-silent-backdoor〔2024/5/27 確認〕
※169 OWASP Japan：ML02:2023 データポイズニング攻撃 (Data Poisoning Attack) https://coky-t.gitbook.io/owasp-machine-learning-security-top-10-ja/ml02_2023-data_poisoning_attack〔2024/5/27 確認〕
※170 学習モデルの知的財産としての扱い、それに対するオーナーシップは誰が主張できるか、等も別途検討すべき重要課題である。
※171 日本ソフトウェア科学会 機械学習工学研究会：機械学習システムセキュリティガイドライン https://github.com/mlse-jssst/security-guideline〔2024/5/27 確認〕
※172 内閣府：セキュアAIシステム開発ガイドラインについて https://www8.cao.go.jp/cstp/stmain/20231128ai.html〔2024/5/27 確認〕
※173 https://www.meti.go.jp/shingikai/mono_info_service/ai_shakai_jisso/pdf/20240419_1.pdf〔2024/5/27 確認〕
※174 NIST：Secure Software Development Framework https://csrc.nist.gov/projects/ssdf〔2024/5/27 確認〕
※175 NIST：Secure Software Development Practices for Generative AI and Dual-Use Foundation Models https://nvlpubs.nist.gov/nistpubs/SpecialPublications/NIST.SP.800-218A.ipd.pdf〔2024/6/20 確認〕
※176 デュアルユース基盤モデル：悪用されると、国家安全保障、経済安全保障等に深刻な問題をもたらすと考えられる基盤モデル。

付録

資料

資料A　2023年のコンピュータウイルス届出状況

IPAが2023年1月から12月の期間に受け付けたコンピュータウイルス（以下、ウイルス）届出の集計結果について述べる。

A.1　届出件数

2023年の年間届出件数は、前年の560件より311件（55.5%）少ない249件であった（図A-1）。そのうち、ウイルス感染の実被害があった届出は30件であった。

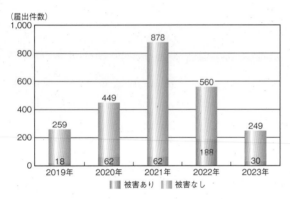

■図A-1　ウイルス届出件数推移（2019〜2023年）

A.2　届出のあったウイルス等検出数

2023年に寄せられたウイルス等の検出数は、前年の104万1,775個より45万9,153個（44.1%）少ない58万2,622個であった（図A-2）。

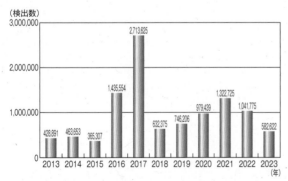

■図A-2　ウイルス等検出数推移（2013〜2023年）

A.3　届出者の主体別届出件数

2023年の主体別届出件数は前年と比較すると、全体的に減少した。主体別の比率では「法人」からの届出が66.7%（166件）と最も多かった（表A-1、図A-3）。

届出者の主体	2021年	2022年	2023年
法人	284	388	166
個人	578	145	70
行政機関	15	18	13
教育・研究機関	1	9	0
合計（件）	878	560	249

■表A-1　ウイルス届出者の主体別届出件数（2021〜2023年）

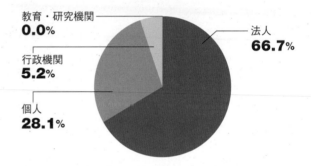

■図A-3　ウイルス届出者の主体別届出件数の比率（2023年）

A.4　傾向

2023年でウイルス感染の実被害に遭った届出30件のうち、ランサムウェアの感染被害が11件あった。また、Emotetの感染被害も同じく11件あり、2022年で実被害に遭った届出188件のうち、Emotetの感染被害が145件であったことに比べると大幅に減少したものの届出はされている。なお、Emotetに関しては不定期に休止・再開を繰り返しており、今後、再び大規模な攻撃活動が開始される可能性もあるため、引き続き警戒をしていただきたい。

これらの届出件数の詳細は、下記の資料から参照可能であり、ランサムウェアの攻撃手口や対策に関しては、本白書の「1.2.1 ランサムウェア攻撃」にて詳しく述べているので、ぜひそちらを一読いただきたい。

参照

■コンピュータウイルス・不正アクセスの届出状況［2023年（1月〜12月）］
https://www.ipa.go.jp/security/todokede/crack-virus/ug65p9000000nnpa-att/2023-report.pdf

資料B　2023年のコンピュータ不正アクセス届出状況

IPA が 2023 年 1 月から 12 月の期間に受け付けたコンピュータ不正アクセス（以下、不正アクセス）届出の集計結果について述べる。

B.1　届出件数

2023 年の年間届出件数は、前年の 226 件より 17 件（7.5%）多い 243 件であった（図 B-1）。そのうち、実被害があった届出は 186 件であった。

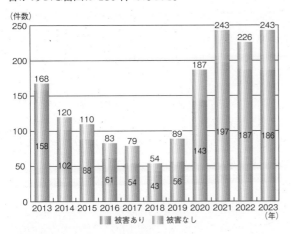

■図 B-1　不正アクセス届出件数推移（2013 年〜2023 年）

B.2　届出者の主体別届出件数

2023 年は前年と比較すると、「法人」からの届出件数が増加した一方で、その他の届出件数は減少している。届出者の主体別の比率で見ると「法人」からの届出が 75.3%（183 件）と最も多かった（表 B-1、図 B-2）。

届出者の主体	2021 年	2022 年	2023 年
法人	156	137	183
個人	46	50	29
教育・研究機関	22	21	19
行政機関	19	18	12
合計（件）	243	226	243

■表 B-1　不正アクセス届出者の主体別届出件数（2021〜2023 年）

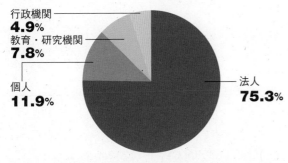

■図 B-2　不正アクセス届出者の主体別届出件数の比率（2023 年）

B.3　手口別件数

届出を攻撃行為（手口）により分類した件数を図 B-3 に示す。なお、以降の分類も含め、届出 1 件につき、複数の分類項目が該当する場合がある。その場合は該当する項目のそれぞれにカウントした。

2023 年の届出において最も多く見られた手口は、前年と同様に「ファイル／データ窃取、改ざん等」の 168 件であり、次いで「なりすまし」が 102 件、「不正プログラムの埋め込み」が 95 件であった。

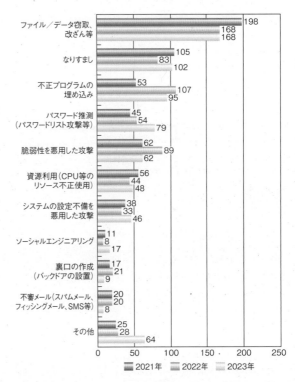

■図 B-3　不正アクセス手口別件数の推移（2021〜2023 年）

B.4　被害内容別件数

届出のうち、実際に被害に遭った届出について、被害内容により分類した件数を図 B-4 に示す。2023 年の届出において最も多く見られた被害は、「ファイルの書き換え」の 96 件であった。次いで「データの窃取、盗み見」が 84 件、「不正プログラムの埋め込み」が 79 件であった。

なお、具体的な被害事例については、「コンピュータウイルス・不正アクセスに関する届出について」（https://www.ipa.go.jp/security/todokede/crack-virus/about.html）において「コンピュータウイルス・不正アクセスの届出事例［2023 年上半期（1 月〜 6 月）］」及び「コン

ピュータウイルス・不正アクセスの届出事例［2023 年下半期（7月〜12月）］」を紹介している。そちらも、ぜひ参考にしていただきたい。

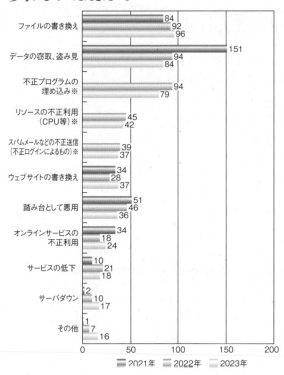

■図 B-4　不正アクセス被害内容別件数の推移（2021〜2023 年）
※被害内容が多様化したため、2022 年から項目を細分化した。

B.5　原因別件数

　実際に被害に遭った届出について、不正アクセスの原因となった問題点／弱点で分類した件数を図 B-5 に示す。2023 年の届出において最も多く見られた原因は、前年と同様に「古いバージョンの利用や修正プログラム・必要なプラグイン等の未導入によるもの」であり 48 件であった。次いで「設定の不備（セキュリティ上問題のあるデフォルト設定を含む）」が 42 件、「ID、パスワード管理の不備」が 26 件であった。

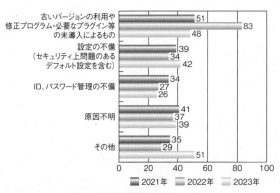

■図 B-5　不正アクセス原因別件数の推移（2021〜2023 年）

B.6　傾向と対策

　不正アクセスの傾向と対策について述べる。

（1）傾向

　図 B-1 に示した 2023 年に届出された 243 件について、不正アクセス（被害なしも含む）の傾向を分析したところ、「Web サイトの脆弱性や設定不備の悪用に関する不正アクセス」が 65 件、「VPN 装置の脆弱性やリモートデスクトップサービスの設定不備を悪用したランサムウェア攻撃に関する不正アクセス」が 52 件確認された。また、「パスワードリスト攻撃や総当たり攻撃で、認証を突破されたことによる、メールアカウント等の不正アクセス」が 44 件あった。

（2）対策

　（1）で示した脆弱性や設定不備の対策としては、利用している機器やソフトウェアに関する脆弱性情報の収集や修正プログラムの適用、設定の定期的な見直しといった、基本的なセキュリティ対策を実施することが重要である。企業・組織においては、脆弱性診断やペネトレーションテスト等を行い、確実に脆弱性や設定不備を解消することが望まれる。なお、ソフトウェア等の脆弱性対策に関しては、本白書の「1.2.5 ソフトウェアの脆弱性を悪用した攻撃」も参照していただきたい。

　メールアカウント等の不正アクセスに関する対策としては、企業・組織やシステム利用者に限らず、他者に推測されにくい複雑なパスワードを設定する、パスワードの使い回しをしない等の基本的な対策を実施することに加え、利用しているシステムで多要素認証等のセキュリティオプションが用意されている場合には積極的に採用する等、今一度、アカウントが適切に管理できているか見直すことを勧める。

参照

■コンピュータウイルス・不正アクセスの届出状況［2023年（1月〜12月）］
https://www.ipa.go.jp/security/todokede/crack-virus/ug65p9000000nnpa-att/2023-report.pdf

資料C ソフトウェア等の脆弱性関連情報に関する届出状況

IPAが受け付けたソフトウェア製品やWebサイトの脆弱性の情報について、届出件数や処理の状況を述べる。

C.1 脆弱性の届出概況

2023年末時点で、届出受付開始（2004年7月8日）からの累計は、ソフトウェア製品に関するもの5,670件、Webサイトに関するもの1万2,993件、合計1万8,663件で、Webサイトに関する届出が全体の69.6%を占めている（図C-1）。

表C-1に示すように、届出受付開始から各四半期末時点までの就業日1日あたりの届出件数は、2023年第4四半期末時点で3.93件となっている。

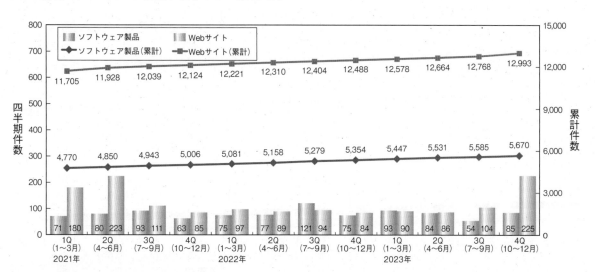

■図 C-1 脆弱性関連情報の届出件数の四半期別推移

2021年1Q (1〜3月)	2021年2Q (4〜6月)	2021年3Q (7〜9月)	2021年4Q (10〜12月)	2022年1Q (1〜3月)	2022年2Q (4〜6月)	2022年3Q (7〜9月)	2022年4Q (10〜12月)	2023年1Q (1〜3月)	2023年2Q (4〜6月)	2023年3Q (7〜9月)	2023年4Q (10〜12月)
4.04	4.06	4.05	4.02	4.01	3.99	3.98	3.97	3.95	3.94	3.92	3.93

■表 C-1 就業日1日あたりの届出件数（届出受付開始から各四半期末時点）

C.2 ソフトウェア製品の脆弱性届出の処理状況

ソフトウェア製品に関する脆弱性届出の2023年における処理件数及び2023年末時点での処理状況別の累計件数について図C-2に示す。

2023年の届出のうち、JPCERT/CCが調整を行い、製品開発者が脆弱性の修正を完了し、JVNで対策情報を公表した「公表済み」のものは203件で累計2,691件、JVNで公表せず製品開発者が「個別対応」を行ったものは0件で累計40件、製品開発者が「脆弱性ではない」と判断したものは17件で累計125件、告示で定める届出の対象に該当せず「不受理」としたものは23件で累計544件となり、これらをまとめた「処理の終了」件数は243件で累計3,400件に達した。また、「取扱い中」の届出は73件増加して2,270件となり、ソフトウェア製品に関する届出は累計5,670件となった。

ソフトウェア製品の脆弱性対策情報の公表件数の累計は、国内発見者からの届出を公表したものが2,180件、海外のCSIRTからJPCERT/CCが連絡を受けたものをJVNで公表したものが2,984件となった。これらソフトウェア製品の脆弱性対策情報の公表件数の期別推移を図C-3に示す。

なお、複数の届出についてまとめて1件の脆弱性対策情報として公表する場合があるため、図C-2の「公表済み」の件数と図C-3の公表件数は異なっている。

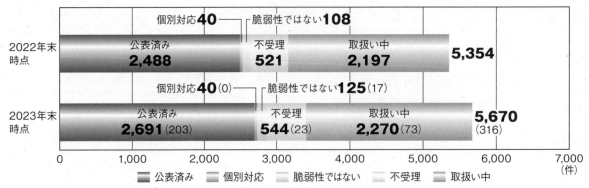

■図 C-2　ソフトウェア製品の脆弱性関連情報の届出の処理状況の推移

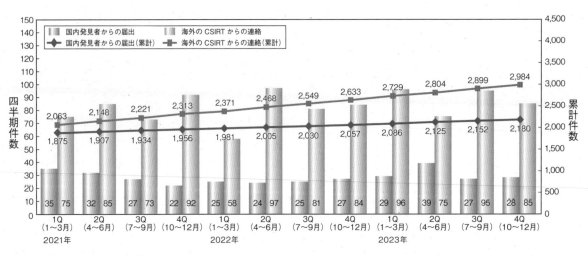

■図 C-3　ソフトウェア製品の脆弱性対策情報の公表件数

C.3　Webサイトの脆弱性届出の処理状況

　Web サイトに関する脆弱性届出の 2023 年における処理件数及び 2023 年末時点での処理状況別の累計件数について図 C-4 に示す。

　2023 年の届出のうち、IPA が通知を行い Web サイト運営者が「修正完了」としたものは 242 件で累計 8,661 件、IPA が「注意喚起」等を行った後に処理を終了したものは 0 件で累計 1,130 件、IPA 及び Web サイト運営者が「脆弱性ではない」と判断したものは 29 件で累計 761 件、Web サイト運営者と連絡が不可能なもの、また

は IPA が対応を促しても修正完了した旨の報告をしない、修正を拒否する等、Web サイト運営者の対応により「取扱不能」なものは 2 件で累計 234 件、告示で定める届出の対象に該当せず「不受理」としたものは 3 件で累計 289 件となり、これらをまとめた「処理の終了」件数は 276 件で累計 1 万 1,075 件に達した。また、「取扱い中」の届出は 229 件増加して 1,918 件となり、Web サイトに関する届出は累計 1 万 2,993 件となった。

　これらのうち、「修正完了」件数の期別推移を図 C-5 に示す。

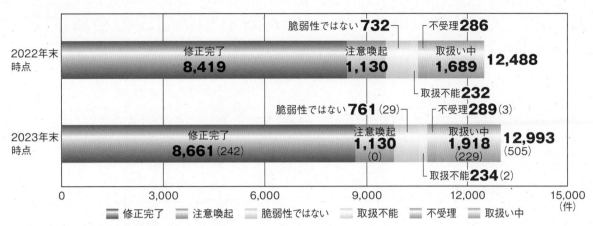

※( )内の数値は 2022 年時点と 2023 年末時点の差分

■図 C-4　Web サイトの脆弱性関連情報の届出の処理状況の推移

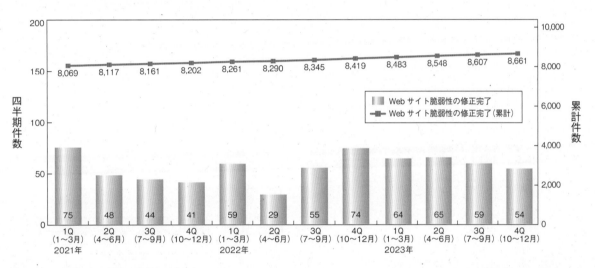

■図 C-5　Web サイトの脆弱性の修正完了件数

参照

■ソフトウェア等の脆弱性関連情報に関する届出状況［2023年第4四半期（10月〜12月）］
https://www.ipa.go.jp/security/reports/vuln/software/2023q4.html

資料D 2023年の情報セキュリティ安心相談窓口の相談状況

IPAが2023年1月から12月の期間に対応した、相談状況の集計結果について述べる。

D.1 相談対応件数

2023年の年間相談対応件数は10,923件となり、2022年の相談対応件数9,401件より1,522件（16.2%）の増加となった（図D-1）。

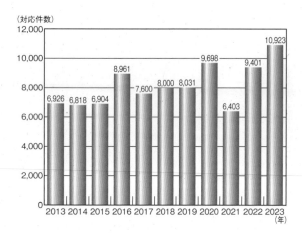

（対応件数）

■図 D-1 相談対応件数の推移（2013～2023年）

D.2 相談者の主体別相談件数

相談者の主体別では、2023年も個人からの相談が9,514件（87.1%）と最も多かった。

主体別相談比率の推移では、法人からの相談比率は2022年と比較して8.3%減少した一方、個人からの相談比率は12.2%増加した（表D-1、図D-2）。

法人については、2022年に多かった「Emotet関連」の相談の減少が、要因の一つと考えられる。また個人については、「ウイルス警告の偽警告」についての相談の増加が要因の一つと考えられる（「D.4 手口別相談件数」参照）。

相談者の主体	2021年	2022年	2023年
法人	530	1,145	427
個人	4,984	7,043	9,514
教育・研究・公的機関	170	330	308
不明	719	883	674
合計（件）	6,403	9,401	10,923

■表 D-1 情報セキュリティ安心相談窓口の主体別相談件数
（2021～2023年）

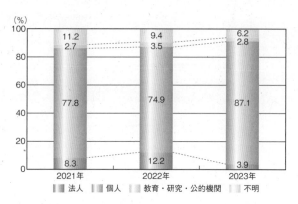

■図 D-2 情報セキュリティ安心相談窓口の主体別相談件数の比率推移
（2021～2023年）

D.3 相談者の機器種別相談件数

相談機器種別では、2023年は「パソコン・サーバー」に関する相談が5,240件（48.0%）と最も多かった。

相談者の機器種別相談比率は、2022年と比較して同じ水準で推移しており、大きな変化はなかった（表D-2、図D-3）。

相談機器種別の主体	2021年	2022年	2023年
パソコン・サーバー	2,304	4,487	5,240
スマートフォン・タブレット	2,666	3,173	3,492
その他	1,433	1,741	2,191
合計（件）	6,403	9,401	10,923

■表 D-2 情報セキュリティ安心相談窓口の機器種別相談件数
（2021～2023年）

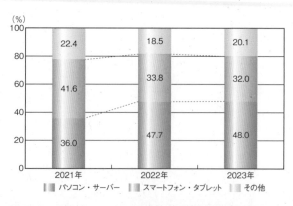

■図 D-3 情報セキュリティ安心相談窓口の機器種別相談件数の比率推移（2021～2023年）

D.4 手口別相談件数

　主な手口ごとの相談件数を図 D-4 に示す。2023 年の相談で最も多く寄せられたのは、「ウイルス検出の偽警告」に関する相談で4,145件（37.9%）であった。次いで、「宅配便業者・通信事業者・公的機関をかたる偽SMS」に関する相談が 673 件（6.2%）、「不正ログイン」に関する相談が 401 件（3.7%）であった。上位三つの手口による相談件数の合計は 5,219 件で、全相談件数（10,923 件）の 47.8% であった。

　問い合わせの多い手口については、情報セキュリティ安心相談窓口の発行する「安心相談窓口だより」や、「手口検証動画」で注意喚起を行っている。ぜひ参考にしてほしい。

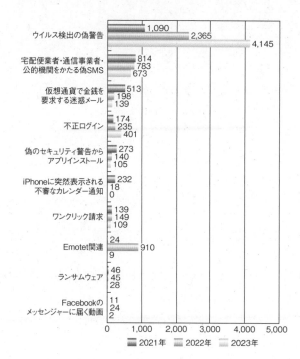

■図 D-4　主な手口別相談件数の推移（2021～2023 年）

ひろげよう情報セキュリティコンクールは、情報セキュリティをテーマとした作品制作を通じて、全国における児童・生徒等の情報セキュリティに関する意識醸成と興味喚起を図ることを目的として開催しています。ここでは、全53,312点の応募作品の中から、受賞した作品の一部をご紹介いたします。

最優秀賞

〈独立行政法人情報処理推進機構〉

〈標語部門〉

それでいい？
　使いまわしの
　　　パスワード

大阪府 大阪市立大淀小学校 5年 **今岡 陽菜歌**さん

〈ポスター部門〉

神奈川県 神奈川県立神奈川工業高等学校 3年 **村石 琉音**さん

〈4コマ漫画部門〉

兵庫県 西宮市立鳴尾中学校 3年
奥埜 和花さん

〈標語部門〉

信じるの　知らない人の　その言葉

大阪府　堺市立南八下小学校　4年
市ノ瀬 瑚珀さん

セキュリティ　「面倒くさい」が　命とり

大阪府　大阪教育大学附属平野中学校　1年
稲垣 敢太さん

詐欺メール「緊急」「至急」疑おう

大阪府　東大谷高等学校　1年
小倉 結子さん

〈ポスター部門〉

フィッシングに注意！

兵庫県 雲雀丘学園小学校 6年
オストハイダ 真紋さん

"Fake" Wi-Fi

愛媛県 松山市立勝山中学校 3年
渡辺 梨緒さん

兵庫県 兵庫県立姫路工業高等学校 2年
川上 心優さん

〈4コマ漫画部門〉

なぞかけ

岡山県 岡山市立御津南小学校 5年
北山 穂風さん

「まぁ、いっか。」の結末は…。

広島県 呉市立東畑中学校 3年
長尾 妃芽さん

こわ～い話

広島県 広島県立呉商業高等学校 3年
井上 心彩さん

IPAの便利なツールとコンテンツ

情報セキュリティ対策ベンチマーク
https://www.ipa.go.jp/security/sec-tools/benchmark.html

 診断

用途・目的	自組織のセキュリティレベルを診断
利用対象者	情報セキュリティ担当者
特 長	・他組織と比較した自組織のセキュリティレベルが判る ・自組織に不足しているセキュリティ対策が判る

概要

「セキュリティ対策の取り組み状況に関する評価項目」27問と「企業プロフィールに関する評価項目」19問、計46問に回答すると以下の診断結果を表示します。

■提供される診断結果
- セキュリティレベルを示したスコア(最高点135点、最低点27点)
- 情報セキュリティリスクの指標と企業規模、業種が自組織と近い他組織について診断項目別に比較
- 結果に応じた推奨される取り組み

脆弱性体験学習ツール「AppGoat」
https://www.ipa.go.jp/security/vuln/appgoat/

 学習

用途・目的	脆弱性に関する基礎的な知識の学習
利用対象者	・アプリケーション開発者 ・Webサイト管理者
特 長	脆弱性の概要や対策方法等、脆弱性に関する基礎的な知識を実習形式で体系的に学べるツール

概要

SQLインジェクション、クロスサイト・スクリプティング等 の12種類のWebアプリケーションに関連する脆弱性について学習できるツールです。
利用者は学習テーマ毎の演習問題に対して、埋め込まれた脆弱性の発見、プログラミング上の問題点の把握、対策手法を学べます。

■活用方法例
- Webアプリケーション用学習ツール(個人学習モード)を利用した、自宅等での個人学習
- Webアプリケーション用学習ツール(集合学習モード)を利用した、学校の講義や組織内のセミナー等における複数人での学習

■動作環境・必須ソフトウェア
Windows 10、11

脆弱性対策情報データベース「JVN iPedia」
https://jvndb.jvn.jp/

 対策

用途・目的	自組織で使用しているソフトウェア製品の脆弱性の確認と対策
利用対象者	・システム管理者 ・製品・サービスの保守を担う担当者
特 長	国内外で公開されたソフトウェア製品の脆弱性対策情報が掲載された、キーワード検索可能なデータベース

概要

■掲載情報例
- 脆弱性の概要
- 脆弱性がある製品名とそのベンダー名
- 共通脆弱性識別子CVE
- 脆弱性の深刻度CVSS基本値
- 本脆弱性に関わる製品ベンダー等のリンク

■活用方法例
- ネット記事等に記載されたCVE番号をJVN iPediaで検索し、脆弱性の詳細を確認
- 自組織で使用している製品名で検索し、脆弱性の詳細を確認

MyJVN バージョンチェッカ for .NET
https://jvndb.jvn.jp/apis/myjvn/vccheckdotnet.html

用途・目的	パソコンにインストールされたソフトウェア製品のバージョンが最新かどうかの確認
利用対象者	パソコン利用者全般
特長	インストールされている対象製品が最新バージョンかどうかをまとめて確認できる

概要

■判定対象ソフトウェア製品

- Adobe Reader
- JRE
- Lhaplus
- Mozilla Firefox
- Mozilla Thunderbird
- iTunes
- Lunascape
- Becky! Internet Mail
- OpenOffice.org
- VMware Player
- Google Chrome
- LibreOffice

■活用方法例

毎朝、MyJVN バージョンチェッカを実行して、使用しているソフトウェアが最新かどうかをチェックし、最新でなければそのソフトウェアを更新する

■動作環境・必須ソフトウェア

Windows 10、11

注意警戒情報サービス
https://jvndb.jvn.jp/alert/

用途・目的	脆弱性対策に必要な最新情報の収集
利用対象者	・システム管理者 ・製品・サービスの保守を担う担当者
特長	国内で広く利用され、脆弱性が悪用されると影響の大きいサーバー用オープンソースソフトウェアのリリース情報と IPA が発信する「重要なセキュリティ情報」を提供

概要

■掲載情報例

- Apache HTTP Server
- Apache Struts
- Apache Tomcat
- BIND
- Joomla!
- OpenSSL
- WordPress
- 重要なセキュリティ情報

■活用方法例

定期的に自組織で使用しているオープンソースソフトウェアのリリース情報やIPAが発信する「重要なセキュリティ情報」が公表されているかどうかを確認し、公表されていれば内容の確認、必要に応じ対応を行う

サイバーセキュリティ注意喚起サービス「icat for JSON」
https://www.ipa.go.jp/security/vuln/icat.html

用途・目的	IPA が発信する「重要なセキュリティ情報」のリアルタイム取得
利用対象者	・システム管理者 ・サービスの保守を担う担当者 ・個人利用者
特長	Web ページに HTML タグを埋め込むと、Web ページから IPA が発信する「重要なセキュリティ情報」を配信

概要

■「重要なセキュリティ情報」発信例

- 利用者への影響が大きい製品の脆弱性情報
- 広く使われる製品のサポート終了情報
- サイバー攻撃への注意喚起

■活用方法例

icat を自組織の従業員がよくアクセスする Web ページ（イントラページ等）に表示させ、ソフトウェア更新等の対策を促す

MyJVN 脆弱性対策情報フィルタリング収集ツール（mjcheck4）
https://jvndb.jvn.jp/apis/myjvn/mjcheck4.html

用途・目的	自組織で使用しているソフトウェア製品の脆弱性の確認と対策
利用対象者	・システム管理者 ・製品・サービスの保守を担う担当者
特長	JVN iPedia に登録されている脆弱性対策情報をフィルタリングして自社システムに関連する脆弱性情報を効率よく収集

概要

■フィルタリング例
- 製品名　　・CVSSv3　　・公開日　等

■活用方法例
- 自組織が利用しているオープンソースソフトウェア製品の脆弱性対策情報収集
- 情報システム部門が運用しているシステムの脆弱性対策情報の収集

■動作環境・必須ソフトウェア
Windows 10、11

Web サイトの攻撃兆候検出ツール「iLogScanner」
https://www.ipa.go.jp/security/vuln/ilogscanner/

用途・目的	Web サイトに対する攻撃の痕跡、攻撃の可能性を検出
利用対象者	Web サイト運営者
特長	Web サイトのアクセスログ、エラーログ、認証ログを解析し、攻撃の痕跡や攻撃に成功した可能性があるログを解析結果レポートに表示

概要

■アクセスログ、エラーログから検出可能な項目例
- SQL インジェクション
- OS コマンド・インジェクション
- ディレクトリ・トラバーサル
- クロスサイト・スクリプティング

■認証ログ（Secure Shell、FTP）から検出可能な項目例
- 大量のログイン失敗
- 短時間の集中ログイン
- 同一ファイルへの大量アクセス
- 認証試行回数

■活用方法例
定期的に iLogScanner を実行し、自組織の Web サイトを狙った攻撃が行われているか確認する

5 分でできる！情報セキュリティ自社診断
https://www.ipa.go.jp/security/guide/sme/5minutes.html

用途・目的	自社の情報セキュリティ対策状況を診断
利用対象者	中小企業・小規模事業者の経営者、管理者、従業員
特長	・設問に答えるだけで自社のセキュリティ対策状況を把握することができる ・診断後は、診断結果に即した対策が確認できる

概要

「5 分でできる！情報セキュリティ自社診断」は、情報セキュリティ対策のレベルを数値化し、問題点を見つけるためのツールです。
25 の質問に答えるだけで診断することができ、解説編を参照することで、診断編にある設問の内容を自社で対応していない場合に生じる情報セキュリティへのリスクと、今後どのような対策を設けるべきかを把握することができます。

情報セキュリティ・ポータルサイト「ここからセキュリティ!」
https://www.ipa.go.jp/security/kokokara/

学習　診断　対策

用途・目的	・情報セキュリティや情報リテラシーに関する情報収集 ・国内の主なレポート、ガイドライン、学習・診断等のツール等の利用
利用対象者	・インターネットの一般利用者(小学生～大人) ・企業の管理者／一般利用者
特長	情報セキュリティ関連の民間及び公的な団体が公開する無償の資料、情報、ツールを網羅的に掲載。 目的別、用途別、役割別に情報を選択し利用が可能

概要

- セキュリティベンダー、公的機関、政府等から発信される注意喚起や、資料・動画・ツール等のコンテンツを網羅的に掲載したポータルサイト
- コンテンツを「被害に遭ったら」「対策する」「教育・学習」「セキュリティチェック」「データ＆レポート」に分類。必要な情報が見つけやすい
- 教育学習は対象者を細分化し、それぞれに適した教育学習コンテンツを紹介

サイバーセキュリティ経営可視化ツール
https://www.ipa.go.jp/security/economics/checktool.html

診断

用途・目的	セキュリティ対策の実施状況のセルフチェック
利用対象者	原則として、従業員 300 名以上の企業の CISO 等、サイバーセキュリティ対策の実施責任者
特長	サイバーセキュリティ経営ガイドライン Ver3.0 に準拠したセキュリティ対策の実施状況を成熟度モデルで自己診断し、レーダーチャートで可視化

概要

経営者がサイバーセキュリティ対策を実施する上で責任者となる担当幹部（CISO 等）に指示すべき"重要 10 項目"が、適切に実施されているかどうかを 5 段階の成熟度モデルで自己診断し、その結果をレーダーチャートで可視化するツールです。
診断結果は、経営者への自社のセキュリティ対策の実施状況の説明資料として利用できます。経営者が対策状況を定量的に把握することで、サイバーセキュリティに関する方針の策定や適切なセキュリティ投資の検討、投資家等ステークホルダとのコミュニケーション等に役立てることができます。

■提供される主な機能
・重要 10 項目の実施状況の可視化
・診断結果と業種平均との比較
・対策を実施する際の参考事例
・グループ企業同士の診断結果の比較

---

5 分でできる！情報セキュリティポイント学習
https://www.ipa.go.jp/security/sec-tools/5mins_point.html

学習

用途・目的	自社の情報セキュリティ教育の実施
利用対象者	中小企業の経営者、管理者、従業員等
特長	・自社診断の質問を 1 テーマ 5 分で学べる ・インストール不要、無料の学習ツール

概要

情報セキュリティについて学習できるツールです。
身近にある職場の日常の 1 コマを取り入れた親しみやすい学習テーマで、セキュリティに関する様々な事例を疑似体験しながら適切な対処法を学ぶことができます。

付録

安心相談窓口だより
https://www.ipa.go.jp/security/anshin/attention/index.html

用途・目的	最新の「ネット詐欺」等の手口を知り被害防止につなげる
利用対象者	スマートフォン、パソコンの一般利用者
特長	実際に相談窓口に寄せられる、よくある相談内容に関して「手口」と「被害にあった場合の対処」「被害にあわないための対策」を学べる

概要

IPA 情報セキュリティ安心相談窓口では、寄せられる相談に関して手口を実際に検証し、そこで得られた知見をその後の相談対応にフィードバックするとともに、注意喚起等、情報発信にも活かしています。

「安心相談窓口だより」では中でも多く相談が寄せられる相談内容の「手口」「対処」「対策」について、パソコンやスマートフォンの操作等にあまり詳しくない人でも理解できるように分かりやすく説明を行っています。

記事は不定期に公開されますので、「安心相談窓口だより」を定期的に確認することで、最新のネット詐欺等の手口や対策を知り、被害の未然防止に役立てることができます。

手口に関する内容以外にも、被害にあわないための日ごろから気を付けるポイントについての記事も公開しています。

映像で知る情報セキュリティ　各種映像コンテンツ
https://www.ipa.go.jp/security/videos/list.html

用途・目的	動画の視聴により、情報セキュリティの脅威、手口、対策等を学ぶ
利用対象者	スマートフォンやパソコンを使用する一般利用者 組織の経営者，対策実践者，啓発者，従業員等
特長	組織内の研修等で利用できる10分前後の動画を公開。情報セキュリティ上の様々な脅威・手口、対策をドラマ等の動画を通じで学べる

概要

「サイバー攻撃」「内部不正」「ワンクリック請求」「偽警告」等の脅威をテーマにした動画のほか、「中小企業向け情報セキュリティ対策」「新入社員向け」「保護者／小学生／中高生向け」といった訴求対象者別の動画を公開しています。動画の視聴により、スマートフォン・パソコンを使用する際に利用者に求められる振舞いや対策を身に付けることができます。

情報セキュリティの自己研さんを目的とした個人の視聴のほか、組織内の研修用としての利用が可能です。

■動画のタイトル例

- 今そこにある脅威～組織を狙うランサムウェア攻撃～
- 今そこにある脅威～内部不正による情報流出のリスク～
- What's BEC ?～ビジネスメール詐欺 手口と対策～
- あなたのパスワードは大丈夫？～インターネットサービスの不正ログイン対策～

索引

257

さ

著作・製作	独立行政法人情報処理推進機構（IPA）

編集責任	高柳 大輔	小山 明美	涌田 明夫	白石 歩	井上 佳春
	小川 隆一				

執筆者　IPA

浅見 侑太	板垣 寛二	伊藤 彰朗	伊東 麻子	伊藤 吉史
井上 佳春	内海 百葉	大久保 直人	大友 更紗	小川 賢一
小川 隆一	小幡 宗宏	甲斐 成樹	金山 栄一	金子 成徳
神谷 健司	唐亀 侑久	河合 真吾	神田 雅透	黒岩 俊二
小杉 聡志	小山 明美	小山 祐平	佐川 陽一	佐藤 栄城
篠塚 耕一	白石 歩	白鳥 悦正	新保 淳	銭谷 謙吾
高塚 光幸	竹内 智子	武智 洋	田島 威史	田島 凛
丹野 菜美	近澤 武	辻 宏郷	長迫 智子	中島 健児
楢原 龍史	西尾 秀一	西村 奏一	野村 春佳	橋本 徹
長谷川 智香	平尾 謙次	福岡 尊	福原 聡	冨士 愛恵里
藤井 明宏	古居 敬大	松島 伸彰	宮本 冬美	森 淳子
安田 進	山下 恵一	吉野 和博	吉原 正人	吉本 賢樹
渡邉 祥樹				

株式会社日立製作所　相羽 律子
三菱電機株式会社　神余 浩夫
国立研究開発法人情報通信研究機構　中尾 康二
デジタル庁 戦略・組織グループ セキュリティ危機管理チーム　満塩 尚史
株式会社 KDDI 総合研究所　三宅 優
一般社団法人 JPCERT コーディネーションセンター　米澤 詩歩乃
情報規格調査会 JTC 1 ／ SC 27 ／ WG 5 小委員会

協力者　IPA

和泉 隆平	板橋 博之	伊藤 真一	江島 将和	大澤 淳
釜谷 誠	亀山 友彦	岸野 照明	北村 弘	栗原 史泰
桑名 利幸	古明地 正俊	塩田 英二	清水 碩人	瀬光 孝之
高見 穰	高柳 大輔	田口 聡	田村 智和	土屋 正
遠山 真	中島 尚樹	中野 美夏	西原 栄太郎	日向 英俊
松田 修平	真鍋 史明	宮崎 卓行		

一般社団法人 JPCERT コーディネーションセンター　石寺 桂子
Trend Micro Incorporated　木村 仁美
長崎県立大学　島 成佳
国立研究開発法人情報通信研究機構 サイバーセキュリティ研究所
経済産業省 商務情報政策局 サイバーセキュリティ課

おわりに

ロシア・ウクライナ戦争の収束の兆しが見えないところに、イスラエル・ハマス間の武力衝突が勃発した2023年。戦場での戦闘とサイバー戦に加え、生成AIの進化や台頭によって精巧に加工された虚偽情報を用いた情報戦が繰り広げられているといいます。一方、私達の身の回りにも本物の画像を細工したフェイクニュースや詐欺目的と思われる虚偽情報がSNS等で数多く飛び交っています。本白書では新たに設けた「第4章 注目のトピック」に、前年に引き続き、虚偽情報拡散に関する節を設け、多くの事例について解説しています。これに加え、AIのセキュリティについても第4章に節を設けました。IPAには2024年2月、AIを安全に利用し、利便性を享受できるよう、AIの安全性に関する評価手法や基準の検討等を行うAIセーフティ・インスティテュート（AISI）が設置されました。今後、本白書においてもAIに関する記述は欠かせないものになりそうです。

編集子

情報セキュリティ白書 2024
変革の波にひそむ脅威：リスクを見直し対策を

2024 年 7 月 30 日　第 1 版発行

企画・著作・制作・発行	独立行政法人情報処理推進機構（IPA）
	〒 113-6591
	東京都文京区本駒込2丁目 28 番8号
	文京グリーンコートセンターオフィス 16 階
	URL　https://www.ipa.go.jp/
	電話　03-5978-7503
	E-Mail spd-book@ipa.go.jp
印刷・製本	株式会社キタジマ
表紙デザイン／本文DTP・編集	伊藤 千絵、久磨 公治、涌田 明夫、北林 俊平